Im Andenken an meinen Vater
Shlomo Harari

Inhalt

Teil 1: Die kognitive Revolution

Teil 2: Die landwirtschaftliche Revolution

Teil 3: Die Vereinigung der Menschheit

Teil 4: Die wissenschaftliche Revolution

TEIL 1

DIE KOGNITIVE
REVOLUTION

1. *Abdruck einer menschlichen Hand in der Chauvet-Höhle in Südfrankreich. Diese Kunstwerke sind etwa 30 000 Jahre alt und wurden von Menschen hinterlassen, die aussahen, dachten und fühlten wie wir. Vielleicht wollte er oder sie sagen: »Ich war hier!«*

Kapitel 1

Ein ziemlich unauffälliges Tier

Vor rund 13,5 Milliarden Jahren entstanden Materie, Energie, Raum und Zeit in einem Ereignis namens Urknall. Die Geschichte dieser grundlegenden Eigenschaften unseres Universums nennen wir Physik.

Etwa 300 000 Jahre später verbanden sich Materie und Energie zu komplexeren Strukturen namens Atome, die sich wiederum zu Molekülen zusammenschlossen. Die Geschichte der Atome, Moleküle und ihrer Reaktionen nennen wir Chemie.

Vor 3,8 Milliarden Jahren begannen auf einem Planeten namens Erde bestimmte Moleküle, sich zu besonders großen und komplexen Strukturen zu verbinden, die wir als Organismen bezeichnen. Die Geschichte dieser Organismen nennen wir Biologie.

Und vor gut 70 000 Jahren begannen Organismen der Art *Homo sapiens* mit dem Aufbau von noch komplexeren Strukturen namens Kulturen. Die Entwicklung dieser Kulturen nennen wir Geschichte.

Die Geschichte der menschlichen Kulturen wurde von drei großen Revolutionen geprägt. Die kognitive Revolution vor etwa 70 000 Jahren brachte die Geschichte überhaupt erst in Gang. Die landwirtschaftliche Revolution vor rund 12 000 Jahren beschleunigte sie. Und die wissenschaftliche Revolution, die vor knapp 500 Jahren ihren Anfang nahm, könnte das Ende der Geschichte und der Beginn von etwas völlig Neuem sein. Dieses Buch erzählt, welche Konsequenzen diese drei Revolutionen für den Menschen und seine Mitlebewesen hatten und haben.

Menschen gab es schon lange vor dem Beginn der Geschichte. Die ersten menschenähnlichen Tiere betraten vor etwa 2,5 Millionen Jahren die Bühne. Aber über zahllose Generationen hinweg stachen sie nicht aus der Vielzahl der Tiere heraus, mit denen sie ihren Lebensraum teilten. Wenn wir 2 Millionen Jahre in die Vergangenheit reisen und einen Spaziergang durch Ostafrika unternehmen könnten, würden wir dort vermutlich Gruppen von Menschen begegnen, die äußerlich gewisse Ähnlichkeit mit uns haben. Besorgte Mütter tragen ihre Babys auf dem Arm, Kinder spielen im Matsch. Von irgendwoher dringt das Geräusch von Steinen, die aufeinandergeschlagen werden, und wir sehen einen ernst dreinblickenden jungen Mann, der sich in der Kunst der Werkzeugherstellung übt. Die Technik hat er sich bei zwei Männern abgeschaut, die sich gerade um einen besonders fein gearbeiteten Feuerstein streiten; knurrend und mit gefletschten Zähnen tragen sie eine weitere Runde im Kampf um die Vormachtstellung in der Gruppe aus. Währenddessen zieht sich ein älterer Herr mit weißen Haaren aus dem Trubel zurück und streift allein durch ein nahe gelegenes Waldstück, wo er von einer Horde Schimpansen überrascht wird.

Diese Menschen liebten, stritten, zogen ihren Nachwuchs auf und erfanden Werkzeuge – genau wie die Schimpansen. Niemand, schon gar nicht die Menschen selbst, konnte ahnen, dass ihre Nachfahren eines Tages über den Mond spazieren, Atome spalten, das Genom entschlüsseln oder Geschichtsbücher schreiben würden. Die prähistorischen Menschen waren unauffällige Tiere, die genauso viel oder so wenig Einfluss auf ihre Umwelt hatten wie Gorillas, Libellen oder Quallen.

Biologen teilen Lebewesen in verschiedene Arten ein. Tiere gehören derselben Art an, wenn sie sich miteinander paaren und fortpflanzungsfähige Nachkommen zeugen. Pferde und Esel haben einen gemeinsamen Vorfahren und viele gemeinsame Eigenschaften, doch was die Fortpflanzung angeht, haben sie kein Interesse aneinander. Man kann sie zwar dazu bringen, sich zu paaren, doch die Maultiere, die aus dieser Verbindung hervorgehen, sind unfruchtbar. Das ist ein Zeichen dafür, dass sie unterschiedlichen Arten angehören. Anders Bulldoggen und Cockerspaniel: Sie unterscheiden sich zwar äußerlich ganz erheblich, doch sie paaren sich sehr bereitwillig, und ihr Nachwuchs kann mit anderen Hunden neue Welpen zeugen. Bulldoggen und Cockerspaniel sind also Angehörige derselben Art, nämlich der Hunde.

Arten mit einem gemeinsamen Vorfahren werden oft zu Gattungen zusammengefasst. Löwen, Tiger, Leoparden und Jaguare sind beispielsweise unterschiedliche Arten der Gattung *Panthera*. Biologen geben Lebewesen zweiteilige lateinische Namen: der erste Teil bezeichnet die Gattung, der zweite die Art. Der Löwe heißt zum Beispiel *Panthera leo*: die Art *Leo* aus der Gattung der *Panthera*. Als Leser dieses Buchs gehören Sie vermutlich den *Homo sapiens* an – der Art *Sapiens* (weise) aus der Gattung *Homo* (Mensch).

Gattungen werden wiederum zu Familien zusammengefasst, zum Beispiel den Katzen (Löwen, Geparden, Hauskatzen), Hunden (Wölfe, Füchse, Schakale) oder Elefanten (Elefanten, Mammuts, Mastodonten). Alle Angehörigen einer Familie lassen sich auf einen gemeinsamen Urahn zurückführen. Alle Katzen, vom zahmsten Hauskätzchen zum wildesten Löwen, gehen auf einen gemeinsamen Katzenvorfahren zurück, der vor rund 25 Millionen Jahren lebte.

Natürlich gehört auch der *Homo sapiens* einer Familie an. Diese scheinbar so banale Tatsache war eines der bestgehüteten Geheimnisse der Geschichte. Der *Homo sapiens* tat nämlich lange so, als habe er nichts mit dem Rest der Tierwelt zu tun und sei ein Waisenkind ohne Geschwister und Vettern und vor allem ohne Eltern. Das ist natürlich nicht der Fall. Ob es uns gefällt oder nicht, wir gehören der großen und krawalligen Familie der Menschenaffen an. Unsere nächsten lebenden Verwandten sind Gorillas und Orang-Utans. Am allernächsten stehen uns jedoch die Schimpansen. Vor gerade einmal sechs Millionen Jahren brachte eine Äffin zwei Töchter zur Welt: Eine der beiden wurde die Urahnin aller Schimpansen, die andere ist unsere eigene Ur-Ur-Ur-Großmutter.

Leichen im Keller

Der *Homo sapiens* hat aber ein noch viel dunkleres Geheimnis gehütet. Wir haben nämlich nicht nur eine Horde von unzivilisierten Vettern. Es gab eine Zeit, in der wir auch eine Menge Brüder und Schwestern hatten. Wir nehmen zwar den Namen »Mensch« für uns allein in Anspruch, doch früher gab es auch eine ganze Reihe anderer Menschenarten. Menschen waren sie deshalb, weil sie der Gattung *Homo* angehörten, die vor rund 2,5 Millionen Jahren aus einer älteren Affengattung namens *Australopithecus*, dem »südlichen Affen«, hervorging. Vor rund 2 Millionen Jahren verließen diese Urmenschen ihre ursprüngliche Heimat in Ostafrika und machten sich auf den langen Marsch nach Nordafrika, Europa und Asien. Und da das Überleben in den verschneiten Wäldern Nordeuropas andere Fähigkeiten erfordert als im schwülen Dschungel Indonesiens, entwickelten sich die Auswanderergruppen in unterschiedliche Richtungen. Das Ergebnis waren verschiedene Arten, die von Wissenschaftlern mit jeweils eigenen, hochtrabend klingenden lateinischen Namen getauft wurden.

In Europa und Westasien entwickelte sich der Mensch zum *Homo neanderthalensis*, dem »Mensch aus dem Neandertal« oder kurz Neandertaler. Dieser Neandertaler war kräftiger gebaut und muskulöser als der moderne Mensch und bestens auf das Eiszeitklima in Eurasien eingestellt. Auf der indonesischen Insel Java lebte dagegen der *Homo soloensis*, der »Solo-Mensch«, der besser an das Leben in den Tropen angepasst war. Ebenfalls im indonesischen Archipel, auf der kleinen Insel Flores, lebten Menschen, die in der Presse gern salopp als »Hobbits« bezeichnet werden, die in der Wissenschaft jedoch als *Homo floresiensis* bekannt sind. Diese speerschwingenden Zwerge wurden nur einen Meter groß und wogen gerade einmal 25 Kilogramm. Feige waren sie trotzdem nicht: Sie machten sogar Jagd auf die Elefanten der Insel (wobei man dazusagen sollte, dass es sich um Zwergelefanten handelte). Die Weiten Asiens wurden schließlich vom *Homo erectus* bevölkert, dem »aufrecht gehenden Menschen«, der hier weit über anderthalb Millionen Jahre lang überlebte und damit die langlebigste Menschenart aller Zeiten war.

Als Wissenschaftler im Jahr 2010 bei Ausgrabungen in der Denissowa-Höhle in Sibirien auf einen versteinerten Fingerknochen stießen, wurde ein weiteres Geschwisterchen entdeckt und damit vor dem Vergessen bewahrt. Genanalysen ergaben, dass es sich um eine bis dahin unbekannte Menschenart handelte, die den Namen *Homo denisova* erhielt. Wer weiß, wie viele Verwandte noch darauf warten, in anderen Höhlen, Klimaten und Inselreichen entdeckt zu werden.

Während sich diese Menschen in Europa und Asien entwickelten, blieb die Evolution in Afrika natürlich nicht stehen. Die Wiege der Menschheit brachte zahlreiche neue Arten hervor, darunter den *Homo rudolfensis*, den »Menschen vom Rudolfsee«, den *Homo ergaster*, den »werkenden Menschen«, und schließlich unsere eigene Art,

2. Und so könnten unsere Geschwister ausgesehen haben. Von links: Homo rudolfensis *(Ostafrika, vor rund 2 Millionen Jahren),* Homo erectus *(Asien, vor rund 2 Millionen Jahren, ausgestorben vor rund 50 000 Jahren)* und Homo neanderthalensis *(Europa und Westasien, vor rund 400 000 Jahren, ausgestorben vor rund 30 000 Jahren). Es handelt sich jedoch um spekulative Rekonstruktionen, die mit gewisser Vorsicht zu genießen sind.*

die wir in der für uns typischen Bescheidenheit *Homo sapiens*, den »weisen Menschen« getauft haben.

Einige dieser Menschenarten waren Riesen, andere Zwerge. Einige waren gefürchtete Jäger, andere friedliebende Vegetarier. Einige lebten auf einer einzigen Insel, andere durchstreiften ganze Kontinente. Aber sie alle gehörten der Gattung *Homo* an: Sie waren Menschen.

Lange glaubte man, dass diese Arten in einem langen Stammbaum aufeinanderfolgten: Aus dem *ergaster* ging der *erectus* hervor, aus dem *erectus* der Neandertaler und aus dem Neandertaler schließlich wir. Diese Vorstellung ist jedoch falsch und erweckt den irrigen Eindruck, dass immer nur eine Menschenart den Planeten bevölkerte und dass alle anderen Arten nichts anderes waren als Vorläufermodelle des modernen Menschen. In Wirklichkeit lebten zwei Millionen Jahre lang, bis vor rund 10 000 Jahren, gleichzeitig mehrere Menschenarten auf unserem Planeten. Warum auch nicht? Heute existieren ja auch viele Arten von Füchsen, Bären oder Schweinen nebeneinander. Noch vor hunderttausend Jahren gab es mindestens sechs verschiedene Menschenarten. Diese Vielfalt ist viel weniger erstaunlich als die Tatsache, dass wir heute allein sind. Im Gegenteil, wenn wir heute die einzige verbliebene Menschenart sind, dann wirft das einige Fragen auf. Wie wir gleich noch sehen werden, könnte der *Homo sapiens* gute Gründe gehabt haben, die Erinnerung an seine Geschwister zu verdrängen.

Der Preis des Gehirns

Bei allen Unterschieden haben die verschiedenen Menschenarten einige entscheidende Gemeinsamkeiten, die sie überhaupt erst zu Menschen machen. Vor allem verfügen sie im Vergleich zu anderen Tieren über ungewöhnlich große Gehirne. Säugetiere mit einem Körpergewicht von 60 Kilogramm haben im Durchschnitt ein Gehirn mit einem Volumen von 200 Kubikzentimetern. Das Gehirn eines

Homo sapiens dieses Gewichts misst dagegen stolze 1200 bis 1400 Kubikzentimeter. Die ersten Menschen, die vor 2,5 Millionen Jahren lebten, hatten zwar noch ein kleineres Gehirn, doch im Vergleich zu dem eines Leoparden, der etwa genauso viel wog, war es sehr groß. Im Laufe der Entwicklung sollte dieser Unterschied immer größer werden.

Rückblickend scheint es uns vollkommen logisch, dass die Evolution immer größere Gehirne hervorbrachte. Weil wir derart in unsere Intelligenz verliebt sind, gehen wir davon aus, dass mehr Hirnpower automatisch besser ist. Aber wenn dem so wäre, dann hätte die Evolution doch sicher auch Katzen hervorgebracht, die Differenzialgleichungen lösen können. Warum hat also im gesamten Tierreich nur die Gattung *Homo* einen derart leistungsfähigen Denkapparat entwickelt?

Tatsache ist, dass ein solch gewaltiges Gehirn auch gewaltige Kraft kostet. Schon rein körperlich ist es eine Last, zumal es in einem schweren Schädel herumgeschleppt werden muss. Vor allem aber frisst es Unmengen an Energie. Beim *Homo sapiens* macht das Gehirn zwar nur 2 bis 3 Prozent des gesamten Körpergewichts aus, doch im Ruhezustand verbraucht es sage und schreibe 25 Prozent der Körperenergie. Zum Vergleich: Bei anderen Affen sind es nur rund 8 Prozent. Unsere Vorfahren zahlten einen hohen Preis für ihr großes Gehirn: Erstens mussten sie mehr Zeit mit der Nahrungssuche zubringen, und zweitens bildeten sich ihre Muskeln zurück. Wie ein Staat, der den Militärhaushalt kürzt und in die Bildung investiert, lenkte der Mensch seine Energie von Muskelmasse in Hirnschmalz um. Dabei war keineswegs klar, dass dies in der Savanne eine kluge Überlebensstrategie war. Ein *Homo sapiens* kann einen Schimpansen zwar an die Wand diskutieren, doch der Affe kann den Menschen auseinandernehmen wie ein Stoffpüppchen.

Es scheint sich allerdings gelohnt zu haben, denn sonst hätten die Menschen mit ihren überdimensionierten Gehirnen schließlich nicht überlebt. Nur wie macht der Zuwachs an Hirn den Verlust an Muckis wett? Im Zeitalter von Albert Einstein mag diese Frage albern klingen, aber wir sollten nicht vergessen, dass Einstein noch ein recht junges Phänomen ist. Zwei Millionen Jahre lang wuchs das menschliche Gehirn zwar munter weiter, aber abgesehen von einigen Steinmessern und angespitzten Stöcken brachte es den Menschen recht wenig. Aus evolutionärer Sicht ist die Entwicklung des menschlichen Gehirns mindestens genauso paradox wie die Entwicklung von unhandlichen Pfauenfedern oder schweren Hirschgeweihen. Wozu der ganze Aufwand?

Eine andere menschliche Eigenheit ist der aufrechte Gang. Auf zwei Beinen stehend konnten unsere Vorfahren in der Savanne besser nach Futter oder Feinden Ausschau halten. Und die Arme, die nun nicht mehr zur Fortbewegung gebraucht wurden, ließen sich zu anderen Zwecken nutzen, etwa um Steine zu werfen oder Zeichen zu geben.

Nachdem die Hände durch den zweibeinigen Gang frei geworden waren, ließen sie sich zu allen möglichen Tätigkeiten verwenden. Je mehr sie bewerkstelligen konnten, umso erfolgreicher wurden ihre Besitzer, weshalb die Evolution eine zunehmende Konzentration von Nerven und fein aufeinander abgestimmten Muskeln in Händen und Fingern förderte. So kommt es, dass wir mit unseren Händen filigranste Tätigkeiten ausführen können. Vor allem können wir komplizierte Werkzeuge herstellen und benutzen. Die ältesten Hinweise auf den Gebrauch von Werkzeugen reichen 2,5 Millionen Jahre zurück, und wenn Archäologen einen neuen Fund machen, sind Spuren ihrer Herstellung und Verwendung ein entscheidender Hinweis, dass es sich tatsächlich um frühe Menschen handelt.

Aber auch der aufrechte Gang hatte seine zwei Seiten. Unsere äffischen Vorfahren hatten über Jahrmillionen hinweg ein Skelett entwickelt, das für den Gang auf vier Beinen ausgelegt war und nur einen relativ leichten Kopf zu tragen hatte. Die Umstellung zum aufrechten Gang stellte eine beachtliche Herausforderung dar, zumal das Gestell einen immer schwereren Schädel tragen musste. Der Preis für die bessere Sicht und fleißige Hände waren Rückenschmerzen und steife Hälse.

Die Menschenweibchen kam die Umstellung noch teurer zu stehen. Der aufrechte Gang verlangte schmalere Hüften und damit einen engeren Geburtskanal – und das obwohl gleichzeitig die Köpfe der Säuglinge immer größer wurden. Daher liefen sie zunehmend Gefahr, die Geburt ihres Nachwuchses nicht zu überleben. Die Weibchen, die ihre Jungen zu einem früheren Zeitpunkt zur Welt brachten, als der Kopf noch verhältnismäßig klein und formbar war, überlebten eher und bekamen mehr Nachwuchs. Auf diese Weise sorgte ein Prozess der natürlichen Auslese dafür, dass die Kinder immer früher geboren wurden. Im Vergleich zu anderen Tieren sind menschliche Säuglinge Frühgeburten: Sie kommen halbfertig zur Welt, wenn überlebenswichtige Systeme noch unterentwickelt sind. Ein Fohlen steht kurz nach der Geburt auf eigenen Beinen, und ein Katzenjunges fängt im Alter von wenigen Wochen an, seine Umwelt zu erkunden. Menschenjunge sind dagegen bei Geburt völlig hilflos und müssen von ihren Eltern über Jahre hinweg ernährt, beschützt und aufgezogen werden.

Dieser Tatsache verdankt die Menschheit ihre außergewöhnlichen Fähigkeiten, aber auch viele der für sie typischen Schwierigkeiten. Alleinerziehende Mütter sind kaum in der Lage, die Nahrung für sich und ihren Nachwuchs heranzuschaffen, während sie ihre quäkenden Kinder im Schlepptau haben. Die Aufzucht der Sprösslinge erfordert konstante Unterstützung von Verwandten und Nachbarn. Zur Erziehung eines Kindes ist ein ganzer Stamm erforderlich. Daher hat die Evolution diejenigen bevorzugt, die in der Lage waren, starke soziale Beziehungen einzugehen. Da Menschen in einem frühen Entwicklungsstadium geboren werden, sind sie außerdem formbarer als alle anderen Lebewesen. Die meisten anderen Tiere kommen weitgehend fertig aus dem Mutterleib, wie gebrannte Töpfe aus einem Ofen. Jeder Versuch, sie zu verändern, würde sie zerbrechen. Menschliche Säuglinge kommen dagegen eher wie geschmolzenes Glas aus dem Ofen; sie lassen sich noch erstaunlich gut ziehen, drehen und formen. Deshalb können wir unsere Kinder heute zu Christen oder Buddhisten, Kapitalisten oder Sozialisten, Kriegern oder Pazifisten erziehen.

*

Wir gehen wie selbstverständlich davon aus, dass ein großes Gehirn, der Gebrauch von Werkzeugen, verbesserte Lernfähigkeit und komplexe gesellschaftliche Strukturen automatisch einen gewaltigen Überlebensvorteil darstellen. Aus heutiger Sicht scheint es uns vollkommen offensichtlich, dass der Mensch seinen Aufstieg zum mächtigsten Tier der Erde nur diesen Eigenschaften verdankt. Doch trotz dieser Vorteile blieben die Menschen zwei Millionen Jahre lang schwache und unauffällige Geschöpfe. Zwischen Indonesien und der spanischen Halbinsel lebten nicht einmal eine Million Menschen, und das mehr schlecht als recht. Sie lebten in dauernder Angst vor Raubtieren, erlegten selten große Beute und ernährten sich vor allem von Pflanzen, Insekten, Kleintieren und dem Aas, das größere Fleischfresser zurückgelassen hatten.

Die Steinwerkzeuge verwendeten sie übrigens hauptsächlich, um Knochen zu knacken und an das Mark in deren Inneren zu gelangen. Einige Wissenschaftler meinen, dies sei unsere ökologische Nische gewesen: Genau wie sich die Spechte darauf spezialisiert haben, Insekten aus der Baumrinde herauszupicken, verlegten sich die Menschen darauf, das Mark aus den Knochen zu pulen. Aber warum ausgerechnet Knochenmark? Ganz einfach: Stellen Sie sich vor, Sie beobachten, wie ein Löwenrudel eine Giraffe zur Strecke bringt und sich daran gütlich tut. Sie warten geduldig ab, bis sich die Raubkatzen den Magen vollgeschlagen haben, und dann sehen sie zu, wie sich die Hyänen und Schakale (mit denen Sie sich auf keinen Fall anlegen wollen) über die Reste hermachen. Erst dann wagen Sie sich mit Ihrer Horde aus der Deckung, schleichen sich an die verbleibenden Knochen heran und suchen nach den letzten Fetzchen von essbarem Gewebe.

Dies ist auch ein Schlüssel zum Verständnis der menschlichen Geschichte und Psyche. Bis vor Kurzem befand sich die Gattung *Homo* irgendwo in der Mitte der Nahrungskette. Jahrmillionen lang jagten Menschen kleinere Tiere und aßen, was sie eben bekommen konnten, während sie gleichzeitig auf dem Speisezettel von größeren Räubern standen. Erst vor 400 000 Jahren begannen einige Menschenarten damit, regelmäßig auch größeren Beutetieren nachzustellen. Erst in den vergangenen 100 000 Jahren, mit dem Aufstieg des *Homo sapiens*, schaffte die Gattung Mensch den Sprung an die Spitze der Nahrungskette.

Dieser spektakuläre Aufstieg hatte weitreichende Auswirkungen. Die Menschen waren es nicht gewöhnt, an der Spitze der Nahrungskette zu stehen, und konnten nicht sonderlich gut mit dieser neuen Rolle umgehen. Andere Raubtiere wie Löwen oder Haie hatten sich über Jahrmillionen hinweg hochgebissen und angepasst. Die Menschen dagegen fanden sich fast von einem Tag auf den anderen an der Spitze wieder und hatten kaum Gelegenheit, sich darauf einzustellen. Viele Katastrophen der Menschheitsgeschichte lassen sich mit dieser überhasteten Entwicklung erklären, angefangen von der Massenvernichtung in Kriegen bis hin zur Zerstörung unserer Ökosysteme. Die Menschheit ist kein Wolfsrudel, das durch einen unglücklichen Zufall Panzer und Atombomben in die Finger bekam. Die Menschheit ist vielmehr eine Schafherde, die dank einer Laune der Evolution lernte, Panzer und Atombomben zu bauen. Aber bewaffnete Schafe sind ungleich gefährlicher als bewaffnete Wölfe.

Das kochende Tier

Ein wichtiger Schritt auf dem Weg an die Spitze der Nahrungskette war die Bändigung des Feuers. Wir wissen nicht genau, wann, wo und wie Menschen dies schafften. Doch vor rund 300 000 Jahren scheint das Feuer für viele zum Alltag gehört zu haben. Damit hatten sie eine verlässliche Licht- und Wärmequelle und eine wirkungsvolle Waffe gegen die lauernden Löwen. Damals starteten die Menschen ihre ersten großangelegten Unternehmungen: die gezielte Brandrodung von Wäldern. Nachdem die Feuer erloschen waren, wanderten die Steinzeitunternehmer durch die Asche und sammelten geröstete Tiere, Nüsse und Wurzeln ein. Ihnen folgten die ersten Landschaftsplaner. Mit einem sorgfältig gelegten Buschfeuer ließ sich ein undurchdringliches Dickicht in eine Steppe verwandeln, auf der es von Beutetieren nur so wimmelte. Aber das Beste am Feuer war, dass man damit kochen konnte.

Die Kochkunst erschloss der Menschheit neue Regalreihen im Supermarkt der Natur. Pflanzen, die der menschliche Magen in roher Form nicht verwerten konnte – zum Beispiel Weizen, Reis oder Kartoffeln –, wanderten plötzlich auf die Liste der Grundnahrungsmittel. Das Feuer veränderte jedoch nicht nur die Chemie der Nahrungsmittel, sondern auch ihre Biologie. Die Hitze tötete Bakterien und Parasiten ab und machte traditionelle Leckerbissen wie Früchte, Nüsse, Insekten und Aas leichter kau- und verdaubar. Während Schimpansen fünf Stunden am Tag damit zubrachten, auf ihrer Rohkost herumzukauen, reichte den Menschen mit ihren gekochten Mahlzeiten eine Stunde.

Dank dieser Erfindung konnten die Menschen eine größere Bandbreite von Nahrungsmitteln zu sich nehmen, sie sparten Zeit beim Essen und kamen mit kleineren Zähnen und kürzeren Därmen aus. Einige Wissenschaftler sehen einen direkten Zusammenhang zwischen der Entdeckung des Kochens, der Verkürzung des Darms und dem Wachstum des Gehirns. Da lange Därme genauso große Energiefresser sind wie große Gehirne, ist es kaum möglich, beide gleichzeitig zu unterhalten. Weil das Kochen jedoch eine Verkürzung des Verdauungstrakts und damit Energieeinsparungen ermöglichte, bereitete es ganz nebenbei den gewaltigen Gehirnen des Neandertalers und des *Homo sapiens* den Boden.[1]

Das Feuer riss außerdem einen ersten Graben zwischen den Menschen und dem Rest der Tierwelt auf. Die Stärke eines Tiers hängt in der Regel direkt mit seinen körperlichen Eigenschaften zusammen, zum Beispiel seiner Muskelkraft, seiner Flügelspannweite oder der Größe seiner Zähne. Obwohl Tiere in der Lage sind, Luft- oder Wasserströmungen für sich zu nutzen, stellen ihre körperlichen Anlagen immer eine Obergrenze dar, die sie nicht überwinden können. Adler sind zwar imstande, aufsteigende Warmluft zu erkennen und sich von der Thermik nach oben tragen zu lassen. Aber sie können diese Luftsäulen nicht nach Belieben an- und abschalten, und die Kraft, mit der sie ihre Beute abtransportieren können, hängt immer von ihrer Flügelspannweite ab.

Als die Menschen das Feuer bändigten, erlangten sie dagegen die Kontrolle über eine willige und potenziell grenzenlose Kraft. Anders als die Adler konnten sie frei entscheiden, wann und wo sie ein Feuer entzündeten, und sie konnten dieses neue Werkzeug für eine ganze Reihe von Tätigkeiten einsetzen. Vor allem aber war die Macht des Feuers nicht vom menschlichen Körperbau abhängig. Mit einem Feuerstein oder einem Reibholz bewaffnet, konnte eine einzelne Frau innerhalb weniger Stunden einen ganzen Wald abfackeln. Die Bändigung des Feuers war ein erster Hinweis auf das, was noch kommen sollte. In gewisser Hinsicht war es der erste Schritt auf dem Weg zur Atombombe.

Der Hüter unserer Brüder

Wann kam der erste *Homo sapiens* zur Welt und wo lebte er? Auf diese Frage gibt es keine eindeutige Antwort, nur einige Theorien. Die meisten Wissenschaftler sind sich jedoch einig, dass in Ostafrika vor 150 000 Jahren die ersten »anatomisch modernen Menschen« lebten. Wenn heute ein Pathologe einen dieser Menschen auf dem Seziertisch vor sich hätte, dann würde ihm nichts Besonderes auffallen. Wissenschaftler sind sich außerdem einig, dass der *Homo sapiens* vor rund 70 000 Jahren von Ostafrika nach Arabien wanderte und sich von dort aus rasch über weite Teile Europas und Asiens ausbreitete.

Als der *Homo sapiens* nach Arabien kam, lebten in Europa und Asien jedoch schon andere Menschenarten. Was passierte mit denen?

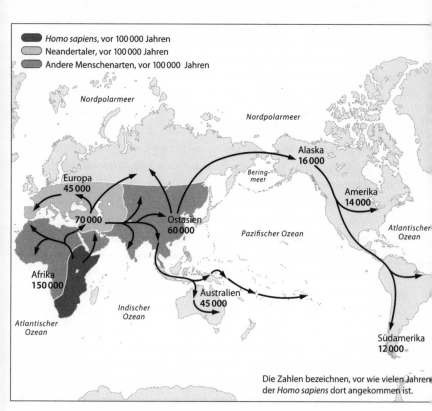

Karte 1. Der Homo sapiens *erobert die Welt*

Dazu gibt es zwei widerstreitende Theorien. Die »Vermischungshypothese« erzählt eine pikante Geschichte von gegenseitiger Anziehung, Vermischung und Sex. Wenn man dieser Theorie glaubt, trieben es die afrikanischen Migranten auf ihren Wanderungen mit allen, die ihnen über den Weg liefen. Daher verdankten die verschiedenen Gruppen von *Homo sapiens* in aller Welt ihre Gene und damit ihre körperlichen und geistigen Eigenschaften zum Teil auch den Angehörigen älterer Menschenarten.

Die zweite Theorie, die »Verdrängungshypothese«, zeichnet ein ganz anderes Bild von Unverträglichkeit, gegenseitiger Ablehnung und vielleicht sogar Völkermord. Nach dieser Theorie fanden die Neuankömmlinge aus Afrika die alteingesessenen Menschen alles andere als attraktiv. Und selbst wenn es hier und da zu Paarungen gekommen sein sollte, sei aus diesen Verbindungen kein fortpflanzungsfähiger Nachwuchs hervorgegangen, weil der genetische Graben zwischen beiden Arten bereits zu groß gewesen sei. Oder vielleicht schlachteten die Einwanderer ihre fremd aussehenden Konkurrenten ganz einfach ab. Nach dieser Hypothese verschwanden die älteren Menschenarten, ohne genetische Spuren im modernen Menschen zu hinterlassen. Wenn diese Theorie stimmt, gehen alle heute lebenden Menschen ausschließlich auf Vorfahren zurück, die vor 70 000 Jahren in Ostafrika lebten.

In der Diskussion zwischen diesen beiden Hypothesen steht einiges auf dem Spiel. Aus evolutionärer Sicht sind 70 000 Jahre ein relativ kurzer Zeitraum. Wenn die Verdrängungshypothese stimmt, haben alle Menschen mehr oder weniger dasselbe genetische Material und die Unterschiede zwischen den verschiedenen ethnischen Gruppierungen von heute sind vernachlässigbar. Wenn dagegen die Vermischungshypothese stimmt, könnte es zwischen Afrikanern, Europäern und Asiaten beachtliche genetische Unterschiede geben, die Hunderttausende von Jahren zurückreichen. Rassisten würden es sicher gern hören, dass Indonesier einmalige *floresiensis*-Gene mitbringen und Chinesen klar unterscheidbare *erectus*-Gene.

Da die Beweislage unklar ist, neigt die Expertenmeinung mit jeder neuen Entdeckung und jedem neuen Experiment mal zu der einen und mal zu der anderen Hypothese. Ein entscheidender Zankapfel ist der Neandertaler. Diese Menschen waren größer, muskulöser und besser an die Lebensbedingungen in kalten Klimazonen angepasst als wir, und sie hatten außerdem ein mindestens ebenso großes Gehirn. Sie benutzten Werkzeuge und Feuer, waren ausgezeichnete Jäger, und es gibt Hinweise, dass sie ihre Toten bestatteten und sich um Kranke und Schwache kümmerten. Archäologen haben Knochen von Neandertalern gefunden, die jahrelang mit schweren körperlichen Behinderungen überlebten, was darauf schließen lässt, dass sie von den Angehörigen ihrer Gruppe versorgt worden sein

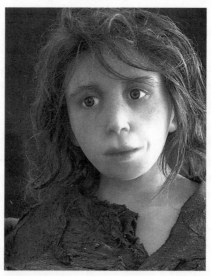

3. Spekulative Rekonstruktion eines Neandertalerkindes. Genanalysen lassen darauf schließen, dass zumindest ein Teil der Neandertaler hellhäutig gewesen sein könnte.

müssen. Doch als der *Homo sapiens* in ihren Lebensraum vordrang, wichen sie zurück und verschwanden schließlich ganz. Die letzten Neandertaler, von denen wir Kenntnis haben (weil wir ihre Knochen gefunden haben), lebten vor 30 000 Jahren in Südspanien – aus Sicht der Evolution ist das so, als wäre das noch gestern Abend gewesen.

Nach der Vermischungshypothese kreuzten sich Sapiens* und Neandertaler, bis die beiden Arten ineinander aufgingen. Sollten die Vertreter dieser Theorie Recht haben, verschwand der Neandertaler also nicht – vielmehr tragen die heutigen Europäer und Asiaten den Neandertaler in sich. Vertreter der Verdrängungshypothese widersprechen dem jedoch. Ihrer Ansicht nach unterschieden sich Sapiens und Neandertaler nicht nur hinsichtlich ihres Körperbaus, sondern auch hinsichtlich ihres Paarungsverhaltens und ihres Körpergeruchs. Daher hätten sie vermutlich kaum Gefallen aneinander gefunden. Selbst wenn ein Neandertaler-Romeo und eine Sapiens-Julia sich unsterblich ineinander verliebt hätten, oder wenn ein Sapiens-Pascha sich einen Harem von Neandertaler-Frauen gehalten hätte, dann wären ihre Kinder vermutlich unfruchtbar gewesen. Vielmehr hätten die beiden Arten nebeneinander gelebt, und als die Neandertaler ausstarben oder ausgerottet wurden, verschwanden ihre Gene mit ihnen.

In den vergangenen Jahrzehnten wurde die Forschung von der Verdrängungshypothese beherrscht. Sie schien durch archäologische Beweise untermauert zu werden und vor allem war sie politisch korrekt (die Wissenschaftler hatten kein Interesse daran, ein rassistisches Fass aufzumachen und von großen genetischen Unterschieden unter den modernen Menschen zu sprechen). Das änderte sich jedoch im Jahr 2010, als nach vierjähriger Arbeit Teile des Neandertalergenoms entschlüsselt worden waren. Genforscher hatten

---

* In der Folge verwende ich für die Angehörigen der Art *Homo sapiens* die vereinfachte Bezeichnung »Sapiens« (und zwar für Singular und Plural, da das »s« am Ende des lateinischen Worts nicht für einen Plural steht). Wenn ich die Art als Ganze meine, verwende ich weiter die kursiv gedruckte lateinische Bezeichnung.

ausreichende Mengen von intaktem Erbgut aus den Fossilien von Neandertalern gesammelt, um einen Vergleich zwischen modernen Menschen und ihren stämmigen Vorläufern anstellen zu können. Die Ergebnisse verblüfften die Fachwelt: Es stellte sich heraus, dass 4 Prozent aller Gene der modernen Menschen in Europa und dem Nahen Osten von Neandertalern stammen. So bescheiden das klingen mag, ist es gar nicht wenig. Eine zweite Überraschung folgte einige Monate später, als sich herausstellte, dass der Besitzer des versteinerten Fingers aus der Denissowa-Höhle sogar 6 Prozent seines Erbguts mit den Genen der heutigen Ureinwohner von Melanesien und Australien gemeinsam hatte.

Aber wie könnte die biologische Beziehung zwischen Sapiens, Neandertalern und Denissowern ausgesehen haben? Offenbar waren es keine grundsätzlich verschiedenen Arten, wie zum Beispiel Pferde und Esel. Aber es handelte sich auch nicht einfach um verschiedene Unterarten derselben Art, wie Doggen und Cockerspaniel. Die biologische Wirklichkeit ist selten so eindeutig. Zwei Arten, die aus einem gemeinsamen Vorfahren hervorgehen, wie Pferde und Esel, waren irgendwann einmal einfach Varianten, wie Doggen und Cockerspaniel. Im Laufe der Evolution wurden die Unterschiede immer größer, bis die beiden getrennte Wege gingen. Es muss einen Punkt gegeben haben, an dem sich die Arten zwar schon deutlich unterschieden, aber hin und wieder noch zeugungsfähige Nachkommen hervorbringen konnten. Zwei oder drei Genmutationen später wurde die Verbindung dann für immer gekappt.

An diesem Punkt müssen sich Sapiens, Neandertaler und Denissower vor etwa 50 000 Jahren befunden haben. Wie wir im kommenden Kapitel sehen werden, unterschieden sich die Sapiens damals nicht nur genetisch und körperlich, sondern auch hinsichtlich ihrer kognitiven und sozialen Fähigkeiten erheblich von ihren Vettern. Trotzdem konnten sie in seltenen Fällen noch Nachwuchs mit ihnen zeugen. Die Arten verschmolzen also nicht – es gelang lediglich ein paar Neandertalergenen, als blinde Passagiere auf den Sapiens-

Express aufzuspringen. Es ist ein aufregender, aber auch beunruhigender Gedanke, dass Sapiens irgendwann einmal in der Lage waren, mit Angehörigen anderer Tierarten Nachkommen zu zeugen.

Aber wenn die Neandertaler nicht mit in Sapiens aufgingen, warum sind sie dann verschwunden? Es kann durchaus sein, dass die Neandertaler ausstarben, weil sie der Konkurrenz durch den *Homo sapiens* nicht gewachsen waren. Stellen Sie sich vor, eine Gruppe von Sapiens kommt in ein Tal auf dem Balkan, das seit Hunderttausenden Jahren von Neandertalern bewohnt wird. Die Neuankömmlinge jagen Wild und sammeln Nüsse und Beeren, die auch auf dem Speisezettel der Neandertaler stehen. Dank ihrer überlegenen Technologie und Sozialkompetenz sind die Sapiens bessere Jäger und Sammler und vermehren sich rasch. Die weniger geschickten Neandertaler finden dagegen immer weniger Nahrung, ihre Population wird stetig kleiner und stirbt irgendwann aus.

Es ist allerdings durchaus denkbar, dass der Konkurrenzkampf in Gewalt und Blutvergießen ausartete. Der *Homo sapiens* ist nicht gerade für seine Toleranz bekannt. In der Geschichte der Art reichte oft schon ein winziger Unterschied in Hautfarbe, Dialekt oder Religion, damit eine Gruppe von Sapiens eine andere ausrottete. Warum sollten die frühen Sapiens mit einer gänzlich anderen Menschenart zimperlicher umgesprungen sein? Es ist gut möglich, dass die Begegnung zwischen Sapiens und Neandertalern mit der ersten und gründlichsten »ethnischen Säuberung« der Geschichte endete.

Was auch immer passiert sein mag, die Neandertaler bieten Anlass zu faszinierenden Gedankenspielen. Stellen Sie sich vor, was passiert wäre, wenn die Neandertaler neben dem *Homo sapiens* überlebt hätten. Welche Kulturen, Gesellschaften und politischen Strukturen wären in einer Welt entstanden, in der mehrere Menschenarten friedlich nebeneinander existierten? Wie hätten sich beispielsweise die Religionen entwickelt? Könnten wir heute in der Bibel lesen, dass der Neandertaler von Adam und Eva abstammte? Wäre Jesus auch für die Sünden der Neandertaler ans Kreuz genagelt worden?

Würde der Koran allen Rechtgläubigen einen Platz im Paradies versprechen, egal welcher Art sie angehören? Hätten die Neandertaler in den Legionen des Römischen Reichs und in der ausufernden Bürokratie der chinesischen Kaiser gedient? Hätte Karl Marx die Proletarier aller Arten aufgerufen, sich zu vereinigen? Würde die Erklärung der Menschenrechte für alle Angehörigen der Gattung *Homo* gelten?

In den vergangenen 30 000 Jahren haben wir Sapiens uns derart daran gewöhnt, die einzige Menschenart zu sein, dass es uns schwerfällt, uns eine andere Möglichkeit auch nur vorzustellen. Ohne Brüder und Schwestern fiel es uns leichter zu glauben, wir seien die Krone der Schöpfung, die durch einen unüberwindlichen Abgrund vom Rest der Tierwelt getrennt sei. Als Charles Darwin erklärte, der Mensch sei nur eine von vielen Tierarten, waren seine Zeitgenossen empört. Selbst heute weigern sich viele, diese Tatsache anzuerkennen. Aber würden wir uns auch dann noch für ein auserwähltes Wesen halten, wenn die Neandertaler überlebt hätten? Vielleicht war das ja der Grund, warum unsere Vorfahren die Neandertaler ausrotteten: Sie waren zu ähnlich, um sie zu ignorieren, und zu anders, um sie zu dulden.

*

Welche Rolle die Sapiens dabei auch gespielt haben mögen – wo immer sie auftauchten, verschwanden die einheimischen Menschenarten. Die letzten Angehörigen des *Homo soloensis* segneten vor 50 000 Jahren das Zeitliche, der *Homo denisova* folgte 10 000 Jahre später. Die letzten Neandertaler verabschiedeten sich vor rund 30 000 Jahren, und die Zwergmenschen von der Insel Flores gingen vor 12 000 Jahren dahin. Zurück blieben ein paar Knochen und Steinwerkzeuge, eine Handvoll Gene in unserem Genom und eine Menge unbeantworteter Fragen. Einige Wissenschaftler hegen die Hoffnung, sie könnten eines Tages in den unberührten Tiefen des indonesischen Urwalds auf eine Gruppe von Liliputanern treffen. Leider sind wir dazu einige zehntausend Jahre zu spät dran.

Was war das Erfolgsgeheimnis des Sapiens? Wie gelang es uns, so schnell so unterschiedliche und räumlich so weit auseinander liegende Lebensräume zu besiedeln? Wie haben wir es geschafft, alle anderen Menschenarten zu verdrängen? Warum überlebte nicht einmal der muskulöse, intelligente und kälteresistente Neandertaler unseren Ansturm? Die Debatte darüber verläuft hitzig. Die wahrscheinlichste Antwort ist jedoch genau das Instrument, mit dem diese Debatte geführt wird: Wenn der *Homo sapiens* die Welt eroberte, dann vor allem dank seiner einmaligen Sprache.

Kapitel 2

Der Baum der Erkenntnis

Die Sapiens, die vor 100 000 Jahren in Ostafrika lebten, waren rein äußerlich nicht von uns zu unterscheiden und hatten schon genauso große Gehirne. Aber dachten und sprachen sie auch wie wir? Vermutlich nicht. Sie verwendeten noch keine sonderlich ausgefeilten Werkzeuge, vollbrachten keine auffälligen Leistungen und hatten gegenüber anderen Menschenarten kaum einen Vorteil. Im Gegenteil, als sich einige von ihnen vor rund 100 000 Jahren in den Nahen Osten vorwagten, in dem damals die Neandertaler lebten, konnten sie sich dort nicht lange halten. Wir wissen nicht, ob sie von ihren feindseligen Vettern, dem ungünstigen Klima oder unbekannten Parasiten vertrieben wurden, Tatsache ist jedenfalls, dass sich die Sapiens wieder zurückzogen und die Levante den Neandertalern überließen.

Das Scheitern dieser Unternehmung lässt darauf schließen, dass sich das Gehirn der damaligen Sapiens strukturell ganz erheblich von unserem Gehirn unterschied. Sie sahen zwar äußerlich so aus wie wir, doch ihre kognitiven Fähigkeiten – ihre Lernfähigkeit, ihr Gedächtnis und ihre kommunikative Kompetenz – waren noch vergleichsweise begrenzt. Es hätte vermutlich wenig Zweck, diesen Ur-Sapiens eine moderne Sprache beibringen, sie in einer Religion unterweisen oder ihnen die Evolutionstheorie erklären zu wollen. Umgekehrt würde es uns wahrscheinlich genauso schwerfallen, ihre Sprache zu lernen oder uns in ihren Kopf zu versetzen.

Aber eines Tages, irgendwann vor 70 000 Jahren, begann der *Homo sapiens*, erstaunliche Leistungen zu vollbringen. Damals verließen neue Gruppen von Sapiens den afrikanischen Kontinent. Dieses Mal vertrieben sie die Neandertaler und die übrigen Menschenarten, und zwar nicht nur aus dem Nahen Osten, sondern vom gesamten Planeten. Innerhalb kürzester Zeit breiteten sich die Sapiens bis nach Europa und Ostasien aus. Vor rund 45 000 Jahren gelang es ihnen irgendwie, das offene Meer zu überqueren und bis nach Australien vorzudringen – einen Kontinent, auf den bis dahin noch kein Mensch seinen Fuß gesetzt hatte. Sie erfanden Boote, Öllampen, Pfeil und Bogen und sogar Nadeln (mit denen sie sich warme Kleider nähen

konnten). Die ersten Gegenstände, die man als Kunst und Schmuck bezeichnen kann, stammen aus dieser Zeit, genau wie die ersten Hinweise auf Religion, Handel und gesellschaftliche Schichten.

Die meisten Forscher sehen in diesen beispiellosen Leistungen einen Hinweis darauf, dass die kognitiven Fähigkeiten des *Homo sapiens* einen Quantensprung gemacht hatten. Die Menschen, die den Neandertaler ausrotteten, Australien besiedelten und den Löwenmenschen schnitzten, dachten und sprachen bereits so wie wir. Wenn wir den Schöpfern dieser Elfenbeinfigur begegnen würden, dann könnten sie unsere Sprache

4. Elfenbeinfigur eines »Löwenmenschen« aus dem Hohlenstein-Stadel auf der Schwäbischen Alb mit einem menschlichen Körper und dem Kopf eines Löwen. Die Figur ist rund 32 000 Jahre alt und damit eines der ältesten Kunstwerke der Menschheit. Sie ist zugleich einer der ersten Hinweise auf Religion und die Fähigkeit des Menschen, sich Dinge vorzustellen, die nicht existieren.

lernen und wir ihre. Wir könnten ihnen unser Wissen vermitteln – von *Alice im Wunderland* bis zur Wunderwelt der Quantenmechanik – und sie könnten uns erklären, wie sie die Welt sehen.

Die Entstehung neuer Denk- und Kommunikationsformen in dem Zeitraum, der vor rund 70 000 Jahren begann und vor etwa 30 000 Jahren endete, wird als kognitive Revolution bezeichnet. Was war der Auslöser dieser Revolution? Diese Frage lässt sich nicht beantworten. Die gängigste Theorie geht davon aus, dass zufällige Genmutationen die Kabel im Gehirn des Sapiens neu verschaltet hatten und dass sie deshalb lernen konnten, in noch nie dagewesener Weise zu denken und mit einer völlig neuen Form von Sprache zu kommunizieren. Diese Veränderung könnte man als »Baum der Erkenntnis«-Mutation bezeichnen. Aber warum passierte sie nur in den Genen des *Homo sapiens* und nicht im Erbgut des Neandertalers? Soweit wir das heute beurteilen können, war das reiner Zufall. Aber es ist viel interessanter, sich die Folgen dieser Mutation anzusehen als nach ihren Ursachen zu suchen. Was war denn so besonders an der neuen Sprache des *Homo sapiens*, dass sie uns die Eroberung der Welt ermöglichte?

Es war schließlich nicht die erste Sprache. Jedes Tier hat seine eigene Sprache. Selbst Insekten wie Bienen und Ameisen verwenden ausgeklügelte Kommunikationssysteme, um sich über Futterquellen zu verständigen. Es war noch nicht einmal die erste Lautsprache. Viele Tiere kommunizieren mithilfe von Lauten, darunter alle Affenarten. Grünmeerkatzen verständigen sich beispielsweise mit unterschiedlichen Schreien. Einen dieser Schreie übersetzen Affenforscher als »Vorsicht Adler!« und einen anderen, der etwas anders klingt, mit »Vorsicht Löwe!«. Als die Forscher einer Gruppe von Grünmeerkatzen eine Tonbandaufnahme des ersten Schreis vorspielten, hielten die Tiere inne und spähten ängstlich in den Himmel. Und als dieselben Affen eine Aufnahme der Löwenwarnung hörten, kletterten sie eilig den nächsten Baum hinauf. Sapiens können deutlich mehr unterschiedliche Laute hervorbringen als Grünmeerkatzen, doch Wale und Elefanten haben ein ähnlich beeindruckendes Repertoire wie wir. Papageien können sämtliche Laute nachahmen, die wir von uns geben, und obendrein eine schier endlose Vielfalt anderer Geräusche wie klingelnde Telefone, zuschlagende Türen oder heulende Sirenen imitieren. Was ist also das Besondere an unserer Sprache?

Eine mögliche Antwort ist die extreme Flexibilität. Mit einer begrenzten Zahl von Lauten und Zeichen können wir eine unendliche Zahl von Sätzen mit ihrer jeweils eigenen Bedeutung produzieren. Damit können wir gewaltige Mengen an Information über unsere Umwelt aufnehmen, speichern und weitergeben. Eine Grünmeerkatze kann ihren Artgenossen zurufen: »Achtung Löwe!« Aber ein Mensch kann seinen Stammesgenossen berichten, dass er heute Morgen in der Nähe der Flussbiegung einen Löwen gesehen hat, der eine Büffelherde beobachtete. Er kann den Ort genau beschreiben und erklären, wie man dorthin kommt. Mit dieser Information kann die Gruppe gemeinsam überlegen, ob sie sich zum Fluss aufmacht, um den Löwen zu vertreiben und die Büffel zu jagen.

Eine zweite Theorie geht ebenfalls davon aus, dass sich unsere Sprache entwickelte, um Informationen über die Umwelt auszutauschen. Doch nach dieser Theorie ging es den Menschen nicht darum, sich über Löwen und Büffel zu unterhalten, sondern über ihre Artgenossen. Mit anderen Worten dient unsere Sprache vor allem der Verbreitung von Klatsch und Tratsch. Der *Homo sapiens* ist ein Herdentier, und die Kooperation in der Gruppe ist entscheidend für das Überleben und die Fortpflanzung. Dazu reicht es nicht aus, zu wissen, wo sich Löwen und Büffel aufhalten. Es ist viel wichtiger zu wissen, wer in der Gruppe wen nicht leiden kann, wer mit wem schläft, wer ehrlich ist und wer andere beklaut.

Es ist ganz erstaunlich, wie viel Information man aufnehmen und im Kopf haben muss, um das sich ständig verändernde Beziehungsgeflecht zwischen einigen Dutzend Personen im Blick zu behalten. (In einer Gruppe von 50 Menschen gibt es allein 1225 Zweierbeziehungen und eine schier unüberschaubare Vielzahl von Dreiecks-, Vierecks- und anderen Über-Eck-Beziehungen.) Sämtliche Affenarten haben großes Interesse an sozialen Informationen, aber keine kann so gut klatschen wie wir. Neandertaler und die ersten Sapiens waren vermutlich noch nicht besonders geübt darin, hinter vorgehaltener Hand über andere zu reden – eine Fähigkeit, die in letzter Zeit etwas in Misskredit geraten ist, obwohl sie eine entscheidende Voraussetzung für die Zusammenarbeit in größeren Gruppen ist. Mit der neuen Sprachkompetenz, die der moderne *Homo sapiens* vor rund 70 000 Jahren erwarb, konnte er dagegen stundenlang über andere tratschen. Mit Hilfe von verlässlichen Informationen über zuverlässige Mitmenschen konnten die Sapiens ihre Gruppen stark erweitern, enger miteinander zusammenarbeiten und komplexere Formen der Zusammenarbeit entwickeln.[1]

So witzig die Klatsch-Theorie vielleicht klingen mag, sie wird von vielen Untersuchungen bestätigt. Machen wir uns nichts vor, unsere E-Mails, Telefongespräche oder Zeitungsberichte bestehen bis heute zum größten Teil aus Klatsch. Dass er uns so leicht über die Lippen kommt, lässt vermuten, dass sich die Sprache tatsächlich zu diesem Zweck entwickelt haben könnte. Sie glauben doch nicht etwa, dass sich Geschichtswissenschaftler beim Mittagessen nur über historische Ereignisse austauschen, oder dass Physiker ihre Kaffeepause mit der Erörterung von Quarks zubringen? Natürlich nicht. Sie unterhalten sich über die Professorin, die ihren Mann mit einer anderen erwischt hat, über den Streit zwischen dem Fachbereichsleiter und der Dekanin oder über das Gerücht, dass sich ein Kollege von den Forschungsgeldern der Studienstiftung einen Mercedes gekauft hat. Klatsch beschäftigt sich vor allem mit Fehltritten. Die ersten Journalisten waren Klatschbasen, die den Rest der Gruppe vor Betrügern, Hochstaplern und Schnorrern warnten.

*

Beide Hypothesen – die Klatsch-Theorie und die Löwe-am-Fluss-Theorie – haben einiges für sich. Doch das wirklich Einmalige an unserer Sprache ist nicht, dass wir damit Informationen über Menschen und Löwen weitergeben können. Das Einmalige ist, dass wir uns über Dinge austauschen können, die es gar nicht gibt. Soweit wir wissen, kann nur der Sapiens über Möglichkeiten spekulieren und Geschichten erfinden.

Legenden, Mythen, Götter und Religionen tauchen erstmals mit der kognitiven Revolution auf. Viele Tier- und Menschenarten konnten »Vorsicht Löwe!« rufen. Aber dank der kognitiven Revolution konnte nur der Sapiens sagen: »Der Löwe ist der Schutzgeist unseres Stammes.« Nur mit der menschlichen Sprache lassen sich Dinge erfinden und weitererzählen. Man könnte sie deshalb als »fiktive Sprache« bezeichnen.

Nur der Mensch kann über etwas sprechen, das gar nicht existiert, und noch vor dem Frühstück sechs unmögliche Dinge glauben. Einen Affen würden Sie jedenfalls nie im Leben dazu bringen, Ihnen eine Banane abzugeben, indem Sie ihm einen Affenhimmel ausmalen und grenzenlose Bananenschätze nach dem Tod versprechen. Auf so einen Handel lassen sich nur Sapiens ein. Aber warum ist diese fiktive Sprache dann so wichtig? Sind Fantasiegeschichten nicht gefährlich und irreführend? Ist es nicht pure Zeitverschwendung, sich Legenden über Einhörner auszudenken, und würden wir unsere Zeit mit Jagen, Kämpfen und Vögeln nicht viel besser nutzen? Gefährdet es nicht sogar unser Überleben, wenn wir uns den Kopf mit Märchen füllen?

Aber mit der fiktiven Sprache können wir uns nicht nur Dinge ausmalen – wir können sie uns vor allem *gemeinsam* vorstellen. Wir können Mythen erfinden, wie die Schöpfungsgeschichte der Bibel, die Traumzeit der Aborigines oder die nationalistischen Mythen der modernen Nationalstaaten. Diese und andere Mythen verleihen dem Sapiens die beispiellose Fähigkeit, flexibel und in großen Gruppen zusammenzuarbeiten. Ameisen und Bienen arbeiten zwar auch in großen Gruppen zusammen, doch sie spulen starre Programme ab und kooperieren nur mit ihren Geschwistern. Schimpansen sind flexibler als Ameisen, doch auch sie arbeiten nur mit einigen wenigen Artgenossen zusammen, die sie gut kennen. Sapiens sind dagegen ausgesprochen flexibel und können mit einer großen Zahl von wildfremden Menschen kooperieren. Und genau deshalb beherrschen die Sapiens die Welt, während Ameisen unsere Essensreste verzehren und Schimpansen in unseren Zoos und Forschungslabors herumhocken.

Die Peugeot-Legende

Unsere nächsten Verwandten, die Schimpansen, leben in kleinen Gruppen mit wenigen Dutzend Artgenossen. Sie pflegen enge Freundschaften und kämpfen Seite an Seite gegen Paviane, Geparden und feindliche Schimpansen. Ihre Rudel sind hierarchisch organisiert, und das Leittier, fast immer ein Männchen, wird als »Alpha« bezeichnet. Andere Männchen und Weibchen demonstrieren diesem Alphamännchen ihre Unterwürfigkeit, indem sie sich vor ihm ducken und dabei Grunzlaute ausstoßen – fast wie menschliche Untertanen, die sich vor dem König auf den Boden werfen. Das Alphamännchen ist darum bemüht, die Harmonie in der Horde zu erhalten. Wenn sich zwei Schimpansen in die Haare bekommen, geht er dazwischen und trennt die Streitenden. In seinen weniger sozialen Momenten beansprucht er die besten Leckerbissen für sich und hindert seine männlichen Untergebenen daran, sich mit den Weibchen zu paaren.

Wenn sich zwei Männchen um die Alpha-Position streiten, schmieden sie in der Regel große Allianzen von männlichen und weiblichen Unterstützern innerhalb der Gruppe. Die verbündeten Familienmitglieder pflegen ihre Beziehung in täglichem und intimem Kontakt, indem sie einander umarmen, berühren, küssen und lausen. Sie erweisen sich gegenseitig Gefälligkeiten und helfen einander aus der Patsche. Normalerweise setzt sich das Alphamännchen nicht deshalb an die Spitze des Rudels, weil es das Stärkere ist, sondern weil es sich ein großes und stabiles Unterstützernetzwerk aufgebaut hat.

Gruppen, die über diese intimen Bündnisse zusammengehalten werden, können eine bestimmte Größe nicht überschreiten. Wenn sie funktionieren sollen, müssen sich die einzelnen Angehörigen gut kennen. Zwei Schimpansen, die einander nie gesehen, nie miteinander gekämpft und einander nie die Läuse aus dem Pelz gesucht haben, wissen nicht, ob sie einander über den Weg trauen können, ob es sich lohnt, dem anderen zu helfen, oder welcher der beiden in der Rangordnung über dem anderen steht. Mit zunehmender Größe der Gruppe wird die soziale Bindung immer schwächer, bis sich irgendwann eine Untergruppe abspaltet und ein eigenes Rudel bildet.

In der Natur besteht eine Schimpansenhorde aus zwanzig bis fünfzig Tieren. Größere Gruppen sind instabil, und nur in wenigen Fällen haben Zoologen in freier Wildbahn Rudel mit mehr als hundert Tieren gesichtet. Die verschiedenen Gruppen arbeiten nur selten zusammen und konkurrieren eher um Territorien und Futter. Forscher haben sogar Kriege zwischen verschiedenen Horden beobachtet und beschreiben regelrechte »Völkermorde«, wenn eine Horde eine andere systematisch ausrottete.[2]

Das Sozialleben der Frühmenschen sah ganz ähnlich aus, und die ersten *Homo sapiens* waren keine Ausnahme. Auch Menschen haben soziale Instinkte, und dank ihrer konnten unsere Vorfahren Freundschaften knüpfen, Hierarchien aufbauen und gemeinsam jagen und kämpfen. Wie bei den Schimpansen waren diese sozialen Instinkte der Frühmenschen nur auf kleine und intime Gruppen ausgelegt. Wenn eine Gruppe zu groß wurde, verlor sie an Zusammenhalt und teilte sich irgendwann auf. Selbst wenn es in einem besonders fruchtbaren Tal genug Nahrung für fünfhundert Menschen gab, konnten unmöglich so viele Fremde zusammenleben.

Wie sollten sie sich auf einen Rudelführer einigen, wer sollte wo jagen, wer durfte sich mit wem paaren?

Nach der kognitiven Revolution lernten die Menschen, mit Hilfe des Klatsches größere und stabilere Gruppen zu bilden. Aber auch der Klatsch hat seine Grenzen. Soziologen haben in Untersuchungen herausgefunden, dass eine »natürliche« Gruppe, die nur von Klatsch zusammengehalten wird, maximal aus 150 Personen bestehen kann. Mit mehr Menschen können wir keine engen Beziehungen pflegen, und über mehr Menschen können wir nicht effektiv tratschen. Das ist bis heute die magische Obergrenze unserer natürlichen Organisationsfähigkeit. Bis zu einer Größe von 150 Personen reichen enge Bekanntschaften und Gerüchte als Kitt für Gemeinschaften, Unternehmen, soziale Netzwerke und militärische Einheiten aus, und es sind keine Rangabzeichen, Titel und Gesetzbücher nötig, um Ordnung zu halten.[3]

Beim Militär kann ein Zug mit dreißig oder eine Kompanie mit hundert Soldaten auf der Grundlage von engen Beziehungen funktionieren und benötigt nur ein Minimum von Befehl und Gehorsam. Ein erfahrener Feldwebel kann zur »Mutter der Kompanie« werden, und sogar ranghöhere Offiziere hören auf ihn. Ein kleines Familienunternehmen kann auch ohne Aufsichtsrat, Vorstandsvorsitzenden und Finanzvorstand ein Vermögen verdienen. Aber sobald die magische Grenze von 150 überschritten ist, funktioniert dieses Prinzip nicht mehr. Eine Division mit 10 000 Soldaten lässt sich nicht so führen wie eine Kompanie. Erfolgreiche Familienunternehmen geraten in eine Krise, sobald sie expandieren und mehr Personal einstellen müssen – wenn sie sich nicht neu erfinden können, gehen sie pleite.

Aber wie gelang es dem *Homo sapiens,* diese kritische Schwelle zu überwinden? Wie schaffte er es, Städte mit Zehntausenden Einwohnern und Riesenreiche mit Millionen von Untertanen zu gründen? Sein Erfolgsgeheimnis war die fiktive Sprache. Eine große Zahl von wildfremden Menschen kann effektiv zusammenarbeiten, wenn alle an gemeinsame Mythen glauben.

Jede großangelegte menschliche Unternehmung – angefangen von einem archaischen Stamm über eine antike Stadt bis zu einer mittelalterlichen Kirche oder einem modernen Staat – ist fest in gemeinsamen Geschichten verwurzelt, die nur in den Köpfen der Menschen existieren. Glaubensgemeinschaften basieren auf diesen kollektiven Mythen. Zwei Katholiken, die einander nie zuvor begegnet sind, verstehen einander ohne lange Erklärungen, weil beide glauben, dass es einen Gott gibt, der seinen Sohn auf die Erde geschickt hat, und dass dieser sich kreuzigen ließ, um die Menschheit von ihren Sünden zu erlösen. Zwei Serben, die einander nicht kennen, verstehen sich problemlos, weil sie beide an die Existenz der serbischen Nation, des serbischen Territoriums und der serbischen Flagge glauben. Konzerne basieren auf gemeinsamen wirtschaftlichen Mythen: Zwei Mitarbeiter von Google, die einander noch nie gesehen haben, können um den halben Erdball hinweg zusammenarbeiten, weil sie an die Existenz von Google, Aktien und Dollars glauben. Rechtsstaaten fußen auf gemeinsamen juristischen Mythen: Zwei wildfremde Anwälte können effektiv kooperieren, weil sie an die Existenz von Recht, Gesetz und Menschenrechten glauben.

Diese Dinge existieren jedoch nur in den Geschichten, die wir Menschen erfinden und einander erzählen. Götter, Nationen, Geld, Menschenrechte und Gesetze gibt es gar nicht – sie existieren nur in unserer kollektiven Vorstellungswelt.

Dass »primitive Menschen« ihre Gesellschaft zusammenhalten, indem sie an Geister glauben und bei Vollmond um ein Feuer herumtanzen, verstehen wir sofort. Dabei übersehen wir gern, dass die fortschrittlichen Institutionen unserer modernen Gesellschaft keinen Deut anders funktionieren. Ein gutes Beispiel sind die Großkonzerne: Im Grunde sind Unternehmer und Anwälte gar nichts anderes als mächtige Zauberer. Die Geschichten, die sich moderne Juristen erzählen, sind sogar noch viel sonderbarer als die der alten Schamanen. Warum das so ist, verrät uns die Legende von Peugeot.

Auf vielen Straßen von Paris bis Sydney kann man eine Ikone bewundern, die entfernt an den Löwenmenschen aus dem Hohlenstein-
Stadel erinnert. Es ist die Kühlerfigur von Autos der Marke Peugeot,
einer der ältesten und größten Kraftfahrzeughersteller in Europa.
Peugeot begann als kleiner Familienbetrieb im Tal von Valentigney,
das rund 300 Kilometer von der Stadel-Höhle entfernt im Westen
von Frankreich liegt. Heute beschäftigt der Konzern weltweit rund
200 000 Mitarbeiter, von denen sich die wenigsten je persönlich
begegnet sind. Diese wildfremden Menschen arbeiten derart effektiv
zusammen, dass Peugeot im Jahr 2008 mehr als 1,5 Millionen Fahrzeuge baute und einen Umsatz von rund 55 Milliarden Euro machte.

Aber in welcher Form existiert dieses Unternehmen Peugeot
eigentlich? Es gibt zwar viele Fahrzeuge von Peugeot, aber die sind
natürlich nicht das Unternehmen. Selbst wenn alle Peugeots der
Welt von einem Tag auf den anderen verschrottet und eingestampft
werden, verschwindet das Unternehmen nicht. Es produziert weiter neue Autos und legt jedes Jahr eine Bilanz vor. Das Unternehmen besitzt Fabrikhallen, Maschinen und Ausstellungsräume und
beschäftigt Fließbandarbeiter, Buchhalter und Sekretärinnen, aber
auch diese sind zusammengenommen nicht das Unternehmen
Peugeot. Wenn eine Katastrophe sämtliche Fließbänder und Büro-
gebäude zerstören und sämtliche Peugeot-Mitarbeiter auslöschen
würde, dann könnte das Unternehmen Kredite aufnehmen, neue
Mitarbeiter anstellen, neue Fabrikhallen bauen und neue Fließbänder anschaffen. Peugeot hat Manager und Aktionäre, aber auch die
sind nicht das Unternehmen. Selbst wenn alle Manager gefeuert und
alle Aktien verkauft werden sollten, würde das Unternehmen selbst
nach wie vor existieren.

Aber das bedeutet noch lange nicht, dass Peugeot unverwundbar
oder unsterblich wäre. Wenn ein Gericht heute die Zerschlagung
des Unternehmens anordnen würde, dann blieben die Fabriken,
Arbeiter, Buchhalter, Manager und Aktionäre zwar erhalten, aber
Peugeot wäre von einem Moment auf den anderen verschwunden.

5. Der Peugeot-Löwe

Man könnte fast den Eindruck bekommen, als wäre Peugeot gar nicht Teil unserer physischen Realität. Existiert es denn überhaupt?

In Wirklichkeit ist Peugeot ein Produkt unserer kollektiven Fantasie. Das Wort »Fantasieprodukt« meint etwas, das nur erfunden ist, und das nur deshalb existiert, weil wir so tun, als würde es existieren. Aus diesem Grund sprechen Juristen von einer juristischen Fiktion. Das Unternehmen ist unsichtbar, es handelt sich nicht um ein physisches Objekt. Trotzdem existiert es als juristische Person. Genau wie Sie und ich muss es sich an die Gesetze der Länder halten, in denen es Fahrzeuge herstellt und verkauft. Es kann Bankkonten eröffnen und Eigentum erwerben. Es zahlt Steuern und kann verklagt werden, und zwar völlig unabhängig von den Menschen, die es besitzen oder für es arbeiten.

Peugeot gehört zu einer bestimmten Gruppe von juristischen Fiktionen, die als »Gesellschaft mit beschränkter Haftung« bezeichnet werden. Hinter diesen Unternehmen verbirgt sich eine der origi-

nellsten Erfindungen der Menschheit. Der *Homo sapiens* kam ungezählte Jahrtausende lang ohne diese Konstruktion aus. Bis vor relativ
kurzer Zeit konnten nur Menschen aus Fleisch und Blut Eigentum
erwerben. Wenn Jean im Frankreich des 13. Jahrhunderts eine Werkstatt zum Bau von Fuhrwerken gründete, dann war *er* das Unternehmen. Wenn ein Fuhrwerk, das Jean gebaut hatte, eine Woche nach
dem Verkauf auseinanderfiel, dann machte der verärgerte Kunde ihn
höchstpersönlich dafür verantwortlich. Wenn sich Jean 1000 Goldmünzen geliehen hatte, um seine Werkstatt zu eröffnen, und nun
pleiteging, dann musste er diesen Kredit zurückzahlen, indem er
sein privates Eigentum verkaufte: sein Haus, seine Kuh und seinen
Acker. Vielleicht musste er sogar das eine oder andere Kind in die
Knechtschaft verkaufen. Und wenn er seine Schulden damit immer
noch nicht begleichen konnte, dann wurde er in den Schuldturm
gesteckt oder von seinen Gläubigern in die Sklaverei verkauft. Jean
musste für sämtliche Verpflichtungen seiner Werkstatt haften, und
zwar bis zum letzten Pfennig.

Zu Jeans Zeiten hätten Sie es sich vermutlich reiflich überlegt, ehe
Sie ein Unternehmen gegründet hätten. Tatsächlich schreckte diese
rechtliche Situation viele ab, sich als Unternehmer zu betätigen. Die
meisten Menschen hatten Angst, dieses wirtschaftliche Risiko auf
sich zu nehmen. Die Gefahr war einfach zu groß, damit sich und
ihre ganze Familie ins Elend zu stürzen.

Daher stellten sich die Menschen kollektiv ein Unternehmen vor,
das nur noch »beschränkte Haftung« übernahm. Dieses Unternehmen war rechtlich unabhängig von den Menschen, die es gründeten, leiteten oder finanzierten. In den vergangenen Jahrhunderten
wurden Unternehmen dieser Art zu den wichtigsten Protagonisten der Wirtschaft, und inzwischen haben wir uns so sehr an sie
gewöhnt, dass wir völlig vergessen haben, dass sie nur in unserer
Fantasie existieren. Im Gesetz werden diese Unternehmen auch als
»Körperschaften« bezeichnet, was eigentlich ironisch ist, denn diese
Bezeichnung kommt vom Wort »Körper« und genau den haben

diese Unternehmen ja gerade nicht. Trotzdem behandelt das Gesetz sie so, als handele es sich um Menschen aus Fleisch und Blut.

Diese Unternehmen gab es auch schon im Frankreich des Jahres 1896. Damals beschloss Armand Peugeot, die elterliche Eisengießerei, in der Federn, Sägen und Fahrräder hergestellt wurden, zu einer Automobilfabrik umzubauen. Dazu gründete er eine Gesellschaft mit beschränkter Haftung. Er taufte das Unternehmen zwar auf seinen Namen, doch es existierte unabhängig von ihm. Wenn eines seiner Autos liegen blieb, konnte der Kunde das Unternehmen Peugeot verklagen, aber nicht Armand Peugeot persönlich. Wenn das Unternehmen Peugeot Millionen von Franc aufnahm und pleiteging, dann schuldete Armand Peugeot den Gläubigern nicht einen einzigen Franc. Den Kredit hatte schließlich das Unternehmen Peugeot aufgenommen, nicht der Sapiens Armand Peugeot. Der Gründer starb im Jahr 1915. Das Unternehmen Peugeot existiert bis heute.

Aber wie genau schuf der Mensch Armand Peugeot das Unternehmen Peugeot? Ungefähr so, wie französische Dorfpfarrer im katholischen Nachbardorf jeden Sonntag aus Brot den Leib Christi erschufen. Im Grunde ging es in beiden Fällen um Geschichten und darum, andere Menschen von der Wahrheit dieser Geschichten zu überzeugen. In der Geschichte des Pfarrers ging es um das Leben und Sterben eines Mannes namens Jesus Christus, wie es von der katholischen Kirche erzählt wird. Wenn ein Priester mit all seinen heiligen Gewändern und geweihten Gerätschaften im richtigen Moment die richtigen Worte sprach, verwandelten sich gewöhnliche Oblaten in den Leib Christi und gewöhnlicher Wein in das Blut Christi. Der Priester sprach die lateinische Formel »Hoc est corpus meum!« (zu Deutsch »das ist mein Leib«) und Hokuspokus! wurde das Brot zu Fleisch. Und nachdem der Priester alle nötigen Formeln gesprochen hatte, waren auch die Gläubigen überzeugt, dass es sich tatsächlich nicht mehr um Brot und Wein, sondern um den Leib und das Blut Christi handelte, und sie behandelten sie mit einer Ehrfurcht, die sie einer Oblate und einem Schluck Wein nie entgegengebracht hätten.

Im Falle des Unternehmens Peugeot stand die entscheidende Geschichte im französischen Gesetzbuch, wie es vom französischen Parlament verabschiedet worden war. Nach diesem Gesetz musste ein Notar nur die richtigen juristischen Rituale zelebrieren, die erforderlichen bürokratischen Zaubersprüche und Eide auf ein mit Schnörkeln verziertes Papier schreiben, sein Siegel darunter setzen, und Hokuspokus! schon war ein neues Unternehmen gegründet. Nachdem der Notar alle nötigen Formeln gesprochen hatte, glaubten auch die Nachbarn von Peugeot, dass es nun zwei Peugeots gab: ihren Nachbarn Armand und dessen neues Unternehmen, die Peugeot AG. Letztere behandelten sie nun mit der Ehrfurcht, wie sie ein richtiges Unternehmen verdient hat.

Es ist allerdings gar nicht so einfach, wirkungsvolle Geschichten zu erzählen. Zauberer und Priester müssen die Mächte, Zuständigkeiten und Launen der verschiedenen Götter, Geister und Dämonen gut kennen. Wenn Trockenheit herrscht und der Zauberer Regen heraufbeschwören will, muss er genau wissen, welches überirdische Wesen für Niederschläge zuständig ist. Kann zum Beispiel auch der Gott des Meeres Regen bescheren, oder ist dafür ausschließlich der Gott des Sturms verantwortlich? Genauso muss ein Anwalt wissen, was eine Gesellschaft mit beschränkter Haftung tun kann und was nicht. Die Antwort auf diese Frage findet er in Geschichten, die von der Gesellschaft erfunden wurden – in diesem Fall in den reichlich spröden Geschichten, die wir »Unternehmensrecht« nennen. Anwälte, die sich auf das Unternehmensrecht spezialisiert haben, analysieren diese Geschichten tagaus, tagein mit der Lupe und diskutieren mit ihren Kollegen und Gegnern darüber, welche Eigenschaften ein bestimmtes Unternehmen nun genau mitbringt. Kann ein Unternehmen über ein Land herrschen? Kann es Kriege führen? Kann es in einer Branche eine Monopolstellung haben?

Heute wird zum Beispiel heftig darüber gestritten, ob ein Unternehmen Patente und Urheberrechte an DNA-Sequenzen besitzen kann. Im Jahr 1990 rief die amerikanische Regierung das »Human Genome Project« ins Leben, das die gesamte DNA des *Homo sapiens* entschlüsseln sollte. Acht Jahre später wurde ein Privatunternehmen namens Celera gegründet, das denselben Zweck verfolgte. Obwohl die amerikanische Regierung einen großen Vorsprung hatte und viel Geld investierte, war Celera schneller und entschlüsselte als Erste das menschliche Genom. Sofort kam die Frage auf, ob Celera die Urheberrechte an den DNA-Sequenzen hatte und Gebühren von allen kassieren durfte, die dieses Wissen verwenden wollten. Mit anderen Worten: Kann eine juristische Fiktion Eigentümer unseres Genoms sein? Heute beantworten die Gerichte diese Frage mit Nein. Aber das letzte Wort ist noch nicht gesprochen.

*

Das alles wurde nur durch die Erfindung der fiktiven Sprache möglich, mit der wir uns Dinge vorstellen und beschreiben können, die es in der physischen Realität gar nicht gibt. Der Löwenmensch, Peugeot und Celera bestehen weder aus Atomen noch aus Proteinen, sondern aus Geschichten. Im Laufe der Jahrhunderte haben wir ein unglaublich komplexes Netz von solchen Geschichten gesponnen. In diesem Netz existieren Fantasieprodukte wie Peugeot nicht nur, sondern sie sind sogar ungeheuer mächtig. Sie haben mehr Macht als jeder Löwe und jedes Löwenrudel. Doch in Wirklichkeit gibt es sie nur in unseren Geschichten. Wenn wir plötzlich nicht mehr in der Lage wären, über Dinge zu sprechen, die es gar nicht gibt, würde Peugeot auf der Stelle verschwinden und mit ihm Aktienmärkte, Religionen, Staaten, Geld und Menschenrechte.

Akademiker bezeichnen diese Dinge, die wir in Mythen und Geschichten erfinden, als »Fiktionen«, »soziale Konstrukte« oder »erfundene Wirklichkeit«. Aber Vorsicht: Eine erfundene Wirklichkeit ist keine Lüge. Ich lüge, wenn ich behaupte, dass ich am Fluss einen Löwen gesehen habe, obwohl ich genau weiß, dass das gar nicht stimmt. Lügen sind nichts Besonderes. Auch Schimpansen und Grünmeerkatzen können lügen. Affenforscher haben beispielsweise Grünmeerkatzen dabei beobachtet, wie sie »Achtung Löwe!« rufen, obwohl weit und breit kein Löwe zu sehen ist. Mit diesem Ruf wollen die Lügner lediglich einen Artgenossen aufschrecken, der gerade eine Banane entdeckt hat, um sie sich selbst einzuverleiben.

Anders als eine Lüge ist eine erfundene Wirklichkeit etwas, an das alle glauben. Und solange alle daran glauben, hat die erfundene Wirklichkeit ganz reale Macht in der wirklichen Welt. Der Künstler der Stadel-Höhle glaubte vermutlich ehrlich an die Existenz eines Geistes in Form eines Löwenmenschen. Einige Zauberer sind zwar Scharlatane, doch die meisten sind fest davon überzeugt, dass es ihre Götter und Dämonen wirklich gibt. Die meisten Millionäre glauben an die Existenz des Geldes und der Gesellschaften mit beschränkter Haftung. Die meisten Menschenrechtsaktivisten glauben an die Existenz der Menschenrechte. Niemand log, als die Vereinten Nationen im Jahr 2011 Libyen ermahnten, die Menschenrechte einzuhalten, obwohl die Vereinten Nationen, Libyen und die Menschenrechte nichts anderes sind als Produkte unseres Erfindungsreichtums.

Am Genom vorbei

Die Fähigkeit, mit Hilfe von bloßen Worten eine Wirklichkeit zu erschaffen, machte es möglich, dass große Gruppen von wildfremden Menschen effektiv zusammenarbeiteten. Sie bewirkt jedoch noch etwas anderes. Da menschliche Zusammenarbeit in großem Maßstab auf Mythen basiert, kann man die Form der Zusammenarbeit neu gestalten, indem man die Mythen verändert und neue Geschichten erzählt. Unter den richtigen Umständen können sich diese Mythen sogar sehr schnell ändern. Im Jahr 1789 schalteten die

Franzosen beispielsweise quasi über Nacht vom Mythos des »Gottesgnadentums der Könige« auf den Mythos der »Herrschaft des Volkes« um. Nach der kognitiven Revolution war der *Homo sapiens* daher in der Lage, sein Verhalten schnell um- und auf neue Bedürfnisse einzustellen. Damit wechselte er auf die Überholspur der kulturellen Evolution und konnte am Stau der genetischen Evolution vorüberrasen. Schon bald düste er an allen anderen Menschen- und Tierarten vorüber und entwickelte seine erstaunliche Fähigkeit zur Zusammenarbeit.

So intelligent und erfindungsreich Schimpansen und Elefanten auch sein mögen, sie sind nicht in der Lage, ihre Gesellschaften völlig umzukrempeln. Schimpansen haben eine genetisch programmierte Vorliebe, in Gruppen von wenigen Dutzend Individuen zusammenzuleben und sich einem Alphamännchen unterzuordnen. Die eng verwandten Bonobos bevorzugen ebenfalls gemischte Gruppen, auch wenn diese meist von einem Weibchen angeführt werden. Elefantenkühe leben mit ihren Jungen in einer Herde von Weibchen zusammen, während die Elefantenbullen allein durch die Savanne streifen. Die Gene sind zwar keine Alleinherrscher, und das Verhalten der Tiere wird auch durch Umweltfaktoren und individuelle Besonderheiten bestimmt. Doch in einer stabilen Umwelt verhalten sich die meisten Angehörigen einer bestimmten Art sehr ähnlich. Spürbare Veränderungen des Sozialverhaltens sind in der Regel nur Hand in Hand mit einer Mutation der Gene möglich. Schimpansenweibchen können sich kein Vorbild an den Bonoboweibchen nehmen und eine Frauenbewegung gründen. Schimpansenmännchen können keine Volksversammlung einberufen, in der sie das Amt des Alphamännchens abschaffen und die Freiheit, Gleichheit und Brüderlichkeit aller Schimpansen verkünden. Derart dramatische Veränderungen des Verhaltens wären ohne Veränderungen im Erbgut der Schimpansen völlig undenkbar.

Deshalb kannten die Urmenschen auch keine Revolutionen. Soweit wir das heute beurteilen können, waren Veränderungen der Gesellschaft, Erfindungen neuer Techniken und die Besiedlung neuer Lebensräume immer das Resultat von Genmutationen und Umwelteinflüssen, und nicht von kulturellen Initiativen. Deshalb benötigten die Menschen auch Hunderttausende Jahre für winzige Veränderungen. Vor zwei Millionen Jahren brachten Genmutationen eine neue Menschenart namens *Homo erectus* hervor. Er war es auch, der als Erster Steinwerkzeuge benutzte. Doch solange sich der *Homo erectus* genetisch nicht veränderte, verwendete er immer die dieselben Werkzeuge – und zwar mehr als eine Million Jahre lang!

Doch nach der kognitiven Revolution waren Sapiens in der Lage, ihr Verhalten schnell zu verändern und neue Verhaltensweisen an die nächste Generation weiterzugeben, ohne dass dazu Genmutationen oder Umweltveränderungen nötig gewesen wären. Das wird am Beispiel der kinderlosen Eliten deutlich, zum Beispiel der buddhistischen Mönche, der katholischen Priester oder der chinesischen Eunuchen-Bürokraten. Die bloße Existenz dieser Führungsschichten widerspricht allen Gesetzen der natürlichen Auslese, denn die Angehörigen dieser Eliten verzichteten freiwillig auf Fortpflanzung. Während bei den Schimpansen die Alphamännchen ihre Macht nutzen, um sich mit so vielen Weibchen wie möglich zu paaren und möglichst alle Nachkommen der Horde zu zeugen, enthalten sich die katholischen Alphamännchen des Geschlechtsverkehrs und der Aufzucht des Nachwuchses. Diese Abstinenz ist nicht etwa die Folge einmaliger Umweltbedingungen, zum Beispiel einer schweren Futterknappheit oder dem Mangel an paarungswilligen Partnerinnen. Sie hat auch nichts mit einer sonderbaren Genmutation zu tun. Die katholische Kirche hat Jahrtausende lang existiert, ohne dass ein »Zölibats-Gen« von einem Papst zum nächsten weitergegeben werden musste. Es reichte, die Geschichten des Neuen Testaments und des Kirchenrechts weiterzuerzählen.

Das heißt, während sich die Verhaltensmuster der Urmenschen über Zehntausende von Jahren hinweg nicht veränderten, konnte der Sapiens seine Gesellschaftsstrukturen, zwischenmenschlichen Beziehungen und alle möglichen anderen Verhaltensweisen innerhalb von ein oder zwei Jahrzehnten völlig über den Haufen werfen. Nehmen wir zum Beispiel eine Einwohnerin der Stadt Dresden, die im Jahr 1900 zur Welt kam und das stattliche Alter von hundert Jahren erreichte, ohne die Stadt zu verlassen. Ihre Kindheit verbrachte sie im Kaiserreich Wilhelms II. und ihr Erwachsenenalter in der Weimarer Republik, dem Nationalsozialismus und der kommunistischen DDR, um schließlich im wiedervereinigten und demokratischen Deutschland zu sterben. Damit lebte sie unter fünf verschiedenen politischen Systemen, während ihre Gene immer dieselben blieben. Genau das war der Schlüssel zum Erfolg des *Homo sapiens*. Im Faustkampf mit einem Neandertaler hätte der Sapiens vermutlich den Kürzeren gezogen. Aber in einem Kampf zwischen einigen Hunderten Angehörigen beider Arten hatte der Neandertaler nicht den Hauch einer Chance. Die Neandertaler konnten sich vermutlich gegenseitig darüber informieren, wo und wann sie Löwen gesehen hatten, aber sie waren wahrscheinlich nicht in der Lage, sich Geschichten über Stammesgeister zu erzählen und diese nach Belieben umzugestalten. Aber ohne diese erzählerischen Fähigkeiten waren die Neandertaler kaum in der Lage, effektiv in großen Gruppen zusammenzuarbeiten, und genauso wenig konnten sie ihr Sozialverhalten an plötzlich auftretende Herausforderungen anpassen.

Wir können einem Neandertaler natürlich nicht in den Kopf schauen, um zu sehen, wie und was er dachte. Es gibt jedoch zahlreiche indirekte Hinweise dafür, wie beschränkt ihre geistigen Fähigkeiten im Vergleich mit denen der Sapiens waren. Bei der Ausgrabung von 30 000 Jahre alten Sapiens-Fundstätten in Zentraleuropa finden Archäologen immer wieder Muscheln von der Mittelmeer- oder der Atlantikküste. Diese Muscheln gelangten vermutlich durch den Handel zwischen verschiedenen Gruppen von Sapiens ins Innere des Kontinents. Nach allem, was wir wissen, trieben die Neandertaler dagegen keinen Handel. Jede Gruppe stellte ihre Werkzeuge aus den Materialien her, die sie vor Ort fand.[4]

Ein anderes Beispiel stammt aus dem Südpazifik. Die Sapiens-Gruppen, die auf der Insel Neuirland nördlich von Neuguinea lebten, benutzten ein Vulkanglas namens Obsidian, um besonders harte und scharfe Werkzeuge herzustellen. Laboruntersuchungen haben gezeigt, dass das Vulkanglas von der vierhundert Kilometer entfernten Insel Neubritannien stammte. Einige Einwohner der Insel müssen also geschickte Seefahrer gewesen sein, die zwischen den Inseln Handel trieben.[5] Wenn Sapiens mit Muscheln und Obsidian handelten, haben sie vermutlich auch Informationen weitergegeben und damit ein engmaschigeres und größeres Wissensnetzwerk geschaffen als Neandertaler und andere Urmenschen.

Die Jagdtechniken sind ein weiteres Beispiel für die Unterschiede zwischen den verschiedenen Menschenarten. Neandertaler jagten in der Regel allein oder in kleinen Gruppen. Sapiens entwickelten dagegen Formen der Jagd, an denen mehrere Dutzend Menschen, vielleicht sogar zum Teil Angehörige unterschiedlicher Gruppen, beteiligt waren. Eine besonders effektive Methode bestand darin, eine ganze Herde von Wildpferden oder anderen Tieren einzukreisen und sie in eine enge Schlucht zu treiben, wo sie leicht in Massen getötet werden konnten. Wenn alles nach Plan verlief, konnten die Sapiens so an einem einzigen Nachmittag in gemeinsamer Anstrengung tonnenweise Fleisch, Fett und Häute erlegen. Archäologen haben Stellen gefunden, an denen Jahr für Jahr ganze Herden niedergemetzelt wurden. An einigen Orten errichteten die Menschen sogar Zäune und andere Hindernisse, um künstliche Fallen und Schlachthöfe zu schaffen.

Die Neandertaler waren vermutlich alles andere als erfreut, als sich ihre traditionellen Jagdgründe in die Schlachthöfe der Sapiens verwandelten. Doch wenn es tatsächlich zu gewalttätigen Auseinandersetzungen zwischen beiden Arten gekommen sein sollte, dann erging es den Neandertalern wahrscheinlich nicht viel besser als den Wildpferden. Fünfzig Neandertaler, die nach ihren traditionellen und starren Methoden kämpfen, können gegen fünfhundert flexible und erfinderische Sapiens nur wenig ausrichten. Und selbst wenn die Sapiens in der ersten Runde den Kürzeren zogen, erfanden sie vermutlich schnell eine neue Strategie, um sich zu revanchieren.

Was also genau bedeutete die kognitive Revolution?

Theorie	Welche einmalige Fähigkeit entstand in der kognitiven Revolution?	Nutzen
Der Löwe am Fluss	Die Fähigkeit, große Mengen an Information über die Umwelt weiterzugeben	Planung und Durchführung komplizierter Handlungen, zum Beispiel dem Schutz vor Löwen oder der Büffeljagd
Klatsch	Die Fähigkeit, große Mengen an Information über soziale Beziehungen zu kommunizieren	Größere Gruppen mit bis zu 150 Angehörigen, stärkerer Zusammenhalt innerhalb der Gruppe
Fiktive Sprache	Die Fähigkeit, große Mengen an Information über Dinge zu kommunizieren, die gar nicht existieren, zum Beispiel Stammesgeister, Nationen, Aktiengesellschaften und Menschenrechte	a. Zusammenarbeit zwischen einer sehr großen Zahl von Menschen, die einander nicht kennen b. Rasche Veränderungen des Sozialverhaltens

Geschichte und Biologie

Die gewaltige Vielfalt der Wirklichkeiten, die der *Homo sapiens* erfand, und die gewaltige Vielfalt von Verhaltensweisen, die sich daraus ergab, machen das aus, was wir als »Kultur« bezeichnen. Nachdem diese Kulturen einmal entstanden waren, veränderten und entwickelten sie sich ununterbrochen weiter, und diese konstanten Umwälzungen bezeichnen wir als »Geschichte«. Die kognitive Revolution ist der Moment, an dem die Geschichte ihre Unabhängigkeit von der Biologie erklärte. Von diesem Zeitpunkt an wird die Entwicklung der Menschheit nicht mehr durch biologische Theorien erklärt, sondern durch die Geschichtsschreibung.

Was nicht bedeutet, dass sich der *Homo sapiens* und die menschliche Kultur von sämtlichen biologischen Gesetzen befreit hätten. Wir sind nach wie vor Tiere, und unsere Gene geben bis heute den Rahmen für unsere körperlichen, geistigen und emotionalen Fähigkeiten vor. Unsere Gesellschaften bestehen aus denselben Grundbausteinen wie die der Neandertaler oder der Schimpansen, und je genauer wir diese Bausteine – Wahrnehmungen, Emotionen, Familienbande – unter die Lupe nehmen, desto kleiner erscheinen die Unterschiede zwischen uns und anderen Affenarten.

Es wäre allerdings falsch, die Unterschiede auf der Ebene des Einzelnen oder der Familie zu suchen. Als Einzelne und selbst als kleine Gruppen sind wir den Schimpansen derart ähnlich, dass es schon fast peinlich ist. Deutliche Unterschiede ergeben sich erst, wenn wir die magische Grenze von 150 Individuen überschreiten – und wenn wir uns Gruppen von tausend oder zweitausend Individuen ansehen, tut sich ein riesiger Abgrund auf. Stellen Sie sich vor, was passiert, wenn tausend Schimpansen im Berliner Hauptbahnhof, im Reichstag, im Olympiastadion oder im KaDeWe zusammenträfen. Das Ergebnis wäre ein hoffnungsloses Chaos. Sapiens kommen dagegen an diesen Orten täglich zu Tausenden zusammen und organisieren sich zu ordentlichen Mustern, zum Beispiel Geschäftsbeziehungen, Massenveranstaltungen oder politischen Institutionen. Der eigentliche Unterschied zwischen uns und den Schimpansen ist der geheimnisvolle Kitt, der eine große Zahl von Individuen, Familien und Gruppen zusammenhält. Dieser Kitt hat uns zu den Herren der Schöpfung gemacht.

Natürlich waren dazu auch noch ein paar andere Fähigkeiten nötig, zum Beispiel der Gebrauch von Werkzeugen. Doch diese hätten kaum Auswirkungen, wenn wir nicht gleichzeitig in der Lage wären, in großen Gruppen zusammenzuarbeiten. Wie kommt es, dass wir heute mit Atomraketen hantieren, während wir vor 30 000 Jahren noch mit Speeren auf die Jagd gingen? Aus biologischer Sicht hat sich unsere Fähigkeit zur Herstellung von Werkzeugen in den vergangenen 30 000 Jahren kaum verändert. Albert Einstein war handwerklich sehr viel ungeschickter als die Jäger und Sammler der Steinzeit. Was sich dagegen ganz dramatisch verbesserte, war unsere Fähigkeit, mit großen Gruppen von wildfremden Menschen zusammenzuarbeiten. Die Steinspitze eines Speers ließ sich in relativ kurzer Zeit von einem Einzelnen behauen, dazu waren höchstens Rat und Unterstützung einiger enger Freunde nötig. An der Herstellung eines modernen Atomsprengkopfs sind dagegen Millionen von Menschen in aller Welt beteiligt, die einander nicht kennen: von den Kumpeln, die das Uranerz aus der Erde holen, bis zu den Physikern, die mit langen mathematischen Formeln die Reaktionen subatomarer Teilchen beschreiben.

*

Die Beziehung zwischen Biologie und Geschichte nach der kognitiven Revolution lässt sich so zusammenfassen:

a. Die Biologie gibt den Rahmen für das Verhalten und die Fähigkeiten des *Homo sapiens* vor. Die gesamte menschliche Geschichte findet auf diesem von der Biologie definierten Spielfeld statt.

b. Doch das Spielfeld des Sapiens ist erstaunlich groß und lässt eine verblüffende Vielfalt von Spielen zu. Mit Hilfe der fiktiven Sprache erfinden Sapiens immer mehr und immer komplexere Spiele, die von jeder neuen Generation weitergesponnen und ausgebaut werden.

c. Um das Verhalten der Sapiens zu verstehen, müssen wir uns daher die geschichtliche Entwicklung unserer Handlungen ansehen. Wenn wir bei den biologischen Grenzen stehen bleiben würden, dann wäre das ungefähr so, als würde ein Fußballreporter seinen Zuhörern nur den Rasen beschreiben und kein Wort über die Partie verlieren.

Aber welche Spiele spielten unsere steinzeitlichen Vorfahren? Nach allem, was wir heute wissen, brachten die Menschen, die vor 30 000 Jahren den Löwenmenschen der Stadel-Höhle schnitzten, dieselben körperlichen, geistigen und emotionalen Fähigkeiten mit wie wir. Was taten sie, wenn sie morgens aufwachten? Was aßen sie zum Frühstück und zum Mittagessen? Wie sahen ihre Gesellschaften aus? Lebten sie in monogamen Beziehungen und Kleinfamilien? Kannten sie Feste, Moral, Sport und Rituale? Führten sie Kriege? Im nächsten Kapitel werfen wir einen Blick hinter die Kulissen der Geschichte und sehen uns an, wie das Leben in der Steinzeit aussah.

Kapitel 3

Ein Tag im Leben von Adam und Eva

Um unsere Natur, Psyche und Geschichte zu verstehen, müssen wir einen Blick in den Kopf der Jäger und Sammler der Steinzeit werfen. Die Sapiens lebten die längste Zeit ihrer Geschichte als Wildbeuter. Die letzten zwei Jahrhunderte, in denen wir unsere Brötchen als Arbeiter und Angestellte verdienen mussten, und die zehn Jahrtausende davor, in denen wir uns als Bauern und Hirten durchgeschlagen haben, sind nur ein Wimpernschlag im Vergleich zu den Hunderttausenden von Jahren, in denen unsere Vorfahren jagten und sammelten.

Die Vertreter des neuen Gebiets der Evolutionspsychologie nehmen an, dass unsere Gesellschaft und Psyche vor allem während dieser langen Phase vor der Erfindung der Landwirtschaft geprägt wurden. Bis heute sind unsere Gehirne daher auf ein Leben als Jäger und Sammler programmiert. Unsere Ernährungsgewohnheiten, unsere Konflikte und unsere Sexualität ergeben sich aus der Konfrontation unserer Steinzeitgehirne mit der entfremdeten Welt der Megastädte, Flugzeuge, Telefone und Computer. Dieser modernen Umwelt haben wir es zu verdanken, dass wir heute mehr Ressourcen zur Verfügung haben und länger leben als sämtliche unserer Vorfahren, doch dieselbe Umwelt ist auch dafür verantwortlich, dass wir uns oft einsam, deprimiert und gestresst fühlen. Um zu verstehen, warum das so ist, müssen wir uns die Welt der Wildbeuter ansehen, die uns ihren Stempel aufgedrückt hat, denn das ist die Welt, in der wir unbewusst bis heute leben.

Warum werden wir beispielsweise immer dicker? Die modernen Industriegesellschaften leiden unter einer regelrechten Fettepidemie. Wir essen, selbst wenn wir gar keinen Hunger haben. Schlimmer noch, wir können es nie bei einem einzigen Plätzchen belassen und stopfen uns mit den süßesten, fettigsten und kalorienreichsten Lebensmitteln voll, die wir finden können. Die Erklärung dafür sind die Ernährungsgewohnheiten unserer Vorfahren. In ihrer Welt war Zucker ein knappes Gut, so wie jede Form der Nahrung nur unter Mühen zu beschaffen war. Ein typischer Wildbeuter vor 30 000 Jahren kannte Süßigkeiten nur in Form von reifen Früchten. Wenn eine Steinzeitfrau bei ihrem Streifzug durch die Savanne auf einen Baum stieß, der sich unter reifen Feigen bog, dann war es nur vernünftig, sich den Magen vollzuschlagen, ehe die Pavianhorde aus der Nachbarschaft den Baum plünderte. Dieser Instinkt, Kalorien in uns hineinzuschaufeln, ist fest in unseren Genen programmiert. Obwohl wir heute in modernen Wohnungen mit gut gefüllten Kühlschränken wohnen, sind unsere Gene überzeugt, dass wir immer noch durch die Savanne streifen. Wenn wir im Gefrierfach einen Kübel Schokoladeneis finden, löffeln wir ihn deshalb auf einen Sitz weg und spülen ihn am besten noch mit einer großen Cola hinunter.

Die Theorie vom »Fress-Gen« wird heute allgemein akzeptiert. Andere Theorien sind dagegen umstrittener. Zum Beispiel behaupten einige Evolutionspsychologen, die Steinzeitmenschen lebten nicht als monogame Paare in Kleinfamilien. Stattdessen organisierten sie sich in Kommunen und kannten weder Privatbesitz noch Monogamie oder Vaterschaft. Damals konnten Frauen mit mehreren Männern (und Frauen) gleichzeitig Beziehungen eingehen. Die Kinder wurden nicht in Kleinfamilien aufgezogen, sondern von der ganzen Gruppe. Da kein Mann wissen konnte, welches Kind von ihm stammte und welches nicht, kümmerten sich die Männer gemeinsam um den gesamten Nachwuchs.

Das ist keine Hippie-Fantasie. Solche und ähnliche Gesellschaftsformen kennen wir von Tieren, vor allem von unseren nächsten Verwandten, den Schimpansen und Bonobos. Anthropologen weisen außerdem darauf hin, dass einige menschliche Kulturen bis heute die kollektive Vaterschaft praktizieren. Nach den Mythen dieser Völker wird ein Kind nicht durch die Spermazelle eines einzelnen Mannes gezeugt, sondern durch eine Ansammlung von Spermien im Bauch der Frau. Eine gute Mutter muss also sehr darauf achten, mit so vielen Männern wie möglich zu schlafen, vor allem während der Schwangerschaft, damit ihr Kind nicht nur die Qualitäten des erfolgreichsten Jägers mitbekommt, sondern auch die des besten Geschichtenerzählers, des mutigsten Kriegers und des attraktivsten Liebhabers. Wir mögen diese Vorstellung albern finden, doch vor der Entwicklung der Embryonenforschung konnte eben noch niemand wissen, dass Kinder immer nur von einem einzigen Mann gezeugt wurden.

Vertreter dieser Theorie der »Ur-Kommune« behaupten, wenn in modernen Ehen die Untreue und die hohe Scheidungsrate ein derartiges Problem darstellen, und wenn Kinder und Erwachsene heute unter zahlreichen psychischen Problemen zu leiden haben, dann liege das daran, dass wir entgegen unserer eigentlichen Natur in Kleinfamilien und monogame Beziehungen gesperrt würden. Diese Lebensform sei schlicht unvereinbar mit unserer biologischen Software.[1]

Andere Forscher widersprechen dieser Theorie vehement. Sie behaupten, Kleinfamilien und Monogamie seien sehr wohl fest in der menschlichen Natur verankert. Die Gemeinschaften der Jäger und Sammler seien zwar egalitärer und kommunistischer gewesen als unsere heutigen Gesellschaften, doch schon damals seien die kleinsten Einheiten eifersüchtige Paare mit ihren jeweiligen Kindern gewesen. Das sei auch der Grund, warum die meisten Gesellschaften bis heute Kleinfamilien und monogame Beziehungen bevorzugen, warum sich Frauen und Männer so besitzergreifend gegenüber ihren Partnern und Kindern verhielten, und warum in Staaten wie Nordkorea oder Syrien die politische Macht nach wie vor vom Vater auf den Sohn übergehe.

Um herauszufinden, wer in diesem Streit Recht haben könnte, und um unsere moderne Gesellschaft, Politik und Sexualität besser zu verstehen, wollen wir uns das Leben unserer jagenden und sammelnden Vorfahren genauer ansehen.

*

Leider gibt es kaum gesicherte Erkenntnisse über das Leben unserer steinzeitlichen Vorfahren. Die Vertreter der Theorie der »Ur-Kommune« haben genauso wenig handfeste Beweise für ihre Thesen wie die Verfechter der »ewigen Monogamie«. Es gibt keine schriftlichen Überlieferungen aus der Zeit der Jäger und Sammler, und die archäologischen Überreste sind vor allem Knochen und Steinwerkzeuge. Erzeugnisse aus vergänglicheren Materialien wie Holz, Bambus oder Leder haben nur in Ausnahmefällen überlebt. Schon die Vorstellung, dass die Menschen vor der Erfindung der Landwirtschaft in der »Steinzeit« lebten, ist im Grunde ein Irrtum, der auf diesen archäologischen Funden beruht. Genau genommen lebten die Urmenschen nämlich in der »Holzzeit«, denn aus diesem Material stellten sie die meisten ihrer Werkzeuge her. Wenn wir fast ausschließlich Steinwerkzeuge gefunden haben, dann liegt das daran, dass Stein dem Zahn der Zeit besser widersteht als Holz.

Es wäre vermessen zu glauben, dass wir das Leben der Jäger und Sammler anhand der wenigen Gegenstände rekonstruieren könnten, die sie hinterlassen haben. Im Gegensatz zu ihren Nachfahren der Agrar- und Industriegesellschaft hatten die Wildbeuter so gut wie keinen Besitz, und Dinge spielten in ihrem Leben nur eine sehr untergeordnete Rolle. Als Angehörige von modernen Industriegesellschaften besitzen wir im Laufe unseres Lebens Abermillionen von Gegenständen, angefangen von Milchtüten und Windeln bis zu Autos und Häusern. Es gibt kaum eine Tätigkeit, oder Glaubensvorstellung und sogar kaum ein Gefühl, für das wir keine Requisiten benötigen. Allein zum Essen brauchen wir eine verwirrende Anzahl von Gegenständen, und zwar nicht nur Teller und Löffel, sondern auch Genlabors oder Containerschiffe. Für unsere Freizeitbeschäftigungen haben wir eine unüberschaubare Vielfalt von Spielsachen erfunden, angefangen von Spielkarten bis hin zu Fußballstadien mit 100 000 Plätzen. Zu unserem Liebesleben gehören Ringe, Betten, modische Kleidung, Reizwäsche, Kondome, Abendessen bei Kerzenschein, billige Hotels, Partnervermittlungen, Hochzeitssäle und Catering-Unternehmen. Moderne Religionen vermitteln uns ihre Götter mithilfe von Kirchen, Moscheen, Aschrams, Torahrollen, Gebetsrädern, Priestergewändern, Kerzen, Weihrauch, Weihnachtsbäumen, Matzebällchen, Grabsteinen und Heiligenbildchen.

Wie sehr wir unser Leben mit Gegenständen zugerümpelt haben, bemerken wir normalerweise erst, wenn wir umziehen. Die Jäger und Sammler zogen fast jeden Tag um und mussten alles, was sie mitnehmen wollten, selbst schleppen. Sie hatten keine Speditionen, Lastwagen und nicht einmal Lasttiere, die ihnen die Bürde abgenommen hätten. Daher begnügten sie sich buchstäblich mit einer Handvoll von Gegenständen und kamen bei den meisten Tätigkeiten, Glaubensvorstellungen und Gefühlen ganz ohne aus. Wenn Archäologen der fernen Zukunft unser heutiges Leben rekonstruieren wollten, dann müssten sie sich nur unseren Wohlstandsmüll ansehen. Aber wenn wir versuchen wollten, die Welt der Wildbeuter anhand der Gegenstände zu verstehen, die sie verwendeten, dann stehen wir vor einem Rätsel.

Wenn wir das Schwergewicht auf die Untersuchung von Gegenständen legen, erhalten wir also ein verzerrtes Bild vom Leben der Jäger und Sammler. Um dieses Problem zu umgehen, untersuchen viele Forscher die wenigen Gesellschaften von Jägern und Sammlern, die bis heute überlebt haben. Aber auch das ist nicht so einfach, wie es scheint: Diese Gruppen lassen sich zwar direkt beobachten, doch es wäre sehr problematisch, aus diesen Beobachtungen Rückschlüsse auf die Gesellschaften der Steinzeit ziehen zu wollen.

Erstens stehen die heutigen Gesellschaften von Jägern und Sammlern längst unter dem Einfluss benachbarter Agrar- und Industriegesellschaften. Es wäre daher sehr gewagt anzunehmen, dass sie noch so leben wie ihre Vorfahren vor 30 000 Jahren.

Zweitens überlebten die heutigen Gesellschaften von Jägern und Sammlern vor allem in unwirtlichen Regionen mit schwierigen klimatischen Bedingungen, in denen die Landwirtschaft nicht Fuß fassen konnte. Die Völker und Stämme, die sich an die extremen Lebensbedingungen der Kalahariwüste im Süden Afrikas angepasst haben, sind wohl kaum mit den Gesellschaften zu vergleichen, die sich in fruchtbaren Regionen wie dem Jangtse-Tal niederließen. Vor allem ist die Bevölkerungsdichte in der Kalahari deutlich geringer als vor 30 000 Jahren am Jangtse, was wiederum weitreichende Auswirkungen auf die Größe und Struktur der einzelnen Gruppen und ihre Beziehungen untereinander hat.

Drittens zeichnen sich Gesellschaften von Jägern und Sammlern vor allem durch ihre Vielfalt aus. Sie unterscheiden sich nicht nur von einem Kontinent zum anderen, sondern schon in derselben Region können die Unterschiede gewaltig sein. Ein gutes Beispiel ist die Vielfalt der australischen Aborigines, wie sie die europäischen Siedler vorfanden. Kurz vor der Kolonialisierung durch die Briten lebten auf dem Kontinent schätzungsweise 300 000 bis 700 000 Jäger und Sammler in 200 bis 600 Stämmen, von denen sich jeder in weitere Untergruppen unterteilte.[2] Jeder Stamm hatte seine Sprache, Religion, Normen und Bräuche. In der Umgebung von Adelaide in Südaustralien lebten beispielsweise patriarchalische Klans, in denen die Familienzugehörigkeit über die Väter weitergegeben wurde und die sich streng territorial organisierten. In vielen Stämmen Nordaustraliens standen dagegen die Mütter im Mittelpunkt, und die Stammeszugehörigkeit wurde über gemeinsame Mythen und Totems definiert, nicht über Territorien.

Die Vermutung liegt nahe, dass die frühen Gesellschaften der Jäger und Sammler eine ähnliche ethnische und kulturelle Vielfalt aufwiesen, und dass sich die fünf bis acht Millionen Menschen, die vor Beginn der landwirtschaftlichen Revolution über unseren Planeten zogen, auf Tausende Stämme mit ebenso vielen Kulturen und Sprachen verteilten.[3] Das war schließlich das wichtigste Erbe der kognitiven Revolution: Dank der fiktiven Sprache konnten genetisch weitgehend identische Menschen, die unter ähnlichen Umweltbedingungen lebten, völlig unterschiedliche Wirklichkeiten schaffen, die in eigenständigen Normen und Werten zum Ausdruck kamen.

Es wäre beispielsweise durchaus vorstellbar, dass eine Gruppe von Jägern und Sammlern, die vor 30 000 Jahren in Bayern lebte, eine ganz andere Sprache sprach als eine andere, die durch das benachbarte Sachsen streifte. Eine dieser beiden Gruppen könnte friedlich gewesen sein, und die andere extrem kriegerisch. Vielleicht lebten die Bayern in urkommunistischen Gemeinschaften, während die Sachsen die Kleinfamilie bevorzugten. Die Bayern könnten sich darauf verlegt haben, stundenlang Holzfiguren zu schnitzen, während sich die Sachsen auf rituelle Tänze spezialisierten. Möglicherweise glaubten die Bayern an die Wiedergeburt, während die Sachsen dies für Unfug hielten. Und vielleicht waren in Bayern gleichgeschlechtliche Beziehungen die Regel, während sie in Sachsen tabu waren.

Die anthropologische Untersuchung von modernen Jägern und Sammlern kann uns einen ungefähren Eindruck davon vermitteln, welche Möglichkeiten steinzeitlichen Gesellschaften offengestanden haben könnten. Doch vor 30 000 Jahren war der Horizont der Möglichkeiten noch deutlich größer, und die allermeisten davon sind für uns heute nicht mehr nachvollziehbar.* Die hitzigen Debatten um die »natürliche Lebensweise« des *Homo sapiens*

---

* Mit dem »Horizont von Möglichkeiten« ist das gesamte Spektrum von Glaubensvorstellungen, Praktiken und Erfahrungen gemeint, die einer bestimmten Gesellschaft angesichts ihrer ökologischen, technischen und kulturellen Grenzen offenstehen. Jede Gesellschaft und jeder Mensch verwirklicht üblicherweise nur einen Bruchteil dieser Möglichkeiten.

übersieht einen ganz entscheidenden Punkt: Seit der kognitiven Revolution haben wir Sapiens keine natürliche Lebensweise mehr. Wir können lediglich aus einer verwirrenden Vielfalt von kulturellen Möglichkeiten wählen.

Die erste Wohlstandsgesellschaft

Sollte es nicht trotzdem möglich sein, einige allgemeine Aussagen darüber zu treffen, wie das Leben vor der Erfindung der Landwirtschaft ausgesehen haben könnte? Jedenfalls scheint festzustehen, dass die allermeisten Menschen in kleinen Gruppen von einigen Dutzend bis wenigen Hundert Personen lebten, und dass diesen Gruppen ausschließlich Menschen angehörten. Letzteres mag offensichtlich klingen, doch das ist es keineswegs. Die meisten Angehörigen von Agrar- und Industriegesellschaften sind nämlich Haustiere. Sie haben zwar nicht dieselben Rechte, doch sie gehören zweifelsfrei zu diesen Gesellschaften. Die Bevölkerung von Neuseeland besteht beispielsweise aus 4,5 Millionen Sapiens und 50 Millionen Schafen.

Von dieser Regel gibt es allerdings eine Ausnahme: Hunde. Der Hund war das erste Tier, das der *Homo sapiens* bei sich aufnahm, und zwar lange vor der landwirtschaftlichen Revolution. Experten sind sich nicht ganz einig, wann genau das passiert sein könnte, doch die ersten sicheren Hinweise auf die Existenz von Haushunden sind etwa 15 000 Jahre alt. Es ist gut denkbar, dass sich die Hunde dem menschlichen Rudel schon einige Jahrtausende oder Jahrzehntausende früher anschlossen.

Hunde wurden zur Jagd und im Kampf eingesetzt, sie warnten vor wilden Tieren und menschlichen Eindringlingen. Zwischen Hund und Mensch entstand ein Band des Verständnisses und der Zuneigung, das auf Gegenseitigkeit beruhte. Manchmal wurden Hunde ähnlich rituell bestattet wie Menschen. Im Laufe von vielen Generationen entwickelten sich Hunde und Menschen gemeinsam und lernten, miteinander zu kommunizieren. Diejenigen Hunde, die sich am besten auf die Bedürfnisse und Gefühle ihrer menschlichen Begleiter einstellten, erhielten mehr Zuwendung und Futter und vermehrten sich besser. Gleichzeitig lernten Hunde, die Menschen so zu manipulieren, wie es ihren Bedürfnissen entsprach. Nach einem 15 000 Jahre dauernden emotionalen Rüstungswettlauf hat der Mensch eine tiefere emotionale Beziehung zum Hund als zu irgendeinem anderen Tier entwickelt.

Die Angehörigen einer Gruppe kannten einander bestens und waren ein Leben lang von Verwandten und Freunden umgeben. Einsamkeit und Privatsphäre waren weitgehend unbekannt. Benachbarte Gruppen konkurrierten vermutlich um Ressourcen und bekämpften einander, aber daneben hatten sie wahrscheinlich auch freundschaftliche Kontakte. Sie tauschten Angehörige aus, jagten gemeinsam, handelten mit seltenen Ressourcen, gingen Bündnisse

6. Das erste Haustier? Ein 12 000 Jahre altes Grab aus dem Norden Israels (Kibbutz Ma'ayan Baruch Museum). Darin liegt das Skelett einer etwa fünfzig Jahre alten Frau neben dem eines Hundewelpen (oben rechts). Der Welpe wurde neben dem Kopf der Frau beigesetzt. Ihre linke Hand ruht auf dem Tier, was eine emotionale Beziehung andeuten könnte. Es gibt allerdings auch andere Erklärungen für diese Geste: Das Hündchen könnte auch ein Geschenk für den Türhüter der jenseitigen Welt gewesen sein.

ein und feierten religiöse Feste. Diese Zusammenarbeit war eines der wichtigsten Merkmale des *Homo sapiens*, und ihr verdankte er einen Wettbewerbsvorteil gegenüber anderen Menschenarten. Manchmal waren die Bande zwischen benachbarten Gruppierungen so eng, dass sie einen Stamm bildeten, dieselbe Sprache sprachen und gemeinsame Mythen, Normen und Werte hatten.

Wir sollten die Bedeutung dieser Außenbeziehungen allerdings nicht überschätzen. Selbst wenn benachbarte Gruppierungen in schwierigen Zeiten ein loses Bündnis eingingen und gelegentlich gemeinsam jagten und feierten, verbrachten sie die meiste Zeit in völliger Abgeschiedenheit und Eigenständigkeit. Der Handel beschränkte sich auf Luxusgüter wie Muscheln, Bernstein oder Farbpigmente. Es gibt keinen Hinweis darauf, dass die Menschen mit Nahrungsmitteln wie Obst oder Fleisch gehandelt haben könnten, oder dass einzelne Gruppen auf die Lieferungen von anderen angewiesen waren. Auch soziale und politische Beziehungen waren eher rar. Der Stamm war keine dauerhafte politische Einrichtung, und selbst wenn er sich zu bestimmten Jahreszeiten an bestimmten Orten einfand, gab es keine festen Siedlungen oder dauerhaften Einrichtungen. Der Durchschnittswildbeuter traf oft Monate lang keinen Fremden und sah im Laufe seines Lebens nur wenige Hundert Gesichter. Die Menschen verteilten sich auf riesige Gebiete. Vor der landwirtschaftlichen Revolution hatte der gesamte Planet weniger menschliche Bewohner als die heutige Schweiz.

Die meisten Menschen waren Nomaden und zogen auf der Nahrungssuche von einem Ort zum anderen. Ihre Wanderungen wurden durch den Wechsel der Jahreszeiten, die Migration von Tieren und den Wachstumszyklus der Pflanzen bestimmt. Auf ihren Wanderungen blieb eine Gruppe meist innerhalb eines festen Gebiets, das einige Dutzend bis einige Hundert Quadratkilometer groß sein konnte.

Gelegentlich verließen die Gruppen jedoch ihr Territorium und erforschten unbekanntes Gebiet, zum Beispiel nach einer Naturkatastrophe, einem blutigen Konflikt oder einer demographischen Veränderung oder auf Initiative eines charismatischen Anführers. Diesen Wanderungen ist es zu verdanken, dass sich die Menschen allmählich über den gesamten Planeten ausbreiteten. Wenn sich eine Gruppe von Jägern und Sammlern alle vierzig Jahre aufspaltete und sich die Splittergruppe hundert Kilometer weiter östlich ein neues Territorium suchte, dann reichte das schon aus, um innerhalb von 10 000 Jahren die Entfernung zwischen Ostafrika und China zurückzulegen.

Wenn es irgendwo besonders viel Nahrung gab, dann ließen sich Gruppen ausnahmsweise dort nieder und blieben länger als eine Jahreszeit an einem Ort. Techniken zum Trocknen, Räuchern und (in der Arktis) Einfrieren von Nahrung ermöglichten es ihnen, sich für einen längeren Zeitraum niederzulassen. An Seen und Flüssen mit reichen Fischbeständen siedelten die Menschen auch dauerhaft. Lange vor der landwirtschaftlichen Revolution gründeten sie dort die ersten festen Dörfer der Geschichte. An den Küsten im indonesischen Archipel errichteten Fischer schon vor 45 000 Jahren ihre Siedlungen. Diese könnten auch das Basislager gewesen sein, von dem aus der *Homo sapiens* zu seinen ersten Entdeckungsfahrten in See stach und schließlich Australien eroberte.

*

In den meisten Lebensräumen war die Wirtschaft flexibel und opportunistisch. Die Menschen sammelten Termiten, pflückten Beeren, gruben nach Wurzeln, stellten Hasenfallen auf und jagten Büffel und Mammuts. Die Sammeltätigkeit war in der Regel wichtiger als die Jagd und deckte den größten Teil des Rohstoff- und Kalorienbedarfs. Beim Sammeln und Jagen verwendeten die Menschen Werkzeuge, zum Beispiel Speere, Fallen und Grabstöcke. Außerdem benutzten sie Kleidung: Die Eroberung der Arktis wurde nur durch die Erfindung von Thermobekleidung aus Leder und Fell möglich.

Aber die Menschen sammelten nicht nur Nahrung und Rohstoffe, sondern auch Wissen. Ohne eine detaillierte Kenntnis der Umgebung hätten sie nicht überlebt. Um ihre tägliche Nahrungssuche möglichst effizient zu gestalten, benötigten sie Informationen über das Wachstum aller Pflanzen und die Verhaltensmuster sämtlicher Tiere. Sie mussten den Wechsel der Jahreszeiten verstehen und Hinweise auf einen drohenden Sturm oder eine bevorstehende Trockenzeit erkennen. Jeder Angehörige der Gruppe musste ein Steinmesser herstellen, ein zerrissenes Kleidungsstück flicken, eine Hasenfalle aufstellen, einer Lawine entgehen und mit Schlangenbissen und hungrigen Löwen fertigwerden können. Es gab keinen Laden, in dem sie das Lebensnotwendige einkaufen und keinen Notruf, den sie im Ernstfall anrufen konnten. Um ihre Fähigkeiten zu erlernen, benötigten sie Jahre der Lehre und Übung. Jeder Jäger konnte innerhalb weniger Minuten aus einem Feuerstein eine Speerspitze fertigen. Wenn moderne Wissenschaftler es ihnen nachmachen wollen, scheitern sie in der Regel kläglich: Sie wissen nicht, wie welcher Basalt oder Feuerstein bricht und sie haben vor allem nicht die Feinmotorik, die nötig ist, um derart präzise zu arbeiten.

Die Jäger und Sammler hatten also sehr viel gründlichere, umfassendere und vielfältigere Kenntnisse über ihre Umwelt als die meisten ihrer modernen Nachfahren. In unserer Industriegesellschaft braucht man zum Überleben nicht allzu viele Fähigkeiten. Was müssen wir denn schon mitbringen, um als Informatiker, Versicherungsvertreter, Geschichtslehrer oder Fließbandarbeiter überleben zu können? Natürlich erwerben wir eine Menge Spezialkenntnisse auf einem klar definierten Gebiet, doch bei der Befriedigung der allermeisten Bedürfnisse verlassen wir uns blind auf andere Experten, die sich genau wie wir auf ein winziges Fachgebiet spezialisiert haben. Als Kollektiv wissen wir heute natürlich viel mehr als diese Gruppen von Urmenschen. Aber für sich genommen waren die Jäger und Sammler die klügsten und geschicktesten Menschen der Geschichte.

Wir wissen heute, dass das durchschnittliche Sapiens-Gehirn seit Beginn der landwirtschaftlichen Revolution *geschrumpft* ist.[4] Um als Jäger und Sammler zu überleben, mussten die Menschen über hervorragende geistige Fähigkeiten verfügen. Mit der Landwirtschaft und der Industrie konnten sich unsere Vorfahren zunehmend auf die Fähigkeiten der anderen verlassen, und es öffneten sich Nischen für weniger talentierte Menschen: Zur Not konnte man sich irgendwie als Wasserträger oder Hilfsarbeiter durchschlagen und so seine Gene an die nächste Generation weitergeben.

Wildbeuter hatten nicht nur ein besseres Verständnis ihrer belebten und unbelebten Umwelt, sondern auch ihrer eigenen Innenwelt, ihres Körpers und ihrer Sinne. Sie hörten das leiseste Geräusch im Gras, weil es sich um eine Schlange handeln könnte. Mit scharfem Blick beobachteten sie das Laub von Bäumen, um Früchte, Bienenstöcke oder Vogelnester zu erspähen. Sie bewegten sich mit einem Minimum an Krafteinsatz und Lärm und verstanden es, geschickt und effizient zu sitzen, zu gehen und zu laufen. Durch den vielfältigen Einsatz ihres Körpers waren sie fit wie ein Marathonläufer. Sie hatten eine körperliche Flexibilität, wie wir sie heute nur erreichen, wenn wir jahrelang Yoga oder Tai-Chi praktizieren.

*

Das Leben der Jäger und Sammler konnte sich je nach Region und Jahreszeit ganz erheblich unterscheiden, doch im Großen und Ganzen bekommt man den Eindruck, dass sie ein sehr viel angenehmeres Leben führten als die meisten Bauern, Schäfer, Landarbeiter und Büroangestellten, die ihnen folgten. Während die Menschen in den heutigen Wohlstandsgesellschaften zwischen 40 und 45 Stunden pro Woche arbeiten, und in den Ländern der Dritten Welt sogar zwischen 60 und 80, kommen die Wildbeuter selbst in den unwirtlichsten Gegenden der Welt – zum Beispiel der Kalahari-Wüste – im Durchschnitt auf nur 35 bis 40 Arbeitsstunden pro Woche. Sie jagen höchstens jeden dritten Tag und die Sammeltätigkeit nimmt pro Tag lediglich drei bis sechs Stunden in Anspruch. In normalen Zeiten reicht das völlig aus, um die gesamte Gruppe zu ernähren. Es ist sehr wahrscheinlich, dass die steinzeitlichen Jäger und Sammler in fruchtbaren Regionen deutlich weniger Zeit benötigten, um Nahrung und Rohstoffe heranzuschaffen. Außerdem hatte sie deutlich weniger Hausarbeit: Sie mussten kein Geschirr spülen, keine Teppiche saugen, keine Böden schrubben, keine Windeln wechseln und keine Rechnungen zahlen.

In der Wirtschaft der Wildbeuter gab es viel spannendere Berufe als in der Landwirtschaft oder der Industrie. Eine chinesische Fabrikarbeiterin geht morgens um sieben Uhr aus dem Haus, hastet durch die schmutzigen Straßen in einen öden Sweatshop, setzt sich an eine Maschine, verrichtet dort zehn Stunden lang den immergleichen Handgriff, kommt abends gegen sieben Uhr nach Hause und muss noch Geschirr spülen und die Wäsche waschen – tagein, tagaus, jeden Tag dasselbe. Vor 30 000 Jahren hätte eine chinesische Wildbeuterin gegen acht Uhr morgens mit ihren Begleitern das Lager verlassen. Die Gruppe streifte durch die nahe gelegenen Wälder, sammelte Pilze, grub essbare Wurzeln aus, fing Frösche und lief vor Tigern davon. Am frühen Nachmittag waren sie wieder zurück im Lager, bereiteten eine Mahlzeit zu, unterhielten sich, spielten mit den Kindern und ruhten sich aus. Natürlich wurden sie hin und wieder von Tigern gefressen und von Schlangen gebissen, aber dafür blieben sie von Autounfällen und Smog verschont.

Die Kost, die sie sammelten und jagten, war ideal. Was an sich kein Wunder ist, denn die Menschen hatten sich Jahrmillionen lang von nichts anderem ernährt und ihre Körper waren genau darauf eingestellt. Aus Fossilienfunden wissen wir, dass die Wildbeuter seltener unter Hunger und Mangelernährung litten und größer und gesünder waren als ihre bäuerlichen Nachfahren. Die durchschnittliche Lebenserwartung lag zwar nur bei dreißig bis vierzig Jahren, doch das war vor allem der hohen Kindersterblichkeit geschuldet.

Wer die gefährdeten ersten Lebensjahre überstand, hatte beste Chancen, sechzig, siebzig oder sogar achtzig Jahre alt zu werden. Unter heutigen Wildbeutern hat eine 45-Jährige Frau gute Aussichten, weitere zwanzig Jahre lang zu leben, und rund 5 bis 8 Prozent der Bevölkerung sind über sechzig Jahre alt.[5]

Das Erfolgsgeheimnis der Jäger und Sammler, das sie vor Hungertod und Mangelernährung bewahrte, war ihre vielseitige Ernährung. Bauern leben in der Regel von einer sehr einseitigen Kost. Vor allem in vormodernen Zeiten deckte die Landbevölkerung ihren Kalorienbedarf überwiegend mit einer einzigen Nutzpflanze, zum Beispiel Weizen, Kartoffeln oder Reis, die jeweils nur einen kleinen Teil der Vitamine, Mineralien und anderen Nährstoffe enthalten, die der menschliche Körper benötigt. Wildbeuter ernährten sich dagegen aus Dutzenden verschiedenen Quellen. Dank dieser Vielfalt erhielten sie eine ausgewogene Ernährung und waren weniger anfällig gegenüber Umwelteinflüssen. In einer landwirtschaftlichen Gesellschaft, die auf eine einzige Nutzpflanze angewiesen ist, konnten Dürren oder Überschwemmungen und der nachfolgende Ausfall der Weizen- oder Kartoffelernte leicht zu Hungersnöten führen, denen große Teile der Bevölkerung zum Opfer fielen. Die Jäger und Sammler waren zwar auch anfällig für die Widrigkeiten der Natur und kannten Zeiten des Mangels und des Hungers, doch in der Regel bewältigten sie diese erheblich besser. Wenn eines ihrer Grundnahrungsmittel ausfiel, konnten sie einfach eine andere Pflanze sammeln, ein anderes Tier jagen oder in eine weniger stark betroffene Gegend ausweichen.

Die steinzeitlichen Wildbeuter litten außerdem weniger unter Infektionskrankheiten. Die meisten ansteckenden Krankheiten, mit denen sich landwirtschaftliche und industrialisierte Gesellschaften herumschlagen müssen (zum Beispiel Pocken, Masern oder Tuberkulose) stammen ursprünglich von Haustieren und wurden erst nach der landwirtschaftlichen Revolution auf den Menschen übertragen. Die Jäger und Sammler, die sich höchstens ein paar Hunde hielten, blieben von diesen Geißeln verschont. Dazu kam, dass die

Menschen in Agrar- und Industriegesellschaften in beengten und schmutzigen Verhältnissen lebten – eine ideale Brutstätte für Krankheiten. Wildbeuter streiften dagegen in kleinen Gruppen umher, in denen sich keine Epidemien halten konnten.

*

Wegen ihrer ausgewogenen und vielseitigen Kost, ihrer kurzen Arbeitszeiten und ihrer gesunden Lebensweise bezeichnen Historiker die Wildbeuter der Steinzeit gern als »die erste Wohlstandsgesellschaft«. Trotzdem sollten wir das Leben dieser Jäger und Sammler nicht durch eine rosarote Brille sehen. Sie lebten zwar besser als die meisten Menschen in Agrar- und Industriegesellschaften, doch ihre Welt konnte hart und erbarmungslos sein. Zeiten der Entbehrung waren nicht selten, die Kindersterblichkeit war hoch, und ein Unfall, etwa ein Sturz von einem Baum, konnte einem Todesurteil gleichkommen. Die meisten Menschen genossen vermutlich die Intimität der umherziehenden Gruppe, doch die Unglücklichen, die sich die Feindschaft oder den Spott der anderen zuzogen, hätten Sartre beigepflichtet, als er sagte, »die Hölle, das sind die anderen«. Auch heute lassen Jäger und Sammler ihre Alten und Kranken oft zurück oder töten sie, weil sie nicht mehr mit der Gruppe mithalten können. Unerwünschte Neugeborene und Kleinkinder werden getötet, und gelegentlich kommt es auch zu religiösen Menschenopfern.

Die Aché, die bis in die 1960er Jahre als Jäger und Sammler durch die Urwälder von Paraguay streiften, vermitteln einen Eindruck von den Licht- und Schattenseiten des Lebens der Wildbeuter. Wenn ein angesehenes Mitglied der Gruppe starb, töteten die Aché traditionell ein Mädchen und bestatteten die beiden zusammen. Anthropologen beschrieben einen Fall, in dem ein Mann mittleren Alters krank wurde und nicht mehr mit den anderen Schritt halten konnte. Die Gruppe ließ ihn unter einem Baum zurück. Über ihm kreisten schon die Geier in freudiger Erwartung einer herzhaften Mahlzeit. Zu ihrem Leidwesen erholte sich der Mann jedoch wieder, eilte der Gruppe nach und schloss sich ihr wieder an. Da er über und über mit dem Kot der Aasfresser bedeckt war, nannte ihn die Gruppe danach nur noch »Geierschiss«.

Wenn alte Frauen der Gruppe zur Last fielen, schlich sich ein junger Mann von hinten an sie heran und erschlug sie mit einer Axt. Einer der Männer erzählte den neugierigen Anthropologen von seinen besten Jahren im Urwald. »Ich habe immer die alten Frauen umgebracht. Ich habe meine Tanten erschlagen ... Die Frauen hatten Angst vor mir ... Hier, bei den Weißen, bin ich schwach geworden. Ich habe viele alte Frauen umgebracht.« Kinder, die ohne Haare zur Welt kamen, galten als unterentwickelt und wurden sofort getötet. Eine Frau erinnerte sich, dass ihr erstes Baby umgebracht wurde, weil die Männer der Gruppe keine Mädchen mehr wollten. Bei einer anderen Gelegenheit erschlug ein Mann einen kleinen Jungen, »weil er immer schlecht gelaunt war und oft weinte«. Ein anderes Kind wurde lebendig begraben, »weil es komisch aussah und die anderen Kinder es gehänselt haben«.[6]

Trotzdem sollten wir nicht vorschnell über die Aché urteilen. Anthropologen, die lange Jahre bei ihnen lebten, berichten, es sei ausgesprochen selten zu Gewalt zwischen Erwachsenen gekommen. Frauen und Männer konnten nach Belieben ihre Partner wechseln. Sie lächelten und lachten unaufhörlich, hatten keine Anführer und mieden herrschsüchtige Stammesgenossen. Sie waren ausgesprochen großzügig und hatten kein Interesse an Erfolg oder Wohlstand. Harmonisches Zusammenleben und gute Freundschaften waren ihnen wichtiger als alles andere im Leben.[7] Für sie war die Tötung von Kindern, Kranken und Alten nichts anderes als für uns Abtreibung oder Sterbehilfe. In diesem Zusammenhang sollten wir nicht vergessen, dass die Aché von den Bauern der Region grausam verfolgt und ermordet wurden. Es kann durchaus sein, dass sie aufgrund der Notwendigkeit, sich vor ihren Feinden zu verstecken und extrem erbarmungslos gegen Angehörige vorgingen, die .... für den Rest der Gruppe darstellen konnten.

In Wahrheit war die Gesellschaft der Aché, genau wie jede andere menschliche Gesellschaft, ausgesprochen komplex. Es wäre deshalb nicht angebracht, sie zu idealisieren oder zu verdammen. Die Aché waren weder Engel noch Teufel, sondern Menschen. Genau wie die Jäger und Sammler der Steinzeit.

Sprechende Geister

Was wissen wir vom geistigen und religiösen Leben der Jäger und Sammler? Die Ökonomie der Wildbeuter lässt sich noch relativ leicht rekonstruieren, da wir es mit mess- und zählbaren Faktoren zu tun haben. Wir können errechnen, wie viele Kalorien ein Mensch pro Tag zum Überleben benötigte, wie viele Kalorien in einem Kilogramm Walnüsse stecken, und wie viele Walnüsse sich durchschnittlich in einem Quadratkilometer Wald sammeln lassen. Aber galt die Walnuss als besonderer Leckerbissen oder wurde sie einfach mitgegessen? Glaubten die Wildbeuter, dass in den Walnussbäumen Geister lebten? Gefielen ihnen die Blätter des Walnussbaums? Wenn ein Junge ein Mädchen an einen romantischen Ort entführen wollte, suchte er dann den Schatten eines Walnussbaums? Die Welt der Gedanken, Glaubensvorstellungen und Gefühle ist ungleich schwerer zu fassen.

Die meisten Forscher sind sich einig, dass unter den Jägern und Sammlern animistische Vorstellungen vorherrschten. Animismus (vom lateinischen Wort *anima*, das »Seele« oder »Geist« bedeutet) ist die Vorstellung, dass die Welt von beseelten Wesen bewohnt wird, die miteinander kommunizieren können. Animisten glauben, dass fast jeder Ort, jedes Tier, jede Pflanze und jedes Naturphänomen ein Bewusstsein und Empfindungen hat. Sie können beispielsweise überzeugt sein, dass ein großer Fels auf der Spitze eines Berges Gefühle, Wünsche und Bedürfnisse hat. Der Fels könnte sich zum Beispiel über eine Handlung der Menschen ärgern und über eine andere freuen. Er könnte die Menschen unterstützen oder um Gefälligkeiten bitten. Die Menschen wiederum können mit dem Felsen sprechen und ihn besänftigen oder ihm drohen. Nicht nur der Fels ist ein beseeltes Wesen, sondern auch die Eiche unterhalb des Felsens, der Bach am Fuße des Hügels, die Quelle auf der Lichtung, verschiedene Büsche, Kräuter, Mäuse, Wölfe, Vögel und so weiter. Daneben wird die Welt von den Geistern der Toten und einer Vielzahl von körperlosen Wesen bevölkert, die später Dämonen, Feen und Engel heißen sollten.

Für Animisten gibt es keine feste Grenze zwischen Menschen und anderen Lebewesen. Sie kommunizieren direkt durch Sprache, Gesang, Tanz und Ritual mit ihnen. Ein Jäger kann zum Beispiel eine Herde von Hirschen ansprechen und sie bitten, dass sich einer von ihnen opfert. Wenn die Jagd erfolgreich verläuft, kann er das getötete Tier um Vergebung bitten. Wenn jemand krank wird, kann ein Medium mit dem Geist sprechen, der die Krankheit verursacht hat, und ihn besänftigen oder vertreiben. Wenn nötig, kann das Medium andere Geister um Hilfe bitten. Dabei sind die angerufenen Geister ganz spezifische Wesen: Es handelt sich nicht um universelle Götter, sondern um einen ganz bestimmten Hirsch, Baum, Fluss oder Geist.

Es gibt nicht nur keine feste Grenze zwischen Menschen und anderen Wesen, es gibt auch keine Hierarchie. Die nicht-menschlichen Wesen sind nicht nur dazu da, um die Bedürfnisse der Menschen zu befriedigen. Sie sind auch keine allmächtigen Götter, die die Welt ganz nach ihrem Gutdünken lenken. Die Welt dreht sich weder um den Menschen noch um irgendein anderes Wesen.

Animismus ist keine spezifische Religion. Es handelt sich vielmehr um einen Überbegriff für Tausende verschiedene Religionen, Kulte und Glaubensvorstellungen, die sich untereinander ganz erheblich unterscheiden können. Das Gemeinsame ist ihre Sicht der Welt und der Rolle des Menschen in ihr. Wenn wir sagen, dass die meisten Jäger und Sammler Animisten sind, dann besagt das nicht mehr als die Aussage, dass die meisten Bauern Theisten sind. Theismus ist die

Vorstellung, dass die Ordnung der Welt auf einem hierarchischen Verhältnis zwischen den Menschen und einer kleinen Gruppe von körperlosen Wesen namens Göttern basiert. Es stimmt zwar, dass die meisten bäuerlichen Gesellschaften an Götter glauben, aber das sagt noch nichts über die genauen Inhalte der Religion aus. Unter dem

7. Ausschnitt einer 15 000 bis 20 000 Jahre alten Zeichnung aus der Lascaux-Höhle. Was genau sehen wir hier, und was bedeutet diese Zeichnung? Einige Wissenschaftler behaupten, es handele sich um einen Mann mit Vogelkopf und erigiertem Glied, der von einem Bison getötet wird. Unter dem Mann befindet sich ein weiterer Vogel. Dieser Vogel sei die Seele des Mannes, die im Moment des Todes den Körper verlässt. Die Szene stelle keinen einfachen Jagdunfall dar, sondern den Übergang der Seele von einer Welt in die nächste. Wir werden jedoch nie wissen, ob diese Spekulationen stimmen oder nicht. Es handelt sich um eine Art Rohrschach-Test, der mehr über die Vorurteile der modernen Wissenschaftler aussagt als über die Glaubensvorstellungen der steinzeitlichen Jäger und Sammler.

Oberbegriff »Gottesglauben« finden sich die jüdischen Rabbiner aus dem Polen des 18. Jahrhunderts genauso wieder wie die hexenjagenden Puritaner aus dem Massachusetts des 17. Jahrhunderts, die Aztekenpriester aus dem Mexiko des 15. Jahrhunderts, die Sufi-Mystiker aus dem Iran des 12. Jahrhunderts, die Wikinger des 10. Jahrhunderts, die römischen Legionäre des 2. Jahrhunderts und die chinesischen Bürokraten des 1. Jahrhunderts. Zwischen den Glaubensvorstellungen und Praktiken dieser Gruppen liegen Welten, und genauso groß waren vermutlich die Unterschiede zwischen den religiösen Vorstellungen der verschiedenen Jäger und Sammler-Kulturen. Es kann gut sein, dass sie nicht nur sehr verschiedene Religionen hatten, sondern dass jede einzelne Religion auch ihre Richtungsstreitigkeiten, Reformen und Revolutionen kannte.

8. Jäger und Sammler hinterließen diese Abdrücke vor rund 9000 Jahren in der »Höhle der Hände« in Argentinien. Es wirkt, als würden uns diese längst verstorbenen Menschen aus dem Fels heraus die Hände reichen wollen. Es handelt sich um eines der bewegendsten Zeugnisse aus der alten Welt der Wildbeuter. Leider weiß niemand, welchen Sinn diese Zeichnungen hatten.

Über diese vorsichtigen Verallgemeinerungen hinaus können wir leider nur sehr wenig sagen. Jeder Versuch, die religiösen Vorstellungen der Jäger und Sammler detaillierter zu beschreiben, wäre pure Spekulation, da wir kaum Beweise haben und sich die wenigen Indizien – eine Handvoll Gegenstände und bruchstückhafte Höhlenmalereien – in tausenderlei Weise interpretieren lassen. Wenn Wissenschaftler trotzdem Theorien aufstellen, dann verraten diese oft mehr über ihre eigenen Sehnsüchte und Vorurteile als über die Religionen der Steinzeit.

Statt auf der Grundlage von einigen Grabbeigaben, Höhlenzeichnungen und Knochenfigürchen hochfliegende Theoriegebäude zu errichten, sollten wir ehrlich zugeben, dass wir nur sehr ungefähre Vorstellungen von den Religionen der steinzeitlichen Jäger und Sammler haben. Wir nehmen zwar an, dass sie Animisten waren, doch auch das sagt noch reichlich wenig aus. Wir wissen nicht, welche Geister sie anriefen, welche Feste sie feierten oder welche Tabus sie einhielten. Vor allem wissen wir nicht, welche Mythen sie sich erzählten. Es ist eine der größten Lücken in unserem Verständnis der menschlichen Geschichte.

*

Auch über die sozio-politischen Verhältnisse in der Zeit der Jäger und Sammler wissen wir so gut wie nichts. Wie wir gesehen haben, können sich Wissenschaftler nicht einmal in grundlegenden Fragen wie dem Privateigentum, der Kleinfamilie oder der Monogamie einigen. Vermutlich gab es auch hier ganz erhebliche Unterschiede von einer Gruppe zur nächsten. Es ist gut denkbar, dass einige in einer kommunistischen Utopie lebten, während ihre Nachbarn streng hierarchisiert waren.

Im russischen Sungir entdeckten Archäologen die etwa 30 000 Jahre alte Grabstätte einer Kultur von Mammutjägern. In einem Grab fanden sie die Überreste eines rund 50 Jahre alten Mannes, der mit Ketten von Elfenbeinperlen behängt war. Insgesamt lagen in dem Grab etwa 3000 dieser Perlen. Auf dem Kopf trug der Mann eine mit Fuchszähnen geschmückte Mütze und an den Armen 25 Armreifen aus Elfenbein. Andere Gräber derselben Stätte enthielten deutlich weniger Beigaben. Daraus schlossen die Archäologen, dass die Mammutjäger von Sungir eine hierarchische Gesellschaft gewesen sein müssen, und dass der Verstorbene der Anführer einer Gruppe oder sogar eines aus mehreren Gruppen bestehenden Stammes war. Es war sehr unwahrscheinlich, dass eine einzige Gruppe mit einigen Dutzend Angehörigen derart viele Grabbeigaben hergestellt haben sollte.

Dann entdeckten die Archäologen ein Grab, das noch faszinierender war. Hier lagen zwei Skelette, die Kopf an Kopf begraben worden waren. Eines gehörte einem zwölf oder dreizehn Jahre alten Jungen, das andere einem etwa neun- oder zehnjährigen Mädchen, dessen Hüfte schwere Deformationen aufwies. Der Junge war mit 5000 Elfenbeinperlen bedeckt und trug eine Mütze mit 250 Fuchszähnen (um auf so viele Fangzähne zu kommen, mussten mindestens 60 Füchse getötet werden). Das Mädchen war mit 5250 Elfenbeinperlen geschmückt. Um die Kinder herum lagen Figürchen und andere Gegenstände aus Elfenbein. Die Wissenschaftler schätzten, dass ein geschickter Schnitzer zur Fertigung einer einzigen Elfenbeinperle etwa 45 Minuten benötigte. Allein für die Herstellung der mehr als 10 000 Perlen in dem Grab der Kinder hätte ein geübter Handwerker also rund 7500 Stunden oder drei Arbeitsjahre benötigt.

Es ist recht unwahrscheinlich, dass sich diese beiden Kinder in ihren jungen Jahren als heldenhafte Anführer oder Mammutjäger bewiesen hatten. Die einzige Erklärung für ein derart extravagantes Begräbnis sind kulturelle Vorstellungen. Einer Theorie zufolge hatten sie ihren Status ihren Eltern zu verdanken. Vielleicht waren es die Kinder des Anführers, und vielleicht glaubte die Kultur an das Charisma der Familie oder hatte strenge Erbfolgeregeln. Nach einer zweiten Theorie galten diese Kinder von Geburt an als heilig, vielleicht weil sie die Wiedergeburt verstorbener Geister waren. Und eine dritte Theorie behauptete schließlich, die Bestattung sage eher etwas über den Tod der Kinder und nichts über ihren Status im Leben aus: Sie seien rituell geopfert worden – möglicherweise im Zusammenhang mit den Bestattungsritualen für den Anführer – und dann mit großem Pomp und Prunk beigesetzt worden.[8]

Wir werden vermutlich nie wissen, was wirklich passierte. Doch die Kinder von Sungir sind der beste Beweis dafür, dass Sapiens schon vor 30 000 Jahren in der Lage war, sozio-politische Verhaltensweisen zu erfinden, die weit über das Diktat der Gene und die starren Verhaltensmuster von Tieren und anderen Menschenarten hinausgingen.

Krieg oder Frieden?

Und dann ist da noch die heikle Frage nach dem Krieg. Einige Wissenschaftler beschreiben die Welt der Jäger und Sammler als Paradies und behaupten, Krieg und Frieden begannen erst mit der landwirtschaftlichen Revolution, als die Menschen anfingen, Privatbesitz anzuhäufen. Andere Wissenschaftler beschreiben die steinzeitliche Welt dagegen als ausgesprochen grausam und blutig. Beide Theorien sind Luftschlösser, die auf mageren archäologischen Funden und der Beobachtung moderner Jäger und Sammler errichtet werden.

So verlockend die Erkenntnisse moderner Anthropologen sind, sie sind mit Vorsicht zu genießen. Die heutigen Wildbeuter leben vor allem in entlegenen und unwirtlichen Regionen wie der Arktis oder der Kalahari, wo die Bevölkerungsdichte gering und die Wahrscheinlichkeit einer Begegnung mit Feinden entsprechend klein ist. Vor allem unterstehen die Jäger und Sammler in den vergangenen Jahrzehnten zunehmend der staatlichen Aufsicht, die den Ausbruch großer Konflikte unterbindet. Nur zweimal hatten Anthropologen die Möglichkeit, große und relativ dichte Populationen von unabhängigen Jägern und Sammlern zu beobachten: Im 19. Jahrhundert im Nordwesten Nordamerikas und im 19. und frühen 20. Jahrhundert in Nordaustralien. Auf beiden Kontinenten berichteten die Anthropologen von zahlreichen bewaffneten Konflikten zwischen Gruppen von Wildbeutern.

Auch die archäologischen Funde sind rar und nur bedingt aussagekräftig. Welche Hinweise gibt es, dass vor 30 000 Jahren irgendwo ein Krieg stattgefunden haben könnte? Damals gab es keine Festungen und Mauern, keine Granaten und Schwerter. Aus heutiger Sicht lässt sich nicht mehr sagen, ob ein Speer zur Jagd oder im Krieg verwendet wurde. Fossile Knochenfunde sind genauso schwer zu deuten. Ein Knochenbruch könnte genauso gut von einem Unfall herrühren wie von menschlicher Gewalt. Umgekehrt ist das Fehlen von Knochenverletzungen noch kein Beweis für einen friedlichen Tod: Der Betroffene könnte aber auch an Fleischwunden gestorben sein, die keine Spuren am Skelett hinterlassen haben. Dazu kommt, dass vor der Industrialisierung rund 90 Prozent aller Kriegsopfer nicht durch Waffeneinwirkung, sondern durch Hunger, Kälte und Krankheit ums Leben kamen. Stellen wir uns vor, dass vor 30 000 Jahren eine Gruppe eine andere besiegte und aus den begehrten Jagdgründen vertrieb. Im entscheidenden Kampf werden zehn Angehörige des unterlegenen Stamms getötet. Im folgenden Jahr sterben weitere Hundert an Hunger, Kälte und Krankheiten. Wenn Archäologen diese 110 Skelette finden, kommen sie vermutlich zu dem Schluss, dass die meisten von einer Naturkatastrophe dahingerafft wurden. Wer käme schon auf den Gedanken, dass sie Opfer eines erbarmungslosen Krieges geworden sein könnten?

Nach dieser Warnung können wir uns nun den archäologischen Funden zuwenden. In Portugal wurden vierhundert Skelette aus der Zeit unmittelbar vor der landwirtschaftlichen Revolution untersucht. Nur zwei davon zeigten eindeutige Spuren der Gewalteinwirkung. In Israel wurde bei einer Untersuchung von ebenfalls vierhundert Skeletten nur ein einziger Schädelbruch entdeckt, der sich auf menschliche Gewalt zurückführen ließ.

Bei einer Untersuchung von vierhundert Skeletten aus dem Donautal fanden Wissenschaftler 18 Fälle von Gewalteinwirkung. Auch das mag noch überschaubar klingen, in Wirklichkeit ist es jedoch eine ganze Menge. Wenn tatsächlich alle 18 eines gewaltsamen Todes gestorben sind, dann würde das hochgerechnet bedeuten, dass rund 4,5 Prozent aller Menschen im Donautal von ihren Mitmenschen ins Jenseits befördert wurden. Heute liegt der Durchschnitt weltweit bei 1,5 Prozent, Kriege und Verbrechen zusammengenommen. Im gesamten 20. Jahrhundert starben nur rund 5 Prozent aller Menschen eines gewaltsamen Todes – und das trotz zweier Weltkriege, eines chinesischen Bürgerkriegs, des Holocausts, des Völkermords an den Armeniern und Dutzender anderer Kriege und Völkermorde von Kambodscha bis zum Kongo, von Vietnam bis Ruanda. Das Donautal der Steinzeit war offenbar genauso blutig wie das 20. Jahrhundert.*

Die schaurigen Funde aus dem Donautal werden durch eine Reihe ähnlich deprimierender Entdeckungen in anderen Regionen gestützt. Im sudanesischen Jebel Sahaba wurde ein 12 000 Jahre alter Friedhof mit 59 Skeletten gefunden. In 24 Fällen (oder 40 Prozent der Toten) wurden Pfeil- und Speerspitzen in oder neben den Knochen gefunden. Das Skelett einer Frau wies zwölf Verletzungen auf. In den Ofnethöhlen am Kraterrand des Nördlinger Ries fanden Archäologen 33 Schädel, vor allem von Frauen und Kindern, die in zwei Gruben geworfen worden waren. Die Hälfte der Schädel, auch die der Kinder und Säuglinge, wiesen eindeutige Hieb- und Stichspuren auf. Die wenigen Schädel der älteren Männer waren am schlimmsten zugerichtet. Mit großer Wahrscheinlichkeit war hier eine ganze Gruppe von Wildbeutern massakriert worden.

---

* Dem könnte man entgegenhalten, dass die 18 Bewohner des Donautals möglicherweise nicht an den Auswirkungen der Gewalt starben, deren Spuren sich an ihren Skeletten fanden. Einige wurden vielleicht nur verletzt. Diese Zahl wiegt jedoch vermutlich die Zahl derjenigen auf, die an Fleischwunden und sonstigen unsichtbaren Kriegsfolgen starben.

Aber was entspricht denn nun der Welt der steinzeitlichen Jäger und Sammler: die friedlichen Skelette aus Israel und Portugal oder die Schlachthöfe von Jebel Sahaba und der Ofnethöhlen? Die Antwort lautet: Weder das eine noch das andere. Genau wie sich die Jäger und Sammler hinsichtlich ihrer Religionen und gesellschaftlichen Strukturen erheblich unterschieden, gab es offenbar auch große Differenzen bei der Gewalt. Einige Regionen scheinen in Frieden und Harmonie gelebt zu haben, andere scheinen von blutigen Konflikten heimgesucht worden zu sein.[9]

Der Vorhang des Schweigens

Es ist schon schwierig genug, die großen Muster der Steinzeitwelt zu erkennen, doch einzelne Ereignisse lassen sich so gut wie gar nicht mehr rekonstruieren. Wann immer eine Gruppe von Sapiens in einem Tal eintraf, das von Neandertalern bewohnt wurde, könnten sich in den folgenden Jahren atemberaubende historische Tragödien abgespielt haben. Leider ist von diesen Begegnungen nichts übrig geblieben als ein paar Knochen und eine Handvoll Werkzeuge, die trotz intensiver wissenschaftlicher Untersuchung schweigen. Aus ihnen können wir Schlüsse über die menschliche Anatomie, Technologie, Ernährung und vielleicht sogar Gesellschaftsstruktur ziehen. Aber sie verraten uns nichts über Bündnisse zwischen benachbarten Sapiens-Gruppen, über die Geister der Toten, die diese Bündnisse segneten, oder über die Elfenbeinperlen, die dem Geisterbeschwörer zugesteckt wurden, um das Wohlwollen der Geister zu erhalten.

Hinter diesem Vorhang des Schweigens verbergen sich Zehntausende Jahre Menschheitsgeschichte. Diese gewaltigen Zeiträume könnten die Bühne für unzählige Kriege und Revolutionen, religiöse Erweckungsbewegungen, tiefe philosophische Debatten und beispiellose Kunstwerke gewesen sein. Glorreiche Napoleons könnten Reiche von der Größe Liechtensteins erobert haben. Geniale

Beethovens könnten ihr Publikum mit einer Bambusflöte zu Tränen gerührt haben. Visionäre Mohammeds könnten die Worte einer Eiche am Fluss verkündet haben. Aber das alles wäre pure Spekulation. Der Vorhang des Schweigens ist so undurchdringlich, dass wir nicht einmal wissen können, ob solche Dinge wirklich passiert sind, und noch viel weniger können wir sie im Detail beschreiben.

Wissenschaftler stellen meist nur solche Fragen, die sie mit einiger Sicherheit auch beantworten können. Solange sie nicht in eine Zeitmaschine steigen oder die Geister der Steinzeit heraufbeschwören, werden wir wohl nie herausfinden, was die Jäger und Sammler glaubten oder welche politischen Dramen ihre Welt erschütterten. Trotzdem ist es wichtig, Fragen zu stellen, auf die es keine Antworten gibt. Andernfalls wäre die Versuchung groß, 60 000 oder 70 000 Jahre der Menschheitsgeschichte einfach unter den Teppich zu kehren und zu sagen, »die Menschen, die damals lebten, haben nichts geleistet, was für uns heute von Bedeutung wäre«.

Denn in Wirklichkeit haben sie eine Menge wichtiger Dinge geleistet. Sie haben nicht nur unser Denken und Fühlen geprägt, das uns bis heute bestimmt, sondern auch unsere gesamte Umwelt. Abenteuerurlauber, die in die sibirische Tundra, die zentralaustralischen Wüsten oder den Amazonasregenwald kommen, glauben oft, dass sie eine »unberührte Natur« betreten, in die nie zuvor ein Mensch seinen Fuß gesetzt hat. Doch das ist eine Illusion. Die Jäger und Sammler waren lange vor uns da und haben selbst den dichtesten Urwald und die einsamste Wildnis in dramatischer Weise gestaltet. Im nächsten Kapitel sehen wir uns an, wie die Wildbeuter die Ökologie unseres Planeten von Grund auf veränderten, lange bevor sie ihr erstes Dorf errichteten. Die umherziehenden Gruppen brandrodender und geschichtenerzählender Sapiens waren die größte und zerstörerischste Kraft, die das Tierreich je hervorgebracht hat.

Kapitel 4
Die Sintflut

Vor der kognitiven Revolution lebten nur in Afrika und Eurasien Menschen. Sie waren zwar in der Lage, schwimmend oder auf improvisierten Flößen Meerengen zu durchqueren und sich auf Inseln vor der Küste niederzulassen. So wurde zum Beispiel die Insel Flores schon vor rund 850 000 Jahren von Frühmenschen besiedelt. Aufs offene Meer wagten sie sich jedoch noch nicht hinaus, weshalb sie nie nach Amerika, Australien oder weiter vom Festland entfernte Inseln wie Madagaskar, Neuseeland oder Hawaii kamen.

Das Meer hinderte nicht nur die Menschen, sondern viele Tier- und Pflanzenarten an der Besiedlung dieser »Neuen Welt«. Daher entwickelte sich die Flora und Fauna auf abgelegenen Inseln wie Australien oder Madagaskar über Jahrmillionen hinweg in völliger Isolation und brachten Formen hervor, die sich von ihren afrikanisch-asiatischen Verwandten erheblich unterschieden. Die Erde bestand aus mehreren Ökosystemen mit ihren ganz eigenen Tier- und Pflanzenwelten. Der *Homo sapiens* sollte dieser biologischen Fülle ein Ende bereiten.

In der Folge der kognitiven Revolution entwickelten die Sapiens die Technik, die organisatorischen Fähigkeiten und vielleicht auch die erforderliche Vision, um das afrikanisch-asiatische Festland zu verlassen und den Rest der Welt zu besiedeln. Ihre erste große Leistung war die Besiedlung Australiens vor etwa 45 000 Jahren. Experten haben ihre liebe Not, diese Großtat zu erklären. Um nach Australien zu gelangen, musste der *Homo sapiens* nämlich zahlreiche Meeresstraßen überqueren, die zum Teil über 100 Kilometer breit waren, und sich von einem Tag auf den anderen an völlig neue Ökosysteme anpassen.

Nach der gängigsten Theorie entstanden vor 45 000 Jahren in der indonesischen Inselwelt die ersten Seefahrernationen. Sie lernten, seetüchtige Boote zu bauen und fuhren weit aufs offene Meer hinaus, um zu fischen, zu handeln und zu forschen. So entdeckten die steinzeitlichen Bewohner Indonesiens eines Tages auch Australien und ließen sich dort nieder. Wenn diese Theorie stimmt, dann handelte es sich um eine beispiellose Revolution menschlicher Fähigkeiten und Lebensweisen. Jedes andere Säugetier, das den Schritt vom Land ins Wasser wagte – Otter, Seekühe oder Delfine –, benötigte Hunderttausende von Jahren, um spezielle Organe und einen stromlinienförmigen Körper zu entwickeln. Die Sapiens von Indonesien, Nachfahren von Affen aus der afrikanischen Savanne, wurden anders als die Seehunde ganz ohne Flossen zu Meeresbewohnern, und anders als die Wale mussten sie nicht erst lange warten, bis ihre Nasen auf den Hinterkopf wanderten. Sie lernten einfach, Boote zu bauen und damit in See zu stechen.

Bislang haben Archäologen zwar noch keine 45 000 Jahre alten Boote, Flöße, Ruder oder Fischerdörfer entdeckt (das wäre auch nicht ganz einfach, da sie nach dem Anstieg der Meeresspiegel in gut hundert Meter Meerestiefe suchen müssten). Trotzdem gibt es einige Indizien, dass diese Theorie stimmen könnte. Besonders interessant ist in diesem Zusammenhang, dass sich der *Homo sapiens* in den Jahrtausenden nach der Besiedlung Australiens auch auf einer Vielzahl kleiner und abgelegener Inseln im Norden Australiens niederließ. Einige davon, zum Beispiel Buka und Manus, waren mehr als 200 Kilometer von der nächsten Insel entfernt. Gerade Manus wäre ohne hoch entwickelte Boote und Navigationstechniken kaum zu erreichen gewesen. Außerdem gibt es wie bereits erwähnt eindeutige Hinweise auf einen regen Handel zwischen einigen der Inseln, zum Beispiel Neuirland und Neubritannien.[1]

Die Ankunft der ersten Menschen in Australien ist eines der wichtigsten Ereignisse der Menschheitsgeschichte. In ihrer Bedeutung steht sie der Reise von Christoph Kolumbus nach Amerika und der ersten bemannten Mondlandung in nichts nach. Zum ersten Mal verließen Menschen das afrikanisch-asiatische Ökosystem. Der Mensch war das erste Großsäugetier überhaupt, das von der afrikanisch-asiatischen Landmasse nach Australien gelangte. Noch wichtiger war jedoch, was die menschlichen Pioniere in Australien anrichteten. In dem Moment, in dem der *Homo sapiens* seinen Fuß auf einen australischen Strand setzte, hatte er die Spitze der Nahrungskette erklommen und wurde zur mörderischsten Tierart in der Geschichte des Planeten Erde.

Bis dahin hatten Menschen zwar einige innovative Verhaltensweisen an den Tag gelegt, doch ihre Auswirkungen auf ihre Umwelt waren noch zu vernachlässigen. Sie hatten sich mit großem Erfolg an unterschiedliche Lebensräume angepasst, aber sie hatten diese Lebensräume weitgehend unverändert belassen. Die Siedler – oder besser Eroberer – Australiens passten sich aber nicht nur an. Sie krempelten das gesamte australische Ökosystem um, bis es nicht wiederzuerkennen war.

Der erste menschliche Fußabdruck auf dem australischen Sandstrand wurde sofort von den Wellen fortgespült. Doch mit jedem Kilometer, den die Invasoren vordrangen, hinterließen sie einen Fußabdruck, der sich nie mehr auslöschen lässt. Auf ihrem Weg trafen die Menschen auf eine sonderbare Welt voller unbekannter Lebewesen: Sie stießen auf Kängurus, die 200 Kilogramm wogen und zwei Meter hoch aufragten, und auf Beutellöwen, die so groß waren wie die heutigen Tiger und die größten Raubtiere des Kontinents darstellten. In den Wipfeln kletterten wenig knuffige Riesen-Koalabären, und über die Ebenen sprinteten flugunfähige Vögel, die doppelt so groß waren wie Strauße. Im Unterholz zischelten fünf Meter lange Schlangen und drachenähnliche Echsen. Und in den Wäldern hausten das *Zygomaturus trilobus,* das gewisse Ähnlichkeit mit einem Zwergnilpferd hatte und eine halbe Tonne wog, und das gigantische, zweieinhalb Tonnen schwere Diprotodon. Die Säugetiere der Insel waren Beuteltiere – Verwandte der Kängurus, die ihre Jungen sehr früh zur Welt bringen und in Bauchtaschen herumtragen und säugen. Beuteltiere waren in Afrika und Asien so gut wie unbekannt, doch sie beherrschten den australischen Kontinent.

Innerhalb weniger Jahrtausenden verschwanden diese Riesen. Von den 24 australischen Tierarten, die über 50 Kilogramm wogen, starben 23 aus.[2] Auch eine ganze Reihe kleinerer Arten wurde ausgelöscht. Sämtliche Nahrungsketten des australischen Ökosystems wurden zerrissen und neu geordnet. Es handelte sich um die drastischste Veränderung des australischen Ökosystems in vielen Jahrmillionen. War dies allein die Schuld des *Homo sapiens*?

Schuldig in allen Punkten der Anklage

Um unsere Art zu entlasten, verweisen einige Wissenschaftler auf einen Klimawandel in Australien (ein beliebter Sündenbock). Es ist jedoch kaum glaubhaft, dass der *Homo sapiens* an diesem massiven Artensterben völlig unbeteiligt gewesen sein soll. Drei Beweise widerlegen das Klima-Alibi und zeigen, dass unsere Vorfahren am Aussterben der australischen Megafauna ihre Hand im Spiel hatten.

Erstens kam es in Australien vor 45 000 Jahren zwar zu klimatischen Veränderungen, doch die waren so unbedeutend, dass sie kaum allein für ein derart gewaltiges Artensterben verantwortlich sein können. Heute schiebt man gern alles auf den »Klimawandel«, doch in Wahrheit steht das Klima der Erde nie still. Es befindet sich konstant im Fluss. Während jedes historischen Ereignisses fand im Hintergrund irgendein Klimawandel statt.

Vor allem durchlief unser Planet immer wieder Zyklen der Erwärmung und Abkühlung. Im zurückliegenden Jahrmillion kam es durchschnittlich alle 100 000 Jahre zu einer Eiszeit. Die letzte begann vor rund 75 000 Jahren und endete vor etwa 15 000 Jahren. Sie verlief nicht heftiger als ihre Vorgänger und hatte zwei Höhepunkte, einen vor 70 000 und einen weiteren vor 20 000 Jahren. Das riesige Diprotodon lebte seit 1,5 Millionen Jahren in Australien und hatte damit mindestens zehn Eiszeiten überstanden. Es hatte auch den ersten Höhepunkt der Eiszeit vor 70 000 Jahren gut gemeistert. Warum also verschwand es dann ausgerechnet vor 45 000 Jahren? Wenn das Diprotodon das einzige Opfer geblieben wäre, dann hätte man sein Aussterben als bloße Laune der Natur erklären können. Aber mehr als 90 Prozent der australischen Megafauna hatten frühere Eiszeiten überlebt, nur um dann zusammen mit dem Diprotodon zu verschwinden. Es gibt zwar keine direkten Beweise, doch es fällt schwer zu glauben, dass der *Homo sapiens* just in dem Moment in Australien eintraf, in dem all diese Arten an Unterkühlung starben.[3]

Zweitens, wenn ein Klimawandel ein massenhaftes Artensterben bewirkt, dann sind die Meeresbewohner in der Regel genauso betroffen wie die Landlebewesen. Es gibt jedoch keinen Hinweis darauf, dass die Meeresfauna vor 45 000 Jahren von einem dramatischen Artensterben heimgesucht worden sein könnte. Wenn die Menschen für das Verschwinden der australischen Megafauna verantwortlich sind, dann würde dies auch erklären, warum die Meere um Australien verschont blieben. Bei aller Seetüchtigkeit war der Mensch vor allem ein Landraubtier.

Drittens wiederholten sich die massenhaften Artensterben in den folgenden Jahrtausenden immer wieder – und zwar jedes Mal, wenn Menschen sich in einem anderen Teil der »Neuen Welt« niederließen. In diesen Fällen gibt es an der Schuld der Menschen nichts zu rütteln. Beispielsweise verschwand die Megafauna Neuseelands – die den vermeintlichen Klimawandel vor 45 000 Jahren unbeschadet überstanden hatte – unmittelbar nach der Ankunft der ersten Menschen auf den Inseln. Die Maoris (die ersten Siedler auf Neuseeland) landeten vor 800 Jahren auf den Inseln. Innerhalb von wenigen Jahrhunderten waren ein Großteil der Megafauna sowie 60 Prozent aller Vogelarten ausgestorben.

Dasselbe Schicksal ereilte die Mammuts auf der Insel Wrangel im arktischen Meer (200 Kilometer nördlich der sibirischen Küste). Jahrmillionen lang hatten die haarigen Rüsseltiere fast auf der gesamten Nordhalbkugel gegrast, doch mit der Ausbreitung des *Homo sapiens* – erst in Eurasien, dann in Nordamerika – wurde die Population immer weiter zurückgedrängt. Vor 10 000 Jahren gab es auf dem Festland kein einziges Mammut mehr, die einzige Ausnahme waren einige entlegene Inseln der Arktis, vor allem Wrangel. Dort überlebten die Wollelefanten noch einige Jahrtausende, nur um dann urplötzlich vor 4000 Jahren zu verschwinden, ausgerechnet als die ersten Menschen die Insel entdeckten.

Wäre das Artensterben in Australien eine Ausnahme geblieben, könnte man die Menschen vielleicht noch entlasten. Doch der *Homo sapiens* wurde als ökologischer Massenmörder überführt. Sollen wir wirklich glauben, dass er das Aussterben der Megafauna in Australien nur als unbeteiligter Zuschauer miterlebt hat?

*

Die Menschen, die sich in Australien niederließen, brachten nur ihre Steinzeittechnologie mit. Wie sollten sie damit eine ökologische Katastrophe anrichten? Dafür gibt es drei Erklärungen, die einander gut ergänzen.

Erstens vermehren sich Großsäugetiere, zu denen die meisten Opfer des Artensterbens in Australien gehörten, ausgesprochen langsam. Ihre Tragzeit ist lang, sie bringen oft nur ein oder zwei Junge auf einmal zur Welt, und zwischen den einzelnen Geburten vergeht viel Zeit. Wenn Menschen auch nur alle paar Monate ein Diprotodon erlegen, reicht das schon aus, damit die Sterberate der Tiere größer wird als ihre Geburtenrate. Innerhalb weniger Jahrtausende starb das letzte Diprotodon.[4]

Die ersten Australier hatten vermutlich leichtes Spiel mit den Diprotodonten und anderen Großsäugetieren, denn sie hatten das Überraschungsmoment auf ihrer Seite. In Afrika und Eurasien lebten seit zwei Millionen Jahren verschiedene Menschenarten. Sie verfeinerten ihre Jagdtechniken erst ganz allmählich und begaben sich vor rund 400 000 Jahren zum ersten Mal auf die Großwildjagd. In Afrika und Eurasien durchschauten die potenziellen Beutetiere die Zweibeiner im Laufe der Zeit und lernten, einen großen Bogen um sie machen. Als das neue Großraubtier, der *Homo sapiens*, die Bühne betrat, wussten sie bereits, dass es gesünder war, Abstand zu halten. Die australischen Riesensäugetiere hatten jedoch keine Zeit, sich auf die effizienten Jäger einzustellen. Menschen wirken nicht sonderlich bedrohlich, sie haben keine scharfen Zähne und keinen besonders muskulösen Körper. Die Tiere der alten Welt hatten längst begriffen, dass diese Zweibeiner gefährlicher waren als sie aussahen. Doch ein australisches Diprotodon, das diesen schwächlichen Affen zum ersten Mal sah, hätte ihn wohl nur eines kurzen Blickes gewürdigt und dann weiter seine Blätter gekaut. Natürlich konnten die Tiere nach den ersten Überfällen keine Pressemitteilung herausgeben und ihre Artgenossen warnen. Diese Tiere mussten erst Respekt vor den Menschen entwickeln, aber ehe sie dazu kamen, waren sie bereits ausgestorben.

Eine zweite Erklärung geht davon aus, dass die Sapiens bei ihrer Ankunft in Australien bereits eine Technik namens »Brandrodung« beherrschten. Wenn sie auf eine fremde und bedrohliche Umwelt trafen, fackelten sie gezielt riesige Flächen von undurchdringlichem Busch und dichten Wäldern ab. Auf offenem Grasland war das Wild leichter zu jagen, weshalb es den Bedürfnissen der Menschen eher entsprach. Mit dieser Technik stellten sie die Ökologie weiter Teile des australischen Kontinents innerhalb weniger Jahrtausende vollständig auf den Kopf.

Ein Beweis für diese Theorie sind Funde von fossilen Pflanzen. Vor 45 000 Jahren gab es noch kaum Eukalyptusbäume in Australien. Doch nach der Ankunft des *Homo sapiens* brach das goldene

Zeitalter des Eukalyptus an. Die Bäume verbreiteten sich, da sie besonders feuerbeständig waren. Andere Bäume und Sträucher verschwanden dagegen. Diese radikale Veränderung der Vegetation hatte nicht nur Folgen für Pflanzenfresser, sondern auch für die Raubtiere, die die Pflanzenfresser jagten. Für die Koalabären, die sich ausschließlich von Eukalyptusblättern ernähren, war dies natürlich ein Fest. Doch die meisten anderen Tiere litten. Viele Nahrungsketten rissen ab, und die schwächsten Glieder starben aus.[5]

Eine dritte Erklärung geht ebenfalls davon aus, dass Jagd und Brandrodung eine wichtige Rolle beim Artensterben spielten, doch sie bezieht auch die Rolle des Klimas mit ein. Der Klimawandel, der Australien vor 45 000 Jahren traf, habe das Ökosystem aus dem Gleichgewicht gebracht und besonders anfällig gemacht. Unter normalen Umständen hätte sich das Ökosystem wieder erholt, wie schon so oft in der Vergangenheit. Doch die Menschen erschienen just in diesem kritischen Moment auf der Bildfläche und stießen das instabile System in den Abgrund. Die Kombination aus Klimawandel und menschlicher Jagd habe der Megafauna den Garaus gemacht, da es grundsätzlich schwierig sei, eine Überlebensstrategie zu finden, die gleichzeitig mit mehreren Bedrohungen fertig wird.

Solange wir keine weiteren Beweise haben, können wir unmöglich wissen, welche dieser drei Theorien das Artensterben am besten erklärt. In jedem Fall haben wir guten Grund zu der Annahme, dass ohne die Ankunft des *Homo sapiens* bis heute Beutellöwen, Diprotodonten und Riesenkängurus durch Australien streifen würden.

Das Ende des Faultiers

Mit der Auslöschung der australischen Megafauna hinterließ der *Homo sapiens* seine erste deutliche Spur auf unserem Planeten. Ihr folgte jedoch eine noch größere Umweltkatastrophe auf dem amerikanischen Doppelkontinent. Der *Homo sapiens* war die erste und einzige Menschenart, die bis nach Amerika vordrang. Vor rund 14 000 Jahren kamen die ersten Siedler zu Fuß an, und zwar über eine Landbrücke, die damals den Nordosten Sibiriens mit dem Nordwesten Alaskas verband. Es war ein gefährlicher Marsch, vielleicht noch gefährlicher als die Seereise nach Australien. Um diese Landbrücke überqueren zu können, musste der Mensch zunächst lernen, unter den arktischen Bedingungen Nordsibiriens zu überleben, einer Region, in der es im Winter nie Tag wird und die Temperaturen auf bis zu minus 50 Grad Celsius sinken können.

Keine Menschenart hatte je in Sibirien Fuß fassen können. Selbst die Neandertaler, die sich gut an die Kälte angepasst hatten, bevorzugten die wärmeren Regionen weiter im Süden. Doch der *Homo sapiens*, dessen Körper eigentlich für das Leben in der afrikanischen Savanne geschaffen war, und nicht für das Leben in Schnee und Eis, fand geniale Antworten auf die klimatischen Herausforderungen. Als die Sapiens immer weiter nach Norden vordrangen, erfanden sie Schneeschuhe und effektive Thermobekleidung aus mehreren Schichten von Fellen und Häuten, die sie mit Hilfe von Nadeln fest zusammennähten. Sie entwickelten neue Waffen und Jagdmethoden, mit denen sie die Mammuts und andere Riesensäugetiere erlegten, die für den hohen Norden typisch waren. Mit immer besserer Bekleidung und immer besseren Jagdtechniken gewappnet, wagten sie sich Schritt für Schritt in die eisigen Weiten Europas und Sibiriens vor.

Aber warum sollte überhaupt irgendjemand auf den Gedanken kommen, nach Sibirien zu wandern? Es ist möglich, dass einige Gruppen durch Kriege, demographischen Druck oder Naturkatastrophen dorthin gedrängt wurden. Wir können jedoch davon ausgehen, dass die meisten sehr bereitwillig in die Arktis zogen, denn hier wimmelte es nur so von großen Beutetieren wie Mammuts und Rentieren. Ein Mammut war ein wandelnder Supermarkt aus Fleisch, Fett, Fell und Elfenbein. Die Funde aus Sungir belegen, dass die Mammutjäger des Nordens nicht einfach nur um ihr Überleben kämpften – es ging ihnen offenbar sehr gut. Auf der Jagd nach

Mammuts, Mastodonten, Wollnashörnern und Rentieren zogen die Gruppen immer weiter. Vor rund 16 000 Jahren führte sie die Jagd schließlich vom Nordosten Sibiriens nach Alaska. Natürlich wussten sie nicht, dass sie eine »Neue Welt« entdeckten. Für Mensch und Mammut war Alaska nur eine Verlängerung von Sibirien.

Damals blockierten gewaltige Gletscher den Weg von Alaska zum Rest des Kontinents, weshalb nur wenige wagemutige Pioniere weiter nach Süden vordrangen. Doch vor rund 14 000 Jahren setzte eine Erwärmung ein, das Eis schmolz und der Weg wurde frei. Über diesen neuen Korridor wanderten die Menschen nun nach Süden und breiteten sich wie ein Buschfeuer über den gesamten Kontinent aus. Obwohl sie ursprünglich auf die Großwildjagd in der Arktis eingestellt waren, passten sie sich sehr schnell an die erstaunliche Vielfalt von Klimaten und Ökosystemen an. Sie ließen sich in den dichten Wäldern im Osten von Nordamerika genauso nieder wie in den Sümpfen der Mississippi-Mündung, den Wüsten Nordmexikos und den Urwäldern Mittelamerikas. Einige siedelten sich in der Fluss-welt des Amazonasbeckens an, andere in den Hochtälern der Anden und wieder andere im offenen Grasland Argentiniens. Und das alles innerhalb von nur ein oder zwei Jahrtausenden! Spätestens vor 12 000 Jahren lebten Menschen in Feuerland, an der Südspitze Südamerikas. Der rasante Feldzug, in dem sich die Menschen über den Doppelkon-tinent ausbreiteten, zeugt vom beispiellosen Erfindungsreichtum und der unübertroffenen Anpassungsfähigkeit des *Homo sapiens*. Kein anderes Tier hat jemals etwas Vergleichbares geschafft.[6]

Doch der »Blitzkrieg« hinterließ auch eine lange Reihe von Opfern. Vor 16 000 Jahren war die Fauna des Doppelkontinents noch deut-lich reicher als heute. Als die ersten Amerikaner von Alaska aus Richtung Süden marschierten, stießen sie auf den großen Ebenen Nordamerikas auf Mammuts und Mastodonten, Nagetiere von der Größe von Bären, Herden von Pferden und Kamelen, riesige Löwen und Dutzende von völlig fremden Arten. Furchterregende Säbel-zahntiger lebten neben Riesenfaultieren, die ein Gewicht von acht

Tonnen und eine Größe von sechs Metern erreichen konnten. Und in Südamerika lebte eine noch größere Vielfalt von Riesensäugetieren, Reptilien und Vögeln. Wie Australien war der amerikanische Doppelkontinent ein großes Labor der Evolution, hier lebten Tiere und Pflanzen, die im Rest der Welt völlig unbekannt waren.

Doch das änderte sich rasch. Innerhalb von nur zwei Jahrtausenden war von diesem Artenreichtum nicht mehr viel übrig. Nach heutigen Schätzungen verschwanden in diesem kurzen Zeitraum in Nordamerika 34 von 47 Großsäugetierarten, und in Südamerika sogar 50 von 60. Die Säbelzahnkatzen, die sich mehr als dreißig Millionen Jahre lang prächtig entwickelt hatten, verschwanden beinahe über Nacht, genau wie die Riesenfaultiere, Riesenlöwen, Pferde, Kamele, Riesennager und Mammuts. Tausende von kleineren Säugetieren, Reptilien, Vögeln und selbst Insekten und Parasiten starben mit ihnen aus (als das Mammut verschwand, folgten ihnen natürlich auch sämtliche Arten von Mammutflöhen).

Jahrzehntelang haben Paläontologen und Zooarchäologen – Wissenschaftler, die sich mit den fossilen Überresten von Tieren beschäftigen – die Berge und Täler des Doppelkontinents auf der Suche nach versteinerten Kamelknochen und vertrocknetem Riesenfaultierkot durchkämmt. Diese Schätze werden sorgfältig verpackt und in Labors geschickt, wo jeder Knochen und jeder Kothaufen sorgfältig untersucht und datiert wird. Die Analysen kommen immer wieder zu demselben Ergebnis: Die frischsten Faultieräpfel und die jüngsten Kamelknochen stammen just aus dem Jahrtausend, in dem der Mensch seinen Fuß auf den amerikanischen Doppelkontinent setzte, und sind zwischen 14 000 und 11 000 Jahre alt. Nur in einer Region fanden die Wissenschaftler jüngere Kothaufen: Auf einigen Karibikinseln, namentlich auf Kuba und Hispaniola, sind die jüngsten Überbleibsel rund 7000 Jahre alt. Das ist kein Wunder, denn genau zu diesem Zeitpunkt überquerten die ersten Menschen die karibische See und ließen sich auf diesen beiden Inseln nieder.

Natürlich versuchen auch diesmal einige Wissenschaftler, den *Homo sapiens* zu entlasten und die Schuld bei einem Klimawandel zu finden (der das amerikanische Festland angeblich vor 14 000 Jahren traf, aber in der Karibik aus unerfindlichen Gründen noch 7000 Jahre auf sich warten ließ). Doch die Spur der Kothaufen lässt nicht den geringsten Zweifel zu: Wir Menschen waren die Täter. Selbst wenn es einen Klimawandel gegeben haben sollte, war der menschliche Einfluss entscheidend.[7]

Noahs Arche

Wenn wir die massiven Artensterben in Australien und Amerika zusammennehmen und die Arten hinzuzählen, die der *Homo sapiens* auf seinem Weg durch Afrika, Europa und Asien ausgerottet hat (die anderen Menschenarten nicht zu vergessen), dann stellen wir fest, dass der weise Mensch die größte Katastrophe war, von der die Tier- und Pflanzenwelt der Erde je heimgesucht wurde. Am härtesten traf es die Megafauna: Zu Beginn der kognitiven Revolution lebten auf dem gesamten Planeten rund 200 Säugetiergattungen, deren Angehörige über 50 Kilogramm wogen. Zu Beginn der landwirtschaftlichen Revolution waren es nur noch etwa 100. Der *Homo sapiens* hatte die Hälfte aller Großsäuger der Erde ausgerottet, noch ehe er das Rad, die Schrift und Waffen aus Metall erfunden hatte.

Nach Beginn der landwirtschaftlichen Revolution wiederholte sich diese Umweltkatastrophe ein ums andere Mal. Die archäologischen Funde auf verschiedenen Inseln erzählen immer wieder dieselbe Geschichte. Vor der Ankunft der menschlichen Siedler gedeiht eine üppige Fauna auf einer Insel. Dann tauchen die ersten archäologischen Hinweise auf die Anwesenheit von Menschen auf – ein Knochen hier, eine Speerspitze da und vielleicht die eine oder andere Scherbe. Und kurz darauf verschwinden sämtliche großen und viele der kleineren Säugetiere auf Nimmerwiedersehen.

Die große Insel Madagaskar, die rund 400 Kilometer östlich vom afrikanischen Festland liegt, ist nur eines von vielen traurigen Beispielen. Über Jahrmillionen hinweg war die Insel isoliert gewesen und hatte eine einmalige Tierwelt hervorgebracht. Hier lebte zum Beispiel der »Elefantenvogel«, ein flugunfähiger, drei Meter großer Vogel, der etwa eine halbe Tonne gewogen haben muss und der größte Vogel aller Zeiten war. Und durch die Wipfel der Urwaldriesen hangelten sich die Riesenlemuren, die größten Primaten der Welt, die noch größer waren als unsere Gorillas. Vor rund 1500 Jahren verschwanden die Elefantenvögel, Riesenlemuren und die meisten anderen großen Tiere von Madagaskar schlagartig – der Mensch hatte die Insel betreten.

Im Pazifik begann das Artensterben vor rund 3500 Jahren, als sich die polynesischen Bauern auf den Salomoninseln, den Fidschis und Neukaledonien niederließen und hunderte Vogel-, Insekten-, Schnecken- und andere einheimische Tierarten auslöschten. Von da rollte der Tsunami weiter nach Osten, Süden und Norden, ins Herz des Pazifik, wo er vor 3200 Jahren die einmalige Fauna von Samoa und Tonga fortspülte, vor etwa 2000 Jahren die Marquesas erfasste, vor rund 1500 Jahren die Osterinseln, die Cookinseln und Hawaii überflutete, bis er schließlich vor 800 Jahren Neuseeland erreichte.

Ähnliche Umweltkatastrophen ereigneten sich auf fast jeder der Tausenden von Inseln im Atlantik, im Indischen Ozean, in der Arktis und im Mittelmeer. Selbst auf den kleinsten Inseln fanden Archäologen Spuren von Vögeln, Insekten und Schnecken, die dort Jahrmillionen lang gelebt hatten, nur um mit der Ankunft der ersten menschlichen Bauern ausgelöscht zu werden. Nur einige wenige Inseln blieben bis in die Moderne unentdeckt und bewahrten sich ihre einmalige Fauna. Die Galapagos-Inseln wurden beispielsweise bis ins 19. Jahrhundert hinein in Ruhe gelassen und behielten ihre faszinierende Tierwelt, darunter Riesenschildkröten, die wie die australischen Diprodonten keine Angst vor Menschen zeigen.

Die erste Ausrottungswelle, die auf die Wanderungen der Jäger und Sammler folgte, und die zweite Ausrottungswelle, die mit der Verbreitung der Landwirtschaft einherging, geben uns wichtige Einblicke in die dritte Ausrottungswelle, die heute mit der Ausbreitung der Industrie Hand in Hand geht. Die romantische Vorstellung, dass die moderne Industrie die Natur zerstört, während unsere Vorfahren in Einklang mit ihr lebten, ist nichts als eine Illusion. Schon lange vor der industriellen Revolution hielt der *Homo sapiens* den traurigen Rekord als dasjenige Lebewesen, das die meisten Tier- und Pflanzenarten auf dem Gewissen hat. Wir haben die zweifelhafte Ehre, die mörderischste Art in der Geschichte des Lebens zu sein.

Wenn wir mehr über die erste und zweite Ausrottungswelle wüssten, wären wir vielleicht weniger gleichgültig gegenüber der dritten, die heute über den Planeten hinwegrollt. Wenn wir wüssten, wie viele Arten wir bereits ausgelöscht haben, würden wir den Schutz der Überlebenden vielleicht ernster nehmen. Das wäre besonders wichtig für die großen Meerestiere. Anders als die Landlebewesen hatten die Meeresbewohner kaum unter den Folgen der kognitiven und der landwirtschaftlichen Revolution zu leiden. Doch mit der Verschmutzung durch Industrieabwässer und der Überfischung haben wir sie in den vergangenen Jahrzehnten rasch an den Rand des Aussterbens gebracht. Wenn wir mit derselben Geschwindigkeit weitermachen, werden die Wale, Haie und Delfine den Diprodonten, Riesenfaultieren und Mammuts schon bald ins Grab folgen. Die einzigen Großsäugetiere, die die menschliche Flut überleben, werden die Menschen selbst sein – und natürlich die landwirtschaftlichen Nutztiere, die Rudersklaven in Noahs Arche.

TEIL 2

DIE LANDWIRTSCHAFTLICHE REVOLUTION

9. Dieses Wandgemälde aus einem ägyptischen Grab, entstanden 1500 Jahre vor unserer Zeitrechnung, zeigt typische Szenen aus der Landwirtschaft.

Kapitel 5

Der größte Betrug der Geschichte

Zweieinhalb Millionen Jahre lang ernährten sich die Menschen von Pflanzen und Tieren, die ohne menschliche Eingriffe lebten und sich vermehrten. Der *Homo erectus*, der *Homo ergaster* und der Neandertaler pflückten wilde Feigen und jagten wilde Schafe, ohne je zu versuchen, in das Leben der Feigen und Schafe einzugreifen. Sie trafen keine Entscheidungen darüber, wo ein Feigenbaum wachsen, wo eine Herde grasen und welcher Bock sich mit welchem Schaf paaren sollte. Mehrere Zehntausend Jahre lang hielt auch der *Homo sapiens* seine Nase aus den Privatangelegenheiten anderer Tierarten heraus. Er breitete sich von Ostafrika über den Nahen Osten nach Europa und Asien aus und kam schließlich bis nach Australien und Amerika, und überall ernährte er sich, indem er wilde Pflanzen sammelte und wilde Tiere jagte. Warum auch mehr tun, wenn das ausreichte, um sich zu ernähren und eine große Vielfalt von Gesellschaften, Religionen und politischen Strukturen zu unterhalten?

Das änderte sich vor etwa 10 000 Jahren. Damals begannen die Sapiens, ihre Anstrengungen fast ausschließlich auf die Manipulation einiger weniger Tier- und Pflanzenarten zu bündeln. Von Sonnenaufgang bis Sonnenuntergang säten sie Samen, bewässerten Pflanzen, jäteten Unkraut und führten Schafe auf saftige Weiden. Davon erhofften sie sich mehr Früchte, mehr Getreide und mehr Fleisch. Das Ergebnis war eine Revolution im Alltag der Menschen: die sogenannte landwirtschaftliche Revolution.

Der Übergang zur Landwirtschaft begann vor gut 11 500 Jahren in den Hügeln der Südosttürkei, des Westiran und der Levante. Die Revolution begann allmählich und blieb zunächst auf kleine Regionen beschränkt. Zuerst wurden Weizen und Ziegen domestiziert, Erbsen und Linsen folgten vor rund 10 000 Jahren, Olivenbäume vor 7000, Pferde vor 6000 und Wein vor 5500 Jahren. Trotz all unserer wunderbaren modernen Erfindungen beziehen wir bis heute mehr als 90 Prozent unseres Kalorienbedarfs aus einer Handvoll von Pflanzenarten, die unsere Vorfahren zwischen 9500 und 3500 vor unserer Zeitrechnung domestiziert haben – Weizen, Reis, Mais, Kartoffeln, Hirse und Gerste. In den vergangenen zwei Jahrtausenden kamen keine nennenswerte Pflanzen- oder Tierarten mehr hinzu. Wir denken und fühlen bis heute zwar wie die Jäger und Sammler, doch wir ernähren uns wie die ersten Bauern.

Wissenschaftler waren lange der Ansicht, die Landwirtschaft habe sich von einem einzigen Gewächshaus im Nahen Osten in alle vier Himmelsrichtungen ausgebreitet. Heute ist sich die Forschung dagegen einig, dass die landwirtschaftliche Revolution nicht von den Bauern des Nahen Ostens exportiert wurde, sondern in verschiedenen Teilen der Welt völlig unabhängig begann. Die Menschen in Mittelamerika züchteten ihre Maiskolben und Bohnen, ohne etwas vom Weizen- und Erbsenanbau im Nahen Osten zu wissen. Die Menschen in Südamerika züchteten ihre Kartoffeln und Lamas, ohne von den Bauern in Mexiko oder der Levante gehört zu haben. Die ersten chinesischen Landwirte pflanzten Reis und Hirse und hielten Schweine. In Nordamerika waren es die Menschen irgendwann leid, im Unterholz nach Gürkchen zu suchen, und züchteten Kürbisse. Neuguinea hatte eine süße Revolution und bändigte Zuckerrohr und Bananen, während in Westafrika die ersten Bauern Hirse, Reis, Sorghum und Weizen zähmten. Von diesen Zentren ausgehend breitete sich die Landwirtschaft immer weiter aus. Im Jahr Null unserer modernen Zeitrechnung bestand die Menschheit zum überwiegenden Teil aus Bauern.

Aber warum kam es im Nahen Osten, in China und Mittelamerika zu einer landwirtschaftlichen Revolution, während sie in Australien, Skandinavien oder Südafrika ausblieb? Die Antwort ist ganz einfach: Die meisten Tier- und Pflanzenarten lassen sich nicht vom Menschen bezähmen. Die Sapiens konnten köstliche Trüffeln ausgraben und haarige Mammuts jagen, doch züchten konnten sie diese Arten nicht – dazu waren die Pilze zu komplex und die Mammuts zu wild. Von den vielen Tausend Arten, von denen sich die Jäger und Samm-

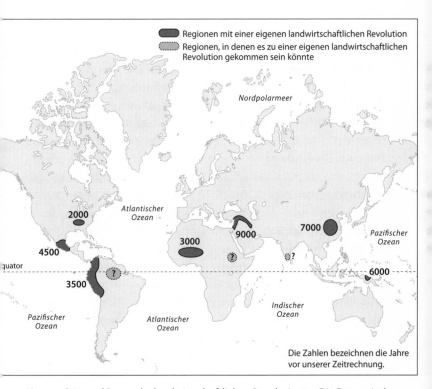

Karte 2. Orte und Daten der landwirtschaftlichen Revolutionen. Die Daten sind strittig, und mit jedem neuen archäologischen Fund muss die Karte korrigiert werden.[1]

ler ernährten, eigneten sich nur wenige zur Züchtung. Die landwirtschaftliche Revolution begann da, wo diese Arten vorkamen.

*

Lange wollte uns die Wissenschaft den Übergang zur Landwirtschaft als großen Sprung für die Menschheit verkaufen und erzählte uns eine Geschichte von Fortschritt und Intelligenz. Im Laufe der Evolution seien die Menschen immer intelligenter geworden. Irgendwann seien sie dann so intelligent gewesen, dass sie die Geheimnisse der Natur entschlüsseln konnten und lernten, Schafe zu halten und Weizen anzubauen. Danach gaben sie begeistert das entbehrungsreiche und gefährliche Leben der Jäger und Sammler auf und ließen sich nieder, um als Bauern ein angenehmes Dasein im Wohlstand zu genießen.

Das ist jedoch ein Ammenmärchen. Es ist keineswegs bewiesen, dass die Menschen im Laufe ihrer Evolution immer intelligenter wurden. Die Wildbeuter kannten die Geheimnisse der Natur schon lange vor der landwirtschaftlichen Revolution, denn ihr Überleben hing davon ab, dass sie die Tiere und Pflanzen, von denen sie sich ernährten, genauestens kannten. Die landwirtschaftliche Revolution läutete auch keine Ära des angenehmen Lebens ein, ganz im Gegenteil, der Alltag der Bauern war härter und weniger befriedigend als der ihrer Vorfahren. Die Jäger und Sammler ernährten sich gesünder, arbeiteten weniger, gingen interessanteren Tätigkeiten nach und litten weniger unter Hunger und Krankheiten. Mit der landwirtschaftlichen Revolution nahm zwar die Gesamtmenge der verfügbaren Nahrung zu, doch die größere Menge an Nahrungsmitteln bedeutete keineswegs eine bessere Ernährung oder mehr Freizeit. Im Gegenteil, die Folgen waren eine Bevölkerungsexplosion und die Entstehung einer verwöhnten Elite. Im Durchschnitt arbeiteten die Bauern mehr als die Jäger und Sammler und bekamen zum Dank eine ärmere Kost. Die landwirtschaftliche Revolution war der größte Betrug der Geschichte.

Aber wer hat diesen Betrug zu verantworten? Es waren weder Könige noch Priester oder Händler. Die Schuldigen waren eine Handvoll Pflanzenarten, zum Beispiel Weizen, Reis und Kartoffeln. In Wirklichkeit waren es diese Pflanzen, die den *Homo sapiens* domestizierten, nicht umgekehrt.

Sehen wir uns die landwirtschaftliche Revolution einmal aus der Sicht des Weizens an. Vor zehntausend Jahren war der Weizen nur eines von vielen Wildgräsern, das nur im Nahen Osten vorkam. Innerhalb weniger Jahrtausende breitete er sich von dort über die gesamte Welt aus. Nach den Überlebens- und Fortpflanzungsgesetzen der Evolution ist der Weizen damit eine der erfolgreichsten Pflanzenarten aller Zeiten. In Regionen wie dem Mittleren Westen der Vereinigten Staaten, wo vor zehntausend Jahren noch nicht ein einziger Weizenhalm wuchs, kann man heute Hunderte Kilometer fahren, ohne eine andere Pflanze zu sehen. Weltweit sind 2,25 Millionen Quadratkilometer (fast das Zehnfache der Fläche Großbritanniens) mit Weizen und nichts als Weizen bedeckt! Wie hat der Weizen das geschafft?

Indem er den armen *Homo sapiens* aufs Kreuz legte. Diese Affenart hatte bis vor zehntausend Jahren ein angenehmes Leben als Jäger und Sammler geführt, doch dann investierte sie immer mehr Energie in die Vermehrung des Weizens. Irgendwann ging das so weit, dass die Sapiens in aller Welt kaum noch etwas anderes taten, als sich von früh bis spät um diese Pflanze zu kümmern.

Das war harte Arbeit, denn der Weizen ist eine äußerst anspruchsvolle Pflanze. Er mag keine Steine, weshalb sich die Sapiens krumm buckelten, um sie von den Feldern zu sammeln. Er teilt seinen Lebensraum, sein Wasser und andere Nährstoffe nicht gern mit anderen Pflanzen, also jäteten die Sapiens tagein, tagaus unter der glühenden Sonne Unkraut. Der Weizen wurde leicht krank, also mussten die Sapiens nach Würmern und anderen Schädlingen Ausschau halten. Weizen kann sich nicht vor anderen Organismen wie Kaninchen und Heuschrecken schützen, die ihn gern fressen, weshalb die Bauern ihn schützen mussten. Weizen ist durstig, also schleppten die armen Sapiens Wasser aus Quellen und Flüssen herbei, um ihn zu bewässern. Und der Weizen ist hungrig, weshalb die Menschen Tierkot sammelten, um den Boden zu düngen, auf dem er wuchs.

Für derlei Arbeiten ist der Körper des *Homo sapiens* vollkommen ungeeignet. Er wurde von der Evolution geschaffen, auf Bäume zu klettern und hinter Gazellen herzujagen, und nicht Steine vom Boden aufzulesen und Wassereimer zu schleppen. Rücken, Knie, Gelenke und viele andere Körperteile zahlten einen hohen Preis für die landwirtschaftliche Revolution. Untersuchungen von fossilen Skeletten zeigen, dass der Übergang zur Landwirtschaft ein Füllhorn von Leiden mit sich brachte, von Rücken- und Gelenkschmerzen bis hin zu Leistenbrüchen. Die neuen Aufgaben der Landwirtschaft nahmen außerdem derart viel Zeit in Anspruch, dass sich die Menschen dauerhaft neben ihren Weizenfeldern niederlassen und ihre gesamte Lebensweise umstellen mussten. Nicht wir haben den Weizen domestiziert, der Weizen hat uns domestiziert. Das Wort »domestizieren« kommt vom lateinischen Wort *domus* für »Haus«. Wer lebt eingesperrt in Häusern? Der Mensch, nicht der Weizen.

Aber wie brachte der Weizen den *Homo sapiens* dazu, sein relativ angenehmes Leben gegen eine derart armselige Existenz einzutauschen? Was hatte er als Entschädigung zu bieten? Eine bessere Ernährung war es jedenfalls nicht. Die Menschen waren schließlich Allesfresser, die sich über Jahrmillionen hinweg von einer sehr vielseitigen Kost ernährt hatten. Vor der Erfindung der Landwirtschaft hatten sie so gut wie keine Körner auf dem Speisezettel gehabt. Eine auf Getreide basierende Kost ist arm an Mineralien und Vitaminen, schwer verdaulich und ganz schlecht für Zähne und Zahnfleisch.

Der Weizen bot den Menschen auch keine größere wirtschaftliche Sicherheit. Im Gegenteil, das Leben der Bauern ist unsicherer als das der Jäger und Sammler. Wildbeuter ernährten sich von Dutzenden Tier- und Pflanzenarten und konnten daher auch schwere Zeiten durchstehen, ohne sich Vorräte anzulegen. Wenn eine Art ausfiel, gab es genug andere, auf die sie ausweichen konnten. Im Gegensatz dazu nahmen Bauern bis vor Kurzem einen Großteil ihres Kalorienbedarfs über eine Handvoll von Nutzpflanzen auf, oft sogar nur eine einzige. Wenn der Regen ausblieb, Heuschreckenschwärme einfielen oder diese Pflanze von Pilzen befallen wurde, starben die Bauern zu Tausenden oder Millionen.

Der Weizen bot auch keinen Schutz vor menschlicher Gewalt. Die ersten Bauern waren mindestens so gewalttätig wie ihre Vorfahren, wenn nicht gewalttätiger. Bauern hatten mehr Besitzgegenstände und benötigten Land, um ihre Pflanzen anzubauen. Wenn sie eine Weide an ihre Nachbarn verloren, konnte dies den Hungertod bedeuten, weshalb sie viel weniger Spielraum für Kompromisse hatten. Wenn Wildbeuter von einer rivalisierenden Gruppe bedrängt wurden, konnten sie ausweichen. Das war zwar schwierig und gefährlich, doch es war möglich. Wenn dagegen ein Bauerndorf von einem stärkeren Feind bedroht wurde, konnten die Bewohner nicht ausweichen, ohne ihre Felder, Häuser und Schuppen zurückzulassen und den Hungertod zu riskieren. Daher blieben die Bauern und kämpften bis zum bitteren Ende.

Untersuchungen von Anthropologen und Archäologen zeigen, dass in einfachen landwirtschaftlichen Gesellschaften, die sich nicht über das Dorf oder den Stamm hinaus organisierten, etwa 15 Prozent aller Menschen eines gewaltsamen Todes starben; bei den Männern waren es gar 25 Prozent. Auf Neuguinea sterben noch immer 30 Prozent aller männlichen Angehörigen des Stammes der Dani an den Folgen von Gewalteinwirkung, und unter den Enga sind es 35 Prozent. Und in Ecuador könnten sogar 60 Prozent aller männlichen Krieger der Woaranis durch Menschenhand zu Tode kommen.[2] Im Laufe der Zeit wurde die Gewalt durch die Gründung von Städten, Reichen und Staaten eingedämmt, doch es dauerte Jahrtausende, um derart große und effektive Strukturen zu errichten.

Für uns, die wir in unseren modernen Industriegesellschaften leben, ist dies nur schwer nachvollziehbar. Wir leben in Wohlstand und Sicherheit, und da beides auf dem Fundament der landwirtschaftlichen Gesellschaft errichtet wurde, gehen wir davon aus, dass dies eine wunderbare Errungenschaft gewesen sein muss. Es wäre jedoch falsch, Jahrtausende der Geschichte im Rückblick zu beurteilen. Repräsentativer wäre die Sicht eines dreijährigen Mädchens im China des ersten Jahrhunderts, das an Unterernährung stirbt. Dieses Mädchen hat sich sicher nicht gesagt: »Wie schade, dass ich verhungere. Aber weil die Menschen in zweitausend Jahren genug zu essen haben und in klimatisierten Häusern wohnen, hat sich mein Leid gelohnt.«

Was also bot der Weizen diesem verhungernden Mädchen und den anderen Angehörigen der bäuerlichen Gesellschaften? Dem Einzelnen hatte er gar nichts zu bieten – wohl aber der Art des *Homo sapiens*. Der Weizenanbau bedeutet mehr Kalorien pro Fläche, und das wiederum ermöglichte dem *Homo sapiens*, sich exponentiell zu vermehren. Vor 15 000 Jahren, als die Menschen noch Wildpflanzen sammelten und Wildtiere jagten, konnte die Region um die Oase von Jericho in Palästina eine Gruppe von etwa hundert mehr oder weniger gesunden Menschen ernähren. Vor 10 500 Jahren, als die Wildpflanzen durch Weizenfelder ersetzt wurden, ernährte die Oase eine große Siedlung, in der sich tausend kränkliche und hungrige Menschen zusammendrängten.

Die Währung der Evolution ist weder Hunger noch Leid, sondern DNA. So wie sich der wirtschaftliche Erfolg eines Unternehmens in Dollar auf einem Bankkonto messen lässt, so lässt sich der evolutionäre Erfolg einer Art an der Anzahl der vorhandenen DNA-Moleküle messen. Wenn keine DNA mehr übrig ist, dann ist die Art ausgestorben, genau wie eine Firma Pleite geht, wenn sie kein Geld mehr hat. Wenn eine Art auf viele DNA-Moleküle verweisen kann, ist sie ein Erfolg und floriert. So gesehen sind tausend Exemplare besser als hundert. So funktioniert unterm Strich auch die landwirtschaftliche Revolution: Sie ernährte mehr Menschen, wenn auch unter schlechteren Bedingungen.

Aber warum sollten sich die Einzelnen für die Rechenspiele der Evolution interessieren? Warum sollte ein vernünftiger Mensch freiwillig seinen Lebensstandard senken, nur um mehr Sapiens-DNA in die Welt zu setzen? Aber diese Frage stellt sich so nicht, denn niemand entschied sich bewusst für dieses Tauschgeschäft. Die Menschen stimmten nicht über die landwirtschaftliche Revolution ab. Sie liefen in eine Falle.

Die Luxusfalle

Die landwirtschaftliche Revolution vollzog sich allmählich und dauerte Jahrhunderte und Jahrtausende. Eine Gruppe von *Homo sapiens*, die eben noch Pilze und Nüsse gesammelt und Hasen und Rehe gejagt hatte, zog nicht von einem Tag auf den anderen in Hütten, pflügte Felder, säte Weizen und schleppte Wasser vom Fluss heran. Der Wandel erfolgte in vielen Trippelschritten, von denen jeder nur eine winzige Veränderung des Alltags bedeutete.

Der *Homo sapiens* wanderte vor etwa 70 000 Jahren im Nahen Osten ein. Dort lebte er die nächsten 50 000 Jahre, ohne sich als Bauer zu betätigen. Es gab genug Ressourcen in der Region, um die menschliche Population zu ernähren. In guten Zeiten bekamen die Menschen mehr Kinder, in schlechten weniger. Beim Menschen wird die Fortpflanzung genau wie bei vielen Tierarten über hormonelle und genetische Mechanismen gesteuert. In guten Zeiten kommen die Mädchen früher in die Pubertät und werden eher schwanger, in schlechten Zeiten werden sie später geschlechtsreif und bekommen im Laufe ihres Lebens entsprechend weniger Nachwuchs.

Zu dieser natürlichen Geburtenkontrolle kamen kulturelle Mechanismen. Säuglinge und Kleinkinder, die sich nur langsam fortbewegen und viel Zuwendung verlangen, waren den umherziehenden

Wildbeutern eine Last. Frauen bekamen höchstens alle drei oder vier Jahre ein Kind. Diesen Rhythmus konnten sie einhalten, weil sie ihre Kinder rund um die Uhr stillten, bis diese relativ groß waren (Stillen verringert die Wahrscheinlichkeit einer weiteren Schwangerschaft), weil sie sexuell enthaltsam blieben (möglicherweise unterstützt durch kulturelle Tabus), weil sie abtrieben und weil sie ihre Kinder gelegentlich töteten.[3]

In diesen langen Jahrtausenden aßen die Menschen hin und wieder auch ein paar Weizenkörner, doch diese machten nur einen kleinen Teil ihrer Ernährung aus. Vor rund 18 000 Jahren endete dann die letzte Eiszeit und eine Periode der weltweiten Erwärmung setzte ein. Mit den Temperaturen stiegen auch die Niederschlagsmengen. Das neue Klima des Nahen Ostens war ideal für Weizen und andere Getreidearten, die sich vermehrten und verbreiteten. Die Menschen aßen mehr Weizen und machten damit unbewusst Werbung für ihn. Da die Grassamen vor dem Verzehr geschält, gemahlen und gegart werden müssen, mussten sie in die Lager gebracht und dort verarbeitet werden. Weizenkörner sind klein und zahlreich, weshalb auf dem Weg zum Lager unweigerlich einige verloren gingen. So kam es, dass im Laufe der Zeit entlang der Pfade und in der Nähe der Lagerstätten der Menschen immer mehr Weizen wuchs.

Auch die Brandrodung kam dem Weizen zugute. Das Feuer lichtete Bäume und Sträucher und verschaffte dem Weizen und anderen Gräsern den Zugang zu Licht, Wasser und weiteren Nährstoffen. Wo der Weizen besonders üppig wuchs und Wild und andere Nahrungsquellen besonders reichlich vorkamen, gaben die Menschen allmählich ihre nomadische Lebensweise auf und ließen sich in festeren Lagern nieder, in denen sie über eine oder mehrere Jahreszeiten hinweg blieben.

Zunächst blieben sie vier Wochen, während der Erntezeit. Eine Generation später blieb das Erntelager schon fünf Wochen bestehen, dann sechs, und schließlich verwandelte es sich in eine feste Siedlung. Überreste solcher Dörfer wurden im gesamten Nahen

Osten gefunden, besonders in der Levante, wo zwischen 12 500 und 9500 vor unserer Zeitrechnung die Natufienkultur blühte. Die Natufier waren Jäger und Sammler, die sich von Dutzenden Tier- und Pflanzenarten ernährten, aber in festen Siedlungen lebten und sich der intensiven Sammlung und Verarbeitung von wildem Getreide widmeten. Sie errichteten Häuser und Schuppen aus Stein, lagerten das Getreide für schlechte Zeiten ein und erfanden neue Werkzeuge wie Steinsicheln zur Ernte der Wildgräser und Steinmörser zu ihrer Verarbeitung.

Auch die Nachfahren der Natufier sammelten und verarbeiteten Wildgetreide, doch sie begannen nun damit, die Pflanzen zu züchten. Sie legten einen Teil der eingesammelten Körner beiseite, um sie im nächsten Frühjahr auszusäen. Dabei stellten sie fest, dass sie bessere Ernten erzielten, wenn sie das Getreide tiefer in den Boden einbrachten und es nicht einfach willkürlich ausstreuten. Sie begannen zu harken und zu pflügen. Allmählich jäteten sie auch Unkraut, schützten die Felder vor Parasiten und wässerten und düngten sie. Je mehr Zeit sie auf den Anbau von Getreide verwendeten, umso weniger Zeit blieb ihnen, um wilde Arten zu sammeln und zu jagen. Aus den Wildbeutern wurden Bauern.

Der Übergang von der Frau, die Wildweizen sammelt, zu der Frau, die angebauten Weizen verarbeitet, ist fließend. Deshalb ist es schwer, einen genauen Zeitpunkt für den Beginn der Landwirtschaft zu benennen. Aber vor 10 500 Jahren fanden sich überall im Nahen Osten feste Siedlungen wie Jericho, deren Einwohner ihre Zeit überwiegend mit dem Anbau einiger weniger Pflanzenarten zubrachten.

Mit der Gründung fester Siedlungen und der Zunahme der Nahrungsmenge wuchs auch die Bevölkerung. Nachdem die Menschen sesshaft geworden waren, konnten Frauen jedes Jahr ein Kind zur Welt bringen. Babys wurden eher abgestillt, an die Stelle der Muttermilch traten Haferschleim und Getreidebreie. Die zusätzlichen Hände wurden dringend auf dem Acker gebraucht. Doch die zusätzlichen Münder aßen den Überschuss schnell auf und verlangten nach mehr. So kam es, dass die Kinder im Durchschnitt schlechter dran waren als zuvor. Da die Menschen in schmutzigen und verkeimten Siedlungen lebten, die Kinder mehr Getreide und weniger Muttermilch bekamen und jedes Kind mit immer mehr Geschwistern um den Haferschleim konkurrierte, schoss die Kindersterblichkeit in die Höhe. In den bäuerlichen Gesellschaften starb mindestens jedes dritte Kind vor Erreichen des zwanzigsten Lebensjahrs.[4] Doch die Zahl der Geburten nahm immer noch schneller zu als die der Sterbefälle, weshalb die Menschen immer mehr und immer elendere Kinder hatten.

Mit der Zeit wurde der »Weizenhandel« immer beschwerlicher. Die Kinder starben wie die Fliegen, die Erwachsenen aßen ihr Brot im Schweiße ihres Angesichts. Der Durchschnittsbauer, der vor 10 500 Jahren in Jericho lebte, hatte ein deutlich schwereres Leben als der Durchschnittswildbeuter, der tausend oder dreitausend Jahre vor ihm in der Gegend lebte. Aber das bemerkte natürlich niemand. Jede Generation lebte im Grunde genau so wie die ihrer Eltern, nur ein bisschen effizienter. Paradoxerweise summierte sich die Abfolge von »Verbesserungen«, die den Menschen eigentlich das Leben erleichtern sollten, im Lauf der Zeit zu einer drastischen Verschlechterung.

Wie konnten sich die Menschen derart verkalkulieren? Aus demselben Grund, aus dem sich Menschen im Laufe der Geschichte immer wieder verrechneten. Sie waren ganz einfach nicht in der Lage, ihre Entscheidungen mit all ihren Konsequenzen zu überblicken. Jedes Mal, wenn sie sich entschieden, mehr Arbeit zu investieren und zum Beispiel ein Feld zu pflügen, statt die Samen einfach nur auszustreuen, dachten sie: »Wir müssen zwar mehr arbeiten, aber dafür fällt die Ernte umso reichlicher aus! Wir müssen uns keine Gedanken mehr über magere Jahre machen. Unsere Kinder werden nie mehr hungrig einschlafen müssen. Das Leben wird so gut!« Mehr Arbeit für ein besseres Leben. Soweit der Plan.

Der erste Teil des Plans war einfach. Die Menschen arbeiteten mehr. Aber der zweite Teil scheiterte an unvorhergesehenen Wendungen. Die Menschen sahen nicht vorher, dass sie mehr Kinder bekommen würden und dass sie mit der zusätzlichen Ernte nun mehr Münder ernähren mussten. Sie wussten nicht, dass das Immunsystem der Kinder geschwächt würde, wenn sie mehr Haferschleim und weniger Muttermilch bekamen. Sie ahnten nicht, dass sie mit der Abhängigkeit von einer einzigen Nahrungsquelle die Verheerungen einer Dürre deutlich schmerzhafter zu spüren bekommen würden. Und genauso wenig sahen sie vorher, dass in guten Jahren ihre vollen Getreidespeicher Diebe und Feinde anlocken würden, weshalb sie Mauern bauen und Wachen aufstellen mussten.

Aber warum gaben sie den Plan dann nicht einfach auf, als er sich als Bumerang erwies? Zum einen, weil Jahrzehnte ins Land gingen, bevor irgendjemand hätte erkennen können, dass die Dinge nicht nach Plan verliefen und weil sich dann – Generationen später – sowieso niemand mehr erinnerte, dass das Leben jemals anders gewesen war. Und zum anderen, weil das Bevölkerungswachstum jede Rückkehr zum früheren Leben unmöglich machte. Wenn die Dorfbevölkerung dank des Weizenanbaus von 100 auf 110 angewachsen war, welche 10 Menschen wären dann freiwillig verhungert, damit die Übrigen zur Lebensweise der guten alten Zeit zurückkehren konnten? Es führte kein Weg zurück. Die Falle war zugeschnappt.

Der Traum vom besseren Leben fesselte die Menschen ans Elend. Es sollte nicht das letzte Mal gewesen sein: Was das bedeutet, können wir heute am eigenen Leib erfahren. Wie viele junge Menschen haben nicht nach dem Studium eine Stelle in einem großen Unternehmen angenommen und sich geschworen, sie würden ein paar Jahre ordentlich ranklotzen, Geld auf die hohe Kante legen und mit vierzig den Job an den Nagel hängen, um ihren wahren Interessen nachzugehen? Aber wenn der vierzigste Geburtstag naht, haben sie eine Hypothek und schulpflichtige Kinder am Bein und meinen, ohne Mercedes und Bordeaux nicht mehr leben zu können. Was sollen sie tun? Wieder Wurzeln ausgraben? Natürlich nicht.

Stattdessen kämpfen sie um eine Beförderung und strampeln sich weiter ab.

Eines der ehernen Gesetze der Geschichte lautet, dass ein Luxus schnell zur Notwendigkeit wird und neue Zwänge schafft. Sobald wir uns an einen Luxus gewöhnt haben, verkommt er zur Selbstverständlichkeit. Erst wollen wir nicht mehr ohne ihn leben, und irgendwann können wir es nicht mehr. Nehmen wir ein Beispiel, das Ihnen bekannt vorkommen könnte. In den vergangenen Jahrzehnten wurden zahllose Maschinen erfunden, die uns das Leben erleichtern sollen: Waschmaschinen, Staubsauger, Geschirrspülmaschinen, Telefone, Mobiltelefone, Computer, E-Mail. Früher hat es viel Zeit gekostet, einen Brief zu schreiben, einen Umschlag zu kaufen, ihn zur Post zu bringen und abzuschicken. Die Antwort ließ Tage und Wochen auf sich warten. Heute können wir innerhalb einer halben Minute eine E-Mail schreiben und sofort eine Antwort bekommen. Haben wir jetzt mehr Zeit für uns selbst?

Im Gegenteil. In Zeiten der Schneckenpost haben wir nur Briefe geschrieben, wenn wir wirklich etwas mitzuteilen hatten. Wir haben nicht einfach geschrieben, wie uns der Schnabel gewachsen war, sondern haben sorgfältig über den Inhalt nachgedacht und an Formulierungen gefeilt. Als Antwort haben wir einen genauso durchdachten Brief erwartet. Pro Monat haben wir eine Handvoll Briefe geschrieben, eifrige Schreiber kamen auf einige Dutzend, und kaum jemand setzte sich sofort nach Erhalt eines Briefes hin, um eine Antwort zu schreiben. Heute bekommen wir pro Tag Dutzende Mails, die alle umgehend beantwortet werden wollen. Mit dem Versuch, Zeit zu sparen, haben wir lediglich die Schlagzahl erhöht und unser Leben noch hektischer gemacht.

Hier und da kann man noch einem Don Quijote begegnen, der sich standhaft weigert, ein E-Mail-Konto einzurichten. Genauso gab es vor ein paar Jahrtausenden Gruppen von Menschen, die keine Bauern wurden und nicht in die Luxusfalle tappten. Aber um die landwirtschaftliche Revolution in Gang zu bringen, mussten gar nicht alle Menschen mitmachen. Es reichte schon, wenn ein paar in die Falle gingen. Sobald sich im Nahen Osten oder in Zentralamerika auch nur eine einzige Gruppe niederließ und mit der Aussaat anfing, begann der unaufhaltsame Weg in die Landwirtschaft. Da der Getreideanbau ein rasches Bevölkerungswachstum ermöglichte, waren die Bauern den Jägern und Sammlern zahlenmäßig schon bald überlegen. Die Wildbeuter konnten entweder das Weite suchen und ihre Jagdgründe den Bauern überlassen, die sie in Weiden und Ackerland verwandelten. Oder sie konnten sich selbst vor den Pflug spannen. So oder so war ihre alte Lebensweise dem Untergang geweiht.

Aus der Geschichte der Luxusfallen können wir eine wichtige Lektion lernen. Bei dem Versuch, winzige Fortschritte zu erringen, setzen wir immense Energien frei und bewirken Veränderungen, die niemand vorhersehen konnte und die auch niemand in dieser Form wollte. Niemand konnte die landwirtschaftliche Revolution vorhersehen und niemand wollte sie. Eine Abfolge winziger Entscheidungen, mit denen sich die Menschen den Magen füllen und ein bisschen Sicherheit gewinnen wollten, summierte sich so lange, bis die alten Wildbeuter unter sengender Sonne Wassereimer schleppten.

Göttliche Einmischung

Die Theorie der Luxusfalle erklärt die landwirtschaftliche Revolution als Ergebnis einer fatalen Fehlkalkulation. Das klingt durchaus plausibel – die Geschichte kennt noch viel dümmere Irrtümer. Es gibt jedoch noch eine andere Möglichkeit. Könnte es sein, dass es den Menschen nicht nur um Wohlstand und Sicherheit ging? Könnten sie andere Ziele verfolgt und sich das Leben bewusst schwer gemacht haben, um sie zu erreichen?

Wissenschaftler erklären historische Entwicklungen gern mit kalten wirtschaftlichen und demographischen Daten. Das passt besser zu ihren rationalen Methoden und mathematischen Modellen. Bei der Erklärung der modernen Geschichte können sie nicht umhin, auch nicht-materielle Faktoren wie Ideologie und Kultur einzubeziehen, weil sie durch schriftliche Zeugnisse dazu gezwungen werden. Es gibt genug Dokumente, Briefe und Memoiren, aus denen hervorgeht, dass der Zweite Weltkrieg weder durch Hunger noch durch Überbevölkerung ausgelöst wurde. Aber die Natufier haben keine Dokumente hinterlassen, weshalb beim Umgang mit alten Kulturen materialistische Erklärungen vorherrschen. Es ist schwer zu beweisen, dass schriftlose Völker nicht durch wirtschaftliche Zwänge motiviert wurden, sondern durch ihre Überzeugungen.

Aber in einigen Fällen haben wir Glück und finden entscheidende Hinweise. Im Jahr 1995 gruben deutsche Archäologen auf dem Hügel

10. Links: Die Überreste eines monumentalen Bauwerks auf dem Göbekli Tepe. Rechts: Eine der verzierten, rund fünf Meter hohen Säulen.

Göbekli Tepe im Südosten der Türkei eine faszinierende Anlage aus. In der ältesten Schicht fanden sie keinerlei Hinweise auf Siedlungen, Gebäude oder Alltagsleben. Stattdessen entdeckten sie gewaltige Säulenbauten, die mit einmaligen Reliefen verziert waren. Die einzelnen Pfeiler wogen bis zu sieben Tonnen und waren bis zu fünf Meter hoch. In einem nah gelegenen Steinbruch fanden sie sogar einen halbfertigen Pfeiler, der mehr als fünfzig Tonnen wog. Bisher haben die Archäologen mehr als zehn solcher Bauwerke freigelegt, das größte mit einem Durchmesser von dreißig Metern.

Archäologen kennen ähnliche Monumente von anderen Fundstätten in aller Welt, etwa Stonehenge in Südengland. Doch bei genaueren Untersuchungen der Anlage auf dem Göbekli Tepe machten sie eine erstaunliche Entdeckung. Stonehenge wurde vermutlich

vor 4500 Jahren von einer bäuerlichen Gesellschaft errichtet. Die Bauwerke vom Göbekli Tepe werden dagegen auf ein Alter von 11500 Jahren geschätzt, und alles deutet darauf hin, dass sie von Wildbeutern erbaut wurden! Die Zunft der Archäologen betrachtete die Ergebnisse zunächst mit Skepsis, doch eine Untersuchung nach der anderen bestätigte das Alter der Anlage und die Tatsache, dass die Erbauer Wildbeuter gewesen sein mussten. Die Fähigkeiten der Jäger und Sammler sowie ihre gesellschaftliche und kulturelle Komplexität scheinen alles zu sprengen, was man bislang für möglich gehalten hätte.

Aber warum sollten Jäger und Sammler eine derartige Anlage errichten? Sie erfüllte keinen erkennbaren Zweck: Es handelte sich weder um einen Mammutschlachthof, noch bot sie Schutz vor Löwen oder Unwettern. Sie hatte eine geheimnisvolle kulturelle Bedeutung, die sich den Archäologen bislang nicht erschließt. Aber warum die Wildbeuter diese Anlage auch immer gebaut haben mögen, sie schien ihnen sehr wichtig zu sein. Denn um Göbekli Tepe zu errichten, mussten Tausende Menschen unterschiedlicher Gruppen und Stämme über lange Zeiträume hinweg zusammenarbeiten. Zu derartigen Anstrengungen sind nur hochentwickelte Religionen oder Ideologien imstande.

Der Göbekli Tepe gab noch ein weiteres sensationelles Geheimnis preis. Seit Jahrzehnten suchen Genetiker nach der Herkunft domestizierten Weizens. Jüngste Entdeckungen ergaben, dass zumindest eine Variante, das sogenannte Einkorn, seinen Ursprung am Fuß des Vulkans Karacadağ im Südosten der Türkei haben muss – gerade einmal dreißig Kilometer vom Göbekli Tepe entfernt.[5]

Das kann kein Zufall sein. Die Vermutung liegt nahe, dass die Anlage auf dem Göbekli Tepe irgendetwas mit der Domestizierung des Weizens und des Menschen zu tun haben muss. Um die Menschen zu ernähren, die derart monumentale Bauwerke errichteten, waren gewaltige Mengen an Lebensmitteln nötig. Es ist durchaus denkbar, dass die Jäger und Sammler nicht vom Weizensammeln zum Weizenanbau übergingen, um ihren üblichen Kalorienbedarf zu decken, sondern um einen Tempel zu bauen. Sollte das stimmen, dann könnten religiöse Überzeugungen die Menschen veranlasst haben, den hohen Preis zu zahlen, den der Weizen verlangte. Früher ging man davon aus, dass sich die Siedler erst in einem Dorf niederließen und dann in der Mitte einen Tempel errichteten. Göbekli Tepe lässt vermuten, dass erst der Tempel kam und dann das Dorf.

Die Opfer der Revolution

Dieser Handel zwischen Mensch und Pflanze war nicht der einzige Pakt des Menschen mit dem Teufel. Ein anderer betraf das Schicksal von Schafen, Ziegen, Schweinen und Hühnern.

Mit ihrer Jagd auf wilde Schafe veränderten Nomadengruppen ganz allmählich die Zusammensetzung der freilebenden Herden. Vermutlich gingen die Jäger zunächst einfach selektiv vor: Sie lernten, dass es besser war, nur ausgewachsene Widder oder alte und kranke Schafe zu erlegen und fruchtbare Weibchen und Lämmer zu verschonen, wenn sie die Herde langfristig erhalten wollten. Irgendwann gingen sie wahrscheinlich dazu über, die Herden aktiv vor Raubtieren zu schützen und Löwen, Wölfe und konkurrierende menschliche Jäger zu vertreiben. Später trieben sie die Tiere vielleicht in einer Schlucht zusammen, um sie dort besser im Auge behalten und beschützen zu können. Und schließlich wählten sie die Schafe immer sorgfältiger nach ihren Bedürfnissen aus. Die aggressivsten Widder, die den größten Widerstand gegen die menschliche Herrschaft zeigten, wurden als Erste geschlachtet. Ihnen folgten dürre und neugierige Weibchen (Schäfer mögen keine Schafe, die sich aus Neugierde weit von der Herde entfernen). Mit jeder Generation wurden die Schafe fetter, gefügiger und träger. So entstand das Hausschaf.

Es könnte allerdings auch sein, dass Jäger ein Lamm fingen und »adoptierten«, es während der fetten Monate fütterten und während der mageren Monate aßen. Irgendwann könnten sie so eine Menge Schafe gehalten haben. Einige davon erreichten die Geschlechtsreife und vermehrten sich. Die aufsässigsten Schafe wurden als Erste geschlachtet, die fügsamsten und freundlichsten durften länger leben und sich vermehren. Das Ergebnis war eine Herde fügsamer und friedlicher Schafe.

Die so domestizierten Tiere – Schafe, Hühner, Esel und so weiter – lieferten Nahrung (Fleisch, Milch und Eier), Rohstoffe (Häute und Wolle) sowie Muskelkraft. Transport, Pflügen, Mahlen und andere Aufgaben, die bislang von menschlichen Muskeln erledigt worden waren, wurden nun zunehmend auf die Schultern der Tiere verlagert. In den meisten bäuerlichen Gesellschaften kümmerten sich die Menschen in erster Linie um den Anbau von Pflanzen und betrieben die Viehzucht eher nebenher. Aber es gab und gibt auch Hirtengesellschaften, die vor allem auf der Ausbeutung von Tieren basieren.

Mit dem Menschen verbreiteten sich auch die Haustiere über den gesamten Planeten. Vor zehntausend Jahren lebten lediglich ein paar Millionen Schafe, Kühe, Ziegen und Hühner in einigen ausgewählten Nischen Afrikas, Asiens und Europas. Heute gibt es rund eine Milliarde Schafe, mehr als eine Milliarde Kühe und geschätzte 25 Milliarden Hühner, die auf dem gesamten Planeten leben. Das Haushuhn ist das am weitesten verbreitete Federtier aller Zeiten. Kuh und Hausschaf belegen die Plätze zwei und drei in der Rangliste der häufigsten Säugetierarten – gleich hinter dem *Homo sapiens*. Aus Sicht der Evolution, die den Erfolg einer Art an der Verbreitung der DNA misst, müsste die landwirtschaftliche Revolution eigentlich ein wahrer Segen für Hühner, Kühe und Schafe gewesen sein.

Leider ist die evolutionäre Sicht allein kein ausreichender Gradmesser für den Erfolg einer Art. Sie urteilt ausschließlich nach Überleben und Reproduktionserfolg und interessiert sich nicht für das individuelle Glück oder Leid. Der Evolution ist es gleichgültig, was die Tiere fühlen, sie zählt nur die Exemplare. Domestizierte

Hühner und Kühe mögen zwar eine Erfolgsgeschichte der Evolution sein, doch sie gehören zu den unglücklichsten Lebewesen, die es je gab. Die Domestizierung der Tiere geht mit einer Reihe brutaler Praktiken einher, die im Laufe der Jahrhunderte immer grausamer wurden.

Ein freilebendes Huhn hat eine Lebenserwartung von sieben bis zwölf Jahren, ein Rind von 20 bis 25 Jahren. In freier Wildbahn sterben die meisten Hühner und Rinder zwar deutlich früher, aber sie haben gute Aussichten, ein paar Jährchen zu leben. Im Gegensatz dazu wird die überwiegende Mehrzahl der in Gefangenschaft lebenden Hühner und Rinder im Alter von wenigen Wochen oder Monaten geschlachtet, da dies aus wirtschaftlicher Sicht das optimale Alter ist. (Warum sollte man einen Hahn drei Jahre lang durchfüttern, wenn er schon nach drei Monaten sein Höchstgewicht erreicht hat?)

Legehennen, Milchkühe und Zugtiere dürfen länger leben. Doch der Preis ist die völlige Versklavung, Ausbeutung und Unterjochung unter eine Lebensweise, die nichts mit ihren natürlichen Bedürfnissen und Wünschen zu tun hat. Wir können beispielsweise annehmen, dass Stiere lieber in Gesellschaft ihrer Artgenossen über das offene Weideland streifen würden, statt Karren und Pflüge zu ziehen, während ein Affe die Peitsche über ihnen schwingt.

Um Stiere, Pferde, Esel und Kamele zu gehorsamen Zugtieren zu machen, mussten ihre natürlichen Instinkte und sozialen Beziehungen zerstört, ihre Aggression und Sexualität gebrochen und ihre Bewegungsfreiheit eingeschränkt werden. Dazu entwickelten Bauern die unterschiedlichsten Methoden, sie pferchten die Tiere in Käfige und Ställe, zügelten sie mit Stricken und Zaumzeug, zähmten sie mit Stöcken und Peitschen und verstümmelten sie. Zur Zähmung gehörte fast immer die Kastration der männlichen Tiere – das bändigt die männliche Aggression und gibt den Menschen die Möglichkeit, die Fortpflanzung der Herde zu kontrollieren.

In vielen Stämmen Neuguineas wird der Reichtum eines Stammesangehörigen traditionell an der Zahl seiner Schweine gemessen.

Um sicherzustellen, dass die Schweine nicht davonlaufen, schneiden Bauern im Norden der Insel den Tieren ein Stück ihres Rüssels ab. Danach verursacht das Schnüffeln große Schmerzen. Da Schweine jedoch ohne ihren Geruchssinn keine Nahrung finden und sich nicht einmal orientieren können, werden sie durch diese Verstümmelung vollkommen abhängig von ihren menschlichen Besitzern. In einer anderen Gegend Neuguineas stechen die Bauern ihren Schweinen sogar die Augen aus, damit sie nicht davonlaufen.[6]

11. Zeichnung aus einem ägyptischen Grab, zirka 1200 vor unserer Zeitrechnung: Ein Ochsengespann pflügt einen Acker. Wilde Stiere streiften über Weideland und lebten in einer komplexen Herde mit anderen Stieren und Kühen. Die kastrierten und domestizierten Ochsen vegetierten dagegen im Schatten der Peitsche und des Stalls, sie arbeiteten allein oder in Paaren auf eine Weise, die weder ihrem Körper noch ihren sozialen und emotionalen Bedürfnissen entsprach. Wenn ein Ochse sein Soll nicht mehr erfüllte, wurde er geschlachtet. (Sehen Sie sich übrigens die gebückte Haltung des ägyptischen Bauern an – wie der Ochse verbrachte er sein Leben mit harter Arbeit, die ihm körperlich und geistig schadete.)

Die Milchwirtschaft hat ganz eigene Methoden zur Unterjochung der Tiere entwickelt. Kühe, Ziegen und Schafe geben nur Milch, wenn sie Kälber, Zicklein und Lämmer zur Welt gebracht haben, und dann auch nur so lange sie die Jungen säugen. Um den Milchfluss aufrechtzuerhalten, brauchen Bauern die Kälber, Zicklein und Lämmer, aber gleichzeitig müssen sie verhindern, dass diese die ganze Milch bekommen. Eine traditionelle Methode besteht darin, die Jungen einfach kurz nach ihrer Geburt zu schlachten, die Mutter so lange wie möglich zu melken und sie dann wieder zu schwängern. Diese Methode ist bis heute verbreitet. In modernen Milchbetrieben lebt eine Kuh in der Regel etwa fünf Jahre und wird dann geschlachtet. Während dieser fünf Jahre ist sie fast konstant trächtig und wird 60 bis 120 Tage nach der Geburt eines Jungen erneut gedeckt, um ein Maximum an Milch zu produzieren. Die Kälber werden kurz nach ihrer Geburt von ihrer Mutter getrennt; die weiblichen Kälber werden zur nächsten Generation der Milchkühe herangezogen, die männlichen Kälber werden der Fleischverarbeitung zugeführt.[7]

Eine andere Methode besteht darin, die Jungen bei der Mutter zu lassen, aber ihnen die Milch vorzuenthalten. Die einfachste Praxis ist, das Kalb oder Lamm ein wenig saugen zu lassen und es zu vertreiben, sobald der Milchfluss einsetzt. Diese Methode stößt natürlich sowohl beim Jungen als auch bei der Mutter auf Widerstand. Viele Hirten töteten daher das Junge, aßen sein Fleisch und stopften sein Fell aus. Dann zeigten sie der Mutter das ausgestopfte Junge, um durch den Anblick die Milchproduktion anzuregen. Die Angehörigen des Stammes der Nuer im Sudan rieben die ausgestopften Kälber mit dem Urin der Mutter ein, damit es lebendig und vertraut roch. Eine andere Methode der Nuer bestand darin, dem Kalb einen Dornenkranz um die Schnauze zu binden, um die Mutter beim Säugen zu stechen und deren Widerstand zu provozieren.[8] Kamelzüchter der in der Sahara lebenden Tuareg verstümmelten die Nase und Oberlippe der jungen Kamele, damit die Tiere beim Saugen Schmerzen empfanden und nur wenig Milch tranken.[9]

Nicht alle bäuerlichen Gesellschaften behandelten ihre Tiere mit derartiger Grausamkeit. Einige Haustiere führten durchaus ein gutes Leben. Wollschafe, Haushunde und -katzen, Streitrosse und Rennpferde lebten oft unter sehr angenehmen Bedingungen. Der römische Kaiser Caligula soll sein Lieblingspferd Incitatus sogar zum Konsul ernannt haben. Viele Schäfer und Bauern behandelten ihre Tiere mit Zuneigung und Fürsorge, genau wie einige Sklavenhalter ihre menschlichen Sklaven mit Zuneigung und Fürsorge behandelten. Nicht umsonst wurde der Hirte zum Vorbild für Könige und Propheten.

Doch aus Sicht der Herde kommt man fast unweigerlich zu dem Schluss, dass die landwirtschaftliche Revolution für die überwiegende Mehrheit der domestizierten Tiere eine schreckliche Katastrophe bedeutete. Der evolutionäre Erfolg ist völlig bedeutungslos. Wenn Sie die Wahl hätten, als seltenes Nashorn zu leben, dessen Art vom Aussterben bedroht ist, oder als Kalb, das sein kurzes Leben in einer winzigen Kiste verbringt und gemästet wird, um zu saftigen Filets verarbeitet zu werden – wofür würden Sie sich entscheiden? Die Tatsache, dass das Nashorn das letzte seiner Art ist, ändert nichts an seiner Zufriedenheit. Umgekehrt ist der Reproduktionserfolg seiner Art kein Trost für ein leidendes Rind.

Dass der Unterschied zwischen evolutionärem Erfolg einerseits und individuellem Leid andererseits so gewaltig sein kann, ist vielleicht die wichtigste Lektion der landwirtschaftlichen Revolution. Bei Pflanzen wie Mais oder Weizen mag die rein evolutionäre Sicht noch sinnvoll sein. Doch bei Tieren wie Rindern, Schafen und Sapiens mit ihren komplexen Gefühlswelten müssen wir uns fragen, welche Auswirkungen der evolutionäre Erfolg auf das individuelle Erleben hat. In den folgenden Kapiteln werden wir noch öfter sehen, wie der »Erfolg« der Art und der dramatische Zuwachs an kollektiver Macht mit großem Leid für den Einzelnen einhergehen konnte.

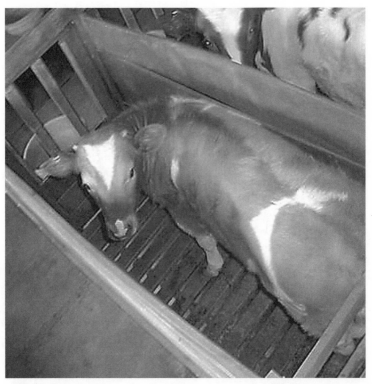

12. *Ein modernes Kalb in einer Fleischfabrik. Kurz nach der Geburt wird es von der Mutter getrennt und in einen Käfig gesperrt, der kaum größer ist als das Tier selbst. Dort verbringt es sein gesamtes Leben – durchschnittlich etwa vier Monate. Es darf seinen Käfig nie verlassen und sich nie bewegen, geschweige denn mit anderen Kälbern spielen, damit sich seine Muskeln nicht kräftigen. Weiche Muskeln bedeuten zarte und saftige Steaks. Nur ein einziges Mal hat das Kalb Gelegenheit, sich zu bewegen, seine Muskeln zu strecken und andere Kälber zu berühren: auf dem Weg zum Schlachthof. Aus rein evolutionärer Sicht ist das Rind eine der erfolgreichsten Arten aller Zeiten. Gleichzeitig ist es eines der unglücklichsten Tiere auf unserem Planeten.*

Kapitel 6

Pyramiden bauen

Die landwirtschaftliche Revolution ist eines der umstrittensten Ereignisse der Geschichte. Ihre Befürworter behaupten, sie habe ein neues Zeitalter von Fortschritt und Wohlstand eingeläutet. Kritiker halten dagegen, die Wende zur Landwirtschaft sei der Anfang vom Ende gewesen, denn mit ihr habe der *Homo sapiens* den Kontakt zu seiner natürlichen Umwelt verloren und den Weg der Gier und Entfremdung eingeschlagen. Was man auch immer von der landwirtschaftlichen Revolution halten mag – nachdem sie einmal begonnen hatte, ließ sie sich nicht wieder rückgängig machen. Infolge des Getreideanbaus und der Tierhaltung wuchs die Bevölkerung so stark, dass sich die komplexen bäuerlichen Gesellschaften nicht mehr hätten ernähren können, wenn sie zum Jagen und Sammeln zurückgekehrt wären. Vor 12 000 Jahren, vor Beginn der landwirtschaftlichen Revolution, zogen rund 5 bis 8 Millionen Wildbeuter als Nomaden über den Planeten. Zu Beginn der modernen Zeitrechnung lebten noch immer 1 bis 2 Millionen Jäger und Sammler auf der Erde (vor allem in Afrika, Amerika und Asien), doch neben den etwa 250 Millionen Bauern war diese Zahl zu vernachlässigen.[1]

Die überwiegende Mehrheit der Bauern lebte in festen Siedlungen, nur ein kleiner Teil zog als Nomaden und Hirten übers Land. Als sich die Menschen in festen Siedlungen niederließen, schrumpfte ihr Lebensraum radikal zusammen. Die Jäger und Sammler lebten in Territorien von mehreren Dutzend bis einigen Hundert Quadratkilometern. Ihr »Zuhause« war das gesamte Territorium mit seinen

Hügeln, Bächen und Wäldern unter dem weiten Himmel. Die Bauern verbrachten dagegen den größten Teil ihres Lebens auf ihrer Scholle oder in ihrem Obstgarten, und ihr eigentliches Zuhause war ein beengter Holz-, Stein- oder Lehmverschlag, der kaum mehr als ein Dutzend Quadratmeter maß – das Haus. Der typische Bauer entwickelte eine starke emotionale Beziehung zu seiner Hütte. Diese völlige Veränderung des Lebensstils hatte also nicht nur architektonische, sondern auch psychische Konsequenzen. Fortan waren die intime Bindung an die eigenen vier Wände und die räumliche Trennung von den Nachbarn die psychischen Merkmale einer deutlich engstirnigeren Kultur.

Die neuen landwirtschaftlichen Flächen waren nicht nur erheblich kleiner als das Territorium der Jäger und Sammler, sie waren auch künstlicher. Wenn man einmal von der Brandrodung absieht, nahmen die Wildbeuter keine bewussten Veränderungen an ihrer Umwelt vor. Bauern lebten dagegen auf künstlichen menschlichen Inseln, die sie unter großen Mühen der Wildnis entrissen hatten. Sie fällten Bäume, gruben Kanäle, legten Äcker an, bauten Hütten, pflügten Ackerfurchen und pflanzten Obstbäume in ordentlichen Reihen. Dieser künstliche Lebensraum war nur für die Menschen und »ihre« Pflanzen und Tiere bestimmt und wurde oft mit Hecken und Mauern umzäunt. Die bäuerlichen Familien taten alles, um Unkraut oder Wildtiere fernzuhalten. Eindringlinge, die diese Barrikaden überwanden, wurden vertrieben, und wenn sie sich nicht vertreiben ließen, unternahmen die menschlichen Bewohner des Hauses alles in ihrer Macht Stehende, um sie auszurotten. Besonders geschützt wurde das Allerheiligste, das Haus. Seit Beginn des Zeitalters der Landwirtschaft führen mit Pantoffeln und Giften bewaffnete Menschen einen erbarmungslosen Vernichtungskrieg gegen vorwitzige Ameisen, Spinnen, Kakerlaken oder Käfer, die sich ins Innere der menschlichen Behausung verirren.

Die meiste Zeit der Geschichte waren diese menschlichen Enklaven klein und von den Weiten der ungezähmten Natur umgeben.

Die Erdoberfläche misst rund 510 Millionen Quadratkilometer, davon sind rund 155 Millionen Quadratkilometer Festland. Noch im Jahr 1400 unserer Zeitrechnung kauerte sich die überwiegende Zahl der Bauern mit ihren Tieren und Pflanzen auf gerade einmal 11 Millionen Quadratkilometern zusammen – also auf 2 Prozent der Erdoberfläche.[2] Der Rest des Planeten war entweder zu kalt, zu warm, zu trocken, zu nass oder aus anderen Gründen ungeeignet für die landwirtschaftliche Nutzung. Diese mickrigen 2 Prozent waren die Bühne, auf der sich die Menschheitsgeschichte abspielte.

Die Menschen verließen ihre künstlichen Inseln ausgesprochen ungern. Wenn sie ihre Häuser, Äcker und Scheunen unbeaufsichtigt ließen, liefen sie Gefahr, sie zu verlieren. Außerdem häuften sie immer mehr Gegenstände an. Die ersten Bauern mögen uns bitterarm vorkommen, doch eine normale Familie besaß schon mehr Dinge als ein ganzer Stamm von Jägern und Sammlern. Für die Landwirtschaft mussten viele neue Werkzeuge erfunden werden, und mit der Errichtung fester Siedlungen konnten die Menschen außerdem immer mehr überflüssigen Luxus produzieren, ohne den sie schon bald nicht mehr leben konnten. Ein immer größerer Teil der menschlichen Tätigkeiten, Glaubensvorstellungen und sogar Gefühle hing auf die eine oder andere Weise mit Gegenständen zusammen. Der Wanderstab verkam dagegen zu einem bloßen Erinnerungsstück, das vergessen auf dem Dachboden verrottete.

Die Entdeckung der Zukunft

Während für die Bauern der Raum zusammenschrumpfte, dehnte sich die Zeit aus. Jäger und Sammler verschwendeten keine Energie darauf, sich über die nächste Woche oder gar den nächsten Monat Gedanken zu machen. Bauern ließen ihre Fantasie jedoch Jahre und Jahrzehnte in die Zukunft schweifen.

Für Wildbeuter spielte die Zukunft keine große Rolle, da sie von der Hand in den Mund lebten und kaum Möglichkeiten hatten, Vorräte oder Besitzungen anzuhäufen. Natürlich planten sie in gewisser Weise: Wer auch immer die faszinierenden Höhlenmalereien von Chauvet, Lascaux oder Altamira anfertigte, hoffte vermutlich, dass sie einige Generationen lang Bestand hatten. Auch Bündnisse und Rivalitäten waren eher langfristige Angelegenheiten. Oft waren Jahre nötig, um eine Gefälligkeit zu erwidern oder eine Kränkung zu rächen. Doch in der Subsistenzwirtschaft der Jäger und Sammler stieß die Planung schnell an ihre Grenzen. Paradoxerweise ersparten sie sich damit eine Menge Sorgen. Es wäre vollkommen sinnlos gewesen, sich über Dinge den Kopf zerbrechen, auf die sie sowieso keinen Einfluss hatten.

Mit der landwirtschaftlichen Revolution drängte sich die Zukunft immer mehr in den Vordergrund. Bauern müssen immer an die Zukunft denken und in ihrem Dienste arbeiten. Die landwirtschaftliche Produktion ist dem Rhythmus der Jahreszeiten unterworfen, auf lange Phasen des Wachstums folgen kurze Phasen der Ernte. Und kurz nachdem das Korn gedroschen war, stand der Bauer schon wieder auf dem Feld: Er hatte zwar genug zu essen für die kommenden Tage, Wochen und Monate, doch er musste schon wieder an das nächste und übernächste Jahr denken.

Die Sorge um die Zukunft hing nicht nur mit dem Rhythmus der Jahreszeiten zusammen, sondern mit der ganz grundsätzlichen Unsicherheit der Landwirtschaft. Da in den meisten Dörfern nur eine sehr begrenzte Zahl von Pflanzen angebaut und Tieren gezüchtet wurde, waren sie den Gefahren von Dürre, Überschwemmung oder Krankheit ausgesetzt. Die Bauern mussten jedes Jahr mehr produzieren, als sie benötigten, um sich Vorräte anlegen zu können. Ohne diese Vorräte würden sie in Jahren mit schlechten Ernten nicht überleben. Und dass diese mageren Jahre früher oder später kommen würden, war sicher. Ein Bauer, der sich der Illusion hingab, dass es nur fette Jahre geben würde, überlebte nicht lange.

Mit dem Beginn der Landwirtschaft machte sich also die Sorge um die Zukunft in den Köpfen der Menschen breit. In Gegenden wie der Levante, die immer wieder von Dürren heimgesucht werden, gruben sich jeden Herbst die Sorgenfalten in die Gesichter der Bauern. Sie standen morgens auf, hielten die Nase in den Wind und suchten mit den Augen den Horizont ab. War das eine Wolke? Würde der Regen rechtzeitig kommen? Würde es genug regnen? Würden schwere Stürme die Saat von den Feldern spülen oder die jungen Halme zerdrücken? In den Tälern des Eufrat, Indus und Yangtse blickten andere Bauern ebenso besorgt auf den Pegelstand. Sie warteten darauf, dass der Fluss die Ebene überflutete, seinen nährstoffreichen Schlamm ablagerte und ihre gewaltigen Bewässerungsanlagen mit Wasser füllte. Doch eine Flut, die zu viel Wasser brachte oder zur falschen Zeit kam, konnte ihre Felder genauso zerstören wie eine Dürre.

Bauern machten sich nicht nur deshalb Gedanken über die Zukunft, weil sie mehr Grund zur Sorge hatten, sondern auch, weil sie etwas tun konnten. Sie konnten einen neuen Acker anlegen, einen neuen Bewässerungskanal ausheben oder mehr Getreide aussäen. Der besorgte Bauer war fleißig wie eine Biene, er pflanzte Olivenbäume, deren Früchte erst seine Kinder und Enkelkinder ernten würden, und lagerte die Ernte für den Winter und das kommende Jahr ein, auch wenn er sie am liebsten schon heute gegessen hätte.

Die Sorgen und Belastungen der bäuerlichen Existenz hatten weitreichende Konsequenzen. Sie waren die eigentliche Antriebskraft für die Schaffung einer unüberschaubaren Vielfalt von politischen und gesellschaftlichen Systemen. Leider gelang es den fleißigen Bauern nie, ihren Traum von der wirtschaftlichen Sicherheit durch harte Arbeit wahr zu machen. Überall machten sich Herrscher und Eliten breit, die den Bauern ihre Überschüsse wegnahmen und ihnen gerade genug zum Überleben ließen.

Die geraubten Lebensmittelvorräte wurden der Treibstoff der Geschichte und der Zivilisation. Sie waren es, die Politik, Kriege,

Kunst und Philosophie antrieben und Paläste, Festungen, Monumente und Tempel errichteten. Bis in die Spätmoderne hinein waren 90 Prozent der Menschheit Bauern, die jeden Morgen bei Sonnenaufgang aufstanden und im Schweiße ihres Angesichts ihr Land bestellten. Mit den Überschüssen, die sie erzeugten, ernährten sie eine kleine Elite von Königen, Beamten, Soldaten, Priestern, Künstlern und Denkern, die heute die Seiten der Geschichtsbücher füllen. Geschichte ist etwas, das eine kleine Minderheit tut, während die anderen Äcker pflügen und Wasser schleppen.

Eine erfundene Ordnung

Dank der von den Bauern produzierten Überschüsse sowie der neuen Transportmittel konnten sich immer mehr Menschen zuerst in Dörfern und dann in Städten zusammendrängen. Gleichzeitig eröffneten sich völlig neue Möglichkeiten, Imperien zu schmieden und Handelsnetze zu knüpfen, die viele Dörfer und Städte miteinander verbanden.

Um diese neuen Chancen zu nutzen, reichten die Nahrungsmittelüberschüsse und die neuen Transportmittel allein jedoch noch nicht aus. Wenn man eine Stadt mit tausend oder ein Imperium mit einer Million Einwohnern ernähren kann, heißt das noch lange nicht, dass sich diese Menschen über die Verteilung von Land und Wasser, die Regelung von Streitfällen oder ihr Verhalten im Krieg oder bei Dürre einigen können. Aber wenn sie keine Einigung finden, brechen Streitigkeiten aus, selbst wenn die Kornspeicher aus allen Nähten platzen. Die meisten Kriege und Revolutionen wurden nicht durch Nahrungsmittelknappheit verursacht. An der Spitze der Französischen Revolution standen keine ausgemergelten Bauern, sondern wohlgenährte Anwälte. Im ersten Jahrhundert vor unserer Zeitrechnung stand das Römische Reich auf dem Höhepunkt seiner Macht, aus dem gesamten Mittelmeerraum transportierten

Schiffe die Schätze heran und machten die Römer reicher, als es sich ihre Vorfahren in ihren kühnsten Träumen ausmalen konnten; doch gerade in diesem Moment des Reichtums versank die politische Ordnung in einer Reihe von Bürgerkriegen. Auch im Jugoslawien des Jahres 1991 waren die Regale der Supermärkte gut gefüllt, doch das konnte nicht verhindern, dass das Land von blutigen Konflikten zerrissen wurde.

Schuld an diesen Katastrophen ist die Tatsache, dass wir Sapiens keine natürlichen Instinkte mitbringen, die uns die Zusammenarbeit mit großen und anonymen Gruppen ermöglichen würden. Über Jahrmillionen hinweg entwickelten sich die Menschen in Grüppchen mit einigen Dutzend Angehörigen. Die wenigen Jahrtausende, die zwischen der landwirtschaftlichen Revolution und dem Aufstieg von Städten und Weltreichen vergingen, genügten nicht, um einen »Instinkt der Massenkooperation« entstehen zu lassen.

Trotz dieses biologischen Defizits waren Jäger und Sammler schon in der Lage gewesen, in großen Gruppen von Hunderten Menschen zusammenzuarbeiten, die einander nicht persönlich kannten. Möglich wurde dies durch gemeinsame Mythen. Diese Zusammenarbeit war allerdings noch sehr lose und hatte ihre Grenzen. Die verschiedenen Gruppen versorgten einander mit Information, tauschten begehrte Gegenstände und schlossen sich gelegentlich zu religiösen Zeremonien oder kriegerischen Allianzen zusammen. Doch jede Sapiens-Gruppe lebte für sich und versorgte sich selbst. Daraus könnte man schließen, dass die menschliche Mythologie damit an ihre Grenzen kam. Mythen über die Geister der Vorfahren und Stammestotems reichten aus, um 500 Menschen zum Handel mit Muscheln, zu gelegentlichen Festivitäten und zum gemeinsamen Kampf gegen eine Gruppe von Neandertalern zusammenzubringen. Das war's aber auch schon. Sie waren nicht stark genug, um Millionen von Unbekannten dazu zu bringen, auf täglicher Basis zusammenzuarbeiten.

Diese Schlussfolgerung wäre jedoch ein Irrtum. Die Mythen waren stärker, als man es für möglich halten sollte. Als die landwirtschaftliche Revolution die Möglichkeit zur Gründung überfüllter Städte und mächtiger Weltreiche eröffnete, erfanden die Menschen Geschichten über große Götter, Vaterländer und Aktiengesellschaften und schufen damit den nötigen gesellschaftlichen Kitt. Während die biologische Evolution im üblichen Schneckentempo dahinkroch, schuf die menschliche Fantasie erstaunliche Netzwerke der Massenkooperation, wie sie unser Planet noch nie gesehen hatte.

Um das Jahr 8500 vor unserer Zeitrechnung waren die größten Siedlungen der Welt Dörfer wie Jericho mit einigen Hundert Einwohnern. Um das Jahr 7000 v. u. Z. lebten zwischen 5000 und 10 000 Menschen in der damals vermutlich größten Metropole der Welt, einer Stadt namens Çatalhöyük in Anatolien. Zwischen dem fünften und dem vierten Jahrtausend vor unserer Zeitrechnung entstanden im sogenannten fruchtbaren Halbmond Städte mit mehreren Zehntausend Einwohnern, die auch die Dörfer ihrer Umgebung unter ihre Herrschaft brachten. Um das Jahr 3100 v. u. Z. wurde das Untere Niltal zum ersten Königreich Ägypten vereint. Die Pharaonen herrschten über ein Land mit Tausenden Quadratkilometern und Hunderttausenden Untertanen. Um das Jahr 2250 v. u. Z. schmiedete Sargon von Akkad das erste Imperium mit mehr als einer Million Einwohner und einer stehenden Armee von 5400 Soldaten. Zwischen 1000 und 500 v. u. Z. entstanden im Nahen Osten die ersten Riesenreiche: das Assyrische Reich, das Babylonische Reich und das Persische Reich. Sie herrschten über viele Millionen Untertanen und hatten Armeen mit Zehntausenden Soldaten. Im Jahr 221 v. u. Z. wurde China von der Qin-Dynastie geeint, und kurz darauf brachte Rom den gesamten Mittelmeerraum unter seine Herrschaft. Die 40 Millionen Steuerzahler der Qin-Dynastie finanzierten ein Heer mit Hunderttausenden Soldaten und eine Bürokratie mit fast ebenso vielen Beamten. Das Römische Reich hatte auf seinem Höhepunkt mehr als 100 Millionen Einwohner; diese finanzierten mit ihren Steuern ein stehendes Heer mit einer viertel bis einer halben Million Soldaten, ein Straßennetz, das noch anderthalb Jahrtausende später genutzt wurde, sowie Theater und Amphitheater, in denen bis heute Veranstaltungen stattfinden.

So beeindruckend das sein mag, wir sollten uns keiner allzu rosigen Illusion über die »Massenkooperation« im Ägypten der Pharaonen und im Römischen Reich hingeben. »Kooperation« klingt nach Güte und Altruismus, doch die Zusammenarbeit war selten freiwillig oder gar gleichberechtigt. Im Gegenteil, Kooperation ging meist mit Unterdrückung und Ausbeutung einher. Die berühmten römischen Amphitheater wurden von Sklaven erbaut und waren Schauplatz von Gladiatorenkämpfen, an denen sich die Elite ergötzte. Selbst Gefängnisse und Konzentrationslager sind Kooperationsnetzwerke und können nur funktionieren, weil Tausende von Menschen koordiniert zusammenarbeiten.

*

Diese Kooperationsnetzwerke – angefangen von Mesopotamien über die Qin-Dynastie bis zum Römischen Reich – waren »erfundene Ordnungen«. Die gesellschaftlichen Normen, die sie zusammenhielten, hatten ihren Ursprung weder in angeborenen Instinkten noch in persönlichen Bekanntschaften, sondern in gemeinsamen Glaubensvorstellungen und Mythen.

Aber wie können Mythen ein ganzes Imperium tragen? Ein Beispiel dafür haben wir bereits gesehen, nämlich Peugeot. Um die Frage klarer zu machen, wollen wir uns zwei der bekanntesten Mythen der Geschichte ansehen: Den Kodex Hammurabi aus dem Jahr 1776 vor unserer Zeitrechnung, der das Zusammenleben von Hunderttausenden Menschen im Babylonischen Reich regelte, und die Amerikanische Unabhängigkeitserklärung aus dem Jahr 1776, die bis heute das Zusammenleben von Millionen Menschen in den Vereinigten Staaten regelt.

Im Jahr 1776 v. u. Z. war Babylon die größte Stadt der Welt. Das Babylonische Reich war eines der größten Imperien seiner Zeit und hatte mehr als eine Million Einwohner. Es beherrschte weite Teile Mesopotamiens, des Zweistromlands zwischen Eufrat und Tigris, das sich über die Osthälfte des heutigen Irak und Syriens sowie den Westen des heutigen Iran erstreckte. Der bekannteste Herrscher dieses Reichs war Hammurabi, der vor allem durch den nach ihm benannten Kodex bekannt wurde. Bei diesem Kodex handelt es sich um einen Katalog von richterlichen Entscheidungen, die Hammurabi zu verschiedenen Gelegenheiten gefällt hatte. Mit seinem Kodex wollte sich Hammurabi als Vorbild eines gerechten Herrschers präsentieren und künftigen Generationen demonstrieren, wie Gerechtigkeit auszusehen und wie ein gerechter König zu handeln hat.

Die folgenden Generationen nahmen ihn sich tatsächlich zum Vorbild. Die geistige und bürokratische Elite Mesopotamiens verehrte den Text und Schreiberlinge kopierten ihn noch, lange nachdem Hammurabi längst tot und sein Reich versunken war. Der Kodex Hammurabi vermittelt daher einen guten Eindruck davon, wie sich die alten Mesopotamier eine ideale Gesellschaftsordnung vorstellten.[3]

Der Text beginnt mit der Erklärung, die Götter Anu, Enlil und Marduk – die wichtigsten Götter im mesopotamischen Pantheon – hätten Hammurabi berufen, »um das Recht im Lande zur Geltung zu bringen, den Schlechten und Bösen zu vernichten, damit der Starke dem Schwachen nicht schade«.[4] Es folgen etwa 300 Beispiele für Hammurabis Rechtsprechung, die immer nach derselben Formel funktionieren: »Wenn jemand dies und jenes tut, erfolgt dieses und jenes Urteil«. Zum Beispiel:

196. *Gesetzt, ein Mann hat das Auge eines Freigeborenen ausgestochen, so wird man sein Auge ausstechen.*
197. *Gesetzt, ein Mann hat den Knochen eines Freigeborenen gebrochen, so wird man seinen Knochen brechen.*
198. *Gesetzt, ein Mann hat das Auge eines Sklaven ausgestochen oder den Knochen eines Sklaven gebrochen, so wird er den halben Wert des Sklaven in Silber zahlen.*[5]

209. Gesetzt, ein Mann hat eine Freigeborene geschlagen und sie hat dadurch ihre Leibesfrucht verloren, so wird er 10 Schekel Silber für ihre Leibesfrucht zahlen.

210. Gesetzt dieselbe Frau stirbt, dann wird man seine Tochter töten.

211. Gesetzt, ein Mann hat eine Gemeine geschlagen und sie hat dadurch ihre Leibesfrucht verloren, so wird er 5 Schekel Silber für ihre Leibesfrucht zahlen.

212. Gesetzt dieselbe Frau stirbt, so wird er 30 Schekel Silber zahlen.

213. Gesetzt, ein Mann hat eine Sklavin geschlagen und sie hat dadurch ihre Leibesfrucht verloren, so wird er 2 Schekel Silber zahlen.

214. Gesetzt dieselbe Frau stirbt, so wird er 20 Schekel Silber zahlen.[6]

Nach der Auflistung der Vergehen und Strafen erklärt Hammurabi:

Rechtssatzungen, die Hammurabi, der mächtige König festgesetzt hat, und durch die er dem Land wahres Heil und eine gute Regierung hat zukommen lassen. Hammurabi, der vollkommene König, bin ich. Für die Schwarzköpfigen, die mir der Gott Enlil anvertraut hat, deren Hütung mir der Gott Marduk übertragen hat, war ich nicht müde und habe meine Hände nicht in den Schoß gelegt.[7]

Hammurabi macht also klar, dass die babylonische Gesellschaftsordnung in allgemeinen und für alle Zeiten gültigen Rechtsgrundsätzen verankert ist und von den Göttern diktiert wurde. Besonders wichtig ist das Prinzip der Ungleichheit. Das Gesetz unterscheidet drei Klassen: Freigeborene, Gemeine und Sklaven. Die Angehörigen dieser Klassen haben unterschiedlichen Wert: Das Leben einer Gemeinen ist 30 Schekel Silber wert, das Leben einer Sklavin 20 Schekel, das Auge eines Freigeborenen dagegen 60 Schekel.

Der Kodex stellt auch strenge Hierarchien innerhalb der Familie auf. Zum Beispiel sind die Kinder keine eigenständigen Personen, sondern Eigentum der Eltern. Wenn also ein Freigeborener die Tochter eines anderen Freigeborenen tötet, wird zur Strafe seine

Tochter hingerichtet. Es mag uns befremden, dass der Mörder unge-
straft davonkommt, während seine unschuldige Tochter getötet wird,
doch in den Augen Hammurabis und der Babylonier scheint dies
ein Fall von mustergültiger Gerechtigkeit gewesen zu sein. Hammurabis Kodex versprach den Untertanen, wenn sie ihren Platz in
der Hierarchie einnähmen und sich nach den Gesetzen verhielten,
dann würden sie sicher und friedlich in einer gerechten und wohlhabenden Gesellschaft zusammenleben.

Dreieinhalb Jahrtausende nach Hammurabis Tod machte sich
unter den Einwohnern der dreizehn britischen Kolonien in Nordamerika die Überzeugung breit, der König von England behandele
sie ungerecht. Am 4. Juli 1776 versammelten sich ihre Vertreter daher
in der Stadt Philadelphia und sagten sich von der britischen Krone
los. In ihrer Unabhängigkeitserklärung skizzierten sie allgemeine
und für alle Zeiten gültige Rechtsgrundsätze, die sich – genau wie
die Gesetze Hammurabis – auf die göttliche Macht beriefen. Doch
der amerikanische Gott forderte das genaue Gegenteil dessen, was
die babylonischen Götter verlangten. In der Unabhängigkeitserklärung der Vereinigten Staaten heißt es nämlich:

*Folgende Wahrheiten erachten wir als selbstverständlich: dass alle
Menschen gleich geschaffen sind; dass sie von ihrem Schöpfer mit
gewissen unveräußerlichen Rechten ausgestattet sind; dass dazu Leben,
Freiheit und das Streben nach Glück gehören ...* [*]

Wie Hammurabis Kodex verspricht diese Gründungsurkunde der
Vereinigten Staaten den Bürgern, wenn sie sich an diese heiligen
Prinzipien hielten, dann würden sie sicher und friedlich in einer
gerechten und wohlhabenden Gesellschaft zusammenleben. Und
wie der Kodex des babylonischen Herrschers überzeugte die Unab-

---

[*] Die deutsche Fassung ist eine Neuübersetzung und stammt von der Website der
Botschaft der Vereinigten Staaten in Deutschland. http://usa.usembassy.de/etexts/
gov/unabhaengigkeit.pdf

hängigkeitserklärung auch die nachfolgenden Generationen: Noch mehr als zwei Jahrhunderte später schreiben Schulkinder diesen Text ab und lernen ihn auswendig.

Diese beiden Texte stellen uns vor ein Dilemma. Sowohl Hammurabis Kodex als auch die Unabhängigkeitserklärung der Vereinigten Staaten nehmen für sich in Anspruch, allgemeine und für alle Zeiten gültige Grundsätze aufzustellen. Doch nach dem amerikanischen Dokument sind alle Menschen gleich, und nach dem babylonischen sind alle Menschen ungleich. Einer der beiden Texte muss Unrecht haben. Die Amerikaner würden natürlich behaupten, dass sie Recht haben und Hammurabi Unrecht. Und Hammurabi würde mit derselben Überzeugung erwidern, dass er Recht hat und die Amerikaner Unrecht. Historiker sind der Auffassung, dass beide Unrecht haben. Sowohl Hammurabi als auch die amerikanischen Verfassungsväter stellten sich eine Welt vor, die von allgemeingültigen und unveränderlichen Rechtsgrundsätzen beherrscht wird, zum Beispiel der Gleichheit oder der Ungleichheit aller Menschen. Doch der einzige Ort, an dem diese allgemeingültigen Grundsätze existieren, ist die rege Fantasie der Sapiens, und in den Mythen, die sie erfinden und einander erzählen. Diese Grundsätze haben keinerlei objektive Gültigkeit.

Natürlich glauben wir gern, dass die Unterscheidung der Menschen in »Freigeborene«, »Gemeine« und »Sklaven« das Produkt einer kranken Fantasie ist. Doch die Vorstellung, dass alle Menschen gleich sind, ist genauso ein Mythos. Im welchem Sinne sind denn alle Menschen gleich? Sind beispielsweise alle Menschen biologisch gleich? Übersetzen wir den berühmten Satz aus der Unabhängigkeitserklärung spaßeshalber einmal in die Begriffe der Biologie:

Folgende Wahrheiten erachten wir als selbstverständlich: dass alle Menschen gleich geschaffen sind; dass sie von ihrem Schöpfer mit gewissen unveräußerlichen Rechten ausgestattet sind; dass dazu Leben, Freiheit und das Streben nach Glück gehören...

Wenn wir der Wissenschaft der Biologie glauben, dann wurden die Menschen nicht »geschaffen«, sondern sie entwickelten sich. Und sie entwickelten sich natürlich auch nicht »gleich«. Die Vorstellung der Gleichheit ist untrennbar mit dem Gedanken der Schöpfung verbunden. Die Verfassungsväter der Vereinigten Staaten nahmen die Vorstellung der Gleichheit aus der christlichen Bibel, die behauptet, alle Menschen besäßen eine von Gott geschaffene Seele, und alle Seelen seien vor Gott gleich. Wenn wir aber nicht an die christlichen Mythen über Gott, die Schöpfung und die Seele glauben, was bedeutet es dann, dass alle Menschen »gleich« sind? Die Evolution basiert auf Unterschieden, nicht auf Gleichheit. Jeder Mensch hat ein einmaliges Genom, das sich geringfügig von dem aller anderen Menschen unterscheidet, und jeder Mensch ist nach der Geburt einer einmaligen Mischung von Umwelteinflüssen ausgesetzt. Deshalb entwickelt jeder Mensch unterschiedliche Eigenschaften und hat unterschiedliche Überlebenschancen. Wenn wir den Satz in biologische Begriffe übersetzen würden, dürfte er nicht heißen, »*dass alle Menschen gleich geschaffen sind*«, sondern »*dass sich alle Menschen unterschiedlich entwickelt haben*«.

Genau wie die Menschen nicht geschaffen wurden, gibt es auch keinen »Schöpfer«, der sie mit irgendetwas »ausgestattet« hätte. Es handelt sich um einen blinden evolutionären Prozess, und statt »vom Schöpfer ausgestattet« sollte es einfach »geboren« heißen.

Und dann wären da noch die »Rechte«. Die Biologie kennt keine Rechte, sondern nur Organe, Fähigkeiten und Eigenschaften. Vögel fliegen nicht, weil sie das Recht dazu haben, sondern weil sie Flügel haben. Und diese Organe, Fähigkeiten und Eigenschaften sind keineswegs »unveräußerlich«. Viele unterliegen konstanten Mutationen, andere gehen im Laufe der Zeit verloren. Der Strauß ist ein Vogel, der seine Flugfähigkeit verloren hat. Statt »unveräußerlicher Rechte« müsste es also »veränderliche Eigenschaften« heißen.

Und welche Eigenschaften haben die Menschen entwickelt? »Leben«, natürlich. Aber »Freiheit«? Die Biologie kennt keine Freiheit. Genau wie Gleichheit, Rechte und Gesellschaften mit beschränkter Haftung entspringt die Freiheit der Fantasie der Menschen und existiert nur in ihren Köpfen. Aus biologischer Sicht hat es keinerlei Bedeutung zu sagen, Menschen in Demokratien seien frei und Menschen in Diktaturen unfrei. Und was ist mit dem »Glück«? Der Biologie ist es bislang nicht gelungen, diesen Zustand eindeutig zu definieren oder objektiv zu messen. Die meisten biologischen Untersuchungen sprechen von »Lust«, die sich einfacher definieren und messen lässt. Damit müsste man »*Leben, Freiheit und das Streben nach Glück*« übersetzen als »*Leben und das Streben nach Lust*«.

Wenn wir diesen berühmten Satz aus der Unabhängigkeitserklärung der Vereinigten Staaten also in biologische Begriffe übersetzen wollten, bekämen wir diesen eher lahmen Satz:

Folgende Wahrheiten erachten wir als selbstverständlich: dass sich alle Menschen unterschiedlich entwickelt haben; dass sie mit veränderlichen Eigenschaften geboren werden und dass dazu Leben und das Streben nach Lust gehören.

Wer an Gleichheit und Menschenrechte glaubt, könnte sich über diese Logik ereifern und ihr entgegenhalten: »Wir wissen, dass die Menschen biologisch verschieden sind! Aber wir glauben, dass alle Menschen in ihrem Wesen gleich sind, und auf dieser Grundlage können wir eine stabile und wohlhabende Gesellschaft schaffen! Also sollten wir auch daran glauben!« Womit sie natürlich Recht hätten. Genau das meint ja auch der Begriff »erfundene Ordnung«: Wir glauben an eine allgemeingültige Ordnung, nicht weil sie wahr ist, sondern weil sie uns das Zusammenleben ermöglicht. Auch Hammurabi hätte vielleicht zugegeben: »Ich weiß, dass die Menschen nicht von Natur aus in Freigeborene, Gemeine und Sklaven eingeteilt sind. Aber wenn wir an diese Einteilung glauben, können wir eine stabile und wohlhabende Gesellschaft schaffen! Also sollten wir auch daran glauben!«

Glaube versetzt Berge

Vielleicht hat es Sie bei der Lektüre der letzten Absätze geschüttelt. Die meisten von uns haben gelernt, so zu reagieren. Es fällt uns leicht, Hammurabis Kodex als Mythos zu begreifen, aber wir wollen nicht hören, dass auch die Menschenrechte nicht mehr als ein Mythos sind. Würde unsere Gesellschaft nicht zusammenbrechen, wenn die Menschen erkennen, dass die Menschenrechte ein Fantasieprodukt sind? Voltaire erklärte zum Beispiel, dass es keinen Gott gebe, und fügte hinzu: »Mein Anwalt, Schneider, Kammerdiener, selbst meine Frau, sollen an Gott glauben; ich glaube dann nämlich weniger beraubt und betrogen zu werden.« Genau das hätte Hammurabi über das Prinzip der Ungleichheit und die Väter der amerikanischen Verfassung über die Menschenrechte sagen können. Der *Homo sapiens* hat genauso wenig natürliche Rechte wie Spinnen, Hyänen und Schimpansen. Aber wenn Sie nicht bestohlen werden wollen, sagen Sie das besser nicht Ihrem Anwalt oder Ihrem Schneider.

Solche Befürchtungen sind berechtigt. Eine natürliche Ordnung ist eine stabile Ordnung. Die Schwerkraft wird nicht mit einem Mal aufhören zu existieren, nur weil wir nicht mehr an sie glauben. Im Gegensatz dazu läuft eine erfundene Ordnung ständig Gefahr, in sich zusammenzufallen wie ein Kartenhaus, weil sie auf Mythen gebaut ist, und weil Mythen verschwinden, wenn niemand mehr an sie glaubt. Um eine erfundene Ordnung aufrechtzuerhalten, sind konstant große Anstrengungen erforderlich. Einige dieser Anstrengungen können durchaus die Form von Zwang und Gewalt annehmen. Polizei und Streitkräfte, Gerichte und Gefängnisse zwingen uns dazu, uns an die erfundene Ordnung zu halten. Wenn ein Babylonier seinem Nachbarn ein Auge ausstach, dann war in der Regel ein gewisses Maß an Zwang erforderlich, um das Gesetz »Auge um Auge« durchzusetzen. Und als im Jahr 1860 die Mehrheit der Bürger der Vereinigten Staaten zu dem Schluss kam, dass afrikanische

Sklaven auch Menschen waren und daher ein Recht auf Freiheit hatten, musste ein blutiger Bürgerkrieg geführt werden, um diese Vorstellung auch im Süden des Landes durchzusetzen.

Doch um eine erfundene Ordnung aufrechtzuerhalten, reichen Zwang und Gewalt allein nicht aus. Dazu müssen viele Menschen wirklich überzeugt sein. Der chamäleonhafte Staatsmann Charles-Maurice de Talleyrand, der seine Karriere unter dem französischen König Ludwig XVI. begann, den Revolutionären und Napoleon diente, um seine Laufbahn schließlich unter der neuen Monarchie zu beenden, brachte seine politische Erfahrung so auf den Punkt: »Sire, Sie können mit einem Bajonett alles machen, aber Sie können nicht darauf sitzen.« Ein einzelner Geistlicher richtet manchmal mehr aus als hundert Soldaten, und vor allem ist er billiger und effektiver.

Aber egal wie wirkungsvoll Bajonette sein mögen, irgendjemand muss sie benutzen. Und warum sollten Soldaten, Gefängniswärter, Richter und Polizisten eine erfundene Ordnung aufrechterhalten, an die sie gar nicht glauben? Von allen menschlichen Tätigkeiten ist keine schwerer zu organisieren als die Gewalt. Wenn eine Gesellschaftsordnung durch militärische Gewalt aufrechterhalten wird, stellt sich sofort die Frage: Was hält die militärische Ordnung aufrecht? Es ist unmöglich, eine Armee ausschließlich mithilfe von Zwang zu organisieren. Zumindest ein Teil der Offiziere und Soldaten muss an irgendetwas glauben, sei es an Gott, Ehre, Vaterland, Männlichkeit oder Geld.

Eine interessantere Frage stellt sich an der Spitze der gesellschaftlichen Pyramide. Warum sollte die Elite ein Interesse daran haben, eine Gesellschaftsordnung aufrechtzuerhalten, an die sie gar nicht glaubt? Man hört oft, die Elite tue dies nur aus Zynismus und Gier. Aber Zyniker, die an nichts glauben, sind vermutlich nicht gierig. Es braucht nicht viel, um die körperlichen Bedürfnisse des *Homo sapiens* zu befriedigen. Es ist unmöglich, Milliarden von Euro zu verfressen. Mit so viel Geld kann man höchstens Pyramiden bauen, um die Welt reisen, Wahlkämpfe finanzieren, eine Terrorgruppe unterstützen oder noch eine Milliarde verdienen – alles Dinge, die einen echten Zyniker nicht im Geringsten interessieren würden. Der griechische Philosoph Diogenes, der die Schule der Zyniker gründete, lebte in einer Tonne. Als Alexander der Große einmal zu Besuch vorbeischaute, lag Diogenes vor seiner Tonne und sonnte sich. Der große Eroberer fragte den Philosophen, ob er ihm einen Wunsch erfüllen dürfe, und der Zyniker antwortete ihm: »Geh mir ein wenig aus der Sonne.«

Deshalb erobern Zyniker keine Weltreiche und deshalb lässt sich eine erfundene Ordnung nur aufrechterhalten, wenn große Teile der Bevölkerung – vor allem große Teile der Sicherheitskräfte und der Elite – wirklich an sie glauben. Das Christentum hätte keine zwei Jahrtausende überlebt, wenn die Mehrheit der Bischöfe und Pfarrer nicht an die Auferstehung geglaubt hätten. Die Demokratie der Vereinigten Staaten hätte sich keine zweieinhalb Jahrhunderte gehalten, wenn die Mehrheit der Präsidenten und Abgeordneten nicht an die Menschenrechte geglaubt hätten. Und unser modernes Wirtschaftssystem würde sich keine Sekunde lang halten, wenn die Mehrheit der Anleger und Banker nicht an den Kapitalismus glauben würden.

Die Gefängnismauern

Aber wie bringt man Menschen dazu, an erfundene Ordnungen wie das Christentum, die Demokratie oder den Kapitalismus zu glauben? Die oberste Regel ist: Sie dürfen nie zugeben, dass diese Ordnung nur ein Fantasieprodukt ist. Sie müssen immer darauf bestehen, dass die Ordnung, auf die sich die Gesellschaft stützt, eine objektive Wirklichkeit ist, die von Göttern geschaffen wurde oder den Gesetzen der Natur entspricht. Die Menschen sind nicht deshalb ungleich, weil Hammurabi das sagt, sondern weil Enlil und Marduk die Dinge so geordnet haben. Die Menschen sind nicht deshalb gleich, weil die Väter der amerikanischen Verfassung das so wollten, sondern weil Gott sie so erschaffen hat. Die Marktwirtschaft ist nicht deshalb das beste Wirtschaftssystem, weil Adam Smith das behauptet, sondern weil sie den Gesetzen der Natur entspricht.

Außerdem können Sie die Menschen einer gründlichen Gehirnwäsche unterziehen. Vom Moment ihrer Geburt an erinnern Sie sie immer wieder an die Grundsätze dieser erfundenen Ordnung, die in Alles und Jedes eingebaut werden. Sie finden sich buchstäblich überall: in Märchen, Kinofilmen, Gemälden, Liedern, Sprichwörtern, Weisheiten, politischer Propaganda, Architektur, Kochrezepten und Moden. Weil beispielsweise heute alle an die Gleichheit glauben, schreibt die Mode vor, dass auch reiche Kinder Jeans tragen, auch wenn die Baumwollhosen früher nur von Arbeitern getragen wurden. Im Mittelalter galt dagegen das Prinzip der Ungleichheit, und kein Sohn eines Adeligen hätte sich in Bauernkleidern gezeigt. Damals war die Anrede »Herr« oder »Frau« ein Privileg, das nur dem Adel vorbehalten war und oft mit Blut erkauft wurde. Heute wird jeder mit »Herr« oder »Frau« angeredet, egal aus welcher gesellschaftlichen Schicht er oder sie stammt.

Die Geisteswissenschaften verwenden heute große Energie auf die Erklärung, wie diese erfundene Ordnung mit dem Stoff unseres Lebens verwoben wurde. Auf diesen wenigen Seiten können wir leider nur ein Fädchen davon aufnehmen. Es gibt drei entscheidende Faktoren, die uns daran hindern zu erkennen, dass die Ordnung, die unserem Leben zu Grunde liegt, nichts als ein Fantasieprodukt ist.

1. Die erfundene Ordnung ist fest mit der materiellen Welt verwoben. Obwohl die erfundene Ordnung nur in unseren Köpfen existiert, ist sie beinahe untrennbar mit der physischen Welt verbunden. Geographie, Tiere, Pflanzen, Mikroorganismen, unser Körper, unsere Techniken, sie alle setzen uns bei der Erfindung von Ordnungen klare Grenzen. Doch umgekehrt formt die von uns erfundene Ordnung ganz allmählich Geographie, Tiere, Pflanzen, Mikroorganis-

men, unser Körper und unsere Techniken, um sie besser in unsere jeweilige Ordnung zu integrieren. So kommt es, dass unsere Ordnung im Laufe der Zeit immer selbstverständlicher wird und wir uns kaum noch eine andere vorstellen können.

Als Bürger eines westlichen Landes sind wir heute beispielsweise überzeugte Individualisten. Wir glauben, dass jeder von uns einmalig ist und dass unser Wert nicht davon abhängt, was andere von uns denken. Jeder von uns trägt einen einmaligen Funken in sich, der unserem Leben einen Sinn gibt und es wertvoll macht. In unseren Schulen bringen wir unseren Kindern bei, Hänseleien durch Mitschüler einfach zu ignorieren: Unser wahrer Wert ist nicht von der Meinung anderer abhängig. In unseren Häusern verlässt diese Vorstellung unsere Köpfe und nimmt Formen aus Stein und Mörtel an. Ein modernes Wohnhaus ist in viele kleine Zimmer aufgeteilt, damit jedes Kind seinen eigenen Raum bekommt, in dem es seine Unabhängigkeit ausleben kann. Dieses Zimmer hat eine Tür, und in vielen Familien ist es gängige Praxis, dass die Kinder ihre Tür schließen und vielleicht sogar abschließen. Selbst die Eltern dürfen nicht eintreten, ohne vorher anzuklopfen. Das Zimmer wird ganz nach den Vorstellungen des Kindes dekoriert, angefangen bei den Postern von Popstars an den Wänden bis zu den schmutzigen Socken auf dem Fußboden. Wer in einem solchen Raum aufwächst, kommt gar nicht umhin, sich als »Individuum« zu begreifen, das sich allein durch seine inneren Werte auszeichnet.

Die Adeligen des Mittelalters hätten dagegen mit dem Begriff Individualismus nichts anfangen können. Ihr Wert hing von ihrer Stellung innerhalb der gesellschaftlichen Ordnung und von ihrem Ansehen in der Gesellschaft ab. Ausgelacht zu werden galt als tödliche Beleidigung. Adelige brachten ihren Kindern bei, ihren guten Namen zu verteidigen, auch wenn sie dabei ihr Leben aufs Spiel setzten. Wie der moderne Individualismus verließ das mittelalterliche Wertesystem die Köpfe der Menschen und nahm in den mittelalterlichen Burgen Gestalt an. Diese Burgen hatten keine privaten Zimmer, weder für Kinder noch für sonst jemanden. Ein junger Baron hatte kein eigenes Kinderzimmer im zweiten Stock mit Prinz Löwenherz- und König Artus-Postern an den Wänden und einer verschlossenen Tür, die auch Papi und Mami nicht öffnen durften. Ein junger Baron schlief vielmehr zusammen mit anderen jungen Männern in der großen Halle. Er hatte keinen eigenen Raum, in den er sich zurückziehen konnte. Er war immer sichtbar und wusste nicht, was Individualismus bedeutete. Wer unter diesen Bedingungen aufwuchs, kam automatisch zu dem Schluss, dass sein Wert von seiner gesellschaftlichen Stellung und der Meinung anderer abhing.[8]

2. Die erfundene Ordnung prägt unsere Wünsche. Unsere Wünsche sind das wichtigste Bollwerk der erfundenen Ordnung. Die meisten Menschen wollen nicht glauben, dass die Ordnung, die ihr Leben bestimmt, ein Fantasieprodukt ist, denn diese Ordnung beherrscht und prägt ihre tiefsten Sehnsüchte.

Jeder von uns wird in eine bereits bestehende Ordnung hineingeboren, und von Geburt an wird jeder unserer Wünsche durch die Mythen dieser Ordnung vorgegeben. Als Angehörige der westlichen Kultur werden unsere größten Herzenswünsche heute durch romantische, nationalistische, kapitalistische und humanistische Mythen geprägt, die bereits seit Jahrhunderten fest verankert sind. Wenn uns Freunde einen Rat geben, dann sagen sie oft: »Hör auf dein Herz!« Aber das Herz ist ein Doppelagent, der seine Anweisungen von den Mythen unserer Gesellschaft entgegennimmt. Der Rat »Hör auf dein Herz« ist selbst schon ein Glaubenssatz, der uns von einer Mischung aus romantischen Mythen des 19. und den Mythen der Konsumgesellschaft des 20. Jahrhunderts eingebläut wurde. Wie lautete doch gleich der Werbeslogan von Coca-Cola? »Can't beat the feeling.« Gefühl geht über alles.

Selbst unsere scheinbar persönlichsten Wünsche werden von der erfundenen Ordnung vorgestanzt. Nehmen wir beispielsweise den verbreiteten Wunsch, im Ausland Urlaub zu machen. Dieser Wunsch ist weder natürlich noch naheliegend. Das Alphamännchen einer Schimpansenhorde käme nie auf den Gedanken, sich erst zu verausgaben, um dann im Territorium einer anderen Schimpansenhorde auszuspannen. Die Elite des alten Ägypten verwendete ihre Vermögen darauf, Pyramiden zu bauen und sich in teuren Sarkophagen tief in ihrem Innern begraben zu lassen, und sie wäre nie auf die Idee gekommen, die Sommerferien in Babylon zu verbringen oder im Winter in Phönizien Ski zu laufen. Wenn wir heute eine Menge Geld für Auslandsurlaube ausgeben, dann nur deshalb, weil wir echte Anhänger der Mythen des romantischen Konsumismus sind.

Der romantische Konsumismus ist eine Mischung aus zwei zentralen Ideologien der Moderne: Romantik und Konsumismus. Die Romantik erklärt uns, wenn wir unser menschliches Potenzial ausschöpfen wollten, müssten wir so viele unterschiedliche Erfahrungen machen wie irgend möglich. Wir müssen uns auf die vielfältigsten Emotionen einlassen, mit verschiedenen Beziehungen experimentieren, unterschiedliche Küchen probieren und einen breiten Musikgeschmack entwickeln. Das gelingt uns am besten, wenn wir der Routine unseres Alltags entfliehen, unsere vertraute Umgebung hinter uns lassen und in ferne Länder reisen, wo wir die Kulturen, Gerüche, Geschmäcker und Vorstellungen anderer Menschen kennenlernen. Wieder und wieder hören wir den romantischen Mythos: »Diese neue Erfahrung hat mir die Augen geöffnet und mein Leben verändert.«

Der Konsumismus wiederum verspricht uns, wenn wir glücklich sein wollten, müssten wir nur so viele Produkte und Dienstleistungen wie möglich konsumieren. Wenn wir das Gefühl haben, dass uns etwas fehlt oder nicht ganz in Ordnung ist, dann brauchen wir vermutlich ein neues Produkt (ein Auto, neue Kleider, organische Ernährung) oder eine neue Dienstleistung (eine Haushaltshilfe, eine Paartherapie oder einen Yogakurs). Jeder Werbespot erzählt uns ein

Märchen von Produkten oder Dienstleistungen, die unser Leben besser machen.

Die Romantik, die uns Glück durch eine Vielfalt von Erlebnissen verspricht, passt ausgezeichnet zur Ideologie des Konsumismus, der uns das Glück durch Konsum verheißt. Aus der Vereinigung der beiden ging die »Erlebnisökonomie« hervor, zu der auch die moderne Tourismusbranche gehört. Reiseanbieter verkaufen nicht einfach nur Flüge und Hotelbetten, sondern sie vermitteln Erlebnisse. Paris ist nicht etwa eine Stadt, sondern ein Erlebnis. Indien ist kein Land, sondern ein weiteres Erlebnis. Skilaufen in den Alpen ist kein Sport, sondern natürlich auch ein Erlebnis. Indem wir diese Erlebnisse konsumieren, erweitern wir unseren Horizont, schöpfen unser menschliches Potenzial aus und werden glücklicher. Wenn es also in der Ehe eines Millionärs kriselt, dann entführt er seine Frau auf eine so perfekte wie teure Reise nach Paris. Diese Reise ist kein Ausdruck einer individuellen Sehnsucht, sondern einer glühenden Überzeugung der Mythen des romantischen Konsumismus. Ein reicher Mann im alten Ägypten hätte nie auch nur im Entferntesten daran gedacht, eine Beziehungskrise mit einer romantischen Reise nach Babylon beizulegen. Vermutlich hätte er seiner Frau das prächtige Grabdenkmal gebaut, von dem sie immer geträumt hat.

Wie die Elite im alten Ägypten widmeten sich die meisten Angehörigen der meisten Kulturen dem Bau von Pyramiden. Ihre Pyramiden haben zwar andere Namen, sehen anders aus und können zum Beispiel die Gestalt einer Vorstadtvilla mit Swimmingpool oder eines Penthouse mit beneidenswerter Aussicht annehmen. Doch nur wenige Menschen hinterfragen die Mythen, die den Besitz einer Pyramide so erstrebenswert erscheinen lassen.

3. Die erfundene Ordnung ist »intersubjektiv«. Selbst wenn es mir in einer übermenschlichen Anstrengung gelingen sollte, meine persönlichen Wünsche aus dem Würgegriff der erfundenen Ordnung zu befreien, bin ich damit immer noch allein. Um die erfundene

Ordnung umzustürzen, müsste ich Millionen von Menschen davon überzeugen, sich mir anzuschließen. Denn die erfundene Ordnung ist keine subjektive Ordnung, die nur in meiner eigenen Fantasie existiert. Sie ist vielmehr eine »intersubjektive« Ordnung, die in der kollektiven Fantasie von Tausenden und Millionen von Menschen existiert.

Um zu begreifen, was das bedeutet, müssen wir den Unterschied zwischen »objektiv«, »subjektiv« und »intersubjektiv« verstehen.

Objektiv ist etwas, das unabhängig vom menschlichen Bewusstsein existiert. Radioaktivität ist beispielsweise kein Mythos. Radioaktive Strahlung gab es lange, bevor irgendein Mensch sie entdeckte, und sie existiert völlig unabhängig davon, ob Menschen an sie glauben oder nicht. Marie Curie, eine der Entdeckerinnen der radioaktiven Strahlung, experimentierte jahrelang mit radioaktiven Materialien, ohne sich zu schützen. Sie wusste nicht, welche Gefahren von ihnen ausgingen. Sie starb an aplastischer Anämie, einer tödlichen Krankheit, die durch eine Überdosis radioaktiver Strahlung ausgelöst wird.

Subjektiv ist etwas, dessen Existenz vom Bewusstsein und den Überzeugungen eines einzelnen Menschen abhängt. Es verschwindet oder ändert sich, wenn dieser Mensch seine Vorstellungen revidiert. Viele Kinder glauben an die Existenz eines »imaginären Freundes«, den andere weder sehen noch hören können. Dieser imaginäre Freund lebt nur in der Fantasie des Kindes, und er verschwindet, wenn das Kind größer wird und nicht mehr an ihn glaubt.

Intersubjektiv ist schließlich etwas, das innerhalb eines Kommunikationsnetzwerks existiert, das die subjektiven Wahrnehmungen vieler Menschen miteinander verknüpft. Wenn ein Einzelner seine Vorstellungen revidiert oder stirbt, hat dies kaum Auswirkungen. Wenn jedoch die meisten Menschen in diesem Netzwerk sterben oder ihre Überzeugungen überdenken, verändert sich das intersubjektive Phänomen oder verschwindet. Viele der wichtigsten Akteure der Geschichte sind intersubjektiv: Gesetze, Geld, Götter und Nationen.

Peugeot ist beispielsweise nicht der imaginäre Freund des Vorstandsvorsitzenden von Peugeot. Das Unternehmen existiert in der kollektiven Vorstellung von Millionen von Menschen. Warum glaubt der Vorstandsvorsitzende an die Existenz des Unternehmens? Weil die Mitglieder des Aufsichtsrats daran glauben, genau wie die Anwälte des Unternehmens, die Sekretärinnen, die Bankangestellten, die Börsenmakler und alle Vertragshändler zwischen Frankreich und Australien. Wenn der Vorstandsvorsitzende plötzlich nicht mehr an die Existenz von Peugeot glauben würde, dann würde er schnell in der Klapsmühle landen und jemand anders käme auf seinen Chefsessel.

Genauso existieren Euros, Menschenrechte oder die Europäische Union nur in der gemeinsamen Vorstellung von Milliarden von Menschen. Deshalb kann sie ein Einzelner nicht in ihrer Existenz gefährden. Wenn ich als Einziger nicht mehr an den Euro, die Menschenrechte oder die Europäische Union glaube, dann hat das nicht die geringsten Auswirkungen. Diese erfundenen Ordnungen sind intersubjektiv, und um sie zu ändern, müssten wir gleichzeitig das Bewusstsein von Milliarden von Menschen ändern, und das ist keine einfache Aufgabe. Veränderungen dieser Größenordnung lassen sich nur von komplexen Organisationen bewerkstelligen, zum Beispiel Parteien, ideologischen Bewegungen oder religiösen Kulten. Um eine derart komplexe Organisation auf die Beine zu stellen, müssten wir wiederum Abermillionen von Menschen zur Zusammenarbeit bewegen. Das gelingt uns jedoch nur, wenn wir diese Menschen dazu bringen, an gemeinsame Mythen zu glauben. Das heißt, um eine bestehende erfundene Ordnung zu ändern, müssen wir erst an eine andere erfundene Ordnung glauben.

Um Peugeot zu zerschlagen, müssten wir uns erst etwas Stärkeres vorstellen, zum Beispiel das französische Rechtssystem. Um das französische Rechtssystem zu beseitigen, müssten wir uns etwas noch Stärkeres vorstellen, zum Beispiel den französischen Staat. Um den französischen Staat aufzulösen, müssten wir uns die Europäische Union vorstellen. Und um diese zu zerschlagen, wäre eine noch stärkere Instanz nötig.

Es gibt also keinen Ausweg aus der erfundenen Ordnung. Wenn wir die Gefängnismauern niederreißen, um in die Freiheit zu laufen, landen wir unweigerlich im Hof eines noch größeren Gefängnisses.

Kapitel 7

Speicher voll

Wir kommen nicht als Fußballspieler zur Welt. Die Evolution hat uns zwar Beine, Füße und Augen mitgegeben, mit denen wir laufen, nach dem Ball treten und ihn ins Tor befördern können, aber das reicht bestenfalls aus, um allein Elfmeterschießen zu üben. Um auf einem Bolzplatz mitkicken zu können, müssen wir nicht nur mit zehn Mitspielern harmonieren, die wir vielleicht noch nie zuvor gesehen haben, sondern wir müssen auch wissen, dass die elf Spieler der gegnerischen Mannschaft dasselbe Spiel spielen wie wir. Die Aggressionsrituale anderer Tiere werden von Instinkten gesteuert – jeder Welpe kommt schon mit der Fähigkeit zur Welt, sich mit anderen Welpen zu balgen. Aber als Menschenjunge kommen wir ohne Fußballgen zur Welt. Trotzdem können wir mit Fremden kicken, weil wir alle gelernt haben, was Fußball ist. Das Spiel ist zwar ein Produkt der menschlichen Fantasie, aber wenn wir alle diese Vorstellungen teilen, können wir mitspielen.

In größerem Maßstab trifft dies auch auf Weltreiche, Weltreligionen und globale Handelsnetze zu – mit einem entscheidenden Unterschied. Die Fußballregeln sind klar und einfach, genau wie die Regeln, die Dorfgemeinschaften oder Gruppen von Jägern und Sammlern zusammenhalten. Wir können sie uns einfach merken und haben immer noch ausreichend Speicherplatz für Lieder, Bilder und Einkaufslisten. Aber größere Gemeinschaften, die nicht aus 22, sondern aus Tausenden oder Millionen von Menschen bestehen, erfordern den Umgang mit gewaltigen Mengen an Information – mehr als jedes menschliche Gehirn behalten und verarbeiten kann.

Auch Tiere schließen sich zu großen Gesellschaften zusammen. Diese sind stabil und widerstandsfähig, weil der größte Teil der erforderlichen Informationen in ihren Genen abgelegt ist. Eine Honigbiene wird beispielsweise schon in die Kategorie »Königin« oder »Arbeiterin« hineingeboren, und ihre DNA hat die königliche Etikette und den proletarischen Arbeitsplan bereits gespeichert. Bienenstöcke sind hochkomplexe Gesellschaften mit unterschiedlichen Typen von Arbeiterinnen, zum Beispiel Putzbienen, Ammen und Sammlerinnen. Aber bislang haben die Insektenforscher keine Anwältinnen gefunden. Die sind auch gar nicht nötig, denn die Bienen werden kaum auf die Idee kommen, den Ammen ihr verfassungsmäßiges Recht auf Leben, Freiheit und das Streben nach Glück abzusprechen.

Beim Menschen ist diese Gefahr schon eher gegeben. Da unsere Gesellschaftsordnung nur in unseren Köpfen existiert, werden bei der Weitergabe der DNA nicht automatisch auch die Spielregeln der Gesellschaft von einer Generation an die andere vererbt. Wir müssen ganz bewusste Anstrengungen unternehmen, um Gesetze, Bräuche, Verfahren, Gepflogenheiten und anderes aus dem Handbuch unserer Gesellschaft an die nächste Generation weiterzugeben, da die Ordnung sonst zusammenbricht. König Hammurabi entschied beispielsweise, dass alle Menschen in Freigeborene, Gemeine und Sklaven eingeteilt werden. Das ist keine natürliche Ordnung, denn in unseren Genen ist keine Spur davon zu finden. Wenn sich die Babylonier nicht an diese »Wahrheit« erinnert hätten, wäre ihre Gesellschaft im Handumdrehen zusammengebrochen. In Hammurabis Genen war nirgends ein Hinweis zu finden, dass ein Freigeborener für die Ermordung einer Gemeinen 30 Silberlinge zu zahlen hatte. Hammurabi musste seinen Söhnen die Gesetze seines Reichs ausdrücklich vermitteln, und diese mussten die Information wiederum an ihre Nachfahren weitergeben.

Weltreiche produzieren gewaltige Mengen an Information. Und zwar nicht nur Gesetze: Sie müssen über Ausgaben und Einnahmen Buch führen, ein Register über Waffen und Handelsschiffe anlegen und einen Kalender mit ihren Festen und Siegesfeiern aufstellen. Jahrmillionen lang legten Menschen Informationen an einem einzigen Ort ab: in ihrem Gehirn. Leider ist das menschliche Gehirn ein ausgesprochen wackliges Fundament für ein Weltreich, und zwar aus drei Gründen:

Erstens ist seine Speicherkapazität extrem begrenzt. Einige Menschen sind zwar zu erstaunlichen Gedächtnisleistungen imstande und kennen die Topographie ganzer Regionen oder sämtliche Gesetze eines Landes auswendig, doch auch ihr Erinnerungsvermögen hat seine Grenzen. Ein Anwalt kann zwar sämtliche Gesetze präsent haben, aber er kann unmöglich auch noch die Einzelheiten aller jemals geführten Gerichtsverfahren auswendig kennen.

Zweitens stirbt das Gehirn mit seinem Besitzer. Sämtliche Informationen, die in einem Gehirn abgelegt sind, sind also nur ein Menschenleben lang verfügbar. Natürlich lassen sich Erinnerungen mündlich an andere weitergeben, aber nachdem eine Information ein paarmal weitererzählt wurde, ist sie entweder verdreht oder verloren.

Und drittens ist das menschliche Gehirn darauf spezialisiert, ganz bestimmte Arten von Informationen zu speichern und zu verarbeiten. Für das Überleben der Jäger und Sammler war es besonders wichtig, sich an die Formen, Eigenschaften und Verhaltensweisen von Tausenden Tier- und Pflanzenarten zu erinnern. Sie mussten zum Beispiel wissen, dass ein runzliger, gelber Pilz, der im Frühherbst unter einer Ulme wächst, mit ziemlicher Wahrscheinlichkeit giftig ist, während ein ganz ähnlicher Pilz, der im Spätherbst unter einer Eiche wächst, vermutlich genießbar ist. Jäger und Sammler mussten sich außerdem an die Ansichten und Beziehungen einiger Dutzend Menschen in ihrer Gruppe erinnern. Lucy musste noch wissen, dass John sich vor ein paar Tagen mit Mary gestritten hat; wenn sie jetzt eine Verbündete gegen John sucht, dann kann sie sich an Mary wenden. Der Selektionsdruck sorgte also dafür, dass sich unser Gehirn Unmengen von botanischen, zoologischen, topographischen und sozialen Einzelheiten merken kann.

Als nach der landwirtschaftlichen Revolution immer komplexere Gesellschaften entstanden, wurde jedoch eine völlig neue Art von Information überlebenswichtig: Daten und Zahlen. Jäger und Sammler mussten sich keine Zahlen merken. Ihnen konnte es egal sein, wie viele Früchte genau an jedem Baum eines bestimmten Waldstücks hingen. Daher lernte das menschliche Gehirn nie, diese Art von Information zu speichern und zu verarbeiten. Doch um ein Weltreich beherrschen zu können, waren Zahlen entscheidend. Es reichte nicht aus, Gesetze zu diktieren und Mythen über Schutzgötter zu erzählen. Die Herrscher mussten auch Steuern eintreiben. Aber um Hunderttausende Menschen besteuern zu können, mussten gewaltige Mengen von Zahlen gespeichert und verarbeitet werden: Informationen über das Einkommen und den Besitz jedes einzelnen Bürgers, und natürlich Angaben über geleistete Zahlungen, Zahlungsrückstände, Steuerschulden und Strafzinsen sowie Stundungen und Ausnahmen. Auf diese Weise kamen gewaltige Datenmengen zusammen, die gespeichert und verarbeitet werden wollten. Ohne diese Informationen hätte ein Staat nie gewusst, über welche Mittel er verfügt und wo er noch Mittel lockermachen konnte. Vor dieser Informationsflut musste das menschliche Gehirn kapitulieren.

Die begrenzte Leistungsfähigkeit des menschlichen Gehirns deckelte die Größe und Komplexität der menschlichen Gesellschaften. Nachdem die Zahl der Menschen und ihrer Besitzungen eine bestimmte Größenordnung überschritten hatte, mussten gewaltige Mengen an Information verarbeitet werden. Aber da das menschliche Gehirn dazu außerstande war, brach das System zusammen. Daher blieben die menschlichen Netzwerke in den ersten Jahrtausenden nach der landwirtschaftlichen Revolution noch relativ klein und einfach.

Die Ersten, die eine Lösung für dieses Problem fanden, waren die Sumerer, die zwischen 3500 und 3000 vor unserer Zeitrech-

nung im Süden Mesopotamiens lebten. Dort brannte die Sonne
auf fruchtbare Flusstäler herunter und brachte reiche Ernten und
wohlhabende Ortschaften hervor. Doch je größer diese Ortschaften
wurden, umso mehr Daten mussten sie bewältigen. Also erfand
irgendwann ein unbekanntes Genie ein System zur Speicherung
und Verarbeitung von Information, das vom Gehirn unabhängig war. Damit sprengten die Sumerer die physischen Fesseln des
Gehirns und machten den Weg frei für die Entstehung von Städten,
Königreichen und Imperien. Das Datenverarbeitungssystem, das
die Sumerer erfanden, nennt sich »Schrift«.

Gezeichnet Kushim

Die Schrift ist eine Technik zur Speicherung und Verarbeitung von
Information mittels physischer Zeichen. Die sumerische Schrift
kannte zwei Arten von Zeichen, die in Tontäfelchen geritzt wurden.
Die einen waren Zahlen. So gab es Zeichen für 1, 10, 60, 600, 3600
und 36 000. (Die Sumerer benutzten ein sogenanntes Sexagesimal-
system, das auf der Zahl 6 basiert. Ihnen verdanken wir zum Beispiel
die Einteilung des Tages in 24 Stunden und des Kreises in 360 Grad.)
Die andere Gruppe von Zeichen stellte Menschen, Tiere, Waren,
Gebiete, Daten und so weiter dar. Indem die Sumerer diese Zeichen auf ihren Tontafeln festhielten, konnten sie gewaltige Mengen
langweiliger Daten speichern, an die sich kein menschliches Gehirn
jemals erinnern würde und die nicht im Genom gespeichert waren.

Damals wurde die Schrift nur zur Aufzeichnung von Daten und
Zahlen genutzt. Wer auf den 5000 Jahre alten Tontäfelchen unserer
Vorfahren nach weisen Worten sucht, wird bitter enttäuscht. Die Bot-
schaften, die unsere Ahnen aus Sumer hinterließen, lauten beispielsweise: »29.086 Maß. Gerste. 37 Monate. Kushim.« Diese Nachricht
bedeutet vermutlich: »29 086 Maß Gerste wurden über 37 Monate
hinweg in Empfang genommen. Gezeichnet Kushim.« Die ältesten

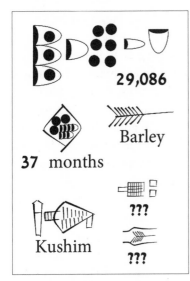 

13. Ein Tontäfelchen mit einem Verwaltungstext aus der Stadt Uruk, zirka 3400 – 3000 v. u. Z. Das Täfelchen bestätigt den Erhalt von 29.086 Maß (etwa 135 000 Liter) Gerste über einen Zeitraum von 37 Monaten durch einen gewissen Kushim. »Kushim« könnte eine allgemeine Bezeichnung für einen Beamten gewesen sein, es könnte sich aber auch um den Name eines bestimmten Menschen handeln. Sollte dieser Kushim tatsächlich eine Person gewesen sein, dann wäre er der erste Mensch in der Geschichte, den wir namentlich kennen. Alle älteren Namen – die Neandertaler, die Natufianer, die Höhle von Chauvet oder Göbekli Tepe – sind neuzeitliche Erfindungen. Wir wissen nicht, wie die Erbauer von Göbekli Tepe ihre Kultstätte nannten. Mit der Erfindung der Schrift hören wir die Geschichte mit der Stimme ihrer Protagonisten. Wenn Kushims Nachbarn ihn suchten, dann riefen sie tatsächlich »Kushim!«. Es ist bezeichnend, dass der älteste überlieferte Name einem Buchhalter gehört, und nicht einem Propheten, Dichter oder Eroberer.[1]

Texte der Menschheit enthalten leider weder tiefschürfende philosophische Erkenntnisse noch Gedichte, Legenden, Gesetze oder Heldenepen. Es handelt sich um ganz alltägliche Aufzeichnungen aus dem Geschäftsleben – Steuerzahlungen, Schuldverschreibungen und Besitzurkunden.

Aus den Anfangstagen der Schrift ist nur eine weitere Textsorte überliefert, und die ist sogar noch unspektakulärer: Es handelt sich um Wortlisten, die Schreiberlehrlinge zur Übung wieder und wieder abschrieben. Selbst wenn ein gelangweilter Schüler beschlossen hätte, lieber Verse zu schmieden als Rechnungen zu kopieren, dann hätte er sie nicht aufschreiben können. Die erste sumerische Schrift war nämlich kein vollständiges, sondern nur ein partielles Schriftsystem. Ein vollständiges Schriftsystem ist eine Schrift, mit der sich die gesprochene Sprache mehr oder weniger vollständig wiedergeben lässt. Sie kann daher alle sprachlichen Äußerungen von

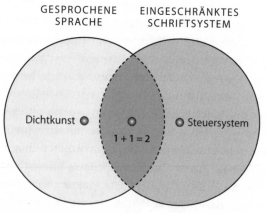

GESPROCHENE   EINGESCHRÄNKTES
SPRACHE   SCHRIFTSYSTEM

Dichtkunst ○   ○   ○ Steuersystem
                    1 + 1 = 2

Partielle Schriftsysteme können nicht das gesamte Spektrum der gesprochenen Sprache erfassen, doch sie können umgekehrt Dinge ausdrücken, die jenseits der gesprochenen Sprache liegen. Mit partiellen Systemen wie der sumerischen Schrift oder mathematischen Zeichen lassen sich zwar keine Gedichte niederschreiben, sehr wohl aber Steuereinnahmen festhalten.

Menschen aufzeichnen, und damit natürlich auch die Dichtung. Partielle Schriftsysteme sind dagegen Zeichensysteme, mit denen sich nur ganz bestimmte Informationen aus klar definierten Bereichen erfassen lassen. Die lateinische Schrift, die altägyptischen Hieroglyphen oder Braille sind vollständige Schriftsysteme. Mit ihnen kann man Steuereinnahmen, Liebesgedichte, Geschichtsbücher, Kochrezepte und Gesetze niederschreiben. Die erste sumerische Schrift ist dagegen genau wie die mathematische Schrift oder die Notenschrift ein partielles Schriftsystem. Mit mathematischen Zeichen kann man zwar Berechnungen anstellen, aber keine Liebesgedichte schreiben.

Es störte die Sumerer nicht weiter, dass sich ihre Schrift nicht für Poesie eignete. Sie hatten sie nicht erfunden, um die gesprochene Sprache wiederzugeben, sondern um Dinge zu tun, die man mit der gesprochenen Sprache eben nicht tun konnte. Es gibt Kulturen, etwa in den Anden vor der Eroberung durch die Spanier, die ihre gesamte Geschichte hindurch nur partielle Schriftsysteme verwendeten, ohne jemals auf den Gedanken zu kommen, dass ihnen etwas fehlen könnte. Die Schrift der Andenvölker unterscheidet sich ganz erheblich von der sumerischen. Die Unterschiede sind sogar so groß, dass manche Experten behaupten, es habe sich nicht einmal um eine Schrift gehandelt. Sie wurde nicht in Tontäfelchen geritzt oder auf Papier geschrieben. Es handelt sich vielmehr um Knoten in bunten Schnüren namens »Quipu«. Jeder Quipu bestand aus vielen verschiedenfarbigen Woll- oder Baumwollschnüren. Jede Schnur wurde an unterschiedlichen Stellen geknotet. Ein einzelner Quipu kann aus Hunderten von Schnüren und Tausenden von Knoten bestehen. Mit der Kombination von unterschiedlichen Knoten, Schnüren und Farben ließen sich große Mengen mathematischer Daten festhalten, zum Beispiel Steuereinnahmen und Besitzurkunden.[2]

Im Vergleich zu einem USB-Stick mag uns ein Quipu primitiv erscheinen, doch er war ein sehr wirkungsvolles Instrument zur Speicherung von Daten und Zahlen. Mithilfe dieser Schnüre wurden über Jahrhunderte und vielleicht Jahrtausende hinweg Städte,

Königreiche und Imperien verwaltet.[3] Ihr volles Potenzial entfalteten sie unter den Inkas, deren Reich 10 bis 12 Millionen Einwohner hatte und sich über die heutigen Staaten Peru, Ecuador und Bolivien sowie Teile von Chile, Argentinien und Kolumbien erstreckte. Mithilfe der Quipus konnten die Inkas große Mengen von Information über ihr Imperium speichern und verarbeiten und ihre komplexe Verwaltung aufrechterhalten.

Die Quipus waren derart effektiv, dass die Spanier sie in den ersten Jahren nach der Eroberung des Inkareichs verwendeten, um ihre neue Kolonie zu verwalten. Doch da die Spanier diese Schnüre nicht selbst lesen und schreiben konnten und auf die Hilfe der einheimischen Experten angewiesen waren, befürchteten sie irgendwann, sie könnten über den Tisch gezogen werden. Nachdem sie ihre Kolonialherrschaft etabliert hatten, ersetzten sie die Quipus durch lateinische Buchstaben und arabische Ziffern. Nur wenige Quipus überlebten die Kolonialherrschaft, und die meisten davon sind heute nicht mehr zu entschlüsseln, da die Kunst der Knotenschrift untergegangen ist.

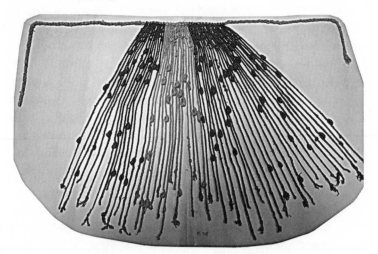

14. Ein Quipu aus den Anden (12. Jahrhundert)

Die Wunder der Bürokratie

Anders als in den Anden wollten die Menschen in Mesopotamien bald auch andere Dinge festhalten als langweilige Bilanzen. Zwischen 3000 und 2500 v. u. Z. kamen immer mehr Zeichen hinzu, und die sumerische Schrift verwandelte sich allmählich in ein vollständiges Schriftsystem, das als »Keilschrift« bezeichnet wird. Um das Jahr 2500 v. u. Z. wurden in dieser Keilschrift königliche Edikte, literarische Texte und sogar private Briefe niedergeschrieben. Etwa um diese Zeit entwickelten die Ägypter eine eigene Schrift, nämlich die Hieroglyphen. Weitere vollständige Schriftsysteme entstanden in China um das Jahr 1200 v. u. Z. und in Mittelamerika zwischen 1000 und 500 v. u. Z.

Von diesen Ursprüngen breiteten sich die Schriftsysteme in alle Himmelsrichtungen aus, veränderten ihre Formen und wurden zu immer neuen Zwecken verwendet. Die Menschen begannen, Gedichte, Geschichtsbücher, Liebesgeschichten, Theaterstücke, heilige Schriften und Kochbücher niederzuschreiben. Doch die wichtigste Aufgabe der Schrift blieb die Verarbeitung endloser mathematischer Daten, und diese wiederum blieb die Domäne der partiellen Schriftsysteme. Die hebräische Bibel, die griechische Ilias, das hinduistische Mahabarata, der buddhistische Pali-Kanon und die christlichen Evangelien begannen alle in Form von mündlichen Überlieferungen und hätten ohne die Schrift nie überlebt. Doch die Steuerbuchhaltung und komplizierte bürokratische Systeme entstanden Hand in Hand mit den partiellen Schriftsystemen und blieben mit diesen verbunden wie siamesische Zwillinge.

Doch je mehr niedergeschrieben wurde und je weiter die Ordner der Verwaltung anschwollen, umso größer wurde ein neues Problem. Die Informationen, die in einem Gehirn abgelegt werden, sind leicht aufzufinden. In meinem Gehirn sind Milliarden von Informationen gespeichert, doch ich kann in Sekundenschnelle den Namen der Hauptstadt Italiens abrufen, mich kurz darauf daran erinnern, wo ich am 11. September 2001 war und danach den Weg von meiner Wohnung zu meinem Arbeitsplatz an der Universität von Jerusalem rekonstruieren. Niemand weiß, wie wir das schaffen, doch es ist allgemein bekannt, wie erstaunlich effizient die Suchmaschine unseres Gehirns ist. Außer wenn wir versuchen, uns daran zu erinnern, wo wir die Autoschlüssel hingelegt haben.

Aber wie finden Sie eine bestimmte Information, die Sie irgendwann in irgendwelche Kordeln geknotet oder Tontäfelchen geritzt haben? Solange Sie nur zehn oder hundert davon haben, ist das nicht weiter schwierig. Aber was machen Sie, wenn Sie Tausende angesammelt haben, wie König Zimri-Lim von Mari (ein Zeitgenosse des babylonischen Königs Hammurabis)?

Stellen Sie sich vor, wir befinden uns im Jahr 1776 vor unserer Zeitrechnung. Zwei Einwohner von Mari streiten sich über den Besitz eines Weizenfeldes. Jakob behauptet, er habe das Feld vor dreißig Jahren gekauft. Esau erwidert, er habe das Feld vor dreißig Jahren lediglich verpachtet und wolle es nun wieder selbst bestellen. Nach einem hitzigen Wortgefecht und einigen Handgreiflichkeiten begeben sich Jakob und Esau schließlich ins königliche Archiv, wo Zimri-Lim die Besitzurkunden seiner Untertanen aufbewahrt. Im Archiv werden sie von einem Beamten zum anderen geschickt. Während sie warten, trinken sie Kräutertee, und irgendwann bekommen sie die Auskunft, sie möchten doch bitte morgen wiederkommen. Nachdem sich das Spiel am nächsten Tag wiederholt hat, sagt ihnen ein mürrischer Beamter, sie sollten doch selbst suchen. Er führt die beiden in einen riesigen Raum, an dessen Wänden Tausende Tontäfelchen aufgestapelt sind. Können Sie sich diesen Raum vorstellen? Wie um Himmels willen soll ein Beamter unter all den identischen Tontäfelchen eine dreißig Jahre alte Urkunde finden? Und selbst wenn er sie findet, woher weiß er dann, ob sie das aktuellste Dokument ist, das sich mit dem umkämpften Feld beschäftigt? Und wenn er die Urkunde nicht findet, bedeutet das dann, dass Esau sein Feld nie verkauft hat? Oder nur, dass das

Dokument verloren ging oder sich zu Matsch verwandelte, als es einmal in das Archiv regnete?

Um ein funktionierendes Datenverarbeitungssystem zu schaffen, reicht es ganz offensichtlich nicht aus, ein paar Zahlen in eine Tontafel zu ritzen. Dazu waren Kataloge und Suchsysteme erforderlich, und vor allem pedantische Beamte, die sie benutzten.

Die Erfindung dieser Systeme erwies sich als schwieriger als die Erfindung der Schrift. Erstaunlich viele Kulturen haben ihr eigenes Schriftsystem hervorgebracht. Immer wieder entdecken Archäologen neue und vergessene Schriften, von denen einige möglicherweise sogar noch älter sind als die sumerische. Doch die meisten davon blieben unbedeutende Kuriositäten, weil ihre Erfinder vergessen haben, ein funktionierendes System zur Katalogisierung und Suche von Informationen zu entwickeln. Was die Sumerer, die alten Ägypter, die alten Chinesen und die Inkas aus der Masse hervorhebt, ist die Tatsache, dass sie effiziente Methoden zur Archivierung, Katalogisierung und Suche ihrer schriftlichen Aufzeichnungen entwickelten. Außerdem richteten sie eigene Schulen für Schreiberlinge, Beamte, Archivare und Buchhalter ein.

In diesen Schulen wurde hart gebüffelt. Eine 4000 Jahre alte Schreibübung aus Mesopotamien, die von den damaligen Schülern abgeschrieben und von modernen Archäologen ausgegraben wurde, vermittelt einen kleinen Einblick in das Leben der Schüler im Zweistromland:

Ich kam, setzte mich und mein Lehrer las mein Täfelchen. »Da fehlt etwas!«, sagte er.
Und er schlug mich mit dem Rohrstock.
Einer der Aufseher sagte: »Warum hast du ohne meine Erlaubnis den Mund aufgemacht?«
Und er schlug mich mit dem Rohrstock.
Der Regelbewahrer sagte: »Warum bist du ohne meine Erlaubnis aufgestanden?«
Und er schlug mich mit dem Rohrstock.

Der Türhüter sagte: »Warum gehst du ohne meine Erlaubnis?«
Und er schlug mich mit dem Rohrstock.
Der Hüter des Bierkrugs sagte: »Warum hast du ohne meine Erlaubnis
Bier getrunken?«
Und er schlug mich mit dem Rohrstock.
Der Sumerisch-Lehrer sagte: »Warum hast du Akkadisch* gesprochen?«
Und er schlug mich mit dem Rohrstock.
Mein Lehrer sagte: »Deine Handschrift ist schlecht!«
Und er schlug mich mit dem Rohrstock.[4]

Die Schreiber lernten nicht nur Lesen und Schreiben, sondern auch den Umgang mit Katalogen, Wörterbüchern, Kalendern, Formularen und Tabellen. Sie lernten Techniken zur Erfassung, Suche und Verarbeitung von Information, die sich ganz erheblich von der Denkweise unseres Gehirns unterscheiden. Im Gehirn ist alles lose miteinander verknüpft. Wenn ich meine Heiratsurkunde suche, denke ich an meine Flitterwochen in Tansania, was mich wiederum an ein Krokodil erinnert, das beinahe meinen Fuß verschlungen hätte, und von da springen meine Gedanken zu Siegfried, dem Drachentöter. Ehe ich mich recht besinne, summe ich das Siegfried-Motiv aus Richard Wagners *Ring*. In der Bürokratie muss dagegen alles klar auseinandergehalten werden. Es gibt eine Schublade für Heiratsurkunden, eine andere für Steuerbücher und eine dritte für Gerichtsverfahren. Wie sollte man sonst auch irgendetwas wiederfinden? Dinge, die keine eigene Schublade haben – zum Beispiel Drachen –, landen im Papierkorb. Dinge, die sich in mehr als eine Schublade einsortieren lassen (fallen Wagner-Opern unter »Musik«, »Theater« oder in eine ganze neue Sparte?), bereiten Kopfzerbrechen. Deswegen müssen fortwährend neue Schubladen hinzugefügt und alte ausgemistet oder umsortiert werden.

---

* Nachdem sich Akkadisch als wichtigste Sprache der Region durchgesetzt hatte, blieb das Sumerische die Verwaltungssprache, in der die Beamten ihre Dokumente anfertigten. Daher mussten angehende Schreiberlinge Sumerisch sprechen.

Damit das System funktioniert, müssen die Hüter der Schubladen so umprogrammiert werden, dass sie nicht mehr wie Menschen denken, sondern wie Beamte und Buchhalter. Seit frühesten Zeiten weiß jeder, dass Beamte und Buchhalter nicht wie Menschen denken. Sie denken wie Aktenschränke. Dafür können sie aber nichts: Sie müssen so denken. Andernfalls würden sämtliche Schubladen durcheinandergeraten und es wäre völlig unmöglich, Städte und Königreiche zu verwalten. Das ist vielleicht die wichtigste Auswirkung der Schrift auf die Geschichte der Menschheit: Ganz allmählich veränderte sie die Denkweise und Weltsicht der Menschen. Freie Assoziation und ganzheitliches Denken mussten Bürokratie und Kästchendenken weichen.

Die Sprache der Zahlen

Im Laufe der Jahrhunderte wurde der Unterschied zwischen der bürokratischen Datenverarbeitung und der natürlichen menschlichen Denkweise immer größer. Ein entscheidender Schritt kam vor dem neunten Jahrhundert unserer Zeitrechnung mit der Erfindung eines neuen partiellen Schriftsystems, das mathematische Daten mit beispielloser Effizienz verarbeiten konnte. Dieses Schriftsystem bestand aus zehn Zeichen, die für die Zahlen von 0 bis 9 standen, und wurde als »arabisches Ziffernsystem« bezeichnet. In Wirklichkeit waren es die Inder, die diese Ziffern erfunden hatten. Die Araber entdeckten diese Schrift nach ihrer Eroberung des Subkontinents, brachten sie in den Nahen Osten, von wo aus sie schließlich auch nach Europa kam. Als später weitere Zeichen hinzugefügt wurden (zum Beispiel für Addition, Subtraktion, Multiplikation und Division), war die mathematische Schrift geboren.

Obwohl die mathematische Schrift immer ein partielles Schriftsystem blieb, hat sie sich zur vorherrschenden Weltsprache entwickelt. Fast alle Staaten, Unternehmen, Organisationen und Einrichtungen verwenden mathematische Zeichen, um Daten zu speichern und zu verarbeiten, und zwar unabhängig davon, ob sie Arabisch, Bengalisch, Englisch oder Norwegisch sprechen. Jede Information, die sich in die mathematische Schrift übersetzen lässt, wird mit erstaunlicher Geschwindigkeit und Effizienz verarbeitet. Und jede Information, die sich aus unerfindlichen Gründen nicht in die mathematische Schrift übersetzen lässt, wird ignoriert oder vergessen.

Wer Einfluss auf die Entscheidungen von Regierungen, Organisationen und Unternehmen nehmen will, muss daher lernen, in Zahlen zu sprechen. Experten tun alles, um selbst Vorstellungen wie »Armut«, »Glück« oder »Ehrlichkeit« in die Zahlensprache zu übersetzen (zum Beispiel als »Tagesverdienst«, »subjektives Wohlbefinden« oder »Kreditwürdigkeit«). Ganze Wissensgebiete wie die Physik oder die Ingenieurwissenschaften haben sich nahezu

$$\ddot{r}_i = \sum_{j \neq i} \frac{\mu_j (r_j - r_i)}{r_{ij}^3} \left\{ 1 - \frac{2(\beta + \gamma)}{c^2} \sum_{l \neq i} \frac{\mu_l}{r_{il}} - \frac{2\beta - 1}{c^2} \sum_{k \neq j} \frac{\mu_k}{r_{jk}} + \gamma \left(\frac{\dot{s}_i}{c} \right)^2 \right.$$

$$+ (1 + \gamma) \left(\frac{\dot{s}_j}{c} \right)^2 - \frac{2(1 + \gamma)}{c^2} \dot{r}_i \cdot \dot{r}_j - \frac{3}{2c^2} \left[\frac{(r_i - r_j) \cdot \dot{r}_j}{r_{ij}} \right]^2$$

$$\left. + \frac{1}{2c^2} (r_j - r_i) \cdot \ddot{r}_j \right\}$$

$$+ \frac{1}{c^2} \sum_{j \neq i} \frac{\mu_j}{r_{ij}^3} \left\{ [r_i - r_j] \cdot [(2 + 2\gamma) \dot{r}_i - (1 + 2\gamma) \dot{r}_j] \right\} (\dot{r}_i - \dot{r}_j)$$

$$+ \frac{3 + 4\gamma}{2c^2} \sum_{j \neq i} \frac{\mu_j \ddot{r}_j}{r_{ij}}$$

Diese Gleichung berechnet die Beschleunigung einer Masse i unter Einwirkung der Schwerkraft, und zwar nach den Gesetzen der Relativitätstheorie. Wenn Laien Gleichungen wie diese sehen, verfallen sie in der Regel in eine Schreckstarre, wie ein Reh im Scheinwerferlicht eines heranrasenden Autos. Das ist eine völlig natürliche Reaktion und hat nichts mit mangelnder Intelligenz zu tun. Die Evolution hat den Menschen nicht beigebracht, so zu denken. Wer jedoch die Relativitätstheorie verstehen möchte, muss traditionelle Denkweisen hinter sich lassen und lernen, mit Hilfe mathematischer Symbole zu denken.

vollständig von der gesprochenen Sprache gelöst und finden fast ausschließlich in mathematischer Schrift statt.

In den vergangenen Jahrzehnten hat die mathematische Schrift ein weiteres revolutionäres Schriftsystem hervorgebracht, nämlich ein binäres Zeichensystem, das nur noch aus zwei Zeichen besteht: 0 und 1. Die Wörter, die ich gerade auf meiner Tastatur tippe, werden von meinem Computer in Reihen von Nullen und Einsen übersetzt.

*

Die Schrift wurde als Dienstmagd des menschlichen Bewusstseins geboren, doch sie schwingt sich zunehmend zu dessen Herrin auf. Unseren Computern fällt es schwer, die Sprache, Gefühle und Träume des *Homo sapiens* in ihre Sprache aus Nullen und Einsen zu übersetzen.

Aber damit ist das Ende der Geschichte noch längst nicht erreicht. Das Forschungsgebiet der »künstlichen Intelligenz« versucht inzwischen, eine neue Art der Intelligenz zu schaffen, die nur auf dem binären Zeichensystem der Computer basiert und ganz ohne menschliches Zutun funktioniert. Science Fiction-Filme wie *Matrix* oder *Terminator* zeigen eine Zukunft, in der die Binärschrift das menschliche Joch abgeschüttelt hat. Und wenn wir Menschen versuchen, die rebellische Schrift wieder unter unsere Kontrolle zu bekommen, antwortet sie mit dem Versuch, die Menschheit auszulöschen.

Kapitel 8

Die Geschichte ist nicht gerecht

Im Grunde dreht sich die Geschichte der Menschheit nach der landwirtschaftlichen Revolution um eine einzige Frage: Wie organisierten die Menschen ihr Zusammenleben in großen Gruppen, obwohl ihnen jeglicher biologischer Instinkt dazu abging? Die Antworten der Menschen auf dieses Problem waren die erfundenen Ordnungen und die Schrift. Diese beiden Errungenschaften schlossen die Lücke in unserem biologischen Erbe.

Doch die Erfindung der Massenkooperation war nicht für alle Menschen ein Segen. Die Gesellschaften, die daraus hervorgingen, waren nämlich weder neutral noch gerecht. Sie stellten Hierarchien auf und teilten die Menschen in Gruppen und Schichten ein, von denen einige Privilegien und Macht genossen, während andere diskriminiert und unterdrückt wurden. Hammurabis Gesetze teilten die Menschen beispielsweise in Freigeborene, Gemeine und Sklaven ein. Die Freigeborenen wurden mit den Annehmlichkeiten des Lebens überschüttet, die Gemeinen bekamen, was übrig blieb, und die Sklaven gingen leer aus.

Auch die Ordnung, wie sie die englischen Siedler in Nordamerika im Jahr 1776 erfanden, teilte die Menschen in Hierarchien ein, auch wenn sie noch so sehr auf der Gleichheit der Menschen pochte. Männer profitierten von der Ordnung, Frauen gingen leer aus. »Weiße« kamen in den Genuss der Rechte, »Schwarze« und »Indianer« wurden diskriminiert und unterdrückt. Viele Unterzeichner der Unabhängigkeitserklärung waren selbst Sklavenhalter. Es kam ihnen nicht als Heuchelei vor, dass sie ihre Sklaven nach der Unterzeichnung der Erklärung nicht freiließen. Ihrer Ansicht nach waren Sklaven nämlich gar keine Menschen, weshalb die *Menschen*rechte auch nicht auf sie zutrafen.

Außerdem schufen die Amerikaner eine Hierarchie zwischen Arm und Reich. Die meisten hatten kein Problem mit der wirtschaftlichen Form der Ungleichheit. Für sie bedeutete Gleichheit lediglich, dass für Arme und Reiche dieselben Gesetze galten. Mit Arbeitslosenunterstützung, gleichen Bildungschancen und medizinischer Versorgung für alle hatten sie nichts am Hut. Auch das Wort »Freiheit« hatte damals eine etwas andere Bedeutung als heute. Im Jahr 1776 bedeutete das Wort nicht, dass unterdrückte Gruppen (Schwarze, Ureinwohner, oder – Gott behüte! – Frauen) an der Macht beteiligt werden sollten. Es bedeutete lediglich, dass der Staat seine Nase nicht in die Angelegenheiten seiner Bürger steckte und die Finger von ihrem Eigentum ließ. Die amerikanische Ordnung erhielt also eine Hierarchie von Arm und Reich aufrecht, die ihrer Ansicht nach den ewigen Gesetzen Gottes oder der Natur entsprach. Die Fleißigen wurden von diesen Gesetzen belohnt und die Faulen bestraft.

Die Hierarchien zwischen Freien und Sklaven, Weißen und Sklaven, Reichen und Armen basierten auf Fiktionen. (Auf die Hierarchie zwischen Mann und Frau kommen wir gleich noch zu sprechen.) Es ist jedoch eine eherne Regel der Geschichte, dass jede erfundene Hierarchie leugnet, dass es sich nur um eine Erfindung handelt, und sich als natürliche und unvermeidliche Ordnung der Dinge ausgibt. Die Befürworter der Hierarchie zwischen Freien und Sklaven behaupteten beispielsweise immer wieder, die Sklaverei sei keine menschliche Erfindung. Für Hammurabi war sie Teil der göttlichen Ordnung. Aristoteles behauptete, Sklaven hätten eine »Sklavennatur« und Freie eine »freie Natur«. Ihre gesellschaftliche Stellung sei lediglich ein Ausdruck ihrer wahren Natur.

Rassisten haben immer wieder behauptet, die »Überlegenheit der weißen Rasse« sei eine biologische Tatsache. Weiße seien überlegen, weil sie von Natur aus intelligenter, moralischer und fleißiger seien. Andere argumentieren, Reiche seien den Armen überlegen, weil es objektive Unterschiede bei den Fähigkeiten gebe. Die Reichen seien kompetenter und verdienten daher eine lange Liste von Privilegien, angefangen von einer umfassenderen medizinischen Versorgung über eine bessere Bildung bis hin zu einer vielseitigeren Ernährung.

Gläubige Hindus behaupten, die Hierarchie des Kastenwesens sei von kosmischen Kräften geschaffen worden. Nach dem berühmten Schöpfungsmythos der Hindus schufen die Götter die Welt aus dem Körper eines Urwesens namens Purusa. Die Sonne wurde als Purusas Auge geschaffen, der Mond aus Purusas Gehirn, die Brahmanen (die Priesterkaste) aus seinem Mund, die Kshatriyas (die Kriegerkaste) aus seinen Armen, die Vaishyas (Bauern und Händler) aus den Hüften und die Shudras (Diener) aus den Beinen. Für jemanden, der diese Erklärung glaubt, sind die Unterschiede zwischen Brahmanen und Dienern genauso natürlich wie die zwischen Sonne und Mond.[1] Die alten Chinesen glaubten, als die Göttin Nü Wa die Menschen aus der Erde erschuf, formte sie die Aristokraten aus feiner gelber Erde und die Bauern aus braunem Lehm.[2]

Diese Hierarchien entspringen durchweg der menschlichen Fantasie. Natürlich wurden Brahmanen und Sklaven nicht von Göttern aus den verschiedenen Körperteilen eines Urwesens geformt; stattdessen waren es Gesetze und Normen, die Menschen vor rund dreitausend Jahren in Nordindien erfanden. Und es gibt auch keine biologischen Unterschiede zwischen Sklaven und Freien, wie Aristoteles behauptet; vielmehr waren es menschliche Gesetze und Normen, die Menschen zu Sklaven und Herren machten. Und zwischen Schwarzen und Weißen gibt es zwar biologische Unterschiede wie Hautfarbe und Haartyp, aber diese haben nichts mit Intelligenz oder Moral zu tun.

Wir behaupten gern, andere Gesellschaften hätten unnatürliche und lächerliche Hierarchien, während unsere Hierarchie natürlich und gerecht sei. So haben wir inzwischen gelernt, dass keine Rasse einer anderen überlegen ist, und entrüsten uns über Gesetze, die es Angehörigen einer bestimmten ethnischen Gruppe verbieten, in denselben Stadtteilen zu leben, ihre Kinder an dieselben Schulen zu schicken oder dieselben Krankenhäuser aufzusuchen wie die anderen. Doch die Hierarchie von Arm und Reich, die es Reichen erlaubt, in vornehmeren Stadtteilen zu leben, ihre Kinder auf bessere Schulen zu schicken oder modernere Krankenhäuser aufzusuchen wie Arme, scheint uns vollkommen normal. Und das, obwohl die meisten Reichen nur deshalb reich sind, weil sie in eine reiche Familie geboren wurden, und die meisten Armen nur deshalb ein Leben lang arm bleiben, weil sie aus einer armen Familie stammen.

*

Man bekommt beinahe den Eindruck, als bräuchte eine komplexe Gesellschaft Hierarchien und Diskriminierung. Aus moralischer Sicht sind nicht alle Hierarchien gleich, und in manchen Gesellschaften hat die Diskriminierung schrecklichere Formen angenommen als in anderen, doch Wissenschaftler haben bislang keine größeren Gesellschaften gefunden, die ohne Hierarchien ausgekommen wären. Immer wieder stellten die Menschen gesellschaftliche Ordnungen auf, indem sie sich selbst in frei erfundene Kategorien wie Freigeborene, Gemeine und Sklaven; Schwarze und Weiße; Patrizier und Plebejer; Brahmanen und Shudras; Arme und Reiche einteilten. Kategorien wie diese bestimmen die Beziehungen zwischen Millionen von Menschen und sorgen dafür, dass ein Teil der Bevölkerung rechtlich, politisch und gesellschaftlich über einem anderen steht.

Hierarchien übernehmen eine wichtige Funktion. Mit ihrer Hilfe wissen wildfremde Menschen, wie sie einander zu behandeln haben, ohne sich erst lange und umständlich bekannt machen zu müssen. In Bernhard Shaws *Pygmalion* muss der reiche Henry Higgins keine intime Bekanntschaft mit der armen Eliza Doolittle pflegen, um zu wissen, wie er sich ihr gegenüber zu verhalten hat. Sobald sie den Mund aufmacht, weiß er, dass sie der Unterschicht angehört und er mit ihr tun kann, was er will – zum Beispiel eine Wette abschließen, dass er dieses Blumenmädchen in eine Herzogin verwandeln könne, wenn er ihr beibringt, wie eine feine Dame zu sprechen. Und eine moderne Eliza muss wissen, wie sehr sie sich um jeden der vielen Kunden bemüht, die ihren Blumenladen betreten. Sie kann nicht lange Erkundigungen über die Vorlieben und wirtschaftlichen Verhältnisse ihrer Kunden einholen. Vielmehr nutzt sie soziale Signale wie Kleidung und Alter, um einen Anwalt, der zwei Dutzend langstielige Rosen für seine Mutter kauft, von einem Bürogehilfen zu unterscheiden, der einer Sekretärin mit einem netten Lächeln ein paar Gänseblümchen schenken will.

Tatsächlich spielen auch natürliche Eigenschaften eine Rolle bei der Entstehung sozialer Unterschiede. Diese werden jedoch immer durch erfundene Hierarchien vermittelt, und zwar auf zweierlei Weise. Erstens müssen die meisten Fähigkeiten gefördert und entwickelt werden. Selbst wenn jemand mit einem bestimmten Talent zur Welt kommt, bleibt es ungenutzt, wenn es nicht entwickelt wird. Aber nicht alle bekommen diese Chance: Ob jemand gefördert wird oder nicht, hängt in der Regel von seiner Position in der erfundenen Hierarchie ab. Harry Potter ist ein gutes Beispiel: Da er nach seiner Geburt von seinen Eltern, zwei angesehenen Magiern, getrennt und von ahnungslosen Muggles aufgezogen wird, kommt er in der Hogwarts-Schule für Hexerei und Zauberei an, ohne auch nur die geringste Ahnung von Magie zu haben. Er braucht ganze sieben Bücher, um seine einmaligen Fähigkeiten zu entwickeln.

Und zweitens, selbst wenn Menschen aus verschiedenen Schichten exakt dieselben Fähigkeiten entwickeln, haben sie trotzdem nicht dieselbe Aussicht auf Erfolg. Wenn in der britischen Kolonie Indien ein Unberührbarer, ein Brahmane, ein katholischer Ire oder ein protestantischer Engländer exakt dasselbe unternehmerische

Talent entwickelt hätten, dann hätten sie trotzdem nicht dieselbe Chance auf wirtschaftlichen Erfolg und persönlichen Reichtum gehabt. Gesetze und gläserne Decken hätten dafür gesorgt, dass die Karten von vorneherein nicht gleich verteilt sind.

Ein Teufelskreis

Alle Gesellschaften basieren auf erfundenen Hierarchien, doch diese Hierarchien können sehr unterschiedlich aussehen. Woher kommt das? Warum teilte die indische Gesellschaft die Menschen nach Kasten ein, die ottomanische Gesellschaft nach Religionen und die amerikanische Gesellschaft nach Hautfarbe? In den meisten Fällen war der Grund eine willkürliche historische Verwerfung, die im Laufe der Generationen zu einem Graben wurde, weil bestimmte Gruppen ein Interesse daran hatten.

Das indische Kastensystem wurde zum Beispiel erfunden, als vor dreitausend Jahren arische Stämme nach Nordindien vordrangen und die einheimische Bevölkerung unterwarfen. Die Eindringlinge errichteten eine hierarchische Gesellschaftsordnung, in der sie als Priester und Krieger oben standen und die Einheimischen als Diener und Sklaven ganz unten. Da die zahlenmäßig unterlegenen Neuankömmlinge befürchteten, ihre Macht und Identität zu verlieren, erfanden sie das Kastenwesen. Sie teilten alle Menschen in verschiedene Gruppen mit eigenen Berufen, Gesetzen, Privilegien und Pflichten ein. Eine Vermischung der Kasten wurde durch strenge Regeln und Normen verboten, die Angehörigen der verschiedenen Kasten mussten getrennt leben, essen und feiern. Vor allem durften sie nicht untereinander heiraten.

Die Herrschenden erklärten, das Kastenwesen, das vor allem über religiöse Tabus funktionierte, sei nicht etwa ein Zufallsprodukt der Geschichte, sondern spiegele ewige kosmische Wahrheiten wider. Die Kategorien »Reinheit« und »Unreinheit« spielten im Hinduismus eine zentrale Rolle, und sie mussten nun als Fundament der gesellschaftlichen Pyramide herhalten. Fromme Hindus lernten, dass die Vermischung der Kasten nicht nur sie verunreinige, sondern die gesamte Gesellschaft. Das ist keine typisch hinduistische Vorstellung. Zu allen Zeiten und in fast allen Gesellschaften erwies sich die Vorstellung von Reinheit und Unreinheit als das wirkungsvollste Mittel zur Durchsetzung gesellschaftlicher und politischer Schranken. Die Furcht vor der »Unreinheit« ist in unseren biologischen Überlebensinstinkten verwurzelt und schützt uns vor potenziellen Krankheitsherden. Wer eine Gruppe – seien es Frauen, Juden, Homosexuelle oder Schwarze – vom Rest der Gesellschaft isolieren möchte, erzielt die größte Wirkung, wenn er alle anderen überzeugt, dass diese Gruppe »unrein« ist.

Das Kastensystem und seine Reinheitsgebote verwurzelten sich tief in der indischen Kultur. Nachdem die arische Einwanderung längst vergessen war, glaubten die Inder nach wie vor an das Kastenwesen und fürchteten sich vor Verunreinigung durch eine Vermischung der Kasten. Das System war keineswegs starr, im Gegenteil, im Laufe der Zeit spalteten sich große Kasten in immer neue Unterkasten auf. Aus den ursprünglichen vier wurden schließlich mehr als dreitausend Kasten namens *jati* (wörtlich »Geburt«). Diese Vermehrung der Kasten änderte nichts am Grundprinzip, nach dem jeder Mensch in eine bestimmte Position geboren wird und jeder Verstoß gegen die Regeln den Einzelnen und die Gesellschaft verunreinigt. Die Kaste bestimmt, welchen Beruf jemand ergreift, was er isst, wo er lebt und wen er heiraten kann. In der Regel können Hindus nur innerhalb ihrer Kaste heiraten und vererben ihren Status an ihre Kinder weiter.

Wann immer eine neue Berufsgruppe entstand oder eine neue gesellschaftliche Gruppierung auftauchte, musste sie als Kaste anerkannt werden, um einen rechtmäßigen Platz in der Gesellschaft einnehmen zu können. Gruppen, die nicht als eigene Kaste anerkannt wurden, wurden dagegen von der Gesellschaft ausgeschlossen. Bis heute müssen diese »Unberührbaren« abseits der Gesellschaft leben, die schmutzigsten Arbeiten übernehmen und zum Beispiel den Müll nach Verwertbarem durchsuchen. Selbst die Angehörigen der untersten Kasten vermeiden es, sich mit ihnen zu vermischen, mit ihnen zu essen, sie zu berühren oder gar, sie zu heiraten. Im modernen Indien werden Heirat und Beruf nach wie vor stark vom Kastenwesen geprägt, trotz aller Versuche der demokratischen Regierung des Landes, das System aufzubrechen und die Hindus zu überzeugen, dass sie durch eine Vermischung der Kasten nicht verunreinigt würden.[3]

Reinheit in Amerika

Auf dem amerikanischen Doppelkontinent wurde die Rassenhierarchie durch einen ähnlichen Teufelskreis aufrechterhalten. Vom 16. bis ins 18. Jahrhundert importierten europäische Eroberer Millionen afrikanischer Sklaven, die in Bergwerken und Plantagen zur Arbeit gezwungen wurden. Dass sie Sklaven aus Afrika brachten und nicht aus Europa oder Ostasien, hat vor allem drei Gründe.

Erstens lag Afrika näher und es war billiger, Arbeitskräfte aus dem Senegal zu importieren als zum Beispiel aus Vietnam.

Zweitens gab es in Afrika bereits einen gut organisierten Sklavenhandel, der Menschen aus Schwarzafrika in den Nahen Osten verschleppte, während die Sklaverei in Europa relativ selten war. Es war einfacher, auf einem bestehenden Markt einzukaufen, als einen neuen zu schaffen.

Und drittens wurden die Plantagen in den Vereinigten Staaten, Haiti und Brasilien von Krankheiten wie Malaria und Gelbfieber heimgesucht, die ursprünglich aus Afrika kamen. Afrikaner hatten über viele Generationen hinweg eine teilweise Immunität gegen diese Krankheiten entwickelt, während Europäer in Scharen dahingerafft wurden. Für einen Plantagenbesitzer war es also wirtschaftlich sinnvoller, afrikanische Sklaven zu kaufen, statt europäische Schuldsklaven. Paradoxerweise wurde so die biologische Überlegenheit der Afrikaner Ausgangspunkt für ihre gesellschaftliche Unterlegenheit: Gerade weil die Afrikaner besser an die tropischen Klimate angepasst waren als die Europäer, wurden sie zu Sklaven der europäischen Herren! Aufgrund dieser drei willkürlichen Faktoren spalteten sich die neuen Gesellschaften des amerikanischen Doppelkontinents in eine herrschende Gruppe von »weißen« Europäern und eine unterdrückte Gruppe von »schwarzen« Afrikanern.

Natürlich gibt niemand gern zu, dass er Sklaven einer bestimmten Hautfarbe und Herkunft nur hält, weil ihm dies wirtschaftliche Vorteile bringt. Wie die arischen Eroberer Indiens wollten die weißen Amerikaner gern als fromme und gerechte Menschen dastehen. Daher bemühten sie religiöse und pseudowissenschaftliche Mythen, um die neue Ordnung zu rechtfertigen. Theologen behaupteten zum Beispiel, die Schwarzafrikaner seien Nachkommen einer biblischen Figur namens Ham, der von seinem Vater Noah mit dem Fluch belegt worden war, dass seine Kinder Sklaven würden. Und Wissenschaftler argumentierten, Schwarze seien den Weißen biologisch unterlegen, weil ihre Intelligenz und ihr moralisches Empfinden weniger entwickelt seien oder weil sie schmutziger seien und Krankheiten verbreiteten (mit anderen Worten, weil sie »unrein« waren).

Diese Mythen blieben in den amerikanischen Gesellschaften und im gesamten Westen hängen und wirkten noch weiter, nachdem die Sklaverei längst abgeschafft worden war. Anfang des 19. Jahrhunderts verbot das Britische Weltreich die Sklaverei und unterband den Menschenhandel auf dem Atlantik, und in den folgenden Jahrzehnten wurde die Sklaverei in einem Land nach dem anderen abgeschafft. Es war das erste Mal, dass sich eine Gesellschaft von Sklavenhaltern freiwillig von der Sklaverei verabschiedete. Doch die rassistischen Mythen blieben bestehen, und die Rassentrennung wurde von rassistischen Gesetzen und Gepflogenheiten aufrechterhalten.

Das Ergebnis war ein Teufelskreis. Ein gutes Beispiel dafür ist der Süden der Vereinigten Staaten unmittelbar nach dem amerikanischen Bürgerkrieg. Im Jahr 1865 wurden alle Afroamerikaner aus der Sklaverei befreit und waren damit den Weißen vor dem Gesetz mehr oder weniger gleichgestellt. Doch nach zwei Jahrhunderten der Sklaverei waren die schwarzen Familien viel ärmer und ungebildeter als die meisten weißen Familien. Ein Schwarzer, der 1865 in Alabama zur Welt kam, hatte also deutlich schlechtere Chancen, eine gute Ausbildung zu bekommen und eine gut bezahlte Arbeit zu finden. Seine Kinder, die um das Jahr 1895 zur Welt kamen, fanden sich in derselben schlechten Ausgangsposition, denn auch sie wurden in eine arme, ungebildete Familie geboren.

Aber die wirtschaftliche Benachteiligung war noch nicht alles. In den Südstaaten gab es schließlich auch arme Weiße. Wenn Geld der einzige Faktor gewesen wäre, dann hätte sich die scharfe Trennung zwischen den Rassen im Laufe der Zeit verwischt, nicht zuletzt durch Heiraten. Leider hingen die Menschen – Weiße wie Schwarze – im Jahr 1865 verbreiteten Vorurteilen an, nach denen Schwarze dümmer, fauler und unmoralischer waren als Weiße, eher zu Gewalt, Verbrechen und Krankheit neigten und überhaupt unrein waren. Wenn es einem Schwarzen aus Alabama im Jahr 1895 durch ein Wunder gelungen wäre, eine gute Schulbildung zu erhalten, und wenn er sich nach seinem Abschluss um eine Position als Bankangestellter beworben hätte, dann hätte er gegen weiße Mitbewerber mit gleichen Qualifikationen keine Chance gehabt. Schwarze galten schließlich als unzuverlässig, faul und dumm.

Man sollte meinen, dass die Menschen doch irgendwann hätten erkennen müssen, dass es sich um Mythen handelte, nicht um Fakten, und dass sich die Schwarzen im Laufe der Zeit als genauso fähig, gesetzestreu und »rein« erwiesen als die Weißen. Doch im Gegenteil, das Vorurteil verstärkte sich im Laufe der Zeit noch. Da die besten Stellen von Weißen besetzt waren, fiel es den Weißen immer leichter zu glauben, dass die Schwarzen tatsächlich minderwertig waren: »Sie sind seit Generationen frei, aber es gibt so gut wie keine schwarzen Professoren, Anwälte, Buchhalter und Ärzte. Ist das nicht ein Beweis, dass sie weniger intelligent und fleißig sind?« Es war ein Teufelskreis im Gange, in dem Schwarze keine Arbeit als Angestellte bekamen, weil sie als dumm galten, und der Beweis für ihre Minderwertigkeit war die Tatsache, dass es so gut wie keine schwarzen Angestellten gab …

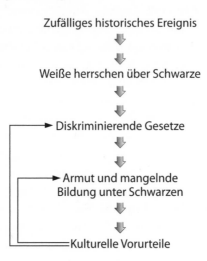

Damit endet der Teufelskreis jedoch noch lange nicht. Aus den zunehmenden Vorurteilen gegen Schwarze entstanden neue Gesetze und Normen, die dem Erhalt der rassistischen Ordnung dienten. Schwarze durften nicht mehr wählen, keine weißen Schulen besuchen, nicht in weißen Geschäften einkaufen und nicht in weißen Hotels übernachten. Die Begründung lief immer darauf hinaus, Schwarze seien schmutzig, faul und gewalttätig, und man müsse die Weißen vor ihnen schützen. Aus Furcht vor Krankheiten wollten Weiße nicht in denselben Betten schlafen und von denselben Tellern essen wie Schwarze. Aus Angst vor der Gewalt und schlechten Einflüssen wollten sie nicht, dass ihre Kinder dieselben Schulen besuchten wie schwarze Kinder. Aus Furcht vor der Dummheit der Schwarzen verboten sie ihnen, ihr Wahlrecht auszuüben. Diese Ängste wurden mit pseudowissenschaftlichen Untersuchungen untermauert, die »bewiesen«, dass Schwarze in der Tat weniger intelligent waren, häufiger unter bestimmten Krankheiten litten und eher kriminell wurden. (Dabei übersahen die Wissenschaftler geflissentlich, dass diese »Tatsachen« ein Ergebnis der Rassendiskriminierung waren.)

Mitte des 20. Jahrhunderts war die Rassentrennung in den früheren Südstaaten schärfer als Ende des 19. Jahrhunderts. Als sich der schwarze Student Clennon King im Jahr 1958 an der Universität von Mississippi einschreiben wollte, wurde er in eine psychiatrische Klinik eingewiesen – der Richter urteilte, ein Schwarzer müsse verrückt sein, wenn er glaube, er könne an dieser Universität studieren.

Sexuelle Beziehungen zwischen schwarzen Männern und weißen Frauen provozierten den größten Widerstand. Geschlechtsverkehr zwischen den Rassen wurde zum größten Tabu. Schon der Verdacht auf eine Beziehung war Anlass für Lynchmorde. Der Ku-Klux-Klan (eine rassistische Vereinigung, die es sich zur Aufgabe gemacht hatte, die Überlegenheit der weißen Rasse zu verteidigen) beging zahlreiche solcher Morde. Von seinen Mitgliedern hätten sogar noch die hinduistischen Brahmanen das eine oder andere über Reinheitsgebote lernen können.

Im Laufe der Zeit breiteten sich die rassistischen Vorurteile auf immer neue Bereiche aus. Das Schönheitsideal in den Vereinigten Staaten kannte nur weiße Eigenschaften. Äußere Kennzeichen der Weißen (helle Haut, helles und glattes Haar, eine schmale Nase und so weiter) wurden zu Schönheitssymbolen. Äußere Kennzeichen der Schwarzen (dunkle Haut, schwarzes und krauses Haar, eine flache Nase und so weiter) galten dagegen als hässlich. Diese Wahrnehmungen trugen dazu bei, dass sich die erfundene Hierarchie immer tiefer ins Bewusstsein der Menschen eingrub.

Teufelskreise wie diese können sich über Jahrhunderte und Jahrtausende halten und eine erfundene Hierarchie immer weiter festigen. Die Diskriminierung verschärft sich im Laufe der Zeit oft eher noch. Die Reichen werden reicher, die Armen ärmer. Die Gebildeten werden gebildeter, die Ungebildeten ungebildeter. Wen die Geschichte einmal verfolgt, den verfolgt sie wieder. Und wen sie einmal verwöhnt, den verwöhnt sie weiter.

Die meisten gesellschaftlichen und politischen Hierarchien haben keinerlei logische oder biologische Grundlage – sie haben ihren Ausgangspunkt in einem zufälligen Ereignis und werden durch Mythen untermauert. Deshalb ist es wichtig, sich mit der Geschichte zu beschäftigen. Wenn die Unterscheidung zwischen Schwarzen und Weißen oder Brahmanen und Shudras tatsächlich biologische Ursachen hätte (wenn zum Beispiel die Brahmanen größere Gehirne hätten als die Shudras), dann würde es reichen, Biologie zu studieren, um menschliche Gesellschaften zu verstehen. Doch da die biologischen Unterschiede zwischen verschiedenen Gruppen von *Homo sapiens* zu vernachlässigen sind, bietet die Biologie keine Erklärung für das indische Kastenwesen oder die Rassendiskriminierung in den Vereinigten Staaten. Um diese Phänomene zu verstehen, müssen wir uns die Ereignisse, Umstände und Machtverhältnisse ansehen, die dafür sorgten, dass sich Fantasieprodukte in grausame und sehr reale gesellschaftliche Strukturen verwandelten.

Er und Sie

Im Laufe der Geschichte haben Gesellschaften die unterschiedlichsten Hierarchien erfunden. Die Rasse spielt in den Vereinigten Staaten eine wichtige Rolle, doch für die Muslime des Mittelalters hatte sie so gut wie keine Bedeutung. Die Kaste war im Indien des Mittelalters eine Angelegenheit von Leben und Tod, aber im modernen Europa ist sie nahezu unbekannt. Eine Hierarchie hat dagegen in allen bekannten Gesellschaften eine zentrale Rolle gespielt: die Hierarchie der Geschlechter. In jeder Gesellschaft gibt es Männer und Frauen, und in jeder, aber auch jeder Gesellschaft werden Männer gegenüber Frauen bevorzugt.

Zu den ältesten chinesischen Texten zählen Orakelknochen aus dem 12. Jahrhundert vor unserer Zeitrechnung, die zur Deutung der Zukunft verwendet wurden. Auf einem stand die Frage: »Wird die Geburt von Frau Hao günstig verlaufen?« Die Antwort lautete: »Wird das Kind an einem *ding*-Tag geboren, verläuft sie günstig. Wird das Kind an einem *geng*-Tag geboren, äußerst vielversprechend.« Das Kind kam jedoch an einem *jiayin*-Tag zur Welt. Der Text endet mit der unwirschen Bemerkung: »Das Kind kam drei Wochen und einen Tag später, an einem *jiayin*-Tag zur Welt. Ein Unglück. Es war ein Mädchen.«[4] Als die Kommunistische Partei Chinas mehr als dreitausend Jahre später ihre Ein-Kind-Politik verabschiedete, hielten nach wie vor viele Familien die Geburt eines Mädchens für ein Unglück. Es gibt zahlreiche Hinweise, dass Eltern ihr neugeborenes Mädchen töteten, um beim nächsten Versuch vielleicht doch noch einen Jungen zur Welt zu bringen.

In vielen Gesellschaften galten die Frauen einfach als Eigentum der Männer, sei es ihrer Väter, Brüder oder Gatten. Viele Rechtssysteme betrachteten die Vergewaltigung einer Frau als Eigentumsdelikt – das Opfer war nicht etwa die vergewaltigte Frau, sondern ihr männlicher Besitzer. Eine »Strafe« für die Vergewaltigung einer unverheirateten Frau konnte beispielsweise darin bestehen, dass der Täter die Mitgift entrichtete und die Frau damit kaufte. In der Bibel heißt es beispielsweise: »Wenn jemand eine Jungfrau trifft, die nicht verlobt ist, und ergreift sie und wohnt ihr bei und wird dabei betroffen, so soll, der ihr beigewohnt hat, ihrem Vater fünfzig Silberstücke geben und soll sie zur Frau haben, weil er ihr Gewalt angetan hat; er darf sie nicht entlassen sein Leben lang.« (5. Mose 22, 28–29) In den Augen der alten Israeliten war dies eine gerechte Lösung.

Die Vergewaltigung einer Frau, die keinem Mann gehörte, galt dagegen nicht als Vergehen – genau wie es kein Diebstahl ist, auf einer belebten Straße eine verlorene Münze aufzulesen. Wenn der Ehemann seine Frau vergewaltigte, galt dies ebenfalls nicht als Verbrechen. Im Gegenteil, die Vorstellung, dass ein Mann seine Frau vergewaltigen könnte, galt als Widerspruch in sich: Als Ehemann hatte er schließlich die volle Herrschaft über die Sexualität seiner Frau. Die Vorstellung, ein Mann könne seine eigene Frau vergewaltigen, war genauso unlogisch wie die Vorstellung, er habe seinen eigenen Geldbeutel gestohlen. Diese Vorstellung war keineswegs auf den Nahen Osten zur Zeit der Bibel beschränkt. Im Jahr 2006 gab es noch immer 53 Länder, in denen ein Mann nicht für die Vergewaltigung seiner Frau belangt werden konnte. In Deutschland wird der Tatbestand der Vergewaltigung in der Ehe erst seit 1997 anerkannt, in Österreich und der Schweiz sogar erst seit 2006.[5]

*

Ist der Unterschied zwischen Männern und Frauen ein Fantasieprodukt, wie das Kastensystem in Indien oder die Rassentrennung in den Vereinigten Staaten? Oder handelt es sich um einen natürlichen Unterschied? Anders gefragt, gibt es biologische Gründe für die Privilegien, die Männer gegenüber Frauen genießen?

In einigen Fällen spiegeln sich in der kulturellen, juristischen und politischen Ungleichbehandlung von Männern und Frauen tatsächlich vorhandene biologische Unterschiede wider. Die Geburt der Kinder war schon immer Aufgabe der Frau, da Männer nun einmal keine Gebärmutter haben. Aber um diesen harten biologischen Kern herum hat jede Gesellschaft zahlreiche Schichten von kulturellen Vorstellungen und Normen gelegt, die nichts mit der Biologie zu tun haben. Fast alle Eigenschaften, die Gesellschaften »Männern« und »Frauen« zuschreiben, sind angeblich natürlich, aber in Wirklichkeit entbehren sie meist jeder biologischen Grundlage.

Beispielsweise galt im demokratischen Athen des 5. Jahrhunderts vor unserer Zeitrechnung ein Mensch mit einer Gebärmutter nicht als juristische Person und hatte nicht das Recht, an Volksversammlungen teilzunehmen oder Richter zu werden. Von wenigen Ausnahmen abgesehen erhielt so ein Mensch keine gute Schulbildung und konnte weder Philosoph noch Künstler oder Händler werden. Keiner der politischen Führer, Philosophen, Redner und Künstler Athens hatte eine Gebärmutter. Gibt es dafür einen biologischen Grund? Die antiken Athener meinten, ja. Die modernen Athener widersprechen dem. Im modernen Griechenland können Frauen wählen und studieren, ohne dass ihre Gebärmutter sie daran hindern würde. Sie sind zwar in der Politik und in der Wirtschaft nach wie vor unterrepräsentiert, und nur 12 Prozent der Abgeordneten des griechischen Parlaments sind Frauen. Doch es gibt kein Gesetz, das ihnen verbietet, Richterin oder Ministerpräsidentin zu werden.

Viele moderne Griechen sind außerdem der Auffassung, es gehöre zum »Mannsein«, sich nur zu Frauen hingezogen zu fühlen und ausschließlich mit Frauen sexuelle Beziehungen einzugehen. Für sie handelt es sich hierbei nicht um ein kulturelles Vorurteil, sondern um eine naturgegebene Tatsache: Sexuelle Beziehungen zu Angehörigen des anderen Geschlechts sind »natürlich«, und sexuelle Beziehung zu Angehörigen des eigenen Geschlechts sind »widernatürlich«. In Wirklichkeit ist es Mutter Natur allerdings egal, ob sich Männer zu anderen Männern hingezogen fühlen – nur menschliche Mütter, verwurzelt in ihren eigenen Kulturen, regen sich auf, wenn ihr Sohn dem Nachbarsjungen nachsteigt. Mit der Natur hat der mütterliche Wutausbruch allerdings nichts zu tun. Im Laufe der Geschichte gab es viele Kulturen, allen voran das Griechenland der Antike, in denen homosexuelle Beziehungen nicht nur erlaubt waren, sondern als vollkommen natürlich galten. In Homers *Ilias* scheint Thetis jedenfalls keine Einwände gegen die Beziehung ihres Sohnes Achilles zu Patrokles gehabt zu haben. Und Königin Olympias von Makedonien (eine der mächtigsten Frauen der Antike, die angeblich ihren Mann ermorden ließ) hatte offenbar nichts dagegen, als ihr Sohn Alexander der Große seinen Geliebten Hephaestion zum Essen nach Hause brachte.

Aber woher sollen wir wissen, was auf biologischen Tatsachen beruht und was auf bloßen Mythen? Eine gute Faustregel lautet: »Die Biologie erlaubt, die Kultur verbietet.« Die Biologie lässt eine große Bandbreite von Möglichkeiten zu. Die Kultur zwingt ihre Angehörigen dagegen, sich für eine kleine Auswahl dieser Möglichkeiten zu entscheiden. Die Biologie gibt Frauen die Möglichkeit, Kinder zu bekommen – und die Kultur zwingt die Frauen dazu, diese Möglichkeit wahrzunehmen. Die Biologie gibt Männern und Frauen die Möglichkeit, Geschlechtsverkehr mit dem eigenen Geschlecht zu haben – und die Kultur verbietet ihnen, diese Möglichkeit wahrzunehmen.

Die Kultur behauptet gern, sie verbiete »unnatürliche« Dinge. Aber aus biologischer Sicht ist nichts unnatürlich. Alles was möglich ist, ist definitionsgemäß auch natürlich. Eine unnatürliche Verhaltensweise, die den Gesetzen der Natur widerspricht, kann es gar nicht geben, weshalb es völlig sinnlos ist, sie verbieten zu wollen. Keine Kultur hat sich je die Mühe gemacht, Männern die Photosynthese oder Frauen die Fortbewegung mit Überlichtgeschwindigkeit zu verbieten.

In Wirklichkeit stammen unsere Vorstellungen von »natürlich« und »unnatürlich« nämlich nicht aus der Biologie, sondern aus der christlichen Theologie. Für die Theologen bedeutete »natürlich« nichts anderes als »im Einklang mit den Absichten Gottes, der die Natur erschaffen hat«. Christliche Theologen behaupteten, Gott habe den menschlichen Körper geschaffen und jedem Körperteil und Organ eine bestimmte Funktion zugedacht. Solange wir unsere Körperteile und Organe in der von Gott beabsichtigten Weise benutzen, handelt es sich um eine »natürliche« Tätigkeit. Benutzen wir sie aber anders, dann handeln wir »widernatürlich«. Doch die Evolution kennt keine Absicht. Die Organe haben sich nicht mit einem bestimmten Zweck entwickelt, und ihr Gebrauch ändert sich ständig. Kein einziges Organ unseres Körpers wird heute noch so gebraucht wie zur Zeit seiner Entstehung vor Hunderten Millionen Jahren. Organe entwickeln sich, um bestimmte Aufgaben zu übernehmen, doch sobald sie existieren, lassen sie sich zu ganz neuen Zwecken verwenden. Der Mund entstand beispielsweise, weil die ersten Vielzeller eine Möglichkeit benötigten, um ihrem Körper Nahrung zuzuführen. Dazu benutzen wir ihn bis heute, aber nebenbei gebrauchen wir ihn außerdem, um zu küssen und zu sprechen. Sind diese Verwendungszwecke etwa unnatürlich, nur weil unsere wurmartigen Vorfahren vor 600 Millionen Jahren noch nicht daran gedacht haben?

Auch Flügel entstanden nicht von einem Tag auf den anderen in all ihrem aerodynamischen Glanz, sondern entwickelten sich aus Organen, die ursprünglich eine ganz andere Funktion hatten. Einer Theorie zufolge entwickelten sich Insektenflügel vor vielen Millionen Jahren aus Vorstülpungen an den Körpern flugunfähiger Käfer. Der ursprüngliche Zweck dieser Organe bestand darin, die Körperoberfläche zu vergrößern, um mehr Sonnenlicht aufzunehmen und das Insekt zu wärmen. In einem langsamen evolutionären Prozess wurden diese Sonnenkollektoren immer größer und aerodynamischer, da einige Insekten dazu übergingen, sich mit diesen Apparaten nicht nur zu sonnen, sondern damit zu springen, zu gleiten und schließlich zu fliegen. Aus theologischer Sicht könnten wir den Bienen und Mücken von heute vorwerfen, sie handelten widernatürlich, weil sie ihre Flügel zum Fliegen benutzen statt damit nur artig Sonnenlicht aufzunehmen.

Auch Geschlechtsorgane und sexuelle Beziehungen entwickelten sich zunächst ausschließlich zum Zweck der Fortpflanzung, aber irgendwann begannen viele Tiere, sie für eine ganze Reihe sozialer Zwecke zu benutzen, die nichts mit der Fortpflanzung zu tun haben. Schimpansen benutzen sexuelle Beziehungen beispielsweise, um Bündnisse zu festigen, Intimität zu schaffen und Spannung abzubauen. Ist das widernatürlich?

Biologisches und gesellschaftliches Geschlecht

Es hat daher wenig Sinn zu behaupten, dass die natürliche Bestimmung der Frau darin bestehe, Kinder zu bekommen, oder dass Geschlechtsverkehr zwischen Männern unnatürlich sei. Und noch sinnloser wäre es, Männer und Frauen zwingen zu wollen, ihren natürlichen Bestimmungen nachzukommen – können sie denn überhaupt etwas anderes? Die meisten Gesetze, Regeln, Rechte und Pflichten, die Männlichkeit und Weiblichkeit definieren, haben mehr mit der menschlichen Fantasie zu tun als mit der biologischen Wirklichkeit.

Aus biologischer Sicht unterscheiden wir zwischen Menschen männlichen und weiblichen Geschlechts. Ein männlicher *Homo sapiens* hat ein X- und ein Y-Chromosom, eine weibliche Vertreterin der Art hat zwei X-Chromosome. Aber mit den Begriffen »Mann« und »Frau« bezeichnen wir keine biologischen, sondern gesellschaftliche Kategorien. Man könnte jetzt meinen, das sei doch dasselbe, doch die Wirklichkeit ist komplizierter. Ein »Mann« ist eben kein Sapiens mit bestimmten biologischen Eigenschaften wie einem X- und einem Y-Chromosom, Hoden und einer Menge Testosteron im Blut. Ein Mann ist vielmehr ein männlicher Angehöriger einer erfundenen menschlichen Geschlechterordnung. Die Mythen der jeweiligen Gesellschaft weisen ihm bestimmte Rollen zu (zum Beispiel die Teilnahme an der Politik), verleihen ihm Rechte (zum Beispiel das Wahlrecht) und Pflichten (zum Beispiel den Militärdienst). Und eine »Frau« ist kein Sapiens mit zwei X-Chromosomen, einer Gebärmutter und einer Menge Östrogen im Blut. Eine Frau ist vielmehr eine weibliche Angehörige einer erfundenen menschlichen Ordnung. Die Mythen ihrer Gesellschaft weisen ihr einmalige weibliche Rollen zu (zum Beispiel die Kindererziehung) und geben ihr bestimmte Rechte (zum Beispiel Schutz vor Gewalt) und Pflichten (zum Beispiel Gehorsam gegenüber dem Ehemann). Da die Rollen durch Mythen und nicht durch die Biologie bestimmt werden, kann sich die Bedeutung der Begriffe »Männlichkeit« und »Weiblichkeit« von einer Gesellschaft zur anderen ganz erheblich unterscheiden.

Wissenschaftler sprechen daher von »biologischem Geschlecht« und »gesellschaftlichem Geschlecht«. Das biologische Geschlecht unterscheidet zwischen Mann und Frau; es ist objektiv und hat sich im Laufe der Geschichte nicht verändert. Das gesellschaftliche Geschlecht unterscheidet dagegen zwischen männlichen und weiblichen Eigenschaften; diese Eigenschaften sind intersubjektiv und befinden sich in ständigem Wandel. So wurden zum Beispiel von den Frauen im antiken Athen ganz andere Verhaltensweisen, Wünsche, Bekleidungsformen und selbst Körperhaltungen erwartet als von den Frauen im modernen Athen.[6]

Frau = biologisches Geschlecht		Frau = gesellschaftliches Geschlecht	
Antikes Athen	Modernes Athen	Antikes Athen	Modernes Athen
Zwei X-Chromosome	Zwei X-Chromosome	Kein Wahlrecht	Wahlrecht
Gebärmutter	Gebärmutter	Kann nicht Richterin werden	Kann Richterin werden
Keine Hoden	Keine Hoden	Kann keine Ämter bekleiden	Kann Ämter bekleiden
Wenig Testosteron	Wenig Testosteron	Kann Ehemann nicht frei wählen	Kann Ehemann frei wählen
Viel Östrogen	Viel Östrogen	Keine Schulbildung	Schulbildung
Kann Milch produzieren	Kann Milch produzieren	Vor dem Gesetz Eigentum ihres Vaters oder Mannes	Vor dem Gesetz unabhängig
identisch		große Unterschiede	

Das biologische Geschlecht ist Kinderkram, aber das gesellschaftliche Geschlecht ist eine todernste Angelegenheit. Nichts ist einfacher, als biologisch ein Mann zu werden: Man wird mit einem X- und einem Y-Chromosom geboren, und fertig. Eine Frau zu werden, ist nicht schwieriger: Ein Paar von X-Chromosomen reicht vollkommen aus. In der Gesellschaft die Rolle als Mann oder Frau zu erlernen, ist dagegen eine komplizierte und anstrengende Sache. Da die meisten männlichen und weiblichen Eigenschaften nicht angeboren sind, sondern erlernt werden müssen, wird nicht automatisch jeder biologische Mann auch in den Augen der Gesellschaft ein Mann, und nicht jede biologische Frau wird von der Gesellschaft als Frau anerkannt. Daher verbringen Männer ihr ganzes Leben damit, ihre Männlichkeit in endlosen Kämpfen unter Beweis zu stellen. Und Frauen müssen sich und anderen demonstrieren, dass sie weiblich genug sind.

Der Erfolg ist keineswegs garantiert. Vor allem Männer müssen immer um ihre Männlichkeit fürchten. Seit urdenklichen Zeiten sind sie bereit, sogar ihr Leben aufs Spiel zu setzen, nur damit andere sagen: »Das ist ein echter Mann!«

Was ist denn so Besonderes an Männern?

Spätestens seit der landwirtschaftlichen Revolution haben menschliche Gesellschaften Männern einen höheren Stellenwert beigemessen als Frauen. Egal wie sie »Mann« und »Frau« im Einzelnen definierten – es war immer besser, ein Mann zu sein. Das meinen Wissenschaftler, wenn sie von »patriarchalen Gesellschaften« oder dem »Patriarchat« sprechen.

Ein Patriarchat ist eine Gesellschaft, die männliche Eigenschaften höher schätzt als weibliche. Sie bringt Männern bei, männlich zu denken und zu handeln, und sie bringt Frauen bei, weiblich zu denken und zu handeln. Wer die Grenzen zwischen den Geschlechtern nicht respektiert, wird bestraft. Doch wer sich an die Regeln hält, wird nicht unbedingt belohnt. Menschen, die das Weiblichkeitsideal erfüllen, stehen in der Regel unter Menschen, die das Männlichkeitsideal erfüllen. Die Gesellschaft investiert weniger Ressourcen in ihre Gesundheit und Bildung und spricht ihnen weniger wirtschaftliche Möglichkeiten, weniger politische Macht und weniger Bewegungsfreiheit zu. Es ist ein Wettlauf, in dem einige der Teilnehmer nur um die Bronzemedaille laufen.

15. Männlichkeit im 18. Jahrhundert. Ein offizielles Porträt von König Ludwig XIV. von Frankreich. Beachten Sie die Kombination aus Perücke, Strumpfhose, hohen Absätzen und Schwert. Mit seiner Pose und seiner koketten Beinhaltung erinnert er einen modernen Betrachter an einen Balletttänzer, doch für die europäische Elite der Zeit galt der Sonnenkönig als Inbegriff der Männlichkeit.

16: Männlichkeit im 21. Jahrhundert. Ein offizielles Porträt von Barack Obama, Präsident der Vereinigten Staaten. Wo sind die Perücke, die Strumpfhose, die hohen Absätze und das Schwert geblieben? Nie sahen mächtige Männer so öde und grau aus wie heute. In der Geschichte der Menschheit traten die Herrscher meist in farbenprächtiger und extravaganter Kleidung auf, die Aztekenkönige trugen riesige Federkronen, die indischen Maharajas hüllten sich in Seide und behängten sich mit Diamanten. Auch in der Tierwelt sind die Männchen tendenziell auffälliger als die Weibchen – ein gutes Beispiel sind die Pfauen.

Hier und da begegnen wir zwar Frauen, die es in die Alpha-Position geschafft haben – Königin Elizabeth I. von England zum Beispiel, die chinesische Kaiserin Wu Zetian im 7. Jahrhundert oder die ägyptische Pharaonin Hatschepsut (ca. 1500 v. u. Z.). Doch das sind nur die Ausnahmen, die die Regel bestätigten. Während der 45-jährigen Herrschaft von Elizabeth I. waren alle Abgeordneten des Parlaments Männer; alle Offiziere der Armee und der Marine waren Männer; alle Richter und Anwälte waren Männer; alle Bischöfe und Erzbischöfe waren Männer; alle Theologen und Priester waren Männer; alle Ärzte und Chirurgen waren Männer; alle Studenten und Professoren aller Universitäten und Colleges waren Männer; alle Bürgermeister und Polizeikräfte waren Männer; und fast alle Schriftsteller, Architekten, Dichter, Philosophen, Maler, Musiker und Wissenschaftler waren Männer.

Das Patriarchat war in fast allen landwirtschaftlichen und industrialisierten Gesellschaften die Regel. Durch alle politischen Stürme, gesellschaftlichen Revolutionen und wirtschaftlichen Umwälzungen hat es sich hartnäckig gehalten. Ägypten wurde beispielsweise im Laufe der Jahrhunderte immer wieder erobert. Das Land am Nil wurde von Assyrern, Persern, Makedoniern, Römern, Arabern, Mameluken, Türken und Briten besetzt, doch die Gesellschaft blieb immer patriarchal. In Ägypten galten die Gesetze der Pharaonen, der Griechen, der Römer, der Muslime, der Ottomanen und der Briten, doch sie alle benachteiligten Menschen, die keine »echten Männer« waren.

Da das Patriarchat derart universell ist, kann es nicht das Ergebnis eines Teufelskreises sein, der irgendwann mit einer zufälligen Begebenheit in Gang kam. Es ist zum Beispiel auffällig, dass schon vor dem Jahr 1492 die meisten Gesellschaften sowohl auf dem amerikanischen Doppelkontinent als auch in Afrika, Europa und Asien patriarchal waren, obwohl die »Neue Welt« Jahrtausende lang keinen Kontakt zum Rest der Welt hatte. Wenn das Patriarchat in der »Alten Welt« aus einem zufälligen Ereignis resultierte, warum waren dann auch die Azteken und Inkas patriarchal? Obwohl jede Kultur Männer und Frauen anders definiert, ist daher anzunehmen, dass es auch biologische Gründe gibt, warum fast alle Kulturen der Männlichkeit gegenüber der Weiblichkeit den Vorzug geben. Was diese Gründe sein könnten, wissen wir nicht; es gibt zwar viele Theorien, doch keine ist völlig schlüssig.

Muskelkraft

Die gängigste Theorie behauptet, Männer seien körperlich stärker als Frauen und hätten die Frauen mit schierer Muskelkraft unterdrückt. Eine etwas subtilere Variante besagt, Männer hätten körperlich anspruchsvolle Aufgaben wie Pflügen und Ernten an sich gerissen, und mit der Kontrolle über die Nahrungsmittelproduktion hätten sie die politische Macht gewonnen.

Diese Theorie hat zwei entscheidende Schwächen. Erstens trifft die Aussage »Männer sind stärker als Frauen« nur auf den Durchschnitt zu und bezieht sich nur auf bestimmten Arten der Stärke. Im Allgemeinen sind Frauen nämlich widerstandsfähiger gegen Hunger, Krankheit und Erschöpfung als Männer. Es gibt auch viele Frauen, die schneller laufen und schwerere Lasten tragen können als Männer. In der Vergangenheit wurden Frauen eher von geistigen Tätigkeiten ausgeschlossen (zum Beispiel Priesterschaft, Recht und Politik) und übernahmen körperlich anstrengende Tätigkeiten in Landwirtschaft, Industrie und Haushalt. Wenn die gesellschaftliche Macht nach der körperlichen Kraft und Ausdauer vergeben worden wäre, dann hätten Frauen ein größeres Stück vom Kuchen abbekommen.

Aber das entscheidendere Gegenargument ist, dass in menschlichen Gesellschaften kein Zusammenhang zwischen Körperkraft und Macht besteht. In der Regel herrschen 60-Jährige über 20-Jährige, obwohl die Jüngeren deutlich stärker sind. Ein amerikanischer Plantagenbesitzer wäre von jedem seiner Sklaven, die auf seinen

Baumwollfeldern arbeiteten, mühelos überwältig worden. Ägyptische Pharaonen oder katholische Päpste werden nicht im Boxkampf ausgewählt. Gruppen von Jägern und Sammlern wurden von den Männern mit der größten Sozialkompetenz geführt, und nicht von Muskelprotzen. Selbst in Verbrechersyndikaten ist der Boss nicht unbedingt der Stärkste: Es ist oft ein älterer Mann, der sich selten die Hände schmutzig macht und die Drecksarbeit von jüngeren und kräftigeren Männern erledigen lässt. Wer glaubt, zum Mafiaboss aufsteigen zu können, indem er alle anderen aus dem Weg räumt, der lebt nicht lange genug, um seinen Irrtum zu erkennen. Sogar bei Schimpansen gewinnt das Alphamännchen seine Position, indem es stabile Bündnisse mit anderen Männchen und Weibchen eingeht, und nicht durch hirnlose Gewalt.

In Wirklichkeit stand in der Geschichte der Menschheit die Körperkraft oft im indirekten Verhältnis zur gesellschaftlichen Macht. In den meisten Gesellschaften ist die harte körperliche Arbeit das Vorrecht der unteren Schichten. Bergarbeiter, Soldaten, Hausfrauen, Sklaven oder Reinigungskräfte wenden mehr Muskelkraft auf als Könige, Hohepriester, Vorstandsvorsitzende, Richter oder Generäle. Das ist ein gutes Spiegelbild der Stellung des *Homo sapiens* in der Nahrungskette. Wenn es nach der Muskelkraft ginge, müsste sich der Mensch irgendwo in der Mitte befinden. Dank seiner Intelligenz und Sozialkompetenz hat er sich jedoch an die Spitze gesetzt. Es ist daher nur logisch, dass auch innerhalb der Art die Stellung von der Intelligenz und Sozialkompetenz abhängt und nicht von der schieren Muskelkraft. Auch wenn Männer den Frauen körperlich in gewisser Hinsicht überlegen sind, ist es daher kaum glaubhaft, dass eine der wichtigsten und dauerhaftesten Hierarchien der Geschichte allein auf der körperlichen Überlegenheit beruhen soll.

Der Abschaum der Erde

Eine weitere Theorie behauptet, die Männer hätten ihre Vorherrschaft weniger ihrer Muskelkraft als ihrer Aggression zu verdanken. In einer Jahrmillionen langen Evolution seien Männer deutlich
gewalttätiger geworden als Frauen. Frauen stünden Männern zwar
an Hass, Gier und Missbrauch in nichts nach, aber wenn es hart
auf hart gehe, seien Männer eher bereit, zu körperlicher Gewalt zu
greifen. Daher sei der Krieg auch immer die Domäne der Männer.

In Kriegszeiten schwangen sich Männer mit ihren Waffen auch zu
Herrschern über die Zivilgesellschaft auf. Diese Herrschaft nutzten
sie dann, um immer neue Kriege vom Zaun zu brechen, und je mehr
Kriege es gab, umso unerschütterlicher sei ihre Herrschaft über die
Gesellschaft geworden. Damit sei ein weiterer Teufelskreis entstan-
den, und dieser erkläre die Allgegenwart von Krieg und Patriarchat.

Neuere Hormon- und Gehirnuntersuchungen bestätigen die
Vermutung, dass Männer von Natur aus eher zu Aggression und
Gewalt neigen als Frauen, und daher eher zu Soldaten taugen. Aber
selbst wenn alle Fußsoldaten Männer sind, bedeutet das dann, dass
es unbedingt Männer sein müssen, die Kriege lenken und in den
Genuss der Beute kommen? Natürlich nicht. Das wäre so, als würde
man annehmen, nur weil die Sklaven auf den Feldern schwarz sind,
müssten auch die Plantagenbesitzer schwarz sein. Genau wie eine
ausschließlich schwarze Arbeiterschaft von ausschließlich weißen
Eigentümern kontrolliert wird, könnte doch auch eine ausschließlich
männliche Armee von einer ausschließlich oder zumindest teilweise
weiblichen Regierung befehligt werden, oder? Schließlich waren in
zahlreichen Gesellschaften die gemeinen Fußsoldaten durch einen
unüberwindlichen Graben von den Offizieren getrennt, und es wäre
vollkommen undenkbar gewesen, dass ein General oder Minister
seine Laufbahn als gewöhnlicher Gefreiter begonnen hätte. Adelige,
Reiche und Gebildete wurden automatisch zu Offizieren und dienten nicht einen einzigen Tag als Fußsoldaten.

Der Duke of Wellington, der große Gegenspieler Napoleons, trat zum Beispiel im Alter von 18 Jahren in die Armee ein und erhielt sofort das Offizierspatent. Von den Soldaten unter seinem Kommando hielt er nicht allzu viel: In einem Brief an einen adeligen Offizierskollegen bezeichnete er sie als »Abschaum der Erde«. Diese gewöhnlichen Gefreiten stammten aus den ärmsten Schichten oder aus ethnischen Minderheiten; in Großbritannien zum Beispiel waren das die katholischen Iren. Die Wahrscheinlichkeit, dass sie sich durch die Ränge nach oben dienten, war gleich null. Die Offiziersränge waren nämlich für Herzöge, Prinzen und Könige reserviert. Aber warum nur für Herzöge, und nicht für Herzoginnen?

Das Französische Kolonialreich in Afrika wurde mit dem Blut und Schweiß von Senegalesen, Algeriern und französischen Arbeitern erobert. Der Anteil der Adeligen unter den Soldaten war zu vernachlässigen. In der kleinen Elite, die die Armee führte, das Weltreich lenkte und dessen Früchte genoss, war der Anteil der adeligen Franzosen dagegen sehr hoch. Aber warum nur Franzosen und keine Französinnen?

In China unterstand die Armee lange der zivilen Bürokratie, und die Kriege wurden von Beamten geführt, die nie ein Schwert in der Hand gehalten hatten. »Man verschwendet kein gutes Eisen, um Nägel zu machen«, lautet ein chinesisches Sprichwort: Menschen mit Talent gehören in die Bürokratie, nicht in die Armee. Aber warum waren diese Beamten ausschließlich Männer?

Man könnte schlecht behaupten, Frauen seien von ihrer körperlichen Schwäche und ihrem niedrigen Testosteronspiegel daran gehindert worden, erfolgreiche Beamten, Generäle oder Politiker zu werden. Um einen Krieg zu führen, benötigt man Ausdauer, aber keine Körperkraft oder Aggressivität. Kriege sind keine Kneipenschlägereien. Es handelt sich um komplexe Projekte, die ein hohes Maß an Organisation, Zusammenarbeit und Kompromissfähigkeit erfordern. Die Fähigkeit, zu Hause den Frieden zu wahren, im Ausland Verbündete zu suchen und zu verstehen, was in den Köpfen anderer Menschen (vor allem der Feinde) vorgeht, sind entscheidende Schlüssel zum Erfolg. Daher ist der aggressive Muskelprotz als Kriegsherr oft die allerschlechteste Wahl. Ein Mensch, der mit anderen zusammenarbeiten, der sie beschwichtigen und manipulieren kann und der in der Lage ist, Dinge aus unterschiedlichen Perspektiven zu sehen, ist deutlich besser geeignet. Aus diesem Stoff sind die Gründer von Imperien gemacht. Augustus war zwar militärisch unfähig, doch ihm gelang es, ein stabiles Imperium zu errichten, während Julius Caesar und Alexander der Große scheiterten. Diese Leistung wird ausgerechnet seiner Tugend der *clementia* zugeschrieben, seiner Milde.

Es heißt immer, Frauen hätten bei der Manipulation und Beschwichtigung anderer größeres Talent als Männer, und sie könnten sich besonders gut in die Perspektive anderer hineinversetzen. Wenn dem so wäre, müssten sie hervorragende Diplomaten und Reichsgründer sein, die die Drecksarbeit auf dem Schlachtfeld den testosterongesteuerten und einfach gestrickten Machos überlassen. Obwohl diese Frauengestalten in der Literatur immer wieder auftauchen, waren sie im wirklichen Leben selten. Warum das so ist, ist gar nicht so einfach zu erklären.

Patriarchale Gene

Biologische Theorien über die Entstehung des Patriarchats lassen vermuten, dass Männer und Frauen in ihrer Jahrmillionen langen Evolution unterschiedliche Überlebensstrategien entwickelten. Da Männer miteinander konkurrierten, um fortpflanzungsfähige Frauen schwängern und ihre Gene weitergeben zu können, mussten sie ihre Konkurrenten aus dem Feld schlagen. Auf diese Weise wurden die Gene der ehrgeizigsten, aggressivsten und konkurrenzfähigsten Männer an die nächste Generation weitergegeben.

Eine Frau hatte dagegen keine Schwierigkeiten, einen fortpflanzungsfähigen Mann zu finden, der bereit war, sie zu schwängern. Wenn sie ihre Gene an die nächste und übernächste Generation weitergeben wollte, musste sie ihre Kinder neun lange Monate austragen und über Jahre hinweg großziehen. In dieser Zeit hatte sie weniger Gelegenheit, Nahrung zu suchen, und war auf die Unterstützung anderer angewiesen. Mit anderen Worten brauchte sie einen Mann. Um ihr Überleben und das ihrer Kinder zu sichern, blieb ihr kaum etwas anderes übrig, als den Bedingungen zuzustimmen, die dieser Mann stellte, um bei ihr zu bleiben und einen Teil der Verantwortung zu schultern. Auf diese Weise wurden vor allem die Gene der fügsamsten und fürsorglichsten Frauen an die nächste Generation weitergegeben. Das Resultat dieser unterschiedlichen Überlebensstrategien war, dass Männer das aggressive Konkurrenzverhalten entwickelten, mit dem sie in Politik und Wirtschaft erfolgreich sind, während Frauen dazu neigen, Platz zu machen und ihre Energie darauf verwenden, den Erfolg ihrer Männer und Söhne zu unterstützen.

Auch diese Theorie hat ihre Schwächen. Besonders problematisch ist die Annahme, dass Frauen in ihrer Abhängigkeit auf die Unterstützung der Männer angewiesen waren und nicht auf andere Frauen, und dass die Männer aufgrund ihres Konkurrenzverhaltens eine gesellschaftliche Überlegenheit erlangten. Bei vielen Tierarten, zum Beispiel den Elefanten oder Bonobos, führt die Konstellation »abhängige Weibchen« und »konkurrierende Männchen« nämlich zu *matriarchalen* Gesellschaften. Da die Weibchen nicht allein überleben können, müssen sie ihre Sozialkompetenz entwickeln und lernen, mit anderen zu kooperieren und Kompromisse zu schließen. Dazu schaffen sie ausschließlich weibliche Netzwerke, deren Angehörige sich gegenseitig bei der Aufzucht des Nachwuchses unterstützen. Die Männchen verbringen inzwischen ihre Zeit mit Kämpfen. Ihre Sozialkompetenz bleibt unterentwickelt, ihre sozialen Bande sind schwach. Die Gesellschaften von Bonobos und Elefanten werden von starken Netzwerken kooperativer Weibchen beherrscht, während die egoistischen und unkooperativen Männchen an den Rand gedrängt werden. Die Weibchen sind zwar meist schwächer als die Männchen, doch sie verbünden sich gegen männliche Artgenossen, die über die Stränge schlagen.

Wenn dies bei Elefanten und Bonobos passierte, warum dann nicht auch beim *Homo sapiens*? Menschen sind relativ schwache Tiere, deren Stärke vor allem darin besteht, dass sie in großen Gruppen kommunizieren und kooperieren können. Umso mehr sollte man meinen, dass die »abhängigen« Frauen mit ihrer überlegenen Sozialkompetenz und ihrer Notwendigkeit zur Kooperation die aggressiven, autonomen und egoistischen Männer leicht ausbooten und manipulieren könnten.

Wie kam es, dass in einer Art, deren Erfolg vor allem von der Kooperation abhängt, eine vermeintlich kooperativere Gruppe, nämlich die Frauen, von einer vermeintlich weniger kooperativen Gruppe, nämlichen den Männern, beherrscht wird? Das ist die große Frage in der Geschichte der Geschlechter, und auf sie haben wir bislang keine überzeugende Antwort. Vielleicht ist ja schon die Grundannahme falsch. Könnte es sein, dass sich die männlichen Angehörigen der *Homo sapiens* gerade nicht durch überlegene Körperkraft, Aggressivität und Konkurrenzfähigkeit auszeichnen, sondern durch überlegene Sozialkompetenz und größere Kooperationsbereitschaft? Auf diese Fragen haben wir keine Antwort.

TEIL 3

DIE VEREINIGUNG DER MENSCHHEIT

17. Pilger umrunden die Kaaba in Mekka. Schon im Mittelalter konnten sich hier Pilger aus Schwarzafrika, dem Balkan, Indien, Zentralasien und Indonesien die Hand geben.

Kapitel 9

Der Pfeil der Geschichte

Nach der landwirtschaftlichen Revolution wurden die menschlichen Gesellschaften immer größer und komplexer, und die erfundenen Ordnungen, die diese Gesellschaften zusammenhielten, wurden immer raffinierter. Mythen und Märchen programmierten die Menschen darauf, fast von Geburt an auf eine bestimmte Weise zu denken und zu handeln, bestimmte Dinge zu wollen und bestimmte Regeln zu befolgen. Damit schufen sie »künstliche Instinkte«, mit deren Hilfe Millionen von Menschen effektiv zusammenarbeiten konnten. Dieses Netz der künstlichen Instinkte nennen wir »Kultur«. Ägypter zu sein bedeutete, automatisch wie ein Ägypter zu gehen, zu stehen, zu sitzen, zu sprechen und zu denken.

Während der ersten Hälfte des 20. Jahrhunderts war die Annahme verbreitet, jede Kultur sei für sich genommen perfekt. Man meinte, jede Kultur habe ein in sich stimmiges Weltbild und ein System gesellschaftlicher, juristischer und politischer Regeln, die so reibungslos ineinandergreifen wie die Zahnräder eines riesigen Uhrwerks. Kulturen besäßen ein unveränderliches Wesen, und ohne Einfluss von außen konnten sie bis in alle Ewigkeit nach demselben Muster funktionieren. Man sprach daher von der »samoischen Kultur« oder der »tasmanischen Kultur«, als ob die Samoer und Tasmanier seit urdenklichen Zeiten dieselben Vorstellungen, Normen und Werte gehabt hätten.

Heute geht man allgemein vom genauen Gegenteil aus. Jede Kultur hat zwar ihre eigenen Vorstellungen, Normen und Werte, doch die Kulturen befinden sich dauernd im Fluss. Die Veränderungen werden nicht nur durch Umwelteinflüsse oder die Begegnung mit Nachbarkulturen verursacht, sondern auch durch die innere Dynamik der Kultur selbst. Auch eine isolierte Kultur in einer stabilen Umwelt kann gar nicht umhin, sich dauernd zu verändern. Anders als die Naturgesetze, die in sich stimmig sind, ist nämlich jede menschliche Ordnung voller Widersprüche. Die Kulturen versuchen fortwährend, diese Widersprüche zu beseitigen, und dies führt zu immer neuen Veränderungen.

Im Europa des Mittelalters glaubten die Adeligen beispielsweise sowohl an das Christentum als auch an die Ritterlichkeit. Ein typischer Adeliger ging morgens in die Kirche und lauschte ehrfürchtig der Predigt des Priesters. »Eitelkeit der Eitelkeiten«, erklärt der Mann auf der Kanzel. »Alles ist eitel. Reichtum, Lust und Ehre sind gefährliche Versuchungen. Du musst sie zurücklassen und auf Jesu Spuren wandeln. Übe dich in Demut wie er, meide Gewalt und allen Luxus, und wenn dich einer auf die rechte Wange schlägt, dann halt ihm auch die linke hin.« Nachdenklich geht unser Adeliger nach Hause, legt seine besten Seidengewänder an und begibt sich zum Bankett auf der Burg seines Herrn. Dort fließt der Wein in Strömen, der Bänkelsänger singt von Lancelot und Guinevere und die Gäste geben schmutzige Witze und blutige Anekdoten aus dem Krieg zum Besten. »Es ist besser zu sterben als in Schande zu leben«, verkündet der Baron. »Wenn jemand deine Ehre beschmutzt, kann dies nur mit Blut abgewaschen werden. Nichts ist besser, als die Feinde in die Flucht zu schlagen, während ihre schönen Töchter zitternd zu deinen Füßen liegen.«

Dieser Widerspruch ließ sich nie auflösen. Doch die dauernden Versuche von Adeligen, Priestern und Gläubigen, ihn zu beseitigen, bewirkten unaufhörliche Veränderungen. Die Kreuzfahrerbewegung war beispielsweise einer der Versuche, diesen Gegensatz zu überwinden. Auf dem Kreuzzug konnten die Ritter auf einen Streich ihren Heldenmut *und* ihre Frömmigkeit unter Beweis stellen. Dieser Widerspruch brachte Ritterorden wie die Templer und die

Johanniter hervor, die eine noch stärkere Synthese aus Christen- und Rittertum herstellen wollten. Er steckt hinter einem Gutteil der mittelalterlichen Kunst und kommt in zahllosen Ritterromanen (zum Beispiel den Epen um König Artus und den Heiligen Gral) zum Ausdruck, deren Handlung um die Frage kreist: »Kann ein guter Ritter auch ein guter Christ sein? Und kann nur ein guter Christ auch ein guter Ritter sein?«

Ein anderes Beispiel ist die moderne politische Ordnung. Seit der Französischen Revolution begreifen die meisten Menschen im Westen Freiheit und Gleichheit als grundlegende Werte. Doch diese beiden Werte stehen im Widerspruch zueinander. Gleichheit lässt sich nur erreichen, wenn die Freiheit der Bessergestellten beschnitten wird. Und wenn jeder unbegrenzte Freiheit hat, dann geht das auf Kosten der Gleichheit. Die gesamte politische Geschichte seit 1789 lässt sich als der Versuch verstehen, diesen Widerspruch aufzulösen. Wer je einen Roman von Charles Dickens gelesen hat, der weiß, dass die liberalen europäischen Staaten des 19. Jahrhunderts die Freiheit in den Vordergrund stellten, auch wenn das bedeutete, dass Arme eingesperrt wurden und Waisen sich als Taschendiebe verdingen mussten. Und wer je einen Roman von Alexander Solschenitzyn gelesen hat, der hat erfahren, dass die Gleichheit des Kommunismus eine grausame Tyrannei hervorbrachte, die jeden Aspekt des Lebens kontrollieren wollte. Der Sozialstaat versucht, einen Mittelweg zu gehen, weshalb er von allen Seiten kritisiert wird.

So wie es der mittelalterlichen Kultur nie gelang, Rittertum und Christentum unter einen Hut zu bekommen, so schafft es die moderne Welt nicht, Freiheit und Gleichheit zu vereinbaren. Das ist jedoch kein Defekt der mittelalterlichen oder der modernen Kultur. Im Gegenteil, Widersprüche sind unvermeidlicher Teil jeder menschlichen Kultur. Mehr noch, sie sind der Motor der Geschichte und machen unsere Art so kreativ und dynamisch, wie sie ist.

Ungereimtheiten, Spannungen und Konflikte machen die Würze jeder Kultur aus. Deshalb vertritt jeder Angehörige einer bestimmten Kultur unweigerlich Vorstellungen und Werte, die einander widersprechen oder sich gegenseitig ausschließen. Dieses Phänomen ist so verbreitet, dass es sogar seinen eigenen Namen hat: die kognitive Dissonanz. Unter diesem Begriff stellen sich manche Menschen eine psychische Störung vor, doch in Wirklichkeit handelt es sich um eine überlebenswichtige Angelegenheit. Wenn wir nicht in der Lage wären, gleichzeitig völlig unvereinbare Vorstellungen und Werte zu vertreten, wäre unsere gesellschaftliche Ordnung längst zusammengebrochen.

Wenn Sie zum Beispiel die Muslime verstehen wollen, die sich jeden Freitag in der Moschee in Ihrem Stadtteil zum Gebet versammeln, dann sollten Sie nicht nach einem perfekten System von Werten suchen, die allen Muslimen lieb und teuer sind. Suchen Sie lieber nach Konflikten und Widersprüchen, mit denen sich die Muslime dauernd herumschlagen und die niemand lösen kann. Eine Frage, auf die kein Muslim eine Antwort hat, ist ein Schlüssel zum Verständnis seiner Kultur.

Der Spionagesatellit

Menschliche Kulturen befinden sich ständig im Fluss. Aber sind die Veränderungen willkürlich, oder folgen sie einem übergreifenden Muster? Oder anders gefragt: Hat die Geschichte ein Ziel?

Das hat sie in der Tat. Wenn wir die Entwicklung über die Jahrtausende und Kontinente hinweg betrachten, stellen wir fest, dass kleine, einfache Kulturen zu immer größeren und komplexeren Kulturen verschmelzen. Mit jedem Jahrtausend gibt es immer weniger Kulturen, und die verbleibenden werden immer größer und komplexer.

Das ist natürlich eine sehr grobe Verallgemeinerung und trifft zu, wenn wir in ganz großen Bögen denken. Über kürzere Zeiträume betrachtet, entsteht der Eindruck, dass für jede Gruppe von Kulturen, die zu einer Megakultur verschmilzt, anderswo eine Megakultur in die Brüche geht. Das Reich der Mongolen dehnte sich aus, bis die Mongolen große Teile Asiens und Osteuropas beherrschten, nur um schließlich zu zerbrechen. Das Christentum bekehrte Hunderte Millionen von Menschen und zerfiel gleichzeitig in zahllose Sekten. Die lateinische Sprache breitete sich in ganz West- und Mitteleuropa aus und brachte schließlich eine ganze Familie von unterschiedlichen Sprachen hervor.

Ob wir ein Ziel der Geschichte erkennen oder nicht, hängt von der Perspektive ab. Wenn wir die Geschichte aus der Höhe einer Regenwolke betrachten und nur ein paar Jahrhunderte weit zurückblicken, ist es schwer zu beurteilen, ob sie auf Einheit oder Vielfalt zusteuert. Aber wenn wir die Wolken unter uns zurücklassen, aus der Sicht eines Spionagesatelliten auf die Geschichte schauen und ganze Jahrtausende überblicken, dann ist glasklar, dass sich die Geschichte unaufhaltsam in Richtung Einheit entwickelt. Die Aufspaltung des Christentums oder der Zusammenbruch des Mongolenreichs waren nichts als Bremsschwellen auf der Autobahn der Geschichte.

*

Die allgemeine Stoßrichtung der Geschichte lässt sich am besten an der Anzahl der verschiedenen Welten ablesen, die zu einem beliebigen Zeitpunkt gleichzeitig nebeneinander existierten. Wir haben uns daran gewöhnt, die Welt als Einheit zu betrachten, doch in der Vergangenheit bestand die Erde aus einer wahren Galaxie von isolierten menschlichen Welten.

Nehmen wir beispielsweise Tasmanien. Diese Insel im Süden Australiens wurde vor rund 12 000 Jahren vom Festland getrennt, als die Eiszeit zu Ende ging und die Meeresspiegel anstiegen. Einige Tausend Jäger und Sammler blieben auf der Insel zurück und hatten bis zur Ankunft der europäischen Siedler Anfang des 19. Jahrhunderts keinerlei Kontakt zur Außenwelt. Über 10 000 Jahre hinweg lebten sie in völliger Isolation. Niemand wusste von ihrer Existenz, und sie wussten nichts vom Rest der Welt. Sie durchlebten ihre eigenen politischen Auseinandersetzungen, gesellschaftlichen Veränderungen und kulturellen Entwicklungen. Aber für die Kaiser von China oder die Könige von Mesopotamien hätten die Tasmanier genauso gut auf einem anderen Stern leben können. Die Tasmanier lebten in einer eigenen Welt.

Auch Amerika und Europa waren lange Zeit eigene Welten. Im Jahr 378 wurde der römische Kaiser Flavius Valens in der Schlacht von Adrianopel von den Goten besiegt und getötet. Im selben Jahr wurde König Chak Tok Ich'aak von Tikal von einer Armee aus Teotihuacan besiegt und getötet. (Tikal war ein wichtiger Stadtstaat der Mayas im heutigen Guatemala, und Teotihuacan war die größte Stadt des amerikanischen Doppelkontinents, die mit 250 000 Einwohnern etwa auf einer Stufe mit dem damaligen Rom stand.) Es gab keinerlei Verbindung zwischen der Niederlage Roms und dem Aufstieg Teotihuacans. Rom hätte sich genauso gut auf dem Mars befinden können und Teotihuacan auf der Venus.

Wie viele menschliche Welten gab es auf der Erde? Vor 12 000 Jahren gab es vermutlich Zehntausende. Bis zum Jahr 2000 vor unserer Zeitrechnung war diese Zahl auf einige Hundert, höchstens wenige Tausend geschrumpft. Bis zum Jahr 1450 war die Zahl noch dramatischer geschrumpft. Damals, kurz vor Beginn der europäischen Erkundungsfahrten, gab es auf der Erde zwar noch einige Zwergwelten wie die von Tasmanien. Doch knapp 90 Prozent aller Menschen lebten in einer einzigen Mega-Welt: der afro-eurasischen Welt. Die drei Kontinente Europa, Asien und Afrika (einschließlich Schwarzafrika) waren durch kulturelle, politische und wirtschaftliche Bande weitgehend miteinander verbunden. Der gemeinsame kulturelle Topf wurde beispielsweise durch religiöse Pilgerfahrten immer wieder aufgerührt. Ein muslimischer Pilger, der im Tal des Niger in Westafrika zur Hadsch aufbrach, konnte in Mekka Gläubigen aus Ostafrika, dem Balkan, Zentralasien, Indonesien und sogar aus China begegnen.

Die übrigen 10 Prozent der Menschheit verteilten sich vor allem auf vier Welten von beachtlicher Größe und Bedeutung:

1. Die mesoamerikanische Welt, die von Zentralamerika bis Nordmexiko reichte.

2. Die Andenwelt entlang der Westküste von Südamerika.

3. Die australische Welt auf dem Kontinent Australien.

4. Die ozeanische Welt, zu der die Inseln des Südwestpazifik von Hawaii nach Neuseeland gehörten.

In den folgenden drei Jahrhunderten verleibte sich der afro-eurasische Gigant die übrigen Welten ein. Mesoamerika wurde im Jahr 1521 geschluckt, als die Spanier das Aztekenreich eroberten. Die Ein-

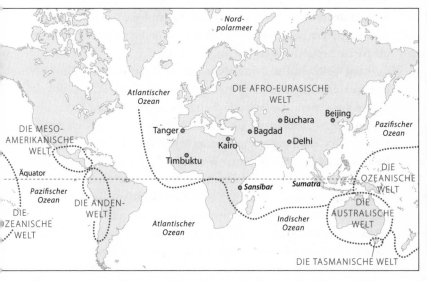

Karte 3. Die Erde im Jahr 1450. Bei den benannten Orten in der afro-eurasischen Welt handelt es sich um Städte, die der muslimische Reisende Ibn Battuta im 14. Jahrhundert bereist hatte. Ibn Battuta stammte aus Tanger in Marokko und besuchte Timbuktu, Sansibar, den Süden Russlands, Zentralasien, Indien, China und Indonesien. Seine Reisen illustrieren die Einheit Afro-Eurasiens zu Beginn der Neuzeit.

gemeindung der Ozeanischen Welt begann etwa zur selben Zeit mit der Erdumseglung durch Ferdinand Magellan. Die Andenwelt brach 1532 zusammen, als die spanischen Conquistadores das Inkareich zerstörten. Die australische Welt verschwand im Jahr 1788, als die Briten mit der Besiedlung des Kontinents begannen. Und Tasmanien wurde schließlich 1803 mit der Errichtung der ersten britischen Kolonie auf der Insel geschluckt.

Der afro-eurasische Riese benötigte einige Jahrhunderte, um diese Welten zu verdauen, doch der Prozess war nicht wieder rückgängig zu machen. Heute leben alle Menschen unter demselben politischen System (der gesamte Planet ist in international anerkannte Nationalstaaten aufgeteilt), demselben wirtschaftlichen System (die Kräfte des Marktes erfassen selbst die entlegensten Winkel des Planeten) und demselben Rechtssystem (zumindest theoretisch gelten überall die Menschenrechte und das Völkerrecht).

Diese Weltkultur ist keineswegs homogen. Genau wie ein Körper verschiedene Organe und Zelltypen hat, so setzt sich unsere globale Kultur aus vielen unterschiedlichen Lebensformen und Menschen zusammen, von Börsenmaklern der Wall Street bis zu afghanischen Hirten. Trotzdem stehen sie alle in enger Verbindung und beeinflussen einander auf vielfältige Weise. Auch wenn sie streiten und kämpfen, gehen sie von denselben Vorstellungen aus und benutzen dieselben Waffen. Ein echter »Kampf der Kulturen« wäre eher wie das sprichwörtliche Gespräch zwischen zwei Tauben: Keiner würde verstehen, was der andere sagt. Wenn heute der Iran und die Vereinigten Staaten mit den Säbeln rasseln, dann sprechen beide die Sprache der Nationalstaaten, der kapitalistischen Wirtschaft, des Völkerrechts und der Atomphysik.

Wir reden noch immer von »ursprünglichen« Kulturen, aber wenn wir mit »ursprünglich« etwas meinen, das sich unabhängig entwickelt hat, uralte regionale Traditionen verkörpert und nicht von außen beeinflusst wurde, dann gibt es das heute nicht mehr. In den vergangenen Jahrhunderten haben sich sämtliche Kulturen unter einer Flut globaler Einflüsse bis zur Unkenntlichkeit verändert.

Ein interessanter Fall sind die Nationalgerichte. Wenn wir in ein italienisches Restaurant gehen, erwarten wir Spaghetti mit Tomatensoße, bei polnischen und irischen Restaurants denken wir spontan an Kartoffeln, in einem argentinischen Restaurant wollen wir saftige Rindersteaks essen, in indischen Restaurants freuen wir uns auf kräftig mit Chili gewürzte Currygerichte, und in einem Schweizer Café auf die heiße Schokolade. Aber der Kakao kommt ursprünglich genauso wenig aus der Schweiz wie die Tomaten aus Italien oder die Chilischoten aus Indien. Tomaten, Chili und Kakao stammen aus Mesoamerika und kamen erst im 16. Jahrhundert, nach der Eroberung des Aztekenreichs durch die Spanier, nach Europa und Asien. Julius Caesar und Dante Alighieri aßen nie Spaghetti mit Tomatensoße, Wilhelm Tell wusste nicht, wie Schokolade schmeckt und Buddha würzte seine Speisen nicht mit Chili. Die Kartoffeln kamen vor weniger als 400 Jahren nach Polen und Irland. Und das einzige Steak, das man 1492 in Argentinien bekam, stammte vom Lama.

Genauso kennen wir aus Hollywood-Filmen nordamerikanische Indianer als tapfere Reiter, die sich mutig den Planwagen der europäischen Pioniere entgegenwerfen, um die Kultur ihrer Ahnen zu verteidigen. Doch diese Reiter waren keineswegs die Vertreter einer uralten, ursprünglichen Kultur. Sie waren vielmehr das Produkt einer gewaltigen militärischen und politischen Revolution, die im 17. und 18. Jahrhundert mit der Ankunft der europäischen Pferde über den Westen Nordamerikas hinwegfegte. Im Jahr 1492 gab es in ganz Amerika kein einziges Pferd. So attraktiv uns die Kultur der Sioux und Apachen des 19. Jahrhunderts erscheinen mag, sie war keine »ursprüngliche«, sondern eine sehr moderne Kultur, die unter der Einwirkung globaler Kräfte entstanden war.

Die globale Vision

Praktisch gesehen begann die entscheidende Phase der Globalisierung vor einigen Jahrhunderten mit dem Aufbau von Imperien und der Intensivierung des Handels. Die Menschen in Afrika, Asien, Europa, Amerika, Australien und Ozeanien wurden durch immer engere Beziehungen miteinander verbunden. So kamen die mexikanischen Chilischoten in die indische Küche, und die spanischen Rinder grasten auf argentinischen Weiden. Doch ideologisch gesehen setzte schon im ersten Jahrtausend vor unserer Zeitrechnung eine sehr viel wichtigere Entwicklung ein, als der Gedanke einer »universellen Ordnung« aufkam. Die Geschichte hatte sich bereits über Jahrtausende hinweg auf eine globale Einheit hinbewegt, doch der Gedanke einer universellen Ordnung war den meisten Menschen noch völlig fremd.

In seiner Evolution lernte der *Homo sapiens*, die Menschen in »wir« und »die anderen« einzuteilen – »wir« war die Gruppe in der unmittelbaren Umgebung, und »die anderen« waren eben alle anderen. Kein Tier interessiert sich für alle Angehörigen seiner Art. Kein Schimpanse käme auf den Gedanken, sich den Kopf über die Interessen seiner Art zu zerbrechen, keine Schnecke macht für die globale Schneckengemeinschaft auch nur ein Hörnchen krumm, kein Löwenmännchen träumt davon, der König aller Löwen zu werden, und am Eingang zu keinem Bienenstock steht der Spruch »Arbeiterinnen aller Länder, vereinigt Euch!«.

Mit dem Beginn der kognitiven Revolution entwickelte sich der Mensch in dieser Hinsicht zu einer Ausnahme. Die Menschen begannen, regelmäßig mit Fremden zusammenzuarbeiten, die sie sich als ihre »Brüder« oder »Freunde« vorstellten. Doch nicht alle Menschen waren Brüder. Irgendwo, im nächsten Tal oder hinter dem nächsten Hügel, lebten immer noch »die anderen«. Als der erste Pharao Menes vor 5000 Jahren mit der Einigung Ägyptens begann, war den Ägyptern klar, dass ihr Land eine Grenze hatte und dass dahinter »die Barbaren« lauerten. Was diese Barbaren taten, war fremd, bedrohlich oder schlicht uninteressant. Alle erfundenen Ordnungen der Geschichte ignorierten einen großen Teil der Menschheit.

Ab dem ersten Jahrtausend vor unserer Zeitrechnung entstanden jedoch drei potenziell universelle Ordnungen, deren Angehörige erstmals die gesamte Welt in den Blick nahmen und sich die Menschheit als eine große Einheit vorstellten, die einem einzigen Gesetz unterstand. Zumindest potenziell waren damit alle Menschen »wir«, und es gab keine »anderen« mehr. Die erste universelle Ordnung war wirtschaftlicher Natur: Es war die Ordnung des Geldes. Die zweite Ordnung war politischer Natur: die Ordnung der Imperien. Und die dritte Ordnung war religiöser Natur: die Ordnung von Weltreligionen wie dem Buddhismus, dem Christentum und dem Islam.

Händler, Eroberer und Propheten waren die Ersten, die den Gegensatz von »wir« und »die anderen« überwanden und eine Einigung der Menschheit vorhersahen. Für die Händler war die ganze Welt ein Markt und alle Menschen potenzielle Kunden. Sie wollten eine Wirtschaftsordnung errichten, die für alle Menschen gleichermaßen galt. Für die Eroberer war die ganze Welt ein Imperium und alle Menschen potenzielle Untertanen. Sie wollten eine politische Ordnung errichten, die für alle Menschen gleichermaßen galt. Und für die Propheten gab es auf der ganzen Welt nur eine einzige Wahrheit, und alle Menschen waren potenzielle Gläubige. Sie wollten eine religiöse Ordnung errichten, die für alle Menschen gleichermaßen galt.

Während der vergangenen drei Jahrtausende wurden immer ehrgeizigere Versuche unternommen, diese globale Vision zu verwirklichen. In den folgenden drei Kapiteln wollen wir uns ansehen, wie sich Geld, Imperien und Weltreligionen ausbreiteten und den Grundstein der globalisierten Welt von heute legten. Wir beginnen die Geschichte mit dem erfolgreichsten Eroberer der Weltgeschichte, einem Eroberer, der extreme Toleranz und Anpassungsfähigkeit bewies und die Menschen so zu seinen glühenden Anhängern machte. Dieser Eroberer ist das Geld. Menschen, die nicht an denselben Gott glauben und nicht demselben König dienen, sind gern bereit, dieselben Münzen anzunehmen. Osama bin Laden hasste zwar die Kultur, die Religion und die Politik der Vereinigten Staaten, aber ihre Dollars nahm er nur zu gern. Wie kam es, dass das Geld Erfolg hatte, wo Götter und Könige scheitern?

Kapitel 10

Der Geruch des Geldes

Im Jahr 1519 drangen Hernán Cortés und seine Conquistadores in die bis dahin isolierte Welt Mexikos ein. Die Azteken, wie sich die Einheimischen nannten, bemerkten schnell, dass die Fremden ein ungewöhnliches Interesse an einem gelben Metall hatten und von nichts anderem reden konnten. Die Azteken kannten das Gold: Sie stellten Schmuck und Statuen daraus her, und gelegentlich benutzten sie den Goldstaub auch als Tauschmittel. Doch ihre eigentliche Währung waren Kakaobohnen und Tuchballen, weshalb sie die Besessenheit der Spanier nicht verstanden. Was war denn so besonderes an diesem Metall, das man nicht essen, trinken oder anziehen konnte, und das zu weich war, um Werkzeuge oder Waffen daraus herzustellen? Als die Einheimischen Cortés fragten, warum die Spanier so sehr hinter dem Gold her waren, antwortete er: »Sie leiden an einer *Krankheit des Herzens*, die nur mit *Gold* geheilt werden kann.«[1]

Das war zwar glatt gelogen, aber nur was die Art der Krankheit anging. In Wirklichkeit handelte es sich nämlich nicht um eine Herz-, sondern um eine Geisteskrankheit, die die gesamte afro-eurasische Welt, aus der die Spanier kamen, wie eine Epidemie erfasst hatte. Selbst erbitterte Feinde waren sich in ihrer Gier nach dem nutzlosen gelben Metall einig.

Drei Jahrhunderte vor der Eroberung Mexikos hatten die Vorfahren von Cortés einen blutigen Glaubenskrieg gegen die muslimischen Königreiche auf der iberischen Halbinsel und Nordafrika geführt. Die Anhänger Christi und die Anhänger Mohammeds töteten einander zu Tausenden, vernichteten Felder und Obstgärten und verwandelten blühende Städte in rauchende Ruinen – nur zum Ruhme Gottes und Allahs. Wo die Christen die Oberhand behielten, markierten sie ihren Sieg nicht nur, indem sie Moscheen zerstörten und Kirchen bauten, sondern auch, indem sie Gold- und Silbermünzen mit dem Zeichen des Kreuzes ausgaben, um Gott für seine Hilfe im Kampf gegen die Ungläubigen zu danken. Neben dieser neuen Währung prägten sie jedoch auch Münzen mit dem Namen Millares, die eine etwas andere Botschaft trugen. In der schnörkeligen arabischen Schrift verkündeten die christlichen Eroberer: »Es gibt keinen Gott außer Allah, und Mohammed ist sein Prophet.« Diese Münzen wurden sogar vom katholischen Bischof von Melgueil und Agde in Umlauf gebracht![2] Die Millares waren eine Kopie der beliebten arabischen Münzen, und auch die gläubigen Christen nahmen sie nur zu gern an.

Auch auf der anderen Seite gab man sich tolerant. Muslimische Händler, die in Nordafrika Geschäfte machten, handelten auch in christlichen Münzen wie den florentinischen Florinen, den venezianischen Dukaten oder den neapolitanischen Gigliaten. Und muslimische Herrscher, die zum Dschihad gegen die ungläubigen Christen aufriefen, kassierten ihre Steuern nur zu gern in Münzen, die Jesus und seine jungfräuliche Mutter priesen.[3]

Was soll das kosten?

Die Jäger und Sammler kannten kein Geld. Jede Gruppe jagte, sammelte und produzierte fast alles Lebensnotwendige selbst, von Fleisch bis Medizin, von Sandalen bis Zauberei. Verschiedene Angehörige der Gruppe könnten sich auf unterschiedliche Aufgaben spezialisiert haben, doch sie teilten ihre Güter und Dienstleistungen in einer Wirtschaft, die auf gegenseitigen Gefälligkeiten und

Verpflichtungen basierte. Wer ein Stück Fleisch mit einem anderen teilte, erwartete im Gegenzug zum Beispiel medizinische Versorgung. Die Gruppe war wirtschaftlich eigenständig, und nur wenige seltene Gegenstände, die nicht in der Region vorkamen – zum Beispiel Muscheln, Pigmente, Feuersteine und so weiter –, mussten von Fremden bezogen werden. Diese Dinge wurden vermutlich getauscht: Du gibst mir Feuerstein, ich gebe dir Muscheln.

Mit dem Beginn der landwirtschaftlichen Revolution änderte sich daran nur wenig. Die meisten Menschen lebten nach wie vor in kleinen Gemeinschaften. Ähnlich wie die Jäger und Sammler war jedes Dorf autark und die Wirtschaft funktionierte über gegenseitige Gefälligkeiten und Verpflichtungen sowie ein bisschen Tauschhandel mit Fremden. Vielleicht war ein Dorfbewohner ein besonders geschickter Schuhmacher und eine andere war eine gute Heilerin, sodass die Dörfler wussten, an wen sie sich wenden konnten, wenn sie barfuß gingen oder krank waren. Doch die Dörfer waren klein und ihre Wirtschaft reichte nicht aus, um professionelle Schuster und Ärzte zu ernähren.

Mit dem Aufstieg von Städten und Reichen und der Verbesserung der Transportmittel ergaben sich neue Möglichkeiten der Spezialisierung. In Städten konnten nicht nur Schuhmacher und Ärzte von ihrem Handwerk leben, sondern auch Schreiner, Priester, Soldaten und Anwälte. Dörfer, die für ein bestimmtes Produkt bekannt waren, zum Beispiel guten Wein, Olivenöl oder Töpferwaren, stellten fest, dass es sich lohnte, sich auf dieses Produkt zu konzentrieren und damit Handel zu treiben, um die übrigen Güter zu erwerben, die es benötigte. Das war sinnvoll. Klima und Bodenqualität unterscheiden sich, warum sollte man also den sauren Wein aus dem eigenen Garten trinken, wenn man Wein aus Regionen bekommen kann, in denen die Bedingungen für den Weinbau viel besser sind? Und wenn Sie mit der lehmigen Erde in ihrem Hof bruchfestere und hübschere Schüsseln töpfern können, dann haben Sie etwas zum Tauschen. Außerdem können professionelle Winzer und Töpfer, aber auch Ärzte oder Anwälte ihre Fähigkeiten weiterentwickeln, was wiederum allen zugute kommt. Es gab nur ein kleines Problem: Wie können diese neuen Experten ihre Güter und Dienstleistungen tauschen?

Wenn viele Fremde zusammenarbeiten, funktioniert die Wirtschaft der gegenseitigen Gefälligkeiten und Verpflichtungen nicht mehr. Es ist eine Sache, einer Schwester oder einem Nachbarn mit einem Paar Schuhe auszuhelfen, aber eine ganz andere, wildfremde Menschen zu verarzten, die diese Gefälligkeit vielleicht nie erwidern werden. Man kann natürlich zum Tauschhandel greifen, doch der funktioniert nur, solange die Zahl der Güter übersichtlich bleibt. Als Grundlage für eine komplexe Wirtschaft taugt er nicht.[4]

Um sich die Grenzen des Tauschhandels klarzumachen, stellen Sie sich vor, Sie wohnen in den Bergen und haben einen Garten mit Apfelbäumen, in dem die knackigsten, saftigsten Äpfel der ganzen Gegend wachsen. Von der vielen Arbeit in Ihrem Garten gehen irgendwann Ihre Schuhe kaputt. Also spannen Sie Ihren Esel vor Ihren Karren und fahren in den Marktflecken am Fluss. Ihr Nachbar hat Ihnen erzählt, dass ihm der Schuhmacher auf der Südseite des Markts ein Paar Stiefel gemacht hat, die fünf Jahre lang gehalten haben. Diesen Schuster besuchen Sie nun und bieten ihm an, einige Ihrer Äpfel gegen ein Paar Schuhe zu tauschen.

Der Schuhmacher zögert. Wie viele Äpfel soll er für ein Paar Schuhe nehmen? Jede Woche kommen Dutzende Kunden zu ihm, von denen einer einen Sack Äpfel, ein zweiter Weizen, ein dritter Ziegen und ein vierter Stoffe mitbringt, und zwar jeder in ganz unterschiedlicher Qualität. Dann hat er auch noch Kunden, die Bittschreiben an den König aufsetzen oder Rückenschmerzen kurieren können. Als ihm das letzte Mal jemand Äpfel geboten hat, hat er sich drei Säcke geben lassen. Oder waren es vier? Aber das waren ja auch die sauren Äpfel aus dem Tal gewesen. Andererseits hat er damals auch nur ein kleines Paar Frauenschuhe hergestellt, und Sie wollen ja robuste Stiefel. Dazu kommt, dass in den letzten Wochen eine

Epidemie die Schafe in der Gegend dezimiert hat und Häute selten geworden sind. Die Gerber verlangen inzwischen doppelt so viele Paar fertige Schuhe für dieselbe Menge Leder. Sollte der Schuster das nicht irgendwie einkalkulieren?

In einer Tauschwirtschaft müssen Sie und der Schuhmacher jeden Tag den relativen Wert von Dutzenden Waren ermitteln. Wenn in Ihrer Stadt 100 Waren gehandelt werden, müssen Käufer und Verkäufer 4950 verschiedene Wechselkurse kennen. Und wenn 1000 Waren gehandelt werden, wären dies schon 499 500 Wechselkurse![5] Wie sollen Sie da den Überblick bewahren?

Aber es kommt noch dicker. Selbst wenn Sie ermitteln, wie viele Äpfel einem Paar Schuhe entsprechen, kommt es nicht unbedingt zum Geschäft. Zum Tausch kommt es nämlich nur, wenn der Käufer etwas zu bieten hat, was der Verkäufer auch will. Was passiert, wenn der Schuster keine Äpfel mag und wenn er gerade jetzt jemanden brauchen könnte, der ihm bei seiner Scheidung hilft? Sie könnten sich natürlich nach einer Anwältin umsehen, die Äpfel mag, und ein Dreiecksgeschäft vorschlagen. Aber was ist, wenn die Anwältin den Keller voller Äpfel hat und lieber eine neue Frisur hätte?

Einige Gesellschaften haben versucht, dieses Problem mit Hilfe eines zentralen Tauschsystems zu lösen. Dort liefern die verschiedenen Spezialisten ab, was sie produziert haben, und nehmen sich mit, was sie brauchen. Das größte und bekannteste Experiment dieser Art wurde in der Sowjetunion durchgeführt, und es scheiterte kläglich. Bescheidenere Experimente dieser Art, zum Beispiel im Reich der Inkas, hatten mehr Erfolg. Doch die meisten Gesellschaften fanden eine einfachere Möglichkeit, eine große Zahl von Spezialisten miteinander zu verbinden – sie erfanden das Geld.

Muscheln und Zigaretten

Das Geld wurde oft und an vielen Orten erfunden. Seine Erfindung erforderte keinen technischen Durchbruch – es handelte sich um eine rein geistige Revolution. Dazu gehörte die Schaffung einer neuen, intersubjektiven Wirklichkeit, die nur in der gemeinsamen Vorstellung der Menschen existiert.

Geld muss nicht aus Münzen und Banknoten bestehen. Geld kann alles sein, was wir benutzen wollen, um systematisch den Wert anderer Dinge auszudrücken und damit Waren und Dienstleistungen zu tauschen. Mit Hilfe des Geldes können wir schnell und einfach den Wert verschiedener Güter vergleichen (zum Beispiel Äpfel, Schuhe und Scheidungen), ein Gut gegen ein anderes tauschen und unser Vermögen aufbewahren. Im Laufe der Geschichte gab es die verschiedensten Währungen. Die bekannteste ist die Münze: Ein Stück Metall einer bestimmten Größe, in das verschiedene Symbole geprägt werden. Doch Geld gab es schon lange bevor die erste Münze geschlagen wurde, und andere Kulturen verwendeten Muscheln, Kühe, Häute, Salz, Getreide, Perlen, Stoff oder Schuldscheine. Über vier Jahrtausende hinweg wurden in Afrika, Südasien, Ostasien und Ozeanien Kaurischnecken als Zahlungsmittel verwendet. Noch zu Beginn des 20. Jahrhunderts konnten die Menschen in Uganda ihre Steuern mit Kaurischnecken bezahlen.

In modernen Gefängnissen und Kriegsgefangenenlagern sind Zigaretten ein beliebtes Zahlungsmittel. Selbst Nichtraucher sind bereit, Zigaretten als Währung zu akzeptieren und den Wert von Waren und Dienstleistungen in Zigaretten zu berechnen. Ein Überlebender von Auschwitz erinnert sich: »Wir hatten unsere eigene Währung, deren Wert von niemandem angezweifelt wurde: die Zigarette. Der Preis für jeden Artikel wurde in Zigaretten angegeben … In ›normalen‹ Zeiten, wenn in regelmäßigen Abständen Kandidaten für die Gaskammer eintrafen, kostete ein Laib Brot 12 Zigaretten,

300 Gramm Margarine 30, eine Uhr 80 bis 200 und ein Liter Alkohol 400 Zigaretten!«[6]

Auch heute sind Münzen und Banknoten eine eher seltene Form des Geldes. Im Jahr 2006 betrug die Gesamtsumme des Geldes in aller Welt rund 473 Billionen Dollar, doch es waren nur Münzen und Banknoten im Wert von weniger als 47 Billionen im Umlauf.[7] Über 90 Prozent des gesamten Geldes – mehr als 400 Billionen Dollar auf unseren Konten – existieren nur in Computern. Entsprechend werden die meisten Geschäfte getätigt, indem elektronische Daten von einem Computer zum anderen verschoben werden. Nur Kriminelle kaufen ein Haus und bezahlen es mit einem Koffer voller Bargeld. So lange wir bereit sind, Güter und Dienstleistungen gegen elektronische Daten zu tauschen, ist diese Währung sogar besser als harte Münzen und knisternde Scheine – leichter, weniger sperrig und leichter nachzuverfolgen.

Komplexe Handelssysteme könnten ohne Geld nicht funktionieren. Mithilfe des Geldes können wir den relativen Wert aller Güter und Dienstleistungen festlegen. In einer Geldwirtschaft muss ein Schuhmacher nur wissen, wie viel ein bestimmter Schuh gerade kostet, und sich nicht mit den Wechselkursen für Ziegen oder Äpfel herumschlagen. Und der Gärtner muss nicht nach einem Schuster suchen, der ausgerechnet Appetit auf Äpfel hat, denn Geld will jeder. Das ist vielleicht auch seine grundlegende Eigenschaft: Alle nehmen immer Geld, weil alle anderen auch immer Geld nehmen, was zur Folge hat, dass man Geld für jedes gewünschte Gut eintauschen kann. Der Schuster nimmt Ihr Geld gern entgegen, denn ganz egal, ob er in Wirklichkeit Äpfel, Ziegen oder eine Ehescheidung will, er kann diese Güter und Dienstleistungen im Tausch gegen Geld bekommen.

Geld ist also ein universelles Tauschmittel, mit dessen Hilfe man buchstäblich alles gegen alles eintauschen kann. Man kann zum Beispiel Gewalt gegen Wissen eintauschen, wenn ein Soldat sein Studium mit seinem Sold finanziert. Oder man kann Land gegen Loyalität tauschen, wenn ein Baron Land verkauft, um seine Garde zu bezahlen. Man kann Gerechtigkeit gegen Gesundheit eintauschen, etwa wenn eine Anwältin ihre Dienstleistungen verkauft und mit ihrem Honorar eine Ärztin bezahlt. Und man kann sogar Sex gegen Seelenheil tauschen: Im Deutschland des 15. Jahrhunderts konnte eine Prostituierte ihre Dienste verkaufen und mit dem Geld einen Erlass ihrer Sünden kaufen, der sie vor der Hölle rettete.

Ideale Zahlungsmittel lassen sich nicht nur einfach in Güter verwandeln, sondern sie ermöglichen es uns auch, unser Vermögen aufzubewahren. Viele wertvolle Dinge wie Zeit oder Schönheit lassen sich nicht aufbewahren. Andere Dinge wie Erdbeeren sind nur kurze Zeit haltbar. Wieder andere Dinge lassen sich zwar länger aufbewahren, doch die Lagerung ist teuer und aufwändig. Getreide lässt sich jahrelang aufbewahren, doch dazu müssen riesige Lagerhallen gebaut werden und die Vorräte müssen vor Ratten, Pilzen, Wasser, Feuer und Dieben geschützt werden. Mit einem idealen Zahlungsmittel wie den Kaurischnecken oder elektronischen Daten haben Sie diese Probleme nicht. In dieser Form lassen sich riesige Vermögen unbegrenzt aufbewahren, sie werden nicht von Ratten oder Pilzbefall zerstört und lassen sich in einem Safe einfach vor Dieben und Einbrechern schützen.

Mit der Aufbewahrung allein ist es allerdings nicht getan. Wenn wir unser Vermögen nutzen wollen, müssen wir es oft von einem Ort zum anderen transportieren. Einige Vermögensformen wie Häuser oder Äcker lassen sich überhaupt nicht transportieren (deswegen heißen sie ja Immobilien), andere wie Weizen oder Reis nur schwer. Stellen Sie sich einen reichen Bauern in einem Land ohne Geld vor, der in eine entfernte Provinz umziehen will. Sein Vermögen besteht vor allem aus seinem Haus und seinen Reisfeldern, die er natürlich nicht mitnehmen kann. Er könnte sie gegen ein paar Tonnen Reis eintauschen, aber deren Transport wäre extrem aufwändig und kostspielig. Das Geld löst seine Probleme: Der Bauer kann sein Eigentum einfach für einen Sack Kaurischnecken verkaufen und diesen überallhin mitnehmen.

Da sich Vermögen in Form von Geld einfach wechseln, aufbewahren und transportieren lässt, ist das Geld eine entscheidende Voraussetzung für die Entstehung komplexer Handelsnetze und dynamischer Märkte. Ohne Geld hätten Handel und Märkte nie ihre heutige Größe und Dynamik entwickelt.

Wie funktioniert Geld überhaupt?

Geld ist ein effektives Speicher- und Transportmedium für unseren Besitz, weil es unhandliche materielle Vermögenswerte wie Land oder Ziegen in etwas Leichtes und Tragbares verwandelt, wie zum Beispiel die Kaurischnecken. Aber erinnern Sie sich, dass der Wert dieser Muscheln nur in unserer Fantasie existiert und nichts mit ihrer chemischen Zusammensetzung, Farbe oder Form zu tun hat. Geld ist keine materielle, sondern eine hochgradig spirituelle Angelegenheit: Es verwandelt Materie in etwas rein Geistiges. Wie funktioniert das? Warum sollte jemand bereit sein, wertvolle Reisfelder gegen wertlose Kaurischnecken einzutauschen? Warum sollte jemand im Tausch gegen ein paar bunte Papierschnipsel bereit sein, Hamburger zu braten, Versicherungen zu verkaufen oder auf drei quengelnde Gören aufzupassen?

Zu diesen und zu allen anderen Geschäften sind wir nur bereit, weil wir genug Vertrauen in die Produkte unserer kollektiven Fantasie haben. Vertrauen ist nämlich der Rohstoff, aus dem Münzen geprägt werden. Wenn der wohlhabende Bauer sein Hab und Gut gegen einen Sack Kaurischnecken verkauft und damit in eine andere Provinz zieht, dann vertraut er darauf, dass ihm die Menschen in seiner neuen Heimat diese Schnecken wieder genau so gegen Reis, Häuser und Felder tauschen. Geld ist also ein System gegenseitigen Vertrauens, aber nicht nur irgendeines: Es ist das universellste und effizienteste System des gegenseitigen Vertrauens, das je erfunden wurde.

Dieses Vertrauen wurde ermöglicht durch ein komplexes und langfristig angelegtes Netzwerk politischer, gesellschaftlicher und wirtschaftlicher Beziehungen. Warum glaube ich an die Kauri-schnecke oder Goldmünze oder Banknote? Weil meine Nachbarn daran glauben. Und meine Nachbarn glauben daran, weil ich daran glaube. Und wir alle glauben daran, weil der König daran glaubt und seine Steuern in dieser Form eintreibt, und weil die Priester daran glauben und den Zehnten in dieser Form verlangen. Und wenn wir nicht genug davon haben, dann wirft uns der König in den Schuld-turm und Gott lässt uns in der Hölle schmoren.

Deshalb ist das Finanzsystem so eng mit dem politischen und gesellschaftlichen System verbunden, deshalb werden Finanzkrisen oft von politischen und nicht von wirtschaftlichen Faktoren ver-ursacht, deshalb hängt die Kursentwicklung meiner Aktien davon ab, wie sich die Händler heute Morgen fühlen.

Dieses Vertrauen lässt sich zum Beispiel herstellen, wenn wir als Geld etwas verwenden, dessen Wert nicht ausschließlich von unserer Fantasie abhängt. Das erste bekannte Geld der Welt – das Gerstengeld der Sumerer – ist ein gutes Beispiel. Es wurde zum ers-ten Mal vor rund 5000 Jahren in Sumer verwendet, genau zu dem Zeitpunkt, als dort auch die erste Schrift erfunden wurde. Genau wie die Schrift eine Antwort auf die Bedürfnisse der zunehmenden Verwaltungstätigkeit war, war das Geld eine Antwort auf die Bedürf-nisse der zunehmenden Wirtschaftstätigkeit.

Das Gerstengeld war einfach Gerste – eine feste Zahl von Gersten-körnern, die als allgemein gültiges Maß zur Festsetzung des Wertes und zum Austausch aller anderen Güter und Dienstleistungen ver-wendet wurden. Das verbreitetste Maß war die »Sila«, die etwa einem Liter entsprach. Standardisierte Messgefäße, die genau eine Sila fass-ten, wurden in Massen hergestellt, damit bei Käufen und Verkäufen die notwendige Menge Gerste abgemessen werden konnte. Auch Löhne wurden in Gerste gezahlt. Ein Arbeiter verdiente 60 Silas pro Monat, eine Arbeiterin 30. Ein Verwalter konnte zwischen 1200 und 5000 Silas im Monat verdienen. Selbst die gierigsten Verwalter konnten im Monat keine 5000 Liter Gerste verschlingen, doch mit den überschüssigen Silas ließen sich alle möglichen anderen Güter kaufen, zum Beispiel Öl, Ziegen, Sklaven und so weiter.[8]

Es war einfach, dem Wert des Gerstengeldes zu vertrauen, da das Getreide einen biologischen Wert hat: Man konnte es essen. Andererseits war es schwer zu transportieren. Deshalb war es ein großer Durchbruch in der Wirtschaftsgeschichte, als Menschen Währungen vertrauten, die keinen eigenen Wert hatten, aber leichter zu lagern und zu transportieren war. Diese Währung tauchte vor rund 4500 Jahren im alten Mesopotamien auf: Es war der Silberschekel. Der Silberschekel war keine Münze, sondern ein Gewicht, das 8,33 Gramm Silber entsprach. Als der Kodex des Hammurabi erklärte, wenn ein Freigeborener eine Sklavin töte, müsse er dem Besitzer 20 Silberschekel zahlen, dann waren das 166 Gramm Silber, nicht 20 Münzen. Im Alten Testament werden Geldeinheiten meist in Silber, nicht in Münzen angegeben. Joseph wurde von seinen Brüdern für 20 Silberschekel oder 166 Gramm Silber an die Ismaeliten verkauft – damit kostete er genauso viel wie eine Sklavin (er war schließlich noch ein Kind).

Anders als eine Sila Gerste hat ein Schekel Silber an sich keinen Wert. Man kann Silber nicht essen, trinken oder anziehen, und es ist zu weich, um nützliche Werkzeuge herzustellen – ein Pflug oder Schwert aus Silber würde sich wie Alufolie verbiegen. Silber und Gold werden in der Regel zur Herstellung von Schmuck und Statussymbolen verwendet – Luxusgüter also, die Angehörige einer bestimmten Kultur mit einem hohen gesellschaftlichen Status gleichsetzen. Ihr Wert ist ausschließlich kultureller Natur.

*

Aus den Gewichten von Edelmetallen gingen irgendwann die Münzen hervor. Die ersten bekannten Münzen der Geschichte prägte König Alyattes von Lydien in der heutigen Westtürkei im Jahr 640 vor unserer Zeitrechnung. Diese Münzen hatten ein genau festgelegtes Gewicht und wurden mit einer Prägung versehen. An dieser Prägung ließ sich zweierlei ablesen: Erstens das Gewicht des Edelmetalls der Münze und zweitens die Autorität, die diese Münze ausgegeben hatte und für ihren Gehalt bürgte. Fast alle heutigen Münzen sind Nachfahren dieser lydischen Münzen.

18. Eine lydische Münze, die etwa um das Jahr 600 v. u. Z. geprägt wurde. Sie bestand aus Elektrum, einer natürlichen Legierung aus Silber und Gold.

Münzen hatten gegenüber den unmarkierten Barren zwei Vorteile: Erstens müssen Barren bei jedem Geschäft neu gewogen werden. Und zweitens lassen sich Täuschungen nicht vermeiden, wenn man den Barren nur wiegt. Woher soll der Schuster wissen, ob der Barren, mit dem ich meine Schuhe bezahle, wirklich aus Silber ist, oder ob er nicht aus Blei besteht und nur mit einer Silberhülle überzogen wurde? Mit Münzen lassen sich diese Probleme lösen. Die Prägung garantiert den Wert, weshalb der Schuster keine Waage mehr braucht, um ihren Wert zu ermitteln. Vor allem ist die Prägung das Siegel einer politischen Autorität, die den Wert der Münze garantiert. Im Laufe der Geschichte wurden Münzen in unterschiedlichsten Formen und Größen ausgegeben, doch die Botschaft war immer dieselbe: »Ich, der große König So-und-so, gebe Dir persönlich mein Wort, dass dieses Metallplättchen 5 Gramm Gold enthält. Wer es wagen sollte, diese Münze zu fälschen, der fälscht mein Siegel und schadet meinem Ruf. Wer so unklug sein sollte, dem schlage ich den Kopf ab.« Es ist kein Wunder, dass Münzfälschung in der Vergangenheit härter bestraft wurde als andere Formen des Betrugs. Münzfälschung war ein Akt der Subversion und eine Anmaßung von Privilegien, die nur dem König zustanden. Diese Majestätsbeleidigung wurde in der Regel mit Folter und Tod bestraft. Solange die Menschen der Macht und dem Ehrenwort des Königs vertrauten, vertrauten sie seinen Münzen. Menschen, die einander noch nie gesehen hatten, konnten dem Wert eines römischen Denarius vertrauen, weil sie der Macht und Integrität des Kaisers vertrauten, dessen Name und Konterfei auf der Münze prangten.

Und umgekehrt ruhte die Macht des Kaisers auf dem Denarius. Stellen Sie sich vor, er hätte sein Imperium ohne Münzen regiert und in Form von Getreide seine Steuern erhoben und Gehälter bezahlt. Es wäre unvorstellbar gewesen, in Syrien Getreidesteuern einzutreiben, sie in sein Finanzamt in Rom zu verfrachten und sie von da aus nach Britannien weiterzutransportieren, um seinen Legionen den Sold zu bezahlen. Und genauso wenig wäre das Weltreich zu halten gewesen, wenn lediglich die Einwohner Roms an den Denarius geglaubt hätten, während die Gallier, Griechen, Ägypter und Syrier die Münzen abgelehnt und nur Kaurischnecken, Elfenbeinperlen und Stoffballen vertraut hätten.

Das Hohe Lied des Goldes

Das Vertrauen in die römischen Münzen war so groß, dass die Menschen selbst jenseits der Grenzen des Imperiums gern Denarii entgegennahmen. Im ersten Jahrhundert unserer Zeitrechnung wurden die Münzen selbst auf den Märkten Indiens als Zahlungsmittel akzeptiert, obwohl die nächste römische Legion Tausende Kilometer entfernt war. Das Vertrauen der Inder in das römische Geld war derart groß, dass die indischen Herrscher mit ihren eigenen Münzen den Denarius kopierten – und zwar bis hin zum Konterfei des Kaisers! Die Bezeichnung Denarius wurde zum Namen für Münzen jeder Art. Die muslimischen Kalifen übernahmen ihn und prägten »Dinare«, und bis heute trägt die Landeswährung in Jordanien, Irak, Serbien, Makedonien, Tunesien und einigen anderen Ländern diesen Namen.

Während sich die Münzen im lydischen Stil vom Mittelmeer zum indischen Ozean verbreiteten, entwickelten die Chinesen eine etwas andere Währung basierend auf Bronzemünzen und ungeprägten Silber- und Goldbarren. Doch die beiden Systeme hatten genug gemeinsam (vor allem die Verwendung von Edelmetallen), dass sich zwischen der lydischen und der chinesischen Zone enge Finanz- und Handelsbeziehungen entwickeln konnten. Muslimische und europäische Händler und Eroberer trugen das lydische System allmählich bis in den letzten Winkel der Erde. Zu Beginn der Neuzeit war die gesamte Welt eine einzige Währungszone, die sich zunächst auf Gold und Silber stützte, dann auf einige verlässliche Währungen wie das britische Pfund oder den amerikanischen Dollar.

Die Entstehung einer einheitlichen Währungszone, die die Grenzen von Imperien, Religionen und Kulturen überwand, legte den Grundstein für den Zusammenschluss von Afro-Eurasien und schließlich der gesamten Welt zu einer einzigen wirtschaftlichen und politischen Sphäre. Die Menschen sprachen zwar unterschiedliche Sprachen, gehorchten unterschiedlichen Herrschern und beteten unterschiedliche Götter an, doch sie alle glaubten an Gold, Silber und die Münzen aus diesen Edelmetallen. Ohne diesen gemeinsamen Glauben wäre der Aufbau globaler Handelsnetze unmöglich gewesen. Mit dem Gold und Silber, das die Eroberer des 16. Jahrhunderts in Amerika fanden, konnten die europäischen Händler in Ostasien Seide, Porzellan und Gewürze kaufen und das Wirtschaftswachstum in Europa und Ostasien ankurbeln. Das Gold und Silber aus den Bergwerken Mexikos und Perus zerrann den Europäern zwischen den Fingern und landete in den Schatullen der dankbaren chinesischen Seiden- und Porzellanhersteller. Was wäre aus der Weltwirtschaft geworden, wenn die Chinesen nicht unter derselben »Krankheit des Herzens« gelitten hätten wie Cortés und seine Mannen und das Gold als Zahlungsmittel verweigert hätten?

Aber wie kam es, dass die Chinesen, Inder, Muslime und Spanier, die unterschiedlichen Kulturen angehörten und sich sonst in kaum einer Frage einig waren, gemeinsam an das Gold glaubten? Warum glaubten nicht die Spanier an Gold, die Muslime an Gerste, die Inder an Kaurischnecken und die Chinesen an Seidenballen? Auf diese Frage haben Wirtschaftswissenschaftler eine Antwort. Sobald zwei Gebiete durch Handel miteinander verbunden sind, sorgen die Kräfte von Angebot und Nachfrage dafür, dass sich die Preise für die gehandelten Waren angleichen. Um das zu verstehen, wollen wir uns einen hypothetischen Fall ansehen. Nehmen wir an, als der regelmäßige Handel zwischen Indien und dem Mittelmeerraum begann, hätten die Inder kein Interesse an Gold gehabt, und das Metall sei dort fast wertlos gewesen. Aber im Mittelmeerraum war das Gold ein begehrtes Statussymbol und daher teuer. Was passiert?

Die Händler, die zwischen Indien und dem Mittelmeerraum hin und her reisen, bemerken diesen Preisunterschied. Sie können ein gutes Geschäft machen, wenn sie das Gold in Indien billig ein- und im Mittelmeerraum teuer verkaufen. Damit schießt in Indien die Nachfrage nach Gold in die Höhe, und damit auch sein Preis. Gleichzeitig wird der Mittelmeerraum mit Gold überflutet und der Preis verfällt. Innerhalb kürzester Zeit gleichen sich die Preise in beiden Regionen an. Die Tatsache, dass die Menschen im Mittelmeerraum an Gold glauben, hat zur Folge, dass auch die Menschen in Indien anfangen, daran zu glauben. Selbst wenn die Inder keine Verwendung für Gold gehabt hätten, hätte allein die Tatsache, dass die Menschen im Mittelmeerraum das gelbe Metall nachfragten, dafür gesorgt, dass auch die Inder es schätzen lernten. Wenn die Erde von Aliens besucht würde, die Zwiebelhäute für eine seltene und wertvolle Ware halten, würde der Preis für Zwiebelhäute vermutlich auch auf der Erde explodieren.

Die Tatsache, dass andere Menschen an Gold, Kaurischnecken, Dollars oder elektronische Daten glaubten, reicht schon aus, um unseren eigenen Glauben an Gold, Kaurischnecken, Dollars und Daten zu stärken, auch wenn wir diese anderen Menschen ansonsten hassen oder verachten. Christen und Muslime, die sich wegen ihres religiösen Glaubens bekriegten, waren sich in ihrem Glauben an Gold einig. Das liegt daran, dass die Religion uns auffordert, an etwas zu glauben, und das Geld uns auffordert zu glauben, *dass andere Menschen an etwas glauben.*

Jahrtausende lang haben Philosophen, Denker und Propheten das Geld als Wurzel allen Übels bezeichnet. In Wahrheit ist das Geld der Gipfel der menschlichen Toleranz. Geld ist toleranter als jede Sprache, jedes Gesetz, jede Kultur, jeder religiöse Glaube und jedes Sozialverhalten. Geld ist das einzige von Menschen geschaffene System, das fast jede kulturelle Barriere überwindet und nicht nach Religion, Geschlecht, Rasse, Alter oder sexueller Orientierung fragt. Dem Geld ist es zu verdanken, dass Menschen, die einander noch nie gesehen haben und einander nicht über den Weg trauen, problemlos zusammenarbeiten können.

Der Preis des Geldes

Geld basiert auf zwei universellen Prinzipien:

1. Universelle Tauschbarkeit: Mit Geld lässt sich Land in Loyalität, Gerechtigkeit in Gesundheit und Gewalt in Wissen verwandeln.

2. Universelles Vertrauen: Mit Geld als Vermittler können zwei Menschen an jedem Projekt zusammenarbeiten.

Dank dieser beiden Prinzipien können Millionen von Menschen, die einander nie begegnet sind, in Handel und Herstellung effektiv zusammenarbeiten. Aber diese scheinbaren Vorteile haben auch einige Schattenseiten. Wenn alles tauschbar ist und das Vertrauen auf anonymen Münzen und Muscheln beruht, untergräbt dies die menschlichen Traditionen, Beziehungen und Werte vor Ort und ersetzt sie durch die kalte Logik von Angebot und Nachfrage.

Menschliche Gemeinschaften und Familien haben immer auf dem Glauben an »unbezahlbare« Werte wie Ehre, Loyalität, Moral und Liebe beruht. Diese Werte entziehen sich dem Markt und sollten nicht käuflich sein. Selbst wenn der Markt einen guten Preis bietet, gibt es Dinge, die man einfach nicht tut. Eltern dürfen ihre Kinder nicht in die Sklaverei verkaufen, gläubige Christen dürfen keine Todsünde begehen, loyale Ritter dürfen niemals ihren Herrn verraten, und alteingesessene Stämme dürfen ihr Land nicht an Fremde verkaufen.

Geld hat immer versucht, diese Barrieren zu überwinden, wie Wasser, das durch die Ritzen eines Damms sickert. Eltern sahen sich gezwungen, einige ihrer Kinder zu verkaufen, um die anderen zu ernähren. Gläubige Christen haben gemordet, gestohlen und betrogen und die Beute verwendet, um sich die Vergebung zu erkaufen. Ehrgeizige Ritter haben ihr Schwert an den höchsten Bieter verkauft und sich die Loyalität ihrer Gefolgsleute mit Geld erkauft. Stammesland wurde an Fremde von der anderen Seite der Welt verhökert, um die Eintrittskarte zur Weltwirtschaft zu lösen.

Das Geld hat eine noch dunklere Seite. Obwohl Geld Vertrauen zwischen Fremden schafft, wird dieses Vertrauen nicht in Menschen, Gemeinschaften oder heilige Werte investiert, sondern in Geld und das unpersönliche System dahinter. Wir vertrauen weder dem Fremden noch unserem Nachbarn, sondern nur der Münze, die sie in der Hand halten. Haben sie kein Geld mehr, haben wir kein Vertrauen mehr. Wenn Geld die Dämme der Gemeinschaften, Religionen und Staaten unterspült, läuft die Welt Gefahr, sich in einen riesigen, kalten Markt zu verwandeln.

Daher ist die wirtschaftliche Geschichte der Menschheit ein Eiertanz. Das Geld ermöglicht uns die Zusammenarbeit mit Fremden, doch gleichzeitig müssen wir befürchten, dass es unsere Werte und zwischenmenschlichen Beziehungen zerstört. Mit der einen Hand reißen wir die gemeinschaftlichen Dämme ein, die den freien Fluss des Handels und des Geldes so lange zurückgehalten haben. Und mit der anderen bauen wir neue auf, um zu verhindern, dass die Kräfte des Marktes unsere Gesellschaft, Religion und Umwelt versklaven.

Heute ist die Vorstellung verbreitet, dass der Markt immer siegen wird, und dass die Dämme, die von Königen, Priestern und Gemeinschaften errichtet wurden, der Flut des Gelds nicht standhalten können. Das ist jedoch naiv. Brutale Krieger, religiöse Fanatiker und besorgte Bürger haben es immer wieder geschafft, berechnenden Händlern Grenzen aufzuzeigen und die Wirtschaft in neue Bahnen zu lenken. Die Einigung der Menschheit darf daher nicht als rein wirtschaftlicher Prozess verstanden werden. Um zu verstehen, wie Tausende unterschiedliche Kulturen im Laufe der Zeit zu unserem globalen Dorf zusammenfanden, müssen wir zwar dem Gold unseren Respekt zollen, doch wir dürfen nicht vergessen, dass das Schwert und der Glaube eine ebenso wichtige Rolle gespielt haben.

Kapitel 11

Der Traum vom Weltreich

Die alten Römer waren Niederlagen gewöhnt. Wie die meisten Weltreiche der Geschichte konnten sie es sich leisten, eine Schlacht nach der anderen zu verlieren, weil sie am Ende den Krieg doch noch gewannen. Ein Imperium, das schon nach dem ersten Schlag in die Knie geht, ist kein Imperium. Doch selbst den Römern schmeckten die Nachrichten nicht, die Mitte des zweiten Jahrhunderts vor unserer Zeitrechnung aus dem Norden der Iberischen Halbinsel in der Hauptstadt eintrafen. Die keltischen Bewohner eines unbedeutenden Bergdorfs namens Numantia hatten es gewagt, das römische Joch abzuschütteln. Das Römische Reich war damals unumstrittener Herrscher des gesamten Mittelmeerraums, es hatte Makedonien und die Seleukidenreiche besiegt, die stolzen Stadtstaaten Griechenlands unterworfen und Karthago in Schutt und Asche gelegt. Die Numantier hatten nur ihre wilde Freiheitsliebe und die unwirtliche Gegend auf ihrer Seite. Trotzdem schlugen sie eine Legion nach der anderen zurück.

Irgendwann, genauer gesagt im Jahr 134 v. u. Z., riss den Römern schließlich der Geduldsfaden. Der Senat beauftragte Scipio Aemilianus, den bedeutendsten General des Imperiums und Zerstörer von Karthago, sich um die Numantier zu kümmern. Dazu stellten sie ihm eine riesige Armee mit 30 000 Soldaten zur Verfügung. Scipio hatte Respekt vor dem Kampfgeist und dem kriegerischen Geschick der Numantier und verspürte wenig Lust, seine Soldaten in unnötigen Schlachten zu opfern. Also errichtete er einen Festungsgürtel um Numantia, schnitt den Ort von der Außenwelt ab und wartete, dass der Hunger ihm die Arbeit abnahm. Nach mehr als einem Jahr gingen den Eingekesselten die Lebensmittel aus. Als die Numantier erkannten, dass jede Hoffnung verloren war, brannten sie ihren Ort nieder. Der Überlieferung zufolge begingen die meisten von ihnen Selbstmord, um nicht den Römern in die Hände zu fallen und in die Sklaverei verkauft zu werden.

Später wurde Numantia ein Symbol für die spanische Freiheitsliebe. Miguel de Cervantes, Autor des *Don Quijote*, schrieb eine Tragödie mit dem Titel *Numantia*, die mit der Zerstörung des Ortes und einer Vision von der künftigen Größe Spaniens endet. Dichter und Maler feierten den Widerstand der Numantier in Versen und Farben. Im Jahr 1882 wurden die Überreste zum »Nationaldenkmal« erklärt und zum Pilgerort für spanische Patrioten. Die beliebteste spanische Comicserie der 1950er und 1960er Jahren schilderte die Abenteuer von El Jabato, einem fiktiven iberischen Helden, der gegen die bösen Römer kämpfte. Die alten Numantier verkörperten Heldentum und Vaterlandsliebe und wurden als Vorbild für ihre Nachfahren, die modernen Spanier, bejubelt.

Doch die spanischen Patrioten feierten die Numantier auf Spanisch, einer romanischen Sprache und Abkömmling der lateinischen Sprache General Scipios – die Numantier sprachen einen längst vergessenen kelto-iberischen Dialekt. Cervantes schrieb seine Tragödie in lateinischer Schrift, und sein Theaterstück folgt griechischen und römischen Vorbildern – die Numantier kannten keine Theater. Die Spanier, die den Heldenmut der Numantier bewundern, sind überwiegend fromme Angehörige der römisch-katholischen Kirche, deren Oberhaupt bis heute in Rom sitzt und deren Gott sich bis heute gern in lateinischer Sprache anbeten lässt. Das moderne spanische Recht basiert auf dem antiken Römischen Recht, die spanische Politik steht auf römischen Schultern und die spanische Küche und Architektur schuldet den Römern mehr als den Kelten. Von Numantia ist nichts übrig als ein paar Ruinen. Selbst seine Geschichte kennen wir nur, weil römische Historiker sie niedergeschrieben haben. Sie war ganz nach dem Geschmack des römischen Publikums, das Geschichten von freiheitsliebenden Barbaren liebte. Die Römer ließen nichts von den Numantiern übrig, die Sieger übernahmen sogar noch die Erinnerung an die Besiegten.

Das ist keine nette Geschichte. Wir hören lieber Erzählungen vom tapferen kleinen David, der sich dem bösen Goliath erfolgreich widersetzt, und wenn David schon nicht auf dem Schlachtfeld siegt, dann zumindest auf dem Gebiet der Kultur. Aber die Geschichte ist nicht gerecht. Die meisten Kulturen der Vergangenheit wurden früher oder später von dem einen oder anderen Imperium geschluckt und verschwanden auf Nimmerwiedersehen. Auch Imperien gehen irgendwann unter, doch sie hinterlassen ein reiches und langlebiges Erbe. Die meisten Völker des 21. Jahrhunderts sind Nachfahren des einen oder anderen Weltreichs.

Was ist ein Imperium?

Ein Imperium ist eine politische Ordnung mit zwei entscheidenden Eigenschaften. Um als Imperium zu gelten, muss es über eine ausreichende Zahl von verschiedenen Völkern herrschen, von denen jedes seine eigene kulturelle Identität und sein eigenes Territorium hat. Wie viele Völker müssen es genau sein? Zwei oder drei reichen jedenfalls noch nicht aus. Zwanzig oder dreißig sind genug. Die Grenze zum Imperium liegt irgendwo dazwischen.

Zweitens zeichnen sich Imperien durch flexible Grenzen und einen potenziell grenzenlosen Appetit aus. Sie können sich immer mehr Völker und Gebiete einverleiben, ohne ihre Struktur oder Identität zu verlieren. Das heutige Großbritannien hat klar definierte Grenzen, die es nicht überschreiten kann, ohne dass der Staat seine Struktur oder Identität völlig verändern würde. Aber vor einem Jahrhundert hätte fast jeder Ort auf der Erde Teil des Britischen Weltreichs werden können.

Kulturelle Vielfalt und ein flexibles Herrschaftsgebiet verleihen Imperien nicht nur ihren einmaligen Charakter, sondern auch ihren zentralen Platz in der Geschichte. Dank dieser beiden Eigenschaften gelang es ihnen, eine große Vielfalt von Ethnien und Regionen unter einen Hut zu bringen und dabei immer größere Teile der Menschheit und des Planeten zu vereinen.

Wir sollten noch einmal unterstreichen, dass sich ein Imperium ausschließlich über seine kulturelle Vielfalt und seine flexiblen Grenzen definiert, nicht über seine Ursprünge, seine Staatsform, seine Größe oder die Zahl seiner Einwohner. Ein Imperium muss zum Beispiel nicht das Ergebnis von Eroberungszügen sein: Das Reich der Athener begann als freiwilliger Zusammenschluss und das Reich der Habsburger wurde durch eine geschickte Heiratspolitik geschmiedet. Ein Imperium muss auch nicht unbedingt von einem Alleinherrscher geführt werden: Das Britische Weltreich, das größte Imperium der Geschichte, wurde von einem halbwegs demokratisch gewählten Parlament regiert. Auch die modernen Reiche der Niederländer, Franzosen, Belgier und Vereinigten Staaten waren mehr oder weniger demokratisch, genau wie die antiken Imperien von Nowgorod, Rom, Karthago und Athen.

Auch die Größe spielt keine Rolle. Imperien können winzig sein. Auf seinem Höhepunkt nahm das Reich von Athen nicht einmal den Raum des heutigen Griechenlands ein und hatte weniger Einwohner. Das Reich der Azteken war nicht einmal halb so groß wie das heutige Mexiko. Doch anders als die modernen Staaten, die ihnen nachfolgten, waren beides Imperien, da sie im Laufe der Zeit Dutzende oder gar Hunderte verschiedene Staaten und Ethnien unter ihre Herrschaft brachten. Die Athener regierten über mehr als hundert einst unabhängige Stadtstaaten, und wenn man den Steuerbüchern der Azteken glauben darf, dann herrschten sie mit ihrem Reich über 371 verschiedene Stämme und Völker.[1]

Wie war es möglich, dieses menschliche Potpourri in das Territorium eines bescheidenen modernen Staates zu zwängen? Es war deshalb möglich, weil es in der Vergangenheit deutlich mehr Völker gab, die weniger Angehörige und kleinere Territorien hatten als heutige Völker. In der Region zwischen der Mittelmeerküste und dem Jordan, die heute mit Ach und Krach die Bedürfnisse zweier Nationen befriedigt, fanden zu biblischen Zeiten spielend Dutzende Völker, Stämme, kleine Königreiche und Stadtstaaten Platz.

Wenn sich die menschliche Vielfalt derart drastisch verringert hat, dann liegt das auch an den Weltreichen. Mit ihrer imperialen Dampfwalze ebneten sie die Unterschiede zwischen den Völkern ein und schufen so neue und immer größere Gruppen.

Reich des Bösen?

Weltreiche genießen heutzutage keinen allzu guten Ruf. Im Lexikon der politischen Schimpfwörter kommt »Imperialist« gleich nach »Faschist«. Sie werden vor allem aus zwei Gründen kritisiert:

1. Imperien funktionieren nicht. Auf lange Sicht ist es unmöglich, eine große Zahl unterworfener Völker zu beherrschen.
2. Und selbst wenn es möglich wäre, dann ist es wenig ratsam, da Imperien sowohl die Eroberer als auch die Eroberten korrumpieren. Jedes Volk hat ein Recht auf freie Selbstbestimmung und seinen eigenen Staat.

Aus historischer Sicht ist die erste Aussage unsinnig und die zweite mindestens fragwürdig.

In Wirklichkeit war das Imperium während der vergangenen zweieinhalb Jahrtausende die vorherrschende Staatsform. Die allermeisten Menschen lebten in irgendeinem Weltreich. Es handelt sich auch um eine ausgesprochen stabile Staatsform. Den meisten Imperien fiel es erschreckend leicht, sämtliche Aufstände niederzuschlagen; wenn sie zu Fall kamen, dann meist nur durch eine Invasion von außen oder eine Spaltung der herrschenden Elite. Umgekehrt befreiten sich die allermeisten unterworfenen Völker nie aus der Herrschaft durch ihre Unterdrücker. Sie blieben jahrhundertelang unterjocht und wurden allmählich vom Imperium vereinnahmt, bis ihre eigenständige Kultur verschwand.

Als beispielsweise das Weströmische Reich um das Jahr 476 unter dem Ansturm der germanischen Stämme zusammenbrach, kehrten die Numantier, Arverner, Helvetier, Samniter, Lusitanier, Umbrier, Etrusker und Hunderte andere Völker nicht wieder aus den Ruinen des Reichs zurück wie Jonas aus dem Bauch des Wals. Die Nachfahren dieser Völker hatten die Sprachen und Götter ihrer Vorfahren längst vergessen und sprachen, dachten und beteten wie Römer.

Oft bedeutete der Untergang eines Imperiums keineswegs die Freiheit für die unterjochten Völker. Stattdessen füllte ein neues Reich das Machtvakuum. Das wird nirgends so deutlich wie im Nahen Osten. Die heutige politische Situation in der Region – ein Kräftegleichgewicht zwischen zahlreichen unabhängigen Staaten mit mehr oder weniger festen Grenzen – ist in der jüngeren Geschichte völlig beispiellos. Zuletzt erlebte der Nahe Osten eine ähnliche Situation im achten Jahrhundert vor unserer Zeitrechnung – also vor fast 3000 Jahren! Vom Aufstieg des Neuassyrischen Reichs im achten Jahrhundert vor unserer Zeitrechnung bis zum Untergang der Britischen und Französischen Kolonialreiche Mitte des 20. Jahrhunderts wurde der Nahe Osten von einem Imperium zum anderen weitergereicht wie ein Staffelstab. Und als die Briten und Franzosen den Stab schließlich fallen ließen, waren die Aramäer, Amoniter, Phönizier, Philister, Moabiter, Edomiter und all die anderen Völker, die einst von den Assyrern unterworfen worden waren, längst verschwunden.

Natürlich nehmen die heutigen Juden, Armenier und Georgier mit gewissem Recht für sich in Anspruch, die Nachfahren von früheren Völkern des Nahen Ostens zu sein. Doch sie sind die Ausnahme, und selbst ihre Ansprüche sind weit überzogen. Die politische, wirtschaftliche und gesellschaftliche Ordnung der heutigen

Juden verdankt sich viel eher den Weltreichen, unter denen sie in den letzten beiden Jahrtausenden lebten, als dem antiken Königreich Juda. Wenn König David in einer ultraorthodoxen Synagoge im heutigen Jerusalem vorbeischauen würde, dann wäre er sicher verwundert über die Menschen in osteuropäischer Kleidung, die einen deutschen Dialekt (Jiddisch) sprechen und endlose Auseinandersetzungen um die Bedeutung eines babylonischen Texts (des Talmuds) führen. Im antiken Juda gab es weder Synagogen, noch den Talmud und noch nicht einmal Torahrollen.

*

Der Aufbau und Erhalt eines Imperiums ging meist mit Blutvergießen und Unterdrückung einher. Krieg, Versklavung, Verschleppung und Völkermord zählen seit jeher zum Handwerkszeug der Weltreiche. Als die Römer im Jahr 83 in das heutige Schottland vordrangen und auf heftigen Widerstand der Kaledonier stießen, verwüsteten sie das Land kurzerhand. In seiner Antwort auf ein Friedensangebot bezeichnete der kaledonische Häuptling Calgacus die Römer als »Schläger der Welt« und schimpfte: »Um zu plündern, zu morden und zu rauben, geben sie sich den verlogenen Namen eines Imperiums. Sie hinterlassen eine Wüste und nennen sie Frieden.«[2]

Was nicht heißen soll, dass Weltreiche nur Schaden anrichten. Wer alle Imperien in Bausch und Bogen verdammt und ihr Erbe verteufeln wollte, müsste den Großteil der menschlichen Kultur verdammen und verteufeln. Mit der Beute aus den Eroberungen finanzierten die Eliten der Imperien nicht nur Armeen und Festungen, sondern auch Philosophie, Kunst und Recht. Ein erheblicher Teil der großen Kunstwerke der Menschheit verdankt seine Existenz der Ausbeutung unterworfener Völker. Die Früchte des römischen Imperialismus nährten die Gedanken von Cicero, Seneca und Augustinus von Hippo, die Erträge des Mogulreichs flossen in den Bau des Taj Mahal, und die Steuern aus dem Reich der Habsburger bezahlten die

Gehälter von Mozart und Haydn. Dass Calgacus' Wutrede überliefert wurde, haben wir übrigens dem römischen Historiker Tacitus zu verdanken. Die meisten Wissenschaftler sind sich heute einig, dass es den kaledonischen Häuptling Calgacus gar nicht gab, sondern dass Tacitus ihn erfand, um die römische Oberschicht zu kritisieren.

Selbst wenn wir die »Hochkultur« beiseitelassen und uns den Alltag der normalen Menschen ansehen, finden wir in den meisten modernen Kulturen Überreste des imperialen Erbes. Heute sprechen, denken und träumen wir in Sprachen, die unseren Vorfahren mit dem Schwert aufgezwungen wurden. Die meisten Ostasiaten sprechen die Sprache des Han-Reichs. Die meisten Bewohner des amerikanischen Doppelkontinents verständigen sich in einer von vier Kolonialsprachen: Spanisch, Portugiesisch, Französisch oder Englisch. Die modernen Ägypter sprechen Arabisch, halten sich für Araber und identifizieren sich mit dem Arabischen Reich, das Ägypten im 7. Jahrhundert eroberte und die wiederholten Aufstände gegen seine Herrschaft mit eiserner Faust niederschlug. Rund 10 Millionen Zulus in Südafrika erinnern sich an das Goldene Zeitalter der Zulus im 19. Jahrhundert, auch wenn sie mehrheitlich von Stämmen abstammen, die damals erbitterten Widerstand gegen das Zulu-Reich leisteten und in blutigen Feldzügen unterworfen wurden.

Wir wollen nur euer Bestes

Das erste Imperium, von dem wir definitiv Kenntnis haben, war das Akkadische Großreich von König Sargon (ca. 2250 v. u. Z.). Sargon von Akkad begann seine Laufbahn als König von Kisch, einem kleinen Stadtstaat in Mesopotamien. Innerhalb weniger Jahrzehnte gelang es ihm, nicht nur die übrigen Stadtstaaten der Region zu unterwerfen, sondern sein Herrschaftsgebiet weit über das Zweistromland hinaus auszuweiten. Sargon prahlte, er habe »die ganze Welt« erobert. In Wirklichkeit reichte Akkad vom Persischen Golf bis zum Mittelmeer und umfasste die heutigen Länder Irak und Syrien sowie Teile des modernen Iran und der Türkei. Sein Reich fiel kurz nach seinem Tod wieder in sich zusammen, doch Sargon hinterließ einen Königsmantel, der nie lange ohne Besitzer blieb. Während der nächsten 1700 Jahre traten die Könige der Assyrer, Babylonier und Hethiter in Sargons Fußstapfen und behaupteten, auch sie hätten »die ganze Welt« erobert.

Erst mit Kyros dem Großen von Persien (ca. 550 v. u. Z.) begegnen wir einer neuen Spielart des Imperiums. Die Könige von Assyrien blieben immer Könige von Assyrien. Selbst wenn sie behaupteten, dass sie über die ganze Welt herrschten, taten sie dies ganz unverhohlen im Interesse Assyriens. Kyros bezeichnete sich dagegen nicht nur als Herrscher der Welt, sondern er behauptete, er regiere zum Nutzen aller Völker. »Wir unterwerfen euch, weil wir das Beste für euch wollen«, erklärte er. Das berühmteste Beispiel für die neue Politik von Kyros war seine Entscheidung, den Juden die Rückkehr aus der babylonischen Gefangenschaft in ihre Heimat und den Wiederaufbau des Tempels von Jerusalem zu gestatten. Kyros bot ihnen sogar finanzielle Unterstützung an. Er betrachtete sich nicht als persischer König, der über die Juden herrschte, sondern er verstand sich als König der Juden und übernahm die Verantwortung für ihr Wohlergehen.

Diese Anmaßung, die ganze Welt zum Wohl aller Menschen regieren zu wollen, war so erstaunlich wie unnatürlich. Die Evolution hat den *Homo sapiens* wie alle anderen Herdentiere zu einem fremdenfeindlichen Wesen gemacht. Jede Gruppe neigt dazu, den Unterschied zwischen »uns« und »den anderen« zu betonen, fremde Einflüsse herunterzuspielen und die Verantwortung für andere abzulehnen. Ethnische Gruppen haben die Tendenz, andere auszuschließen und sich nach außen abzuschotten. Sie wollen andere aus ihrem Fleckchen Heimat fernhalten und interessieren sich wenig für Menschen, die anderswo leben. Die anderen werden oft nicht einmal als Menschen anerkannt. In der Sprache der Dinka im Südsudan bedeutet »Dinka« einfach »Menschen«. Wer kein Dinka ist, ist auch kein Mensch. Die größten Feinde der Dinka sind die Nuer – und was bedeutet »Nuer«? »Die echten Menschen«. Tausende Kilometer von der Wüste des Sudan entfernt, in den eisigen Weiten Alaskas und Sibiriens, leben die Yupiks. Und was meinen Sie wohl, was »Yupik« bedeutet?[3]

Mit Kyros begann jedoch der Gedanke, Weltreiche müssten dieses Provinzdenken überwinden und sämtliche Einwohner einschließen. Imperien betonten zwar oft die ethnischen Unterschiede zwischen Herrschenden und Beherrschten, doch sie erkannten die grundlegende Einheit der ganzen Welt, die Existenz von universellen Prinzipien, die überall und für alle galten, und die Verantwortung aller für alle. Sie betrachteten die Menschheit als große Familie: Die Privilegien der Eltern gehen Hand in Hand mit ihrer Verantwortung für das Wohl der Kinder.

Kyros reichte diese neue Auffassung des Imperiums an Alexander den Großen weiter, von dem es auf die indisch-hellenistischen Könige, die römischen Kaiser, die muslimischen Kalifen, die indischen Dynasten und schließlich die sowjetischen Generalsekretäre und die Präsidenten der Vereinigten Staaten überging. Diese Vorstellung des Herrschers als Vater aller Untertanen war die perfekte Rechtfertigung für die Existenz von Weltreichen: Sie sprach unterworfenen Völkern das Recht auf Rebellion genauso ab wie unabhängigen Völkern das Recht auf Widerstand gegen ihre Einverleibung.

Unabhängig vom persischen Vorbild wurden auch anderswo auf der Welt ähnliche Ideologien entwickelt, vor allem in Mittelamerika, den Anden und China. Nach der traditionellen chinesischen Theorie geht alle legitime Macht vom Himmel aus. Der Himmel wählt die würdigste Person oder Familie aus und verleiht ihm ein Mandat. Diese Person oder Familie herrscht dann über alle Menschen unter dem Himmel und zu ihrem Nutzen. Die legitime Autorität ist damit definitionsgemäß weltumspannend. Ohne den himmlischen Auftrag hat ein Herrscher nicht einmal das Recht, über ein einziges Dorf zu herrschen. Mit dem Mandat hat er die Pflicht, der ganzen Welt Gerechtigkeit und Frieden zu bringen. Der Himmel entsendet nie mehr als einen Herrscher gleichzeitig, weshalb es keine Rechtfertigung für die Existenz mehrerer unabhängiger Staaten geben kann.

Qín Shǐhuángdì, der erste erhabene Gottkaiser des geeinten China, prahlte: »In den sechs Richtungen des Universums gehört alles dem Kaiser… Wohin auch immer ein Mensch seinen Fuß gesetzt hat, gibt es niemanden, der nicht Untertan des Kaisers wurde… Seine Güte schließt selbst Ochsen und Pferde ein. Es gibt niemanden, dem sie nicht zugute kommt. Jeder Mensch ist sicher unter seinem Dach.«[4] Im kollektiven Gedächtnis und in der politischen Theorie der Chinesen gelten Großreiche seither als Goldene Zeitalter von Recht und Ordnung. Zeiten der Kleinstaaterei gelten dagegen als finstere Phasen von Unrecht und Chaos. Diese Wahrnehmung hat weitreichenden Einfluss auf die chinesische Geschichte und ließ eine Philosophie aufkommen, die sich erheblich von der europäischen unterscheidet. Jedes Mal, wenn ein Reich unterging, gaben sich die Herrschenden unter dem Einfluss dieser Theorie nicht mit kleinen, unabhängigen Herrschaftsgebieten zufrieden, sondern strebten eine neuerliche Vereinigung an. Früher oder später waren alle diese Versuche von Erfolg gekrönt.

Alle unter einem Dach

Großreiche haben eine entscheidende Rolle bei der Verschmelzung vieler kleiner zu wenigen großen Kulturen gespielt. Gedanken, Menschen, Waren und Technologien werden in einem Imperium schneller weitergegeben als in einer politisch zersplitterten Region. Oft waren es die Imperien selbst, die gezielt Gedanken, Institutionen und Verhaltensweisen verbreiteten.

Erstens erleichterten sie sich damit selbst das Leben: Es ist schwierig, ein großes Reich zu regieren, wenn jedes Tal seine eigenen Gesetze, Schriftsysteme, Sprachen und Währungen hat. Die Standardisierung kam den Herrschenden also sehr entgegen.

Und zweitens schufen Imperien eine einheitliche Kultur, um sich selbst zu legitimieren. Spätestens seit den Tagen von Kyros und Qín Shǐhuángdì rechtfertigten Imperien jede Handlung vom Straßenbau bis zum Völkermord mit der Behauptung, sie brächten eine überlegene Kultur und nützten damit den Eroberten mehr als den Eroberern selbst.

So zweifelhaft manche Segnungen des Reichs auch waren, glaubten die Herrschenden natürlich nur zu gern, dass sie für das Wohl aller ihrer Untertanen sorgten. Die Elite des kaiserlichen China betrachtete Nachbarn und fremde Untertanen als arme Barbaren, denen das Imperium die Wunder der Zivilisation bescherte. Der Kaiser erhielt den himmlischen Auftrag nicht etwa, um die Welt auszubeuten, sondern um die Menschheit zu erziehen. Auch die Römer rechtfertigten ihre Herrschaft mit der Behauptung, sie brächten den Barbaren Frieden, Gerechtigkeit und das Licht der Kultur: Die wilden Germanen befriedeten sie mit dem römischen Recht und den ungewaschenen Galliern schenkten sie öffentliche Badehäuser, römische Philosophie und Theater. Das indische Maurya-Reich des dritten Jahrhunderts vor unserer Zeitrechnung sah es als seine Aufgabe an, der nicht erleuchteten Menschheit die Lehre Buddhas zu bringen. Die muslimischen Kalifen erhielten den Auftrag Allahs, die Lehre des Propheten Mohammed zu verbreiten, wenn möglich friedlich, wenn nötig mit dem Schwert. Die spanischen und portugiesischen Weltreiche sahen sich als Botschafter des Christentums, die in der Neuen Welt nicht etwa Gold suchten, sondern Seelen retteten. Für die modernen Briten war das Empire ein Instrument zur Verbreitung der Religion des Liberalismus und des Freihandels. Die Sowjets behaupteten, ihr Reich beschleunige den unvermeidlichen Übergang vom Kapitalismus zur Diktatur des Proletariats. Und viele Amerikaner sind überzeugt, ihr Imperium habe die moralische Pflicht, die Länder der Dritten Welt mit Demokratie und Menschenrechten zu beglücken, auch wenn sie dazu Drohnen und Bomber schicken.

Die Kultur, die das Imperium verbreitete, war nicht etwa die Erfindung der herrschenden Eliten. Da das Imperium seinem Selbstverständnis nach universell und allumfassend war, konnten sich die Eliten ihre Gedanken, Normen und Traditionen überall zusammensuchen und mussten sich nicht fanatisch an eine einzige engstirnige Überlieferung klammern. Imperien bringen in der Regel Mischkulturen hervor, die dem Einfluss der eroberten Völker viel zu verdanken haben. Die Kultur des Römischen Reichs war beispielsweise fast so griechisch wie römisch. Die Kultur des Abbasidenreichs speiste sich aus persischen, griechischen und arabischen Quellen. Und das Mongolenreich war eine Kopie des chinesischen Kaiserreichs.

Diese Mischung erleichterte den eroberten Völkern die Anpassung keineswegs. Die Kultur des Imperiums bediente sich zwar bei verschiedenen besiegten Völkern, doch die daraus entstehende hybride Kultur war der überwiegenden Mehrheit der Untertanen trotzdem fremd. Der Prozess der Assimilation war oft schmerzhaft. Es ist immer schwer, vertraute und lieb gewonnene eigene Traditionen aufzugeben und eine neue Kultur zu verstehen und zu übernehmen. Schlimmer noch, selbst wenn es einem unterworfenen Volk gelang, sich die Kultur des Imperiums anzueignen, konnten noch Jahrzehnte oder Jahrhunderte vergehen, ehe es von der herrschenden Elite als »einer von uns« anerkannt wurde. Die Generationen zwischen der Eroberung und der Anerkennung standen vor verschlossenen Türen. Sie hatten ihre eigene Kultur verloren, aber gleichberechtigte Partner der neuen Kultur waren sie damit noch lange nicht. Im Gegenteil, sie wurden weiter als »Barbaren« behandelt.

Stellen Sie sich einen Kelten aus einer angesehenen Familie vor, der einige Generationen nach dem Fall von Numantia im Norden der Iberischen Halbinsel lebt. Mit seinen Eltern spricht er einen keltischen Dialekt, mit seinen Geschäftspartnern und den Behörden kommuniziert er in tadellosem Latein. Seiner Frau schenkt er schnörkeligen keltischen Goldschmuck, obwohl er sich ein bisschen dafür schämt und es lieber sähe, wenn sie den schlichten Schmuck der Frau des römischen Gouverneurs tragen würde. Er selbst trägt die römische Tunika. Da er sich im römischen Handelsrecht auskennt, hat er als Viehhändler ein kleines Vermögen verdient und sich eine römische Villa gebaut. Aber obwohl er römische Literatur liest und Teile von Vergils *Georgica* auswendig gelernt hat, bleibt er in den Augen der Römer immer ein Barbar. Frustriert muss er einsehen, dass er nie einen Posten in der Verwaltung bekommen und im Theater immer auf den schlechten Plätzen sitzen wird.

Genau diese Lektionen mussten viele gebildete Inder Ende des 19. Jahrhunderts von ihren britischen Herren lernen. Einer davon sollte später berühmt werden. Als ehrgeiziger junger Mann vertiefte er sich in die Feinheiten der englischen Sprache, nahm Tanzstunden und lernte den Umgang mit Messer und Gabel. Mit besten Manieren ausgestattet, studierte er Jura am University College in London und schloss sein Studium als Rechtsanwalt ab. Angetan mit Anzug und Krawatte wurde dieser junge Mann in der britischen Kolonie Südafrika aus dem Zug geworfen, weil er darauf bestand, in der ersten Klasse zu reisen, statt sich mit der für »Farbige« bestimmten dritten Klasse zufriedenzugeben. Der Mann hieß Mohandas Karamchand Gandhi, und er sollte diese Lektion nie vergessen.

In einigen Fällen fiel die Mauer zwischen den assimilierten Neuankömmlingen und der alten Elite. Die Eroberten betrachteten das Imperium nicht mehr als fremde Besatzungsmacht und die Eroberer behandelten die Untertanen als Gleichberechtigte. Aus »den anderen« wurde allmählich »wir«. So erhielten die von Rom eroberten Völker irgendwann das Bürgerrecht, und die Generäle, Senatoren und sogar Kaiser konnten aus den unterschiedlichsten ethnischen Gruppen rekrutiert werden. Im Jahr 48 holte Kaiser Claudius einige gallische Adelige in den Senat, die »durch Gewohnheiten, Kultur und Heirat eins mit uns geworden sind«, wie er in einer Rede sagte. Einige Senatoren protestierten dagegen, dass die einstigen Feinde des Reichs nun an den Schalthebeln der Macht sitzen sollten. Doch Claudius erinnerte sie an eine unangenehme Wahrheit: Die meisten der Senatorenfamilien gingen auf italienische Stämme zurück, die einst gegen Rom gekämpft und später die römische Staatsbürgerschaft erhalten hatten. Die Familie des Kaisers selbst hatte sabinische Vorfahren.[5]

Während des zweiten Jahrhunderts wurde Rom von einer Reihe von Kaisern regiert, die von der iberischen Halbinsel stammten und in deren Adern vermutlich ein paar Tropfen keltischen Blutes flossen. Das Zeitalter der iberischen Kaiser – Trajan, Hadrian, Antoninus Pius und Mark Aurel – wird oft als das Goldene Zeitalter des Römischen Reichs bezeichnet. Danach brachen alle ethnischen Dämme. Kaiser Septimius Severus (193–211) stammte aus einer punischen Familie aus Libyen. Algebalus (218–222) war Syrer. Kaiser Philip (244–249) wurde weithin »Philip der Araber« genannt. Die neuen Bürger übernahmen die Kultur des Imperiums mit solchem Eifer, dass sie auch noch Jahrhunderte und Jahrtausende nach dessen Untergang seine Sprache sprachen, an seinen Gott glaubten und seine Gesetze befolgten.

Der Prozess wiederholte sich im Arabischen Weltreich. Zur Zeit der Eroberung Mitte des 7. Jahrhunderts trennten die Herrscher noch streng zwischen der arabisch-muslimischen Elite und den unterworfenen Ägyptern, Syrern, Iranern und Berbern, die weder Araber noch Muslime waren. Viele der Untertanen traten schließlich zum Islam über, lernten Arabisch und übernahmen die hybride Kultur des Imperiums. Die alte arabische Elite betrachtete diese Emporkömmlinge mit Misstrauen und fürchtete um ihren Status und ihre Identität. In ihrer Enttäuschung forderten die Bekehrten einen gleichberechtigten Anteil am Imperium und der islamischen Welt. Schließlich setzten sie sich durch. Ägypter, Syrer und Mesopotamier wurden zunehmend als »Araber« akzeptiert. Und die Araber – die »ursprünglichen« Araber von der arabischen Halbinsel genau wie die frischgebackenen Araber aus Ägypten und Syrien – gerieten wiederum immer stärker unter den Einfluss nicht-arabischer Muslime, allen voran Iraner, Türken und Berber. Das arabische Projekt war deshalb so erfolgreich, weil sich zahlreiche nicht-arabische Völker

die Kultur des Imperiums begeistert zu Eigen machten und sie bei-
behielten, weiterentwickelten und verbreiteten, nachdem das Reich
längst untergegangen war und die ethnische Gruppe der Araber ihre
Vorherrschaft verloren hatte.

In China feierte das Reichsprojekt sogar noch größere Erfolge.
Über mehr als zwei Jahrtausende hinweg wurde ein buntes Sam-
melsurium von ethnischen Gruppierungen, die zunächst als Barbaren galten, erfolgreich in die Kultur des Imperiums integriert und
zu Han-Chinesen (benannt nach der Han-Dynastie, die China von
206 vor bis 220 nach Beginn unserer Zeitrechnung beherrschte).
Im Grunde besteht dieses Reich bis heute, auch wenn man nur in
Randgebieten wie Tibet und Xinjiang erkennt, dass es sich um ein
Imperium handelt. Mehr als 90 Prozent aller Einwohner Chinas
gelten heute als Han-Chinesen.

Auch der Prozess der Entkolonialisierung nach dem Ende des Zweiten Weltkriegs lässt sich so verstehen. Nach dem Beginn der Neuzeit
brachten die Europäer weite Teile der Erde unter ihre Kontrolle und
rechtfertigten dies mit der Verbreitung der westlichen Zivilisation.
Dabei waren sie so erfolgreich, dass sich Milliarden von Menschen
zentrale Aspekte dieser Zivilisation aneigneten. Inder, Afrikaner,
Araber, Chinesen und Maoris lernten Französisch oder Englisch. Sie
glaubten an Menschenrechte und das Selbstbestimmungsrecht der
Völker und übernahmen westliche Ideologien wie den Liberalismus,
Kapitalismus, Kommunismus, Feminismus und Nationalismus.

Während des 20. Jahrhunderts beriefen sich die Gruppen, die sich
westliche Werte zu Eigen gemacht hatten, auf genau diese Werte,
um die Gleichstellung mit ihren europäischen Eroberern einzufor-
dern. Viele Kämpfe gegen die Kolonialherren wurden unter dem
Banner der Selbstbestimmung, des Sozialismus oder der Menschenrechte geführt, die durchweg aus dem Westen stammen. Genau wie
die Ägypter, Iraner und Türken die von den arabischen Eroberern
geerbte Kultur weiterentwickelten, tragen auch die Inder, Afrikaner
und Chinesen die Kultur ihrer früheren Kolonialherren fort.

Der Lebenszyklus der Imperien

Stadium	Rom	Islam	Europäischer Imperialismus
Eine kleine Gruppe errichtet ein großes Imperium.	Die Römer begründen das Römische Reich.	Die Araber errichten das arabische Kalifat.	Europäische Nationen erobern Kolonialreiche.
Das Imperium entwickelt seine eigene Kultur.	Griechisch-römische Kultur	Arabisch-islamische Kultur	Europäische Kultur
Die Kultur des Imperiums wird von den unterworfenen Völkern übernommen.	Die unterworfenen Völker sprechen Latein und übernehmen das römische Recht, römische Politikvorstellungen usw.	Die unterworfenen Völker sprechen Arabisch, konvertieren zum Islam usw.	Die unterworfenen Völker sprechen Englisch und Französisch und übernehmen Sozialismus, Nationalismus, Menschenrechte usw.
Die unterworfenen Völker verlangen Gleichberechtigung im Namen der Werte des Imperiums.	Illyrier, Gallier und Punier verlangen Gleichberechtigung mit den Römern unter Berufung auf gemeinsame römische Werte.	Ägypter, Iraner und Berber verlangen Gleichberechtigung mit den Arabern unter Berufung auf gemeinsame islamische Werte.	Inder, Chinesen und Afrikaner verlangen Gleichberechtigung mit den Europäern unter Berufung auf gemeinsame westliche Werte.
Die ursprünglichen Gründer des Imperiums verlieren ihre Vorherrschaft.	Die Römer verlieren ihre Identität als einmalige ethnische Gruppierung. Die Kontrolle über das Reich geht auf eine neue multiethnische Elite über.	Die Araber verlieren die Vorherrschaft über die muslimische Welt, die Macht geht auf eine neue multiethnische und islamische Elite über.	Die Europäer verlieren ihre Vorherrschaft über die globalisierte Welt, die Macht geht an eine neue multiethnische Elite über, die sich westlichen Werten und Denkweisen verpflichtet fühlt.
Die Kultur des Imperiums blüht und entwickelt sich weiter.	Illyrier, Gallier und Punier entwickeln die angenommene römische Kultur weiter.	Ägypter, Iraner und Berber entwickeln die angenommene muslimische Kultur weiter.	Inder, Chinesen und Afrikaner entwickeln die angenommene europäische Kultur weiter.

Die Guten und die Bösen

Die Versuchung ist groß, die Geschichte fein säuberlich in »Gute« und »Böse« einzuteilen und alle Weltreiche zu den Bösen zu stecken. Schließlich wurden die meisten unter großem Blutvergießen erobert und durch fortgesetztes Unrecht verteidigt. Doch die meisten Kulturen der Gegenwart wurden auf dem Erbe des einen oder anderen Weltreichs begründet – wenn alle Imperien automatisch schlecht sind, was sagt das dann über uns?

An Universitäten und in der Politik wird gern versucht, die menschliche Kultur vom bösen imperialistischen Erbe zu läutern und zu den guten, vermeintlich ursprünglichen Kulturen zurückzukehren. Das ist bestenfalls naiv und schlimmstenfalls Ausdruck eines bigotten Nationalismus. Es gibt keine wirklich ursprünglichen Kulturen mehr. Alle Kulturen stehen zumindest teilweise auf den Schultern von Imperien, und keine wissenschaftliche oder politische Operation kann das imperiale Erbe entfernen, ohne den Patienten gleich mit zu töten.

Nehmen wir zum Beispiel die Hassliebe, die das heutige Indien mit der britischen Kolonialherrschaft verbindet. Die Eroberung und Kolonialisierung des indischen Subkontinents durch die Engländer kostete Millionen Inder das Leben und war verantwortlich für die fortgesetzte Erniedrigung und Ausbeutung des Landes. Die Inder, die sich mit dem Eifer von Bekehrten westliche Werte wie den Rechtsstaat, das Selbstbestimmungsrecht der Völker und die Menschenrechte angeeignet hatten, waren bitter enttäuscht, als die Briten sich weigerten, nach ihren eigenen Werten zu handeln und ihnen Gleichberechtigung oder gar die Unabhängigkeit zuzugestehen.

Trotzdem kann das moderne Indien das britische Erbe nicht leugnen. Obwohl die Kolonialherrschaft Leid und Elend über den Subkontinent brachte, lässt sich nicht bestreiten, dass es die Briten waren, die Indien aus einem verwirrenden Flickenteppich von zerstrittenen Königreichen, Fürstentümern und Stämmen zu einem Land zusammenfügten. Sie legten den Grundstein für das Rechtssystem, die Verwaltung und die Eisenbahn im unabhängigen Indien. Die indische Demokratie geht auf das britische Vorbild zurück. Englisch ist nach wie vor die Sprache der Bildungselite und eine neutrale Brücke zwischen den verschiedenen Regionalsprachen. Ihren Nationalsport Cricket haben die Inder von den Kolonialherren geerbt, genau wie das Nationalgetränk Tee (Chai). Es war die Britische Ostindien-Gesellschaft, die den Tee von China nach Indien holte und Mitte des 19. Jahrhunderts mit dem kommerziellen Teeanbau begann, und es waren die britischen Sahibs, die den Brauch des Teetrinkens auf den Subkontinent brachten.

Vermutlich würde heute kaum jemand in Indien auf die Demokratie, die englische Sprache, die Eisenbahn, den Rechtsstaat, Cricket oder Chai verzichten wollen, nur weil es sich um ein Erbe des Empire handelt. Und selbst wenn man das wollte, wäre eine demokratische Abstimmung über diese Fragen nur wieder ein Tribut an die ehemaligen Kolonialherren.

19. Der Chhatrapati Shivaji-Terminus von Mumbai, der seine Existenz als Victoria-Terminus in Bombay begann. Die Briten errichteten diesen Bahnhof im neogotischen Stil, der sich im 19. Jahrhundert großer Beliebtheit erfreute. Die nationalistische Regierung Indiens taufte das Gebäude und die Stadt zwar um, doch verständlicherweise hatte sie kein Interesse daran, den prächtigen Bau abzureißen, auch wenn er von den ehemaligen Unterdrückern stammte.

20. *Das Taj Mahal – Beispiel der »ursprünglichen« indischen Kultur oder eine fremde Schöpfung des muslimischen Imperialismus?*

Wenn wir uns völlig von den Hinterlassenschaften eines grausamen Imperiums lossagen wollten, um zu einer vermeintlich ursprünglichen Kultur zurückzukehren, die ihm voranging, dann laufen wir Gefahr, einem älteren und nicht weniger grausamen Imperium das Wort zu reden. Wer gegen die Entstellung der indischen Kultur durch die britische Kolonialherrschaft wettert, läuft Gefahr, das Erbe des Mogulreichs und des kriegerischen Sultanats von Delhi zu verteidigen. Und wer die »ursprüngliche indische Kultur« von den Einflüssen dieser muslimischen Reiche reinigen wollte, müsste das Erbe des Gupta-, des Kuschana- und des Maurya-Reichs feiern. Wenn ein hinduistischer Extremist alle Gebäude abreißen wollte, die irgendein Kolonialherr hinterlassen hat, dann dürfte er nicht bei den britischen Hinterlassenschaften wie dem Hauptbahnhof von Mumbai stehen bleiben. Was wäre zum Beispiel mit den Gebäuden der muslimischen Eroberer, etwa dem Taj Mahal?

Die Frage nach dem kulturellen Erbe ist eine haarige Angelegenheit und im Grunde genommen nicht zu beantworten. Was wir auch immer von Weltreichen halten mögen: Wir sollten uns als Erstes eingestehen, dass es sich um ein kompliziertes Dilemma handelt und dass es nicht weiterführt, die Geschichte einfach in »Gute« und »Böse« einzuteilen. Es sei denn, wir geben zu, dass wir in die Fußstapfen der Bösen treten.

Das neue globale Imperium

Seit fast zweieinhalb Jahrtausenden leben die meisten Menschen unter der Herrschaft des einen oder anderen Imperiums. Und das könnte in Zukunft wieder so sein. Doch diesmal wird das Imperium die Bezeichnung Weltreich tatsächlich verdient haben. Die imperiale Vision eines einzigen Territoriums, das den gesamten Erdball umfasst, könnte schon bald Wirklichkeit werden.

Während des 20. Jahrhunderts war der Nationalstaat das große politische Ideal. Demnach ist »das Volk« der politische Souverän, von dem alle politische Macht ausgeht, und der Staat ist dazu da, die Interessen »des Volks« zu wahren. Daher galt es als der Weisheit letzter Schluss, dass jedes Volk seinen eigenen Staat haben muss. Für Weltreiche war da kein Platz mehr.

Doch seit Beginn des 21. Jahrhunderts verlieren die Nationalstaaten rasch an Boden. Immer mehr Menschen glauben, dass alle Macht nicht mehr von »dem Volk«, sondern von »der Menschheit« ausgeht, und dass die Wahrung der Rechte und Interessen aller Menschen das oberste Gebot der Politik sein sollte. Warum sollten wir fast 200 unabhängige Staaten finanzieren? Wenn Schweden, Indonesier und Nigerianer dieselben Menschenrechte haben, wäre es dann nicht einfacher, wenn eine einzige Regierung diese Rechte schützt?

Neue globale Probleme wie der Treibhauseffekt höhlen die verbleibende Legitimation der unabhängigen Nationalstaaten immer weiter aus. Kein souveräner Staat ist in der Lage, Probleme dieser Größenordnung allein in den Griff zu bekommen. Dazu wäre vermutlich eine mächtige Weltregierung erforderlich. Nach Ansicht der alten Chinesen gab der Himmel den Herrschenden den Auftrag, die Probleme der Menschheit zu lösen. Heute lautet der himmlische Auftrag, die Probleme des Himmels selbst zu lösen und zum Beispiel das Ozonloch zu schließen oder den besorgniserregenden Anstieg der Treibhausgase einzudämmen. Es ist gut denkbar, dass die Flagge des globalen Imperiums grün sein wird.

Heute gibt es fast 200 unabhängige Staaten, doch mit deren Souveränität ist es nicht mehr allzu weit her. Keiner dieser Staaten ist mehr in der Lage, eine eigenständige Wirtschaftspolitik zu gestalten oder nach Lust und Laune Kriege zu führen; nicht einmal ihre inneren Angelegenheiten können sie nach Gutdünken regeln. Die Nationalstaaten sind zunehmend der Spielball von Weltmärkten, Großkonzernen und internationalen Nichtregierungsorganisationen, sie werden von der Weltöffentlichkeit mit Argusaugen beobachtet und unterstehen dem internationalen Rechtssystem. Sie müssen ihr Finanzgebahren, ihre Umweltpolitik und ihr Rechtssystem an internationalen Vorgaben ausrichten. Die Welt wird von mächtigen internationalen Kapital-, Arbeits- und Informationsströmen gestaltet, die sich zunehmend über nationale Grenzen und Meinungen hinwegsetzen.

Das globale Imperium, das vor unseren Augen entsteht, wird nicht von einem bestimmten Staat oder einer bestimmten ethnischen Gruppe beherrscht. Wie das Römische Reich in seiner Spätphase wird dieses Imperium von einer multiethnischen Elite geführt und vor einer gemeinsamen Kultur und gemeinsamen Interessen zusammengehalten. Immer mehr Unternehmer, Ingenieure, Experten, Wissenschaftler, Anwälte und Manager in aller Welt stehen heute vor der Option, sich diesem Imperium anzuschließen. Sie müssen sich entscheiden, diese Möglichkeit wahrzunehmen oder ihrem Staat und Volk treu zu bleiben. Immer mehr entscheiden sich für das Imperium.

Kapitel 12

Das Gesetz der Religion

Auf dem mittelalterlichen Markt von Samarkand, einer Oasenstadt in der zentralasiatischen Wüste, prüften syrische Händler die Qualität feiner chinesischer Seide, wilde Steppenkrieger boten blonde Sklaven aus dem fernen Westen feil, und Händler zählten Goldmünzen mit exotischen Prägungen und den Konterfeis unbekannter Könige. In dieser Stadt, in der Handelswege aus Ost und West, Nord und Süd zusammenliefen, war die Vereinigung der Menschheit längst Alltag. Genau wie in der Armee von Kublai Khan, die sich im Jahr 1281 anschickte, Japan zu erobern. In Fell und Leder gekleidete mongolische Reiter drängten sich zwischen chinesischen Fußsoldaten mit ihren spitzen Bambushüten, betrunkene koreanische Söldner prügelten sich mit tätowierten indonesischen Seefahrern, und Männer aus Zentralasien lauschten gebannt den Geschichten über europäische Abenteurer, die alle dem Befehl eines einzigen Kaisers unterstanden.

Im Westen der arabischen Halbinsel vereinigte sich zur gleichen Zeit die Menschheit unter einem ganz anderen Vorzeichen. Wenn Sie um das Jahr 1300 als Pilger nach Mekka gekommen wären, um dort die Kaaba, den heiligsten Schrein des Islam, zu umrunden, wären Sie dort Gruppen aus Mesopotamien in wallenden Gewändern begegnet, die ekstatisch die 99 Namen Gottes beteten. Vor Ihnen hätte sich ein türkischer Patriarch von der zentralasiatischen Steppe auf seinen Stab gestützt. Neben Ihnen wäre eine Gruppe Muslime aus dem afrikanischen Königreich Mali gegangen, auf deren schwarzer

Haut goldenes Geschmeide leuchtete. Und am Aroma von Nelken, Kurkuma und Kardamom hätten sie Glaubensbrüder erkannt, die aus Indien oder von den geheimnisvollen Gewürzinseln weiter im Osten kamen.

Heute gilt Religion oft als Inbegriff für Ausgrenzung, Streit und Hass. Doch die Religion war die dritte große Kraft, die zur Einigung der Menschheit beitrug. Da alle gesellschaftlichen Ordnungen von Menschen erfunden werden, sind sie zerbrechlich, und je größer eine Gesellschaft, umso zerbrechlicher sind sie. Den Religionen kam eine zentrale Aufgabe zu, weil sie diese zerbrechlichen Ordnungen legitimieren, indem sie auf einen übermenschlichen Willen verwiesen. Die Religionen behaupten nämlich, dass unsere Gesetze nicht etwa einer menschlichen Laune entspringen, sondern von einer absoluten Autorität angeordnet wurden. Auf dieser Grundlage lassen sich einige Prinzipien formulieren, die nicht in Zweifel gezogen werden können und der Gesellschaft ein stabiles Fundament geben.

Eine Religion lässt sich also als ein System von menschlichen Normen und Werten definieren, die sich auf den Glauben an eine übermenschliche Ordnung stützen. Diese Definition besteht aus zwei Teilen:

1. Religionen glauben an eine übermenschliche Ordnung, die keinen menschlichen Launen entspringt und nicht auf menschliche Vereinbarungen zurückgeht. Profifußball ist keine Religion, denn obwohl er seine eigenen Gesetze und oftmals bizarren Rituale hat, wurde der Sport von Menschen erfunden und die FIFA könnte jederzeit das Tor größer machen oder die Abseitsregel abschaffen.

2. Auf Grundlage dieser übermenschlichen Ordnung stellt die Religion Normen und Werte auf, die ihrer Ansicht nach bindend sind. Im Westen glauben heute viele Menschen an Geister, Elfen oder die Wiedergeburt, doch von diesem Glauben gehen keine allgemein verbindlichen Werte oder Verhaltensregeln aus, weshalb man nicht von einer Religion sprechen kann.

Eine Religion kann also als Legitimation für eine gesellschaftliche und politische Ordnung dienen, aber nicht jede Religion hat diese Möglichkeit genutzt. Um eine große Region mit sehr unterschiedlichen Bevölkerungsgruppen einen zu können, muss eine Religion zwei Eigenschaften mitbringen: Erstens muss sie den Anspruch erheben, eine für alle Menschen verbindliche Ordnung zu sein, die immer und überall wahr ist, und zweitens muss sie darauf bestehen, diesen Glauben an alle Menschen weiterzugeben. Das heißt, sie muss universell sein und sie muss sich missionarisch betätigen.

Die großen Weltreligionen der Geschichte, zum Beispiel der Islam, das Christentum und der Buddhismus, sind missionierende Universalreligionen, und daher glauben viele Menschen, dass alle Religionen diese Eigenschaften haben müssen. In Wirklichkeit waren in der Vergangenheit die allermeisten Religionen auf überschaubare Regionen und Gruppen beschränkt. Nach allem, was wir heute wissen, kamen die missionierenden Universalreligionen erst im ersten Jahrtausend vor unserer Zeitrechnung auf. Ihre Entstehung war eine der bedeutendsten Revolutionen der Geschichte und leistete einen entscheidenden Beitrag zur Vereinigung der Menschheit, genau wie die Imperien und das Geld.

Das Schweigen der Lämmer

Nach unserem heutigen Kenntnisstand waren die Jäger und Sammler Animisten. Sie glaubten, dass es auf der Welt nicht nur Menschen gibt, sondern zahlreiche andere Lebewesen, von denen jedes seine eigenen Persönlichkeiten, Bedürfnisse und Wünsche hatte. Daher mussten die menschlichen Normen und Werte auch die Interessen dieser anderen Wesen repräsentieren. Beispielsweise könnte eine Gruppe von Wildbeutern am Indus eine Regel aufgestellt haben, nach der es den Angehörigen der Gruppe verboten war, einen besonders großen Feigenbaum zu fällen, um den Geist dieses Baums nicht zu verärgern und seinen Zorn auf sich zu ziehen. Eine andere Gruppe am Ganges könnte die Regel aufgestellt haben, nach der die Jagd auf Füchse mit weißen Schwänzen verboten war, da ein Fuchs mit einem weißen Schwanz einmal einer weisen alten Frau erschienen war und ihr verraten hatte, wo ihr Klan wertvollen Obsidian finden konnte.

Die Vorstellungen dieser Religionen bezogen sich ausschließlich auf den Lebensraum einer Gruppe und auf die einmaligen Eigenschaften jedes Ortes, jeder Jahreszeit und jeder Naturerscheinung. Die meisten Jäger und Sammler verbrachten ihr gesamtes Leben in einem höchstens einige Hundert Quadratkilometer großen Territorium. Um zu überleben, mussten die Bewohner eines Tals die übermenschliche Ordnung kennen, die ihr Tal beherrschte, und ihr Verhalten darauf einstellen. Es hätte wenig Sinn gehabt, die Bewohner des Nachbartals davon überzeugen zu wollen, nach denselben Regeln zu leben. Die Menschen am Ganges machten sich nicht die Mühe, Missionare an den Indus zu entsenden, um die Menschen dort von der Jagd auf Füchse mit weißen Schwänzen abzuhalten.

Die landwirtschaftliche Revolution ging offenbar Hand in Hand mit einer religiösen Revolution. Die Wildbeuter jagten wild lebende Tiere und sammelten wild wachsende Pflanzen, die dem *Homo sapiens* ebenbürtig waren. Sie jagten zwar Schafe, doch sie betrachteten die Schafe deshalb noch lange nicht als minderwertige Wesen, genauso wenig wie sie glaubten, dass sie selbst weniger wert waren als die Tiger, nur weil sie von diesen gejagt wurden. Lebewesen kommunizierten direkt miteinander und handelten die Regeln aus, die in ihrem gemeinsamen Lebensraum herrschten. Im Gegensatz dazu lebten die Bauern davon, Tiere und Pflanzen zu besitzen und zu manipulieren, weshalb es ihnen schwerfiel, Tiere und Pflanzen als ebenbürtig zu begreifen oder gar mit ihnen zu verhandeln. Im Laufe der landwirtschaftlichen Revolution wurden die einst gleichberechtigten spirituellen Partner daher zu stummen Besitzgütern.

Dies führte jedoch zu einem Problem. Ein Bauer hätte sich natürlich gewünscht, seine Schafe völlig beherrschen zu können, doch er wusste, dass das unmöglich war. Er konnte sie zwar einsperren, einige wenige Widder zur Zucht auswählen und die übrigen kastrieren, aber er hatte keinen Einfluss darauf, dass ein Schaf ein gesundes Lamm zur Welt brachte und die Herde von Krankheiten verschont blieb. Wie konnte er die Fruchtbarkeit seiner Herde sicherstellen?

Auf der Suche nach einer Lösung wandten sich mehr und mehr Bauern an die Götter. Als die Pflanzen und Tiere das Sprechen verlernten, betraten die Fruchtbarkeitsgöttin, der Himmelsgott und der Gott der Medizin die Bühne, um zwischen den Menschen und den nun stummen Tieren und Pflanzen zu vermitteln. Die antiken Religionen sind oft nichts anderes als ein Vertrag, in dem die Menschen den Göttern Anbetung versprechen, wenn sie sich im Gegenzug die Erde untertan machen dürfen – die ersten Kapitel des Alten Testaments sind ein hervorragendes Beispiel dafür. Nach der landwirtschaftlichen Revolution bestanden religiöse Zeremonien vor allem darin, den Göttern Lämmer, Wein und Gebäck zu opfern, um im Gegenzug reiche Ernten und fruchtbare Herden zu erhalten.

Die landwirtschaftliche Revolution hatte zunächst kaum Konsequenzen für die anderen Angehörigen des animistischen Systems, zum Beispiel Felsen, Quellen, Geister und Dämonen. Allmählich verloren aber auch diese gegenüber den neuen Göttern an Boden. So lange die Menschen ihr Leben lang in einem kleinen Territorium von einigen Hundert Quadratkilometern lebten, reichten die örtlichen Geister völlig aus, um ihre Bedürfnisse zu befriedigen. Doch mit der Entstehung von Weltreichen und Handelsnetzen mussten die Menschen mit Kräften kommunizieren, deren Macht weit über ihr Heimattal hinausreichte.

Um dieses Bedürfnis zu befriedigen, wurden polytheistische Religionen geschaffen. Diese Religionen glaubten, die Welt werde von mächtigen Gottheiten beherrscht, zum Beispiel Fruchtbarkeits-, Regen- und Kriegsgottheiten. Diese konnten die Menschen um Hilfe bitten, und wenn den Göttern die Opfer gefielen, ließen sie sich herab, den Menschen Fruchtbarkeit, Regen und Siege zu bringen.

Mit dem Aufkommen des Polytheismus verschwanden die animistischen Religionen noch nicht sofort. Dämonen, Feen, Geister, heilige Steine und Bäume gehörten nach wie vor zum Personal polytheistischer Religionen. Zwar verloren diese Geister gegenüber den Göttern an Bedeutung, doch im Alltag der Menschen reichten sie meist aus. Während der König in seinem Palast dem Kriegsgott ein Dutzend fetter Hammel opferte, um einen Feldzug zu gewinnen, zündete der Bauer in seiner Hütte eine Kerze an, um die Fee des Feigenbaums um Gesundheit für seinen Sohn zu bitten.

Doch so sehr sich der Aufstieg der Götter auf das Leben der Schafe und Dämonen auswirkte, die größten Konsequenzen hatte er für den Status des *Homo sapiens* selbst. Für Animisten war der Mensch nur eines von vielen Lebewesen, die auf der Erde lebten. Polytheisten sahen die Welt dagegen zunehmend als Spiegelbild der Beziehung zwischen Göttern und Menschen. Unsere Gebete und Opfer, unsere Sünden und guten Taten beeinflussten das Schicksal des gesamten Ökosystems. Nur weil ein paar Menschen eine Dummheit begingen und die Götter verärgerten, könnte eine schreckliche Flut Milliarden von Ameisen, Grashüpfern, Schildkröten, Antilopen, Giraffen und Elefanten auslöschen. Der Polytheismus hob also nicht nur die Götter auf den Thron, sondern auch den Menschen. Weniger gesegnete Angehörige der alten animistischen Kulturen verloren dagegen ihren Status und verwandelten sich in sprachlose Statisten. Sie wurden zur Kulisse im großen Drama von Menschen und Göttern.

Was der Götzendienst bringt

Nach zwei Jahrtausenden der Hirnwäsche durch die monotheistischen Religionen halten die meisten Menschen im Westen die Vielgötterei für dummen und kindischen Aberglauben. Das ist jedoch ein sehr ungerechtes Vorurteil. Um der inneren Logik des Polytheismus auf die Spur zu kommen, müssen wir die Logik hinter dem vermeintlichen Götzendienst verstehen.

Der Polytheismus bestreitet gar nicht unbedingt, dass es ein einziges Gesetz oder eine einzige Macht gibt, die das gesamte Universum beherrscht. Im Gegenteil, die meisten polytheistischen und selbst animistische Religionen erkennen, dass hinter den verschiedenen Göttern, Dämonen und heiligen Steinen eine größere Macht steht. Im Polytheismus der klassischen griechischen Antike sind auch Zeus, Hera, Apollo und ihre göttlichen Kollegen einer allmächtigen und allumfassenden Macht unterworfen: den Moiren, wie die Schicksalsgöttinnen hießen, und Ananke, dem unpersönlichen Prinzip des Schicksals. Auch die Götter des germanischen Pantheons waren dem Schicksal unterworfen und gingen schließlich in der Götterdämmerung unter. In der polytheistischen Religion der westafrikanischen Yoruba waren alle Götter Kinder des obersten Gottes Olodumare und blieben seine Untertanen. Im hinduistischen Polytheismus beherrscht die Weltseele Atman sämtliche Götter, Geister und Menschen sowie die belebte und unbelebte Welt. Atman ist das unvergängliche Wesen des Universums sowie aller Lebewesen und Phänomene.

Polytheistische Religionen gehen jedoch von einer grundlegenden Erkenntnis aus, die sie von monotheistischen Religionen unterscheidet. Die höchste Macht des Universums hat keinerlei Vorlieben und interessiert sich nicht für die Wünsche, Sorgen und Nöte der Menschen. Es wäre völlig sinnlos, diese Macht um den Sieg in einer Schlacht, Gesundheit oder Regen zu bitten, da es aus ihrer allumfassenden Sicht vollkommen unerheblich ist, ob ein beliebiger König einen Krieg gewinnt oder verliert, ob sich ein Mensch von einer Krankheit erholt oder stirbt, oder ob ein Reich expandiert oder zusammenbricht. Daher machten sich die Griechen gar nicht erst die Mühe, den Schicksalsgöttinnen Opfer zu bringen, und die Hindus errichten keine Tempel für Atman.

Diese oberste Macht anzusprechen, wäre nur dann sinnvoll, wenn man alle irdischen Bedürfnisse hinter sich lässt und die

Wirklichkeit so annimmt, wie sie ist – mit ihren Rückschlägen und Niederlagen, mit Armut, Krankheit und Tod. Einige Hindus, die sogenannten Sadhus oder Sannyasins, weihen ihr Leben der Vereinigung mit der Weltseele, durch die sie die Erleuchtung erlangen. Ihr Ziel besteht darin, die Welt aus der Sicht von Atman zu sehen und die Sinnlosigkeit aller Begierden und Ängste zu erkennen. Die meisten Hindus sind jedoch keine Sadhus. Sie stecken bis zum Hals im Morast der irdischen Nöte, und dort hilft ihnen Atman recht wenig. Um in diesen weltlichen Angelegenheiten nicht allein zu sein, wenden sie sich an die Götter. Gerade weil Götter wie Ganesha, Lakshmi oder Saraswati nur über sehr eingeschränkte Macht verfügen, sind sie voreingenommen und haben ihre eigenen Interessen. Daher können die Menschen Händel mit ihnen machen und ihnen Opfer bringen, um Schlachten zu gewinnen oder von Krankheiten zu genesen.

Genau das ist die entscheidende Erkenntnis der polytheistischen Religionen: Die höchste Macht des Universums hat keinerlei Interessen; wenn wir bei der Lösung unserer irdischen Probleme Unterstützung benötigen, müssen wir uns an unvollkommene Mächte wenden, die sich beeinflussen lassen. Von diesen weniger mächtigen Göttern gibt es natürlich eine ganze Menge, denn wenn man die Allmacht eines obersten Prinzips aufteilt, erhält man natürlich mehr als eine Gottheit. Daher die Vielzahl der Götter.

Diese Erkenntnis macht in religiösen Dingen tolerant. Da Polytheisten einerseits an eine interesselose höchste Macht glauben und andererseits an eine Vielzahl von Untergottheiten, fällt es ihnen nicht weiter schwer zu glauben, dass neben den ihren auch noch andere Götter existieren können. Der Polytheismus ist daher an sich tolerant und verfolgt nur selten »Ketzer« und »Ungläubige«.

Selbst wenn Polytheisten große Reiche eroberten, versuchten sie nicht, ihre Untertanen zu ihren Göttern zu bekehren. Die Ägypter, Römer und Azteken schickten keine Missionare in ferne Provinzen, um den Kult von Osiris, Jupiter oder Huitzilopochtli (dem Hauptgott der Azteken) zu verbreiten, und sie entsandten zu diesem Zweck schon gar keine Armeen. Die unterworfenen Völker mussten zwar die Götter und Rituale des Imperiums respektieren, da diese das Imperium beschützten und ihm seine Legitimation gaben. Doch ihre eigenen Götter und Rituale mussten sie deswegen nicht aufgeben. Unter der Herrschaft der Azteken mussten die unterworfenen Völker zwar Tempel für Huitzilopochtli errichten, doch diese Tempel standen neben denen der eigenen Stammesgötter. In vielen Fällen nahm die Elite des Imperiums sogar die Götter und Rituale unterworfener Völker an. Die Römer nahmen beispielsweise die asiatische Göttin Cybele oder die ägyptische Göttin Isis in ihren Götterhimmel auf.

Der einzige Gott, den die Römer lange Zeit nicht duldeten, war der monotheistische und missionierende Gott der Christen. Die Römer verlangten gar nicht, dass die Christen ihren Glauben aufgaben, sie erwarteten nur, dass sie die römischen Götter und die Göttlichkeit des Kaisers anerkannten. Erst als die Christen sich weigerten und keine Kompromisse eingehen wollten, verfolgten die Römer diese Minderheit, und auch nur, weil sie in ihr eine politische Bedrohung sahen. Doch selbst dann gingen sie eher halbherzig gegen die Rebellen vor. In den drei Jahrhunderten, die zwischen der Kreuzigung Jesu Christi und der Bekehrung von Kaiser Konstantin vergingen, befahlen die römischen Kaiser lediglich vier organisierte Christenverfolgungen. Hin und wieder führten zwar Provinzstatthalter und Gouverneure auf eigene Faust Pogrome durch. Doch wenn man sämtliche Opfer aller Christenverfolgungen zusammenrechnet, stellt man fest, dass die polytheistischen Römer in diesen drei Jahrhunderten lediglich einige Tausend Christen ermordeten.[1] Zum Vergleich: In den kommenden anderthalb Jahrtausenden schlachteten sich die Christen gegenseitig zu Millionen ab, weil sie die Lehre der Nächstenliebe in einigen Detailfragen unterschiedlich interpretierten.

Besonders berüchtigt waren die Religionskriege zwischen katholischen und protestantischen Christen, die im 16. und 17. Jahrhundert Europa in Schutt und Asche legten. Jede der beiden Seiten glaubte an Jesus und seine Botschaft der Liebe. Doch sie konnten sich nicht einigen, wie diese Liebe aussehen sollte. Die Protestanten waren der Ansicht, Gott habe die Menschen so sehr geliebt, dass er Mensch geworden sei und Folter und Tod auf sich genommen habe, um die Menschen von ihrer Erbschuld zu erlösen und den Gläubigen das Tor zum Himmelreich aufzustoßen. Die Katholiken stimmten dem völlig zu, doch ihrer Ansicht nach mussten die Menschen selbst etwas dazu beitragen, um in den Himmel zu kommen: Sie mussten beichten, die Messe besuchen und gute Taten vollbringen. Die Protestanten widersprachen heftig, weil sie meinten, dieser Tauschhandel schmälere Gottes Größe und Liebe. Wer glaube, den Eintritt ins Himmelreich mit guten Taten erkaufen zu können, der mache sich nur wichtig und behaupte, Gottes Liebe sei nicht ausreichend.

Die theologische Debatte wurde mit derartigem Eifer geführt, dass sich Katholiken und Protestanten im 16. und 17. Jahrhundert zu Hunderttausenden töteten. Am 23. August 1572 überfielen französische Katholiken, die an die guten Taten glaubten, die französischen Protestanten, die an Gottes Liebe zu den Menschen glaubten. Bei diesem Pogrom, der sogenannten Bartholomäusnacht, wurden innerhalb von 24 Stunden zwischen 5000 und 10 000 Protestanten dahingemetzelt. Als der Papst die Nachricht aus Frankreich erhielt, war er derart begeistert, dass er Dankesgebete abhalten ließ und den Maler Giorgio Vasari beauftragte, einen Raum des Vatikans mit Darstellungen des Massakers auszumalen (dieser Raum ist heute für Besucher geschlossen).[2] Allein in diesen 24 Stunden töteten Christen mehr Christen als das polytheistische Römische Reich in allen Christenverfolgungen zusammen.

Der eine Gott

Die Polytheisten hatten erkannt, dass sich die höchste Macht des Universums nicht für ihre Probleme interessierte. Im Laufe der Zeit kamen die Anhänger einiger polytheistischer Religionen jedoch von dieser Erkenntnis ab und begannen zu glauben, dass diese Macht sich doch für irdische Belange interessieren könnte. Sie helfe den einen und bestrafe die anderen. Bestimmte Handlungen erfreuten und andere verärgerten sie. Manche Orte und Zeiten seien ihr heilig, andere missfielen ihr. So entstanden allmählich die sogenannten monotheistischen Religionen (vom Griechischen *mónos* für »allein« und *theós* für »Gott«). Ihre Anhänger wandten sich an die oberste Macht des Universums, um von Krankheiten zu genesen, im Lotto zu gewinnen oder im Krieg den Sieg davonzutragen.

Die erste bekannte monotheistische Religion betrat im Jahr 1350 vor unserer Zeitrechnung die Bühne, als der ägyptische Pharao Echnaton den Gott Aten, eine eher unbedeutende Gottheit im ägyptischen Götterhimmel, zum uneingeschränkten Herrscher des Universums erklärte. Echnaton erhob den Aten-Kult zur Staatsreligion und versuchte, die Kulte der anderen Götter zu unterdrücken. Seine religiöse Revolution schlug jedoch gründlich fehl: Nach Echnatons Tod wurde der Aten-Kult zugunsten der Vielgötterei wieder begraben.

Auch andere polytheistische Religionen brachten hier und da monotheistische Religionen hervor. Diese blieben jedoch eine Randerscheinung, vor allem weil sie ihre eigene Botschaft nicht verdauten. Das Judentum behauptet beispielsweise, dass sich die höchste Macht des Universums für irdische Belange interessiere, doch diese Belange beschränkten sich auf das kleine Volk der Juden und den schmalen Landstrich Israel. Den Angehörigen anderer Völker hat die jüdische Religion nichts zu bieten, weshalb ihre Anhänger auch niemanden bekehren wollen. Diese Phase könnte man als »regionalen Monotheismus« bezeichnen.

Der Durchbruch kam erst mit dem Christentum. Diese Religion begann ihre Laufbahn als esoterische jüdische Sekte, deren Anhänger die Juden davon überzeugen wollten, dass ihr Prophet Jesus von Nazareth ein lange erwarteter Erlöser namens »Messias« war. Doch einer der ersten Sektenführer, ein gewisser Paulus von Tarsus, erklärte, wenn sich die höchste Macht des Universums schon die Mühe machte, menschliche Gestalt anzunehmen und sich zur Erlösung der Menschheit ans Kreuz schlagen zu lassen, dann sei das doch etwas, das alle Menschen angehe, nicht nur die Juden. Daraus folgerte er, dass die Christen den Glauben an Jesus und seinen Vater in aller Welt verbreiten mussten.

Seine Worte fielen auf fruchtbaren Grund. Die Christen spezialisierten sich auf die Missionierung der gesamten Menschheit. In einer der erstaunlichsten Wendungen der Menschheitsgeschichte gelang es dieser kleinen jüdischen Sekte, die Herrschaft über das mächtige Römische Weltreich zu erlangen.

Der Erfolg der Christen wurde zum Vorbild für eine andere monotheistische Religion, die im 7. Jahrhundert auf der arabischen Halbinsel aufkam: den Islam. Wie das Christentum begann der Islam als eine kleine Sekte in einem abgelegenen Winkel der Welt, aber in einer noch erstaunlicheren Wende ließ diese Sekte innerhalb kürzester Zeit die arabische Wüste hinter sich und eroberte ein Weltreich, das vom Atlantik bis zum Indischen Ozean reichte. Seither gehören monotheistische Religionen zu den Protagonisten der Weltgeschichte.

Monotheisten sind in der Regel sehr viel fanatischer als Polytheisten und legen einen gewaltigen missionarischen Eifer an den Tag. Wenn eine Religion andere Religionen neben sich dulden würde, dann würde das entweder bedeuten, dass ihr Gott nicht das mächtigste Wesen des Universums ist, oder dass dieser Gott ihr einen Teil der universellen Wahrheit vorenthalten hat. Da Monotheisten überzeugt sind, dass sie die vollständige Botschaft des einen wahren Gottes erhalten haben, fühlten sie sich genötigt, allen anderen Religionen die Existenzberechtigung abzusprechen. Im Laufe der letzten zwei Jahrtausende haben monotheistische Religionen daher alles getan, um ihre Konkurrenten aus dem Weg zu räumen.

Damit waren sie sehr erfolgreich. Zu Beginn des ersten Jahrhunderts unserer Zeitrechnung gab es kaum Monotheisten. Um das Jahr 500 war mit dem Römischen Reich eines der größten Staatswesen der Welt zum christlichen Glauben bekehrt, und Missionare trugen

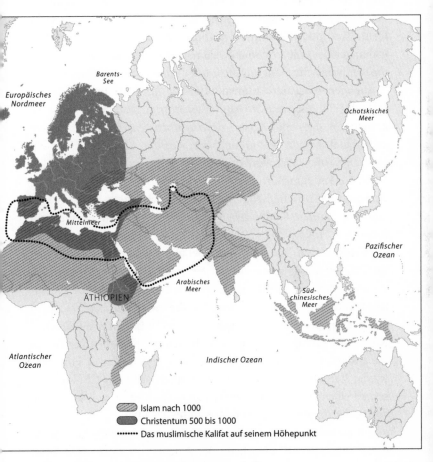

Karte 4. Die Ausbreitung von Christentum und Islam

das Kreuz in alle Himmelsrichtungen. Um das Jahr 1000 waren die meisten Menschen in Europa, Westasien und Nordafrika Monotheisten, und vom Atlantik bis zum Himalaja legitimierten sich mehrere Riesenreiche mit Verweis auf die Existenz eines einzigen, allmächtigen Gottes. Zu Beginn des 16. Jahrhunderts beherrschten monotheistische Religionen den größten Teil Afrikas und Eurasiens, mit Ausnahme Ostasiens und des südlichen Afrikas, und sie begannen, ihre Tentakel nach Südafrika, Amerika und Ozeanien auszustrecken. Heute sind mit Ausnahme der Ostasiaten die meisten Menschen Anhänger der einen oder anderen monotheistischen Religion und die weltpolitische Ordnung steht fest auf monotheistischen Füßen.

Aber genau wie der Animismus im Polytheismus überlebte, überlebte der Polytheismus im Monotheismus. Eigentlich müsste man annehmen, dass ein Mensch, der zur höchsten Macht des Universums betet, keinen Grund mehr hat, weniger mächtige Götter um Hilfe anzurufen. Wer würde sich an einen kleinen Beamten wenden, wenn die Tür zum Büro der Kanzlerin offensteht? Tatsächlich leugnen monotheistische Religionen, dass es neben dem allmächtigen Gott noch andere Götter geben könnte, und verdammen alle dazu, im ewigen Höllenfeuer zu schmoren, die es wagen, sie anzurufen.

Zwischen den Theorien der Theologen und der Wirklichkeit tut sich allerdings schon immer ein tiefer Graben auf, denn den meisten Menschen fällt es schwer, den monotheistischen Gedanken bedingungslos zu schlucken. Für die meisten Menschen ist der allmächtige Gott einfach zu weit weg, um ihn mit ihren alltäglichen Nöten zu behelligen. Die monotheistischen Religionen vertrieben die anderen Götter mit großem Getöse, nur um sie zur Hintertür wieder hereinzulassen. So erfand beispielsweise das Christentum seinen eigenen Pantheon der Heiligen, deren Kulte sich kaum von denen der polytheistischen Götter unterscheiden.

Genau wie der Gott Jupiter das Römische Reich beschützte und Huitzilopochtli die Macht der Azteken, so hatte jeder christliche Kleinstaat seinen eigenen Schutzheiligen, der ihm durch alle

Schwierigkeiten und Kriege zur Seite stand. England wurde vom Heiligen George unter die Fittiche genommen, Schottland vom Heiligen Andrew, Ungarn vom Heiligen Stefan und Deutschland von Erzengel Michael. Jede Stadt und jedes Dorf, jeder Beruf und jede Krankheit hatte einen Heiligen. Köln hatte die Heiligen Drei Könige, während der Heilige Markus Venedig behütete. Der Heilige Florian war der Patron der Schornsteinfeger und Feuerwehrleute, während der Heilige Matthäus den Steuereintreibern und Zollbeamten zur Hand ging. Bei Kopfschmerzen versprach die Heilige Aldegundis Linderung, während bei Zahnschmerzen die Heilige Apollonia die bessere Ansprechpartnerin war.

Die christlichen Heiligen hatten nicht nur große Ähnlichkeit mit den polytheistischen Göttern. Oft waren sie nichts anderes als heidnische Götter in der Verkleidung von christlichen Heiligen. Vor der Ankunft der Missionare war eine der wichtigsten Göttinnen der irischen Kelten eine gewisse Brigid. Im Zuge der Christianisierung trat auch Brigid zum christlichen Glauben über und wurde zur Heiligen Brigida, bis heute eine der meistverehrten Heiligen im katholischen Irland.

Der Kampf zwischen Gut und Böse

Aus dem Polytheismus gingen nicht nur monotheistische Religionen hervor, sondern auch dualistische. Letztere glauben an die Existenz zweier widerstreitender Kräfte: Gut und Böse. Anders als die Monotheisten glauben Dualisten, dass das Böse eine unabhängige Kraft ist, die nicht von Gott geschaffen wurde und diesem nicht untergeordnet ist. Der Dualismus erklärt die ganze Welt als Schlachtfeld zwischen diesen beiden Kräften, und alle Ereignisse der Welt sind Teil dieser Auseinandersetzung.

Der Dualismus ist eine attraktive Weltsicht, denn er bietet eine elegante Antwort auf das legendäre Problem des Bösen, das die Menschen seit Langem umtreibt. »Warum gibt es das Böse in der

Welt? Warum gibt es Leid? Warum leiden auch gute Menschen?« Monotheisten haben erstaunliche geistige Verrenkungen vollführt, um zu erklären, wie ein allwissender, allmächtiger und allgütiger Gott so viel Leid zulassen kann. Eine Erklärung lautet, dass Gott den Menschen mit einem freien Willen ausgestattet habe. Wenn es das Böse nicht gäbe, dann könnten sich die Menschen nicht zwischen Gut und Böse entscheiden, und dann gäbe es auch keinen freien Willen. Diese Antwort wirft jedoch sofort eine ganze Reihe weiterer Fragen auf. Die Willensfreiheit erlaubt es dem Menschen, sich für das vermeintlich Böse zu entscheiden. Es gibt sogar viele Menschen, die sich dafür entscheiden und von Gott hart bestraft werden. Aber wenn Gott schon im Voraus weiß, welche Menschen ihren freien Willen nutzen, um sich für das Böse zu entscheiden und bis in alle Ewigkeit in der Hölle schmoren, warum erschafft er sie dann überhaupt? Theologen haben dicke Wälzer geschrieben, um diese und ähnliche Fragen zu beantworten. Egal was wir von ihren Antworten halten mögen, sicher ist jedenfalls, dass die Monotheisten ihre liebe Not mit dem Problem des Bösen haben.

Für Dualisten stellt sich diese Frage überhaupt nicht. Auch guten Menschen widerfährt Böses, weil die Welt nicht von einem allwissenden, allmächtigen und allgütigen Gott beherrscht wird. Es gibt eine eigenständige Macht des Bösen, und diese böse Macht tut eben Böses. Diese Erklärung ist so einfach und überzeugend, dass auch Monotheisten nach ihr greifen. Viele Christen, Muslime und Juden glauben an eine unabhängige böse Macht, die gegen den guten Gott kämpft und großen Schaden auf der Welt anrichtet. Viele Christen, Muslime und Juden glauben außerdem, dass der allgütige Gott im Kampf gegen den Teufel unsere Hilfe benötigt. Aber wie kommen Monotheisten dazu, an diese dualistischen Vorstellungen zu glauben? Rein logisch schließen sich die beiden aus: Entweder glauben wir an einen allmächtigen Gott oder an zwei widerstreitende, aber nicht allmächtige Kräfte. Aber Menschen verfügen über die wunderbare Fähigkeit, völlig widersprüchliche Dinge zu glauben, und daher schaffen es Abermillionen gläubiger Christen, Muslime und Juden spielend, gleichzeitig an einen allmächtigen Gott und einen unabhängigen Teufel zu glauben.

Die dualistische Sicht hat natürlich auch ihre Nachteile. Sie bietet zwar eine einfache Antwort auf die Frage nach dem Bösen, aber sie hat keine Antwort auf das Problem der Ordnung. Wenn es zwei widerstreitende Kräfte gibt, von denen eine gut und die andere böse ist, wer stellt dann die Regeln für den Kampf zwischen den beiden auf? Zwei rivalisierende Staaten können einander bekämpfen, weil es Raum und Zeit gibt und beide den Gesetzen der Physik unterliegen. Eine Rakete, die in Pakistan abgefeuert wird, kann Ziele in Indien treffen, weil in beiden Ländern die gleichen physikalischen Gesetze gelten. Aber wenn Gut und Böse miteinander kämpfen, welchen gemeinsamen Gesetzen sind beide unterworfen, und wer hat diese Gesetze aufgestellt?

Dualisten können also das Problem des Bösen erklären, nicht aber das Problem der Ordnung. Monotheisten können dagegen das Problem der Ordnung erklären, aber nicht das Problem des Bösen. Es gibt nur eine logische Antwort auf das Dilemma: Man könnte behaupten, dass es nur einen einzigen allmächtigen Gott gibt, der das gesamte Universum erschaffen hat, und dass dieser Gott böse ist. Allerdings verspürt bis heute kaum jemand Lust, an einen solchen Gott zu glauben.

*

Dualistische Religionen blühten ein Jahrtausend lang. Irgendwann vor 3500 oder 3000 Jahren wirkte in Zentralasien ein Prophet namens Zoroaster oder Zarathustra. Seine Predigten wurden von einer Generation zur nächsten weitergegeben und entwickelten sich zur wichtigsten dualistischen Religion, dem Zoroastrismus. Die Anhänger dieser Religion sahen die Welt als kosmischen Kampf zwischen dem guten Gott Ahura Mazda und dem bösen Gott

Angra Mainyu. Die Menschen mussten dem guten Gott in seinem Kampf beistehen. Der Zoroastrismus war eine der zentralen Religionen im Altpersischen Reich (550 bis 350 v. u. Z.) und wurde im Neupersischen Reich (224 bis 651 u. Z.) sogar zur Staatsreligion. Er beeinflusste fast alle nachfolgenden Religionen des Nahen Ostens und Zentralasiens und färbte auf eine Reihe anderer dualistischer Religionen wie die Gnosis und den Manichäismus ab.

Während des dritten und vierten Jahrhunderts unserer Zeitrechnung breitete sich der Manichäismus wie ein Buschfeuer von China bis nach Nordafrika aus. Einen Moment lang schien es, als könnte dieser Glaube zur Staatsreligion des Römischen Reichs werden, und nicht das Christentum. Doch die Manichäer verloren den Kampf um die Seele des Römischen Reichs und das zoroastrische Neupersien wurde von den monotheistischen Muslimen erobert. Damit endete das dualistische Zwischenspiel. Heute gibt es lediglich in Indien und dem Nahen Osten noch eine Handvoll kleiner dualistischer Glaubensgemeinschaften. Doch der Monotheismus beseitigte den Dualismus nicht etwa. Die monotheistischen Religionen nahmen zahlreiche dualistische Vorstellungen und Praktiken in sich auf. Mehr noch, einige der zentralen Vorstellungen dessen, was wir heute Monotheismus nennen, tragen den Stempel des Dualismus.

Zum Beispiel findet sich an keiner einzigen Stelle des Alten Testaments der dualistische Glaube an die Existenz eines bösen Gottes, der gegen einen guten Gott kämpft. Das Böse schlich sich erst in Form des »Satans« in den jüdischen, christlichen und muslimischen Glauben. Und mit dem Teufel kam der Gedanke, die Menschen müssten den guten Gott im Kampf gegen seine Feinde unterstützen – und genau dieser Gedanke steckt hinter den Dschihads der Muslime und den Kreuzzügen der Christen.

Eine weitere dualistische Vorstellung, die sich vor allem in der Gnosis und im Manichäismus findet, ist die strikte Trennung zwischen Körper und Seele, Materie und Geist. Die Gnostiker und Manichäer behaupteten, der gute Gott habe die Seele und den Geist geschaffen, während Körper und Materie das Werk des Bösen seien. Demnach ist der Mensch ein Schlachtfeld im Kampf zwischen der guten Seele und dem bösen Körper. Aus streng monotheistischer Sicht ist das natürlich völliger Unsinn: Warum sollte man so strikt zwischen Körper und Seele oder Materie und Geist unterscheiden? Und warum sollte irgendjemand auf den Gedanken kommen, Körper und Materie seien böse? Schließlich wurden doch beide von Gott erschaffen! Doch die meisten Monotheisten verfielen den dualistischen Gegensätzen, weil sie eine einfache Antwort auf das Problem von Gut und Böse boten. Daher wurde dieser Gegensatz bald zu einem festen Glaubenssatz im christlichen und muslimischen Denken. Auch der Glaube an den Himmel (das Reich des Guten) und die Hölle (das Reich des Bösen) geht auf dualistische Religionen zurück. Im Alten Testament findet sich davon noch keine Spur, genauso wenig wie von der Vorstellung, dass die Seele eines Menschen nach dem Tod des Körpers weiterlebt.

Vielleicht lassen sich die monotheistischen Religionen noch am ehesten als kunterbunte Mischung aus monotheistischen, dualistischen, polytheistischen und animistischen Zutaten verstehen, die in einem monotheistischen Topf verrührt werden. Der Durchschnittschrist von heute glaubt an einen monotheistischen Gott, einen dualistischen Teufel, polytheistische Heilige und animistische Geister. Religionswissenschaftler bezeichnen diese Vermischung von unvereinbaren Vorstellungen, Ritualen und Praktiken als Synkretismus. Dieser Synkretismus ist vielleicht die einzige Weltreligion.

Das Gesetz der Natur

Die bisher erwähnten Religionen haben vor allem eines gemeinsam: Sie basieren auf dem Glauben an Götter und andere übernatürliche Wesen. Für die meisten Menschen im Westen scheint das völlig selbstverständlich, doch nicht alle Religionen glauben an einen Gott. Während des Jahrtausends vor Beginn unserer Zeitrechnung breiteten sich in Eurasien ganz andere Religionen aus. Die Neuankömmlinge, zum Beispiel der Jainismus und der Buddhismus in Indien, der Taoismus und Konfuzianismus in China sowie der Stoizismus, der Kynismus und der Epikuräismus des Mittelmeerraums zeichneten sich dadurch aus, dass sie sich nicht für Götter interessierten.

Nach Ansicht dieser Religionen ergab sich die übermenschliche Ordnung der Welt aus Naturgesetzen, die nicht den Launen der Götter unterworfen sind. Sie stritten die Existenz der Götter zwar nicht ausdrücklich ab, doch ihrer Auffassung nach waren auch diese den Naturgesetzen genauso unterworfen wie Menschen, Tiere und Pflanzen. Die Götter hatten ihre eigene Nische im Ökosystem, genau wie Elefanten und Igel, und sie hatten genauso wenig Einfluss auf die Naturgesetze wie diese. Das beste Beispiel für diese Vorstellung ist vermutlich der Buddhismus, die wichtigste der alten »Naturgesetz-Religionen« und bis heute eine der großen Weltreligionen.

Die Hauptfigur des Buddhismus war kein Gott, sondern ein Mensch mit dem Namen Siddhartha Gautama.* Nach der buddhistischen Überlieferung war Gautama Thronfolger eines kleinen Königreichs am Fuße des Himalaja und lebte etwa 500 Jahre vor unserer Zeitrechnung. Der junge Prinz war zutiefst beeindruckt von dem Leid, das er um sich her sah. Männer und Frauen, Kinder und alte Menschen litten nicht nur, weil sie Opfer von gelegentlichen Katastrophen wie Kriegen und Epidemien wurden. Ihr Leid rührte vielmehr aus Ängsten, Enttäuschungen und einer allgemeinen Unzufriedenheit, die fester Bestandteil der menschlichen Existenz zu sein scheint. Menschen jagen hinter Geld und Macht her, sie häufen Wissen und Reichtümer an, setzen Söhne und Töchter in die Welt und errichten Häuser und Paläste. Aber was sie auch erreichen, sie sind nie zufrieden. Wer in Armut lebt, träumt vom Reichtum. Wer

---

* In der hier verwendeten Sanskrit-Form dürfte der Name europäischen Lesern am geläufigsten sein. In Pali, der Sprache der ältesten Überlieferungen, heißt er Siddhattha Gotama. Andere zentrale Begriffe des Buddhismus, zum Beispiel »Nirwana«, werden hier ebenfalls in Sanskrit wiedergegeben.

eine Million hat, träumte von zwei Millionen. Wer zwei Millionen hat, will zehn. Selbst die Reichen und Schönen sind selten zufrieden. Unablässig werden sie von Befürchtungen und Sorgen gequält, bis ihnen Krankheit, Alter und Tod ein bitteres Ende bereiten. Was sie angehäuft haben, löst sich in Luft auf. Das Leben ist ein sinnloses Hamsterrad. Aber wie kann man dem entkommen?

Karte 5. Die Verbreitung des Buddhismus

Im Alter von 29 Jahren schlich sich Gautama eines Nachts aus dem Palast und ließ seine Familie und sein Erbe zurück. Als Landstreicher zog er durch Nordindien, auf der Suche nach einem Ausweg aus dem Leid. Er besuchte Klöster, folgte Gurus und experimentierte mit verschiedenen Techniken, um dem Leiden zu entkommen. Doch er musste feststellen, dass keiner dieser Wege zur vollständigen Befreiung führte: Ein gewisses Maß an Unzufriedenheit blieb immer zurück. Doch er gab nicht auf, sondern beschloss, dem Leiden allein auf den Grund zu gehen und seinen eigenen Weg zur völligen Befreiung zu gehen. Sechs Jahre lang meditierte Gautama und sann darüber nach, was das Leid ausmacht, woher es kommt und wie es sich beenden lässt. Schließlich erkannte er, dass das Leid weder durch Schicksalsschläge noch soziale Ungerechtigkeit oder göttliche Launen verursacht wird. Die wirklichen Ursachen des Leidens sind vielmehr die eigenen Denk- und Verhaltensmuster.

Gautama erkannte, dass jede unserer Erfahrungen unser Begehren weckt, und dass dieses Begehren neue Unzufriedenheit schürt. Wenn wir eine angenehme Erfahrung machen, wollen wir, dass diese Erfahrung nie endet, sondern im Gegenteil immer intensiver wird. Und wenn wir eine unangenehme Erfahrung machen, dann wollen wir, dass diese Erfahrung aufhört. Daher ist unser Geist immer unzufrieden und rastlos. Das wird besonders deutlich, wenn wir Schmerz empfinden, aber auch bei angenehmen Erfahrungen bleibt es nicht aus. Menschen, die sich jahrelang nach Liebe sehnen, sind oft unzufrieden, wenn sie schließlich einen Partner finden. Viele quält die Sorge, der andere könnte sie verlassen, andere werden von dem nagenden Zweifel umgetrieben, sie hätten vielleicht einen besseren Partner finden können.

Die Götter können uns Regen schenken, gesellschaftliche Institutionen können uns im Alter versorgen, und glückliche Zufälle können uns zu Millionären machen, doch an unseren Denk- und Verhaltensmustern ändert das alles gar nichts. Daher sind selbst die Reichsten und Mächtigsten dazu verdammt, in ständiger Sorge zu leben, vor Leid und Trauer zu fliehen und immer größeren Freuden nachzujagen.

Gautama erkannte jedoch, dass es eine Möglichkeit gibt, diesem Teufelskreis zu entkommen. Wenn wir eine Erfahrung – sei sie angenehm oder unangenehm – einfach als das nehmen, was sie ist, dann verursacht sie kein Leid. Wenn wir Trauer empfinden, ohne ein Ende dieses Zustands herbeizusehnen, dann können wir diese Trauer spüren, ohne unter ihr zu leiden. Und wenn wir Freude empfinden, ohne uns nach immer mehr und immer intensiverer Freude zu sehnen, dann können wir diese Freude erleben, ohne dabei unseren inneren Frieden zu verlieren.

Aber wie schaffen wir es, die Dinge so zu akzeptieren, wie sie sind? Wie können wir Freude als Freude und Schmerz als Schmerz annehmen? Dazu entwickelte Gautama eine Reihe von Meditationstechniken, die uns helfen sollen, uns auf eine einzige Frage zu konzentrieren: »Was spüre ich in diesem Moment wirklich?« und nicht auf die Frage: »Was würde ich in diesem Moment lieber spüren?« Diesen inneren Zustand zu erreichen ist schwer, aber nicht unmöglich.

Gautama verankerte diese Meditationstechniken in einer Reihe von ethischen Regeln, die es den Menschen erleichtern sollen, sich auf die Wirklichkeit zu konzentrieren statt sich Fantasien und Wunschdenken hinzugeben. Er wies seine Anhänger an, nicht zu töten, nicht zu stehlen und sexuelle Ausschweifungen zu vermeiden, da diese Handlungen das Begehren (nach Macht, Reichtum und Lust) anfachen. Wenn das Feuer des Begehrens erloschen ist, tritt an dessen Stelle ein Zustand völliger Ruhe und Gelassenheit, der als Nirwana bezeichnet wird (Nirwana bedeutet wörtlich »das Erlöschen des Feuers«). Wer das Nirwana erreicht, lässt alles Leid hinter sich und erkennt die Wirklichkeit mit äußerster Klarheit, ohne jedes Wunschdenken. Er macht zwar nach wie vor unangenehme Erfahrungen, aber diese verursachen kein Leid mehr. Ein Mensch, der nichts begehrt, kann nicht leiden.

Nach der buddhistischen Überlieferung erlangte Gautama das Nirwana und wurde von allem Leiden befreit. Danach wurde er »Buddha« genannt – »der Erleuchtete«. Buddha verbrachte den Rest seines Lebens damit, seine Erkenntnisse an andere weiterzugeben, damit auch sie Begehren und Leid hinter sich lassen konnten. Er reduzierte seine Lehre auf ein einziges Gesetz: Die Ursache des Leids ist das Begehren; wir können uns nur vom Leid befreien, wenn wir uns vom Begehren befreien; und wir können uns nur vom Begehren befreien, wenn wir lernen, die Wirklichkeit so zu sehen, wie sie ist.

Dieses Gesetz, das als Dharma oder Dhamma bezeichnet wird, ist nach Ansicht der Buddhisten ein allgemeingültiges Naturgesetz. Das Gesetz »die Ursache des Leids ist das Begehren« ist immer und überall wahr, genau wie in der Physik die Gleichung $E=mc^2$ immer und überall wahr ist. Als »Buddhisten« bezeichnet man Menschen, die an dieses Gesetz glauben und ihr Handeln daran orientieren. Der Glaube an Götter spielt für sie dagegen eine untergeordnete Rolle. Der erste Glaubenssatz der monotheistischen Religionen lautet: »Gott existiert. Was will er von mir?« Und der erste Glaubenssatz der Buddhisten lautet: »Das Leid existiert. Wie befreie ich mich von ihm?«

Der Buddhismus streitet die Existenz von Göttern keineswegs ab. Götter sind mächtige Wesen, die Regen und militärische Erfolge bringen können, aber sie haben keinerlei Macht über das Dharma. Leid und Glück entspringen einem unumstößlichen Naturgesetz, das vollkommen unabhängig von den Göttern gilt. Wenn wir uns vom Leiden befreien, kann uns auch kein Gott mehr etwas anhaben. Und wenn wir von unseren Begierden beherrscht werden, kann uns kein Gott der Welt vom Leid befreien.

Aber genau wie die monotheistischen Religionen konnten sich auch vormoderne »Naturgesetz-Religionen« wie der Buddhismus nie völlig von den Göttern und Geistern frei machen. Der Buddhismus erkannte ihre Existenz an und gestand ihnen zu, dass sie Regen und Siege bringen konnten, doch er betonte, das Ziel der Menschen solle die Befreiung von Leid sein, und nicht Zwischenziele wie

Reichtum und Macht. Da jedoch die wenigsten Buddhisten in diesem oder im nächsten Leben ins Nirwana eingingen und sich nach wie vor Regen und Siege wünschten, zogen sie weltlichere Ziele vor. Daher verehrten sie ihre verschiedenen Gottheiten weiter: in Indien den hinduistischen Pantheon, in Tibet die Geister der Bön-Religion und in Japan die *kami* des Shintoismus.

Daneben erfanden verschiedene buddhistische Sekten im Laufe der Zeit ihren eigenen Pantheon von Buddhas und Bodhisattvas. Dabei handelt es sich um menschliche und nicht-menschliche Wesen, die erleuchtet wurden und aus Mitgefühl nicht ins Nirwana eingehen, sondern den zahllosen anderen Wesen helfen, die noch immer im Leid gefangen sind. Anstelle der Götter verehren viele Buddhisten diese erleuchteten Wesen und bitten sie um Hilfe – allerdings nicht nur, um Eingang ins Nirwana zu finden, sondern auch bei irdischen Problemen. Deshalb begegnen wir heute in ganz Ostasien Buddhas und Bodhisattvas, die Regen bringen, Krankheiten heilen und sogar blutige Kriege gewinnen und dafür mit Gebeten, Blumen, Weihrauch, Reis und Süßigkeiten belohnt werden.

Die Anbetung des Menschen

Die vergangenen drei Jahrhunderte werden oft als Zeitalter der Säkularisierung beschrieben, das heißt, eine Epoche also, in der Religionen immer mehr an Bedeutung verloren. Wenn wir unter Religion den Glauben an einen oder mehrere Götter verstehen, dann trifft das sogar beinahe zu. Wenn wir jedoch die Naturgesetz-Religionen hinzunehmen, dann ist die Moderne ein neues religiöses Zeitalter, das sich durch beispiellosen Missionierungseifer und blutige Religionskriege auszeichnet. Die Moderne erlebte den Aufstieg zahlreicher neuer Naturgesetz-Religionen, zum Beispiel des Liberalismus, des Kommunismus, des Kapitalismus, des Nationalismus und des Nationalsozialismus. Die Anhänger dieser Religionen reagieren zwar sehr allergisch auf das Wort »Religion« und bezeichnen sie lieber als »Ideologien«. Doch das ist lediglich ein Wortspiel, denn die modernen Ideologien sehen den traditionellen Religionen zum Verwechseln ähnlich. Wenn eine Religion ein System von Werten und Normen ist, das sich auf eine übermenschliche Ordnung beruft, dann ist der Kommunismus genauso eine Religion wie der Islam.

Natürlich gibt es einen Unterschied zwischen dem Islam und dem Kommunismus, denn der Islam ist der Ansicht, dass diese übermenschliche Ordnung von einem allmächtigen Gott geschaffen wurde, während der Kommunismus nicht an Götter glaubt. Aber auch der Buddhismus hält nicht allzu viel von Göttern und wird trotzdem gemeinhin als Religion bezeichnet. Wie die Buddhisten glaubten die Kommunisten, die Geschichte werde von einer übermenschlichen Ordnung von unumstößlichen Naturgesetzen gelenkt, aus denen sich wiederum Regeln für das menschliche Verhalten ableiten. Während die Buddhisten glauben, dass Siddhartha Gautama diese Gesetze entdeckt hatte, sehen Kommunisten Karl Marx, Friedrich Engels und Wladimir Illjitsch Lenin als ihre Religionsstifter. Doch die Parallelen gehen noch weiter. Wie andere Religionen hat auch der Kommunismus seine heiligen Bücher und prophetischen Schriften, allen voran *Das Kapital* von Karl Marx. Er hat seine eigenen Fest- und Feiertage, zum Beispiel den Tag der Arbeit am 1. Mai; seine Theologen, die sich mit der Auslegung der marxistischen Lehre beschäftigten; seine Priester, die als Parteikommissare bezeichnet wurden (jede Einheit der Roten Armee hatte einen Kaplan namens Kommissar, der darauf achtete, dass die Soldaten und Offiziere nicht vom Glauben abfielen); seine Märtyrer; seine Heiligen Kriege und sogar seine Ketzer, zum Beispiel die Trotzkisten. Der Sowjetkommunismus war eine fanatische Religion, die die ganze Welt missionieren wollte. Gläubige Kommunisten konnten nicht gleichzeitig Christen oder Buddhisten sein und mussten den Glauben an Marx und Lenin um jeden Preis verbreiten, selbst wenn sie ihr Leben dabei aufs Spiel setzten.

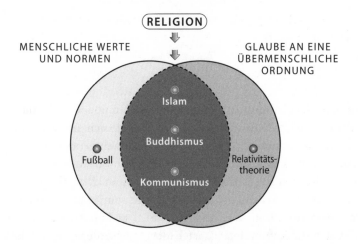

Eine Religion ist ein System menschlicher Werte und Normen, das auf dem Glauben an eine übermenschliche Ordnung basiert. Die Relativitätstheorie ist keine Religion, da sie keine Werte und Normen hervorgebracht hat (zumindest noch nicht). Fußball ist keine Religion, da seine Regeln nicht auf übermenschliche Gebote zurückgehen. Der Islam, der Buddhismus und der Kommunismus sind dagegen Religionen, weil es sich um Systeme menschlicher Werte und Normen handelt, die auf dem Glauben an eine übermenschliche Ordnung basieren. (Beachten Sie hier den Unterschied zwischen »übermenschlich« und »übernatürlich«; das Naturgesetz der Buddhisten und die historischen Gesetze der Marxisten sind zwar übermenschlich, da sie nicht von Menschen gemacht wurden, doch sie sind nicht übernatürlich.)

Wenn Ihnen bei dieser Argumentation unwohl ist, können Sie den Kommunismus gern als Ideologie bezeichnen – es macht keinen Unterschied. Wir können zwischen »klassischen Religionen« und Ideologien unterscheiden: Die einen beten Götter an und die anderen beruhen auf Naturgesetzen. Der Stimmigkeit halber sollten wir dann allerdings auch Buddhismus, Taoismus und Stoizismus zu den Ideologien zählen. Und umgekehrt müssen wir festhalten, dass sich der Götterglaube auch in einigen modernen Ideologien hält, und dass sich einige, allen voran der Liberalismus, ohne diesen gar nicht verstehen lassen.

*

Es wäre völlig unmöglich, hier einen Überblick über die Geschichte aller modernen Religionen zu geben, zumal sie sich gar nicht so einfach auseinanderhalten lassen. Sie sind nicht weniger synkretistisch wie Monotheismus und der Buddhismus. So wie ein Buddhist die Götter der Hindus verehren und ein Monotheist an die Existenz des Teufels glauben konnte, so kann ein typischer Bürger der Vereinigten Staaten gleichzeitig Nationalist, Kapitalist und liberaler Humanist sein und an die Vereinigten Staaten, die Unsichtbare Hand des Marktes und an die Menschenrechte glauben. Auf den Kapitalismus und Nationalismus gehen wir in Kapitel 16 und 18 ein; die letzten Seiten dieses Kapitels sind den humanistischen Religionen gewidmet.

Theistische Religionen verehren Götter (deshalb werden sie »theistisch« genannt, vom griechischen Wort *theos* für Gott). Humanistische Religionen verehren dagegen den *Homo sapiens*. Der Humanismus vertritt den Glauben, der *Homo sapiens* habe eine einmalige und heilige »menschliche Natur«, die sich grundlegend von der Natur aller anderen Tiere unterscheide. Für Humanisten ist die einmalige Natur des *Homo sapiens* der Mittelpunkt der Welt, der allem, was im Universum vor sich geht, Sinn und Bedeutung verleiht. Das höchste Gut ist das Wohl des *Homo sapiens*. Der Rest der Welt und alle anderen Lebewesen existieren ausschließlich, um das Wohl dieser Art zu mehren.

Zwar verehren alle Humanisten den Menschen, doch sie können sich nicht darauf einigen, was den Menschen genau ausmacht. Daher hat sich der Humanismus in drei Fraktionen aufgespalten, die sich über die genaue Definition des Begriffs »Mensch« streiten, genau wie sich rivalisierende christliche Sekten über die genaue Definition des Begriffs »Gott« streiten. Heute sind die wichtigste humanistische Splittergruppe die »liberalen Humanisten«, die glauben, dass die menschliche Natur eine Eigenschaft des einzelnen Menschen ist. Nach Ansicht der liberalen Humanisten wohnt diese heilige menschliche Natur jedem einzelnen *Homo sapiens* inne. Das Wesen des einzelnen Menschen gibt der Welt Sinn und Bedeutung, von ihm geht alle moralische und politische Autorität aus. Wenn wir vor einem moralischen oder politischen Dilemma stehen, sollten wir in uns hineinhorchen, denn dort spricht die Stimme der menschlichen Natur. Die obersten Gebote des liberalen Humanismus zielen darauf, diese heilige innere Stimme vor Schaden zu bewahren. Diese Gebote werden gemeinhin als »Menschenrechte« bezeichnet.

Deshalb lehnen liberale Humanisten zum Beispiel Folter und Todesstrafe ab. Im Europa der frühen Neuzeit war man der Ansicht, dass Mörder das kosmische Gleichgewicht aus dem Lot brachten. Um dieses Gleichgewicht für alle Welt sichtbar wiederherzustellen, mussten die Verbrecher öffentlich gefoltert und hingerichtet werden. Im Zeitalter von Shakespeare und Molière waren schaurige Hinrichtungen ein beliebtes Spektakel, und die Menschen in London oder Paris strömten scharenweise herbei, um sie zu sehen. Im Europa der Gegenwart gilt Mord als Verbrechen gegen die heilige menschliche Natur. Um die Ordnung wiederherzustellen, werden die Verbrecher heute nicht mehr gefoltert und getötet. Stattdessen werden sie so »menschlich« wie möglich bestraft, um die Menschlichkeit des Verurteilten zu wahren. Diese Achtung der menschlichen Natur des Täters unterstreicht die Heiligkeit des Menschen an sich, und die Ordnung wird wiederhergestellt. Im Schutz des Mörders wird das Unrecht korrigiert, das der Mörder selbst begangen hat.

Auch wenn der liberale Humanismus den Menschen zum Gott erhebt, leugnet er keineswegs die Existenz Gottes. Im Gegenteil, er basiert auf monotheistischen Glaubensvorstellungen. Der liberal-humanistische Glaube an die freie und heilige Natur jedes Menschen ist ein unmittelbares Erbe des christlichen Glaubens an die freie und unsterbliche Seele des Einzelnen. Ohne Rückgriff auf den

Schöpfergott und die Unsterblichkeit der Seele hätten die Liberalen ihre liebe Not zu erklären, was denn genau an den Vertretern der Art des *Homo sapiens* so besonders sein sollte.

Die zweite wichtige Splittergruppe sind die sozialistischen Humanisten. Sozialistische Humanisten glauben, dass die menschliche Natur nicht dem Einzelnen, sondern dem Kollektiv innewohnt. Für sie ist nicht die innere Stimme des Einzelnen heilig, sondern die Art des *Homo sapiens* als Ganze. Während der liberale Humanismus die größtmögliche Freiheit für die größtmögliche Zahl von Menschen anstrebt, wollen die sozialistischen Humanisten die Gleichheit für alle Menschen. Nach Ansicht der Sozialisten ist die Ungleichheit die größte Sünde gegen die Menschheit, da sie nicht wesentliche Eigenschaften über das universelle Wesen des Menschen stellt. Wenn zum Beispiel die Reichen mehr Privilegien genießen als die Armen, stellen wir Geld über die menschliche Natur, die für Reiche und Arme gleich ist.

Wie der liberale Humanismus basiert auch der sozialistische Humanismus auf einem monotheistischen Fundament. Der Gedanke der Gleichheit aller Menschen ist eine Wiedergeburt der monotheistischen Vorstellung, dass alle Seelen von Gott gleich geschaffen wurden. Die einzige humanistische Sekte, die sich vom traditionellen Monotheismus losgesagt hat, ist der evolutionäre Humanismus, dessen bekannteste Vertreter die Nationalsozialisten waren. Die Nationalsozialisten unterscheiden sich von den übrigen Humanisten in ihrer Definition des Menschen. Die Nationalsozialisten wurden stark von der Evolutionstheorie beeinflusst. Im Gegensatz zu den anderen beiden humanistischen Splittergruppen hielten sie die menschliche Natur nicht für universell; vielmehr sahen sie den Menschen als eine wandlungsfähige Art, die sich zum Guten oder Schlechten weiterentwickeln könne. Genauer gesagt könne der Mensch zum Übermenschen oder zum Untermenschen mutieren.

Humanistische Religionen – Religionen, die den Menschen verehren

Liberaler Humanismus	Sozialistischer Humanismus	Evolutionärer Humanismus
Der *Homo sapiens* verfügt über eine einmalige und heilige Natur, die sich grundsätzlich von der Natur aller anderen Wesen und Phänomene unterscheidet. Das höchste Gut ist das Wohl des Menschen.		
Die menschliche Natur ist individuell und wohnt jedem einzelnen Vertreter der Art *Homo sapiens* inne.	Die menschliche Natur ist kollektiv und wohnt der Art *Homo sapiens* als Ganzer inne.	Die menschliche Natur unterliegt Veränderungen. Die Menschen können zum Untermenschen degenerieren oder sich zum Übermenschen entwickeln.
Das oberste Gebot ist der Schutz des inneren Wesens und der Freiheit jedes einzelnen *Homo sapiens*.	Das oberste Gebot ist der Schutz der Gleichheit aller Vertreter der Art des *Homo sapiens*.	Das oberste Gebot ist der Schutz der Menschheit vor der Degeneration zum Untermenschen und die Züchtung des Übermenschen.

Das oberste Ziel der Nationalsozialisten bestand darin, die Menschheit vor dem Verfall zu bewahren und ihre Entwicklung zu fördern. Sie behaupteten, die Arier seien die am höchsten entwickelte »Rasse« und verfolgten und ermordeten andere, angeblich minderwertige Gruppen wie Juden, Roma, Homosexuelle und geistig Behinderte. Sie erklärten, der *Homo sapiens* selbst habe sich unter den früheren Menschenarten als »überlegene« Art durchgesetzt, während »minderwertige« Arten wie der Neandertaler ausgestorben seien. Diese unterschiedlichen Arten seien zunächst nichts anderes als Rassen gewesen, die sich aufgespalten hätten und im Laufe der Evolution unterschiedliche Wege gegangen seien. Dies könne jederzeit wieder passieren. Nach Ansicht der Nationalsozialisten hatte sich der *Homo sapiens* bereits in unterschiedliche Rassen mit ihren spezifischen Eigenschaften aufgespalten. Von diesen Rassen verfüge die »arische Rasse« über die besten Eigenschaften: Vernunft, Schönheit, Moral und Fleiß, weshalb sie das Potenzial habe, eine neue Rasse von Übermenschen hervorzubringen. Andere »Rassen« wie Juden und Afrikaner seien dagegen die Neandertaler von heute und hätten minderwertige Eigenschaften. Wenn sie sich fortpflanzten oder mit der arischen Rasse vermischten, hätte dies unweigerlich die Degeneration der gesamten Menschheit und das Aussterben des *Homo sapiens* zu Folge.

Biologen haben die kruden Rassentheorien der Nationalsozialisten längst widerlegt. Nach 1945 durchgeführte genetische Untersuchungen ergaben beispielsweise, dass die Unterschiede zwischen den verschiedenen menschlichen Entwicklungslinien deutlich geringer sind, als die Nationalsozialisten behauptet hatten. Doch diese Erkenntnisse sind jüngeren Datums. Nach dem wissenschaftlichen Kenntnisstand des Jahres 1933 waren die Vorstellungen der Nationalsozialisten keineswegs völlig absurd. Viele Angehörige der westlichen Elite glaubten an die Existenz verschiedener menschlicher Rassen, die Überlegenheit der weißen Rasse und die Notwendigkeit, diese überlegene Rasse zu schützen und zu züchten.

Damals »bewiesen« Wissenschaftler von anerkannten westlichen Universitäten mit anerkannten wissenschaftlichen Methoden, dass die Angehörigen der weißen Rasse intelligenter und geschickter seien als Afrikaner oder Inder, und dass sie über einen überlegenen Sinn für Moral verfügten. Politiker in Washington, London oder Canberra sahen ihre Aufgabe ganz selbstverständlich darin, die Vermischung und Degeneration der weißen Rasse zu verhindern, zum Beispiel indem sie die Einwanderung aus China oder Italien so weit wie möglich einschränkten.

Die Veröffentlichung neuerer wissenschaftlicher Erkenntnisse änderte zunächst nichts an dieser Haltung. Die Veränderung wurde erst durch den gesellschaftlichen und politischen Wandel bewirkt. In diesem Sinne schaufelte Hitler nicht nur sich selbst, sondern auch dem Rassismus ein Grab. Als er den Zweiten Weltkrieg vom Zaun brach, zwang er seine Feinde, Position zu beziehen. Gerade weil die

Ideologie des Nationalsozialismus derart rassistisch war, verlor der Rassismus im Westen an Ansehen. Doch dieser Gesinnungswandel erfolgte keineswegs über Nacht. In den Vereinigten Staaten war die »Überlegenheit der weißen Rasse« noch bis in die 1960er Jahre fester Bestandteil der Politik. In Australien herrschte bis 1973 die »White Australia«-Politik, mit der die Einwanderung Nicht-Weißer eingeschränkt wurde; die australischen Ureinwohner erhielten erst in den 1960er Jahren gleiche Rechte und das Wahlrecht, weil es bis dahin hieß, sie seien nicht in der Lage, ihre Rechte und Pflichten als Bürger wahrzunehmen. Und in Schweden wurden geistig behinderte Menschen noch bis 1975 zwangssterilisiert.

Der Hass der Nationalsozialisten richtete sich nicht etwa gegen die Menschheit als solche. Sie bekämpften den liberalen Humanismus, die Menschenrechte und den Kommunismus, weil sie die

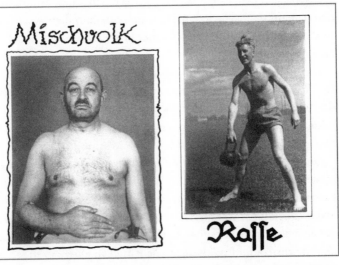

21. Ein nationalsozialistisches Propagandaposter, das rechts einen »reinrassigen Arier« und links den Vertreter eines »Mischvolks« zeigt. In diesem Bild kommt der nationalsozialistische Körperkult genauso zum Ausdruck wie die Furcht, minderwertige »Rassen« könnten den Verfall der Menschheit bewirken.

Menschheit bewunderten. Auf ihre perverse Weise glaubten sie an das Potenzial der menschlichen Art. Doch nach der (falsch verstandenen) Logik des Darwinismus müsse die natürliche Auslese ihr Werk tun und dafür sorgen, dass minderwertige Menschen aussortiert würden und nur die Stärksten überlebten und sich fortpflanzten. Der Liberalismus und der Kommunismus schützten die Schwachen und behinderten damit die natürliche Auslese. Sie ließen nicht nur zu, dass Schwache überlebten, sondern sie wollten ihnen sogar das gleiche Recht zur Fortpflanzung geben. Daher gingen die Stärksten in einem Meer von minderwertigen Menschen unter, und die Menschheit degeneriere von Generation zu Generation immer weiter. Das Ergebnis könne nur ihr Aussterben sein.

Ein deutsches Biologielehrbuch aus dem Jahr 1942 erklärt in einem Kapitel mit der Überschrift »Die Lebensgesetze und der Mensch«, alle Lebewesen befänden sich in einem erbarmungslosen Überlebenskampf. Nachdem die Autoren beschreiben, wie Pflanzen um Lebensraum kämpfen und Käfer ihre Partner finden, kommen sie zu dem Schluss:

Der Kampf ums Dasein ist hart und unerbittlich, aber er allein erhält das Leben. Durch diesen Kampf wird alles das ausgemerzt, was lebensuntüchtig ist (Ausmerze), und umgekehrt alles das erhalten, was sich als lebenstüchtig erweist (Auslese)...

Die Naturgesetze sind unwiderleglich; die Lebewesen beweisen durch ihr Dasein ihre Richtigkeit. Sie sind auch unerbittlich. Wer ihnen widerstrebt, wird im Kampf ums Dasein ausgemerzt. Die Lebenskunde übermittelt also nicht nur Wissen über allerhand Tiere und Pflanzen, sondern zeigt uns auch die Gesetzlichkeiten auf, wie wir unser Leben führen müssen, und stählt uns in dem Willen, nach diesen Gesetzen zu leben und zu kämpfen. Sinn alles Lebens aber ist der Kampf. Wehe dem, der sich gegen die Naturgesetze versündigt.

Es folgt ein Zitat aus Hitlers *Mein Kampf*:

Indem der Mensch versucht, sich gegen die eiserne Logik der Natur aufzubäumen, gerät er in Kampf mit den Grundsätzen, denen auch er selber sein Dasein als Mensch verdankt. So muss sein Handeln gegen die Natur zu seinem eigenen Untergang führen.[3]

*

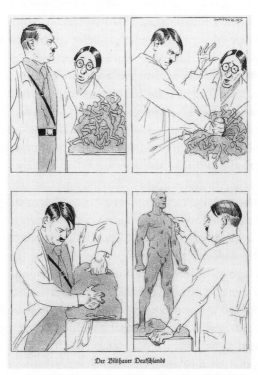

22. Nationalsozialistische Zeichnung (1933). Hitler wird als Bildhauer darge-stellt, der den Übermenschen schafft. Der bebrillte liberale Intellektuelle ist entsetzt, welche Gewalt zur Erschaffung des Übermenschen nötig ist. (Man beachte auch die erotische Verherrlichung des menschlichen Körpers.)

Zu Beginn des dritten Jahrtausends unserer Zeitrechnung ist die Zukunft des evolutionären Humanismus unklar. In den fast siebzig Jahren, die seit dem Sieg über Hitler vergangen sind, war es lange Zeit tabu, eine Verbindung zwischen dem Humanismus und der Evolutionslehre herzustellen und sich für eine biologische Aufrüstung des Menschen zum Übermenschen auszusprechen. Seit einiger Zeit kommen solche Projekte jedoch wieder in Mode. Heute spricht zwar niemand mehr davon, »minderwertige Rassen und Völker« ausrotten zu wollen, doch viele denken darüber nach, mithilfe neuester biologischer Erkenntnisse Übermenschen zu züchten.

Gleichzeitig tut sich ein immer größerer Graben zwischen den Glaubenssätzen des liberalen Humanismus und den neuesten Erkenntnissen der Biowissenschaften auf, der sich nicht mehr ignorieren lässt. Der liberale Rechtsstaat und die liberale Demokratie gehen von der Überzeugung aus, dass jedem Menschen eine heilige, unteilbare und unveräußerliche menschliche Natur innewohnt, die der Welt Sinn und Bedeutung verleiht und von der alle moralische und politische Macht ausgeht. Das ist nichts anderes als die christliche Vorstellung von der freien und unsterblichen Seele des Menschen, wenngleich in einem anderen Gewand. Doch in den vergangenen zwei Jahrhunderten haben die Biowissenschaften diese Vorstellung zunehmend in Frage gestellt. Im Innersten des Menschen haben sie keine Seele gefunden, sondern nur Organe. Unser Verhalten wird nicht vom freien Willen gesteuert, sondern von Hormonen, Genen und Synapsen, wie sie auch Schimpansen, Wölfe und Ameisen haben. Unser Rechtsstaat und unsere Demokratie kehren diese unbequemen Wahrheiten gern unter den Teppich. Wie lange wird es noch dauern, bis wir die Mauer zwischen der biologischen und der juristischen Fakultät einreißen?

Kapitel 13

Das Erfolgsgeheimnis

Welthandel, Weltreiche und Weltreligionen führten irgendwann fast alle Sapiens in jedem Winkel des Planeten in die globalisierte Welt von heute. Der Weg war steinig und kurvenreich, doch auf lange Sicht war der Übergang von vielen kleinen zu wenigen großen Kulturen und schließlich zu einer Weltkultur unvermeidlich.

Was nicht heißen soll, dass die globalisierte Gesellschaft in ihrer heutigen Form unvermeidlich war. Andere Varianten wären genauso denkbar gewesen. Warum wurde beispielsweise Englisch zur Weltsprache und nicht Dänisch? Warum gibt es zwei Milliarden Christen und anderthalb Milliarden Muslime, aber nur 150 000 Zoroastrer und keine Manichäer? Wenn wir die Geschichte um 10 000 Jahre zurückspulen und wieder und wieder ablaufen lassen könnten, würden wir dann jedes Mal den Aufstieg des Monotheismus und den Niedergang des Dualismus sehen?

Leider können wir dieses Experiment nicht durchführen, weshalb wir diese Frage nicht beantworten können. Um den Verlauf und das vorläufige Ergebnis der Weltgeschichte besser zu verstehen, wollen wir uns zwei entscheidende Eigenschaften der Geschichte ansehen.

1. Die Geschichte lässt sich nicht im Rückblick erklären

Jeder beliebige Moment der Geschichte ist ein Scheideweg. Eine einzige Straße führt von der Vergangenheit in die Gegenwart, doch in die Zukunft führt eine unendliche Vielzahl von möglichen Wegen.

Einige sind breiter und besser ausgeschildert als andere, weshalb wir sie mit größerer Wahrscheinlichkeit einschlagen, aber oft nimmt die Geschichte völlig unvorhersehbare Wendungen.

Beispielsweise standen dem Römischen Reich um das Jahr 300 zahlreiche religiöse Möglichkeiten offen. Es hätte natürlich an seinem traditionellen Polytheismus festhalten können, doch im Rückblick auf ein Jahrhundert des Bürgerkriegs suchte Kaiser Konstantin offenbar nach einem Kitt, der sein kunterbuntes Reich zusammenhalten würde. Dazu boten sich eine Reihe von Religionen an, zum Beispiel der Mitraskult, der Isiskult, der Cybelekult, der Zoroastrismus, das Judentum und sogar der Buddhismus. Warum entschied er sich ausgerechnet für Jesus? Gab es etwas an der christlichen Theologie, das ihn persönlich ansprach? Hatte er ein Bekehrungserlebnis, oder waren seine Berater zu dem Schluss gekommen, dass die Christen immer größeren Zulauf hatten und man einfach auf den Wagen aufspringen konnte? Oder lag es einfach daran, dass seine Mama zum christlichen Glauben übergetreten war und es ihrem Sohn nie verziehen hätte, wenn er sich ihr nicht angeschlossen hätte? Die Historiker können lediglich Vermutungen anstellen, aber keine Antworten geben. Sie können beschreiben, *wie* die Christen die Vorherrschaft im Römischen Reich übernahmen, aber sie können nicht erklären, *warum* ausgerechnet diese Möglichkeit verwirklicht wurde.

Aber was ist der Unterschied zwischen einer Beschreibung des Wie und einer Erklärung des Warum? Um das Wie zu beschreiben, muss eine Abfolge von bestimmten Ereignissen rekonstruiert werden, die von einem Punkt zum anderen führten. Aber um das Warum zu erklären, müsste man die Ursachen finden, die dafür verantwortlich sind, dass genau diese Abfolge von Ereignissen eintrat und keine andere.

Es gibt durchaus Wissenschaftler, die für Ereignisse wie den Aufstieg des Christentums deterministische Erklärungen finden. Sie versuchen, die Geschichte der Menschheit auf das Zusammenspiel biologischer, ökologischer oder wirtschaftlicher Kräfte zu reduzieren und behaupten, dass bestimmte geographische, genetische oder ökonomische Gegebenheiten im Mittelmeerraum den Aufstieg einer monotheistischen Religion unvermeidlich machten. Historiker betrachten solche deterministischen Theorien mit einer gehörigen Portion Skepsis. Genau das zeichnet die Geschichtswissenschaften aus: Je mehr man über eine historische Epoche weiß, umso *schwieriger* wird es zu erklären, warum die Ereignisse diesen Verlauf nahmen und keinen anderen. Wer sich in einer Epoche nur oberflächlich auskennt, erinnert sich in der Regel nur an die Möglichkeiten, die schließlich verwirklicht wurden, und kann im Rückblick ganz einfach erklären, warum diese Entwicklung gar nicht zu vermeiden war. Wer mehr über eine bestimmte Epoche weiß, kennt auch einige der Wege, die *nicht* eingeschlagen wurden.

Diejenigen, die eine Epoche am besten kennen – die Menschen, die sie selbst erlebt haben –, verstehen meistens am allerwenigsten, warum die Geschichte diese Wendung nahm und keine andere. Für die Römer zur Zeit Konstantins lag die Zukunft im Nebel. Nach einem ehernen Gesetz der Geschichte ist das, was rückblickend unvermeidlich erscheint, aus Sicht der Akteure selbst alles andere als offensichtlich. Das ist heute nicht anders. Wenn wir in die Zukunft blicken, können wir uns zum Beispiel fragen: Ist die globale Wirtschaftskrise jetzt endlich vorbei, oder haben wir das Schlimmste noch vor uns? Wächst China immer weiter und steigt irgendwann zur führenden Weltmacht auf? Werden die Vereinigten Staaten ihre Vormachtstellung verlieren? Erhält der religiöse Fundamentalismus weiteren Zulauf, oder handelt es sich um eine regionale und langfristig bedeutungslose Erscheinung? Rasen wir auf eine ökologische Katastrophe zu oder auf ein technologisches Paradies? Auf diese Fragen hat jeder eine andere Antwort, aber niemand weiß es mit Sicherheit. In ein paar Jahrzehnten werden die Menschen zurückblicken und meinen, die Antwort auf alle diese Fragen sei doch völlig offensichtlich gewesen.

Aber man kann gar nicht genug betonen, dass oft die scheinbar unwahrscheinlichsten Möglichkeiten Wirklichkeit werden. Als Kaiser Konstantin im Jahr 306 den Thron bestieg, war das Christentum nicht mehr als eine esoterische Sekte aus dem Nahen Osten. Die Vorstellung, dass sie kurz davor stand, das Römische Reich zu erobern, war genauso lachhaft wie der Gedanke, Hare Krishna könnte in fünfzig Jahren die Staatsreligion Europas werden. Im Oktober 1913 waren die russischen Bolschewiken eine unbedeutende Gruppe von Radikalen – niemand hätte sein Geld darauf gewettet, dass sie nur vier Jahre später die Herrschaft über ganz Russland an sich reißen würden. Noch absurder war im Jahr 600 der Gedanke, dass ein Volk aus der arabischen Wüste ein Imperium erobern würde, das vom Atlantik bis zum Indischen Ozean reichte. Wenn die Araber gleich zu Beginn ihres Siegeszugs von der Byzantinischen Armee gestoppt worden wären, dann wäre der Islam eine unbedeutende Fußnote der Geschichte geblieben, und die wenigen Experten, die von ihm gehört hatten, würden uns heute mit dem Brustton der Überzeugung erklären, warum aus den Offenbarungen eines alternden Handelsreisenden aus Mekka niemals eine Weltreligion werden konnte.

Natürlich ist nicht alles möglich. Geographische, biologische und wirtschaftliche Kräfte schaffen Zwänge, die sich nicht einfach ignorieren lassen. Doch diese Zwänge lassen erstaunlich viel Raum für überraschende Wendungen. Vielen Menschen gefällt diese Schlussfolgerung nicht, weil es ihnen lieber wäre, wenn die Geschichte vorherbestimmt wäre. Der Determinismus ist verführerisch, denn er vermittelt uns das Gefühl, dass unsere Welt und unsere Vorstellungen ein natürliches und unvermeidliches Produkt der Geschichte sind. Demnach gäbe es gar keine andere Möglichkeit, als die Welt in Nationalstaaten aufzuteilen, die Wirtschaft nach kapitalistischen Grundsätzen zu organisieren und an die Menschenrechte zu glauben. Wenn wir jedoch erkennen, dass die Geschichte nicht in vorgegebenen Bahnen verläuft, dann müssen wir uns eingestehen, dass Nationalismus, Kapitalismus und Menschenrechte nicht mehr sind als Zufallsprodukte.

Doch die Geschichte lässt sich nicht deterministisch erklären oder vorhersehen, weil sie chaotisch verläuft. Es sind so viele Kräfte am Werk, und diese Kräfte greifen auf derart komplexe Art und Weise ineinander, dass selbst kleinste Veränderungen auf Seiten dieser Kräfte die Entwicklung in völlig andere Bahnen lenken können. Aber die Geschichte ist nicht einfach nur chaotisch, sondern sie ist etwas, das man als ein »chaotisches System zweiter Ordnung« bezeichnet.

Es gibt nämlich zwei Arten von chaotischen Systemen. Systeme erster Ordnung lassen sich nicht von den Vorhersagen beeinflussen, die wir über sie treffen. Das Wetter ist beispielsweise ein solches System. Es wird zwar von unzähligen Faktoren beeinflusst, doch wir können Computermodelle entwickeln, die alle bekannten Informationen mit einbeziehen, und auf diese Weise unsere Vorhersagen immer weiter optimieren.

Chaotische Systeme zweiter Ordnung werden dagegen durch die Vorhersagen beeinflusst, die wir über sie treffen. Märkte sind solche chaotischen Systeme zweiter Ordnung. Nehmen wir beispielsweise an, wir könnten ein Modell entwickeln, das mit hundertprozentiger Genauigkeit den morgigen Ölpreis vorhersehen könnte – was würde passieren? Der Ölpreis reagiert natürlich sofort auf die Vorhersage, und die wäre damit hinfällig. Wenn das Rohöl heute 90 Dollar pro Barrel kostet und ein unfehlbares Programm für morgen einen Preis von 100 Dollar vorhersieht, dann würden die Händler heute Öl hamstern, um morgen die Gewinne einzustreichen. Aufgrund der gestiegenen Nachfrage würde der Preis daher schon heute auf 100 Dollar schießen. Aber was passiert dann morgen? Das weiß niemand.

Auch die Politik ist ein chaotisches System zweiter Ordnung. Viele kritisierten die Sowjetologen, weil sie den Fall der Berliner Mauer im Herbst 1989 nicht vorhersahen, und wir halten Nahostexperten vor, dass sie den Arabischen Frühling des Jahres 2011 nicht ankündigten. Das ist ungerecht. Revolutionen sind definitionsgemäß nicht vorhersehbar. Eine Revolution, die sich vorhersehen lässt, bricht erst gar nicht aus.

Warum das nicht funktioniert, lässt sich an einem einfachen Gedankenspiel zeigen. Stellen Sie sich vor, im Jahr 2010 erfindet ein genialer Politikwissenschaftler zusammen mit einem Informatiker ein unfehlbares Programm zur Vorhersage von Revolutionen und verkauft es dem ägyptischen Präsidenten Hosni Mubarak. Neugierig probiert der Präsident das neue Spielzeug aus und stellt erschrocken fest, dass es eine Revolution für das kommende Jahr vorausberechnet. Sofort senkt Mubarak die Steuern, verteilt Milliarden unter sein Volk und verstärkt für alle Fälle seine Geheimpolizei. So kommt und geht das Jahr 2011, ohne dass Demonstranten auf die Straße gehen. Ärgerlich beschwert sich Mubarak bei den Entwicklern des Programms und verlangt sein Geld zurück. »Euer Programm hat sich verrechnet! Es hat mich Milliarden gekostet! Im Jahr 2011 gab es gar keine Revolution!«

Worauf die Experten erwidern: »Wir haben Sie gerettet! Ohne uns säßen Sie heute im Gefängnis!«

»Propheten, die Dinge vorhersehen, die dann nicht eintreten?«, fragt Mubarak und winkt seine Wachen heran. »Von der Sorte hätte ich Dutzende auf dem Markt aufsammeln können, und zwar umsonst!«

Aber wozu beschäftigen wir uns dann überhaupt mit der Vergangenheit, wenn sie uns nicht hilft, die Zukunft vorherzusehen?, könnten Sie jetzt fragen. Aber Geschichte ist keine Naturwissenschaft wie Physik oder Chemie, und wir studieren sie nicht, um Vorhersagen über die Zukunft zu treffen. Wir beschäftigen uns mit ihr, um unseren Horizont zu erweitern und zu erkennen, dass unsere gegenwärtige Situation weder unvermeidlich noch unveränderlich ist, und dass wir mehr Gestaltungsmöglichkeiten haben, als wir uns gemeinhin vorstellen.

2. Die Geschichte schert sich nicht um den Menschen

Wir können nicht erklären, warum die Geschichte welche Wendungen nimmt, aber eines können wir festhalten: Sie entwickelt sich nicht zum Nutzen der Menschen. Es gibt nicht den geringsten Beweis, dass es den Menschen im Verlauf der Geschichte immer besser geht. Genauso wenig wie bewiesen ist, dass Kulturen, in denen es den Menschen gut geht, erfolgreich sind und sich durchsetzen, während weniger menschenfreundliche Kulturen irgendwann verschwinden. Es ist keineswegs gesagt, dass das Christentum den Menschen mehr brachte als der Manichäismus, oder dass das Arabische Reich besser war als das Persische.

Es gibt nicht nur keinen Beweis, dass die Geschichte dem Nutzen der Menschheit dient, wir können diesen »Nutzen für die Menschheit« nicht einmal objektiv definieren. Jede Kultur definiert diesen Nutzen anders, und wir haben keine objektive Messlatte, um diese verschiedenen Definitionen zu vergleichen. Natürlich sind die Sieger immer überzeugt, dass ihre Definition die richtige ist. Aber warum sollten wir den Siegern glauben? Natürlich sind die Christen der Ansicht, dass der Sieg des Christentums über den Manichäismus die Menschheit weitergebracht hat, aber wenn wir die christliche Weltsicht nicht akzeptieren, gibt es nicht den geringsten Grund, ihnen zuzustimmen. Genauso glauben die Muslime, dass die Eroberung des Persischen Reichs durch die Araber der Menschheit nur Vorteile gebracht hat. Aber diese Vorteile sind nur aus muslimischer Sicht erkennbar. Es ist genauso denkbar, dass es uns allen besser ginge, wenn das Christentum oder der Islam besiegt oder vergessen worden wären.

Immer mehr Wissenschaftler betrachten Kulturen als eine Art Geisteskrankheit oder mentalen Parasiten und die Menschen als deren hilflose Wirte. Physische Parasiten leben im Körper ihrer Wirte. Sie vermehren sich, springen von einem Wirt zum nächsten über, ernähren sich vom menschlichen Körper, schwächen ihn und bringen ihn manchmal sogar um. Wenn der Wirt lange genug lebt, um die Parasiten weiterzugeben, ist ihnen der Zustand ihres Wirts gleichgültig. Ganz ähnlich leben kulturelle Vorstellungen in den Köpfen der Menschen. Sie vermehren sich, werden von einem Träger zum nächsten weitergegeben und können diesen schwächen oder töten. Eine kulturelle Vorstellung – zum Beispiel der Glaube an das christliche Paradies über den Wolken oder das kommunistische Paradies auf Erden – kann Menschen dazu bringen, ihr ganzes Leben für ihre Verbreitung hinzugeben und sogar für sie zu sterben. Der Mensch stirbt, aber die Vorstellung lebt weiter. Demnach wären Kulturen keine Verschwörung, mit deren Hilfe eine Gruppe von Menschen eine andere ausbeutet (wie Marxisten gern annehmen). Kulturen wären vielmehr Parasiten, die zufällig entstehen und alle infizierten Menschen ausbeuten.

Dieser Ansatz wird gelegentlich als »Memetik« bezeichnet. Analog zur organischen Evolution, die auf der Vervielfältigung von organischen Informationseinheiten namens »Genen« basiert, basiert die kulturelle Evolution demnach auf der Vervielfältigung von kulturellen Informationseinheiten namens »Memen«.[1] Eine Kultur ist dann erfolgreich, wenn es ihr gelingt, ihre Meme weiterzugeben, egal ob dies den menschlichen Wirten nutzt oder schadet.

Die meisten Geisteswissenschaftler rümpfen beim Stichwort Memetik die Nase, doch viele halten sich an ihre Zwillingsschwester: die postmoderne Theorie. Postmoderne Denker bezeichnen die Grundbausteine der Kultur nicht als Meme, sondern als Diskurse, doch auch sie sind der Ansicht, dass sich Kulturen verbreiten, ohne sich um den Nutzen oder Schaden für den Menschen zu scheren. Den Nationalismus beschreiben sie beispielsweise als tödliche Plage, die sich im 19. und 20. Jahrhundert auf der ganzen Welt ausbreitete und Krieg, Unterdrückung, Hass und Völkermord schürte. Das nationalistische Virus gab vor, dem Menschen zu nutzen, doch genutzt hat es vor allem sich selbst. Sobald die Menschen eines Landes davon befallen waren, steckten sie mit großer Wahrscheinlichkeit auch ihre Nachbarländer an. Die Menschen hatten zwar wenig von diesem Virus, doch es breitete sich von einem zum anderen aus wie die Grippe.

Aus den Sozialwissenschaften kennt man ähnliche Vorstellungen unter dem Stichwort »Spieltheorie«. Diese Theorie erklärt, warum sich in Systemen mit mehreren Akteuren bestimmte Ansichten und Verhaltensmuster durchsetzen und verbreiten können, obwohl sie *allen* Beteiligten schaden. Ein berühmtes Beispiel ist der Rüstungswettlauf. Oft stürzt ein Wettrüsten alle Beteiligten in den Ruin, ohne dass sich das militärische Gleichgewicht nennenswert verändert. Wenn Pakistan moderne Kampfflugzeuge kauft, zieht Indien nach. Wenn Indien die Atombombe entwickelt, folgt Pakistan auf dem Fuß. Wenn Pakistan seine Flotte ausbaut, hält Indien dagegen. Unterm Strich bleibt das Machtgleichgewicht mehr oder weniger unverändert, doch Milliarden von Euro, die man in Bildung oder Gesundheit hätten investieren können, wurden stattdessen für Waffen ausgegeben. Verstehen die Inder und Pakistani das nicht? Das tun sie sehr wohl. Trotzdem können sie sich der Dynamik des Rüstungswettlaufs nicht entziehen. »Wettrüsten« ist ein kulturelles Muster, das wie ein Virus von einem Land auf das andere überspringt, allen schadet, aber sich selbst nutzt (zumindest im evolutionären Sinne des Überlebens und der Reproduktion. Niemand würde behaupten, das Wettrüsten habe so etwas wie ein Bewusstsein oder wollte bewusst überleben und sich vermehren. Es handelt sich vielmehr um eine unbeabsichtigte Konsequenz mit einer gewaltigen Dynamik.).

Es spielt keine Rolle, ob sie sich an die Spieltheorie, die Postmoderne oder die Memetik halten. Es ist nur wichtig zu verstehen, dass das Wohl der Menschen nicht zu den Leitprinzipien der Geschichte gehört, und dass es keinen Grund zu der Annahme gibt, die erfolgreichsten Kulturen der Geschichte seien automatisch der beste Lebensraum für den *Homo sapiens*. Genau wie die Evolution schert sich die Geschichte wenig um das Glück einzelner Organismen. Und die Menschen sind in der Regel viel zu unwissend und schwach, um den Lauf der Geschichte zu ihrem Vorteil zu lenken.

Die Geschichte schreitet von einem Scheideweg zum anderen voran und nimmt aus unerfindlichen Gründen mal die eine Richtung, mal die andere. Um das Jahr 1500 nahm sie die bislang folgenschwerste Wende, die nicht nur das Schicksal der Menschheit in neue Bahnen lenkte, sondern vielleicht sogar das Schicksal des Lebens selbst. Diese Entscheidung wird als »wissenschaftliche Revolution« bezeichnet.

Die wissenschaftliche Revolution begann in Westeuropa, einer fernen Halbinsel am westlichen Zipfel Afro-Eurasiens, die bis zu diesem Zeitpunkt kaum eine Rolle in der Geschichte gespielt hatte. Warum begann die wissenschaftliche Revolution ausgerechnet da, und nicht in China oder Indien? Und warum begann sie um das Jahr 1500, und nicht schon zwei Jahrhunderte früher oder drei Jahrhunderte später? Wir wissen es nicht. Wissenschaftler haben Dutzende Theorien aufgestellt, aber keine ist besonders überzeugend.

Die Geschichte ist ein weiter Horizont von Möglichkeiten, und viele dieser Möglichkeiten werden nie Wirklichkeit. Man kann sich auch eine Geschichte vorstellen, in der es nie zu einer wissenschaftlichen Revolution kommt, genau wie wir uns eine Geschichte ohne das Christentum, ohne das Römische Reich und ohne Goldmünzen vorstellen können.

TEIL 4

DIE WISSENSCHAFTLICHE REVOLUTION

8.0 SEC.
N

⊢——⊣ 100 METERS

23. Alamogordo, 16. Juli 1945, 05:29:45, acht Sekunden nach der Zündung der ersten Atombombe. In einem Interview von 1965 zu diesem Ereignis zitierte der Physiker Robert Oppenheimer aus dem indischen Epos Bhagavad Gita: »Jetzt bin ich der Tod geworden, der Zerstörer der Welten.«

Kapitel 14

Die Entdeckung der Unwissenheit

In den vergangenen 500 Jahren hat die Menschheit einen phänomenalen Zuwachs an Macht erlebt. Die Entwicklung verlief so rasant und war so umfassend wie keine andere vor ihr. Wäre ein spanischer Bauer um das Jahr 1000 eingeschlafen und knapp 500 Jahre später vom Lärm der Matrosen geweckt worden, die mit Christoph Kolumbus die drei Segelschiffe *Santa María*, *Niña* und *Pinta* bestiegen, dann hätte sich die Welt in der Zwischenzeit kaum verändert. Er hätte zwar einige Veränderungen bemerkt, einige Gepflogenheiten waren anders und das eine oder andere Werkzeug hatte sich verändert, aber im Grunde genommen hätte er sich heimisch gefühlt. Wenn dagegen einer der Matrosen von Christoph Kolumbus eingeschlafen wäre und heute vom Klingeln eines iPhones geweckt würde, dann würde er buchstäblich die Welt nicht mehr verstehen. »Bin ich im Himmel?«, könnte er sich fragen. »Oder ist das die Hölle?«

Im Jahr 1500 lebten 500 Millionen Menschen auf unserem Planeten. Heute sind es 7 Milliarden.[1] Im Jahr 1500 wurden auf der ganzen Welt Waren und Dienstleistungen im Wert von umgerechnet 250 Milliarden Dollar produziert.[2] Heute sind es knapp 60 Billionen Dollar.[3] Im Jahr 1500 verbrauchte die Menschheit pro Tag 13 Billionen Kalorien Energie. Heute verbrauchen wir pro Tag 1500 Billionen Kalorien.[4] (Lassen Sie diese Zahlen einmal auf sich wirken: 14 mal so viele Menschen produzieren 240 mal so viel und verbrauchen dabei 115 mal so viel Energie.)

Wenn in den Tagen von Kolumbus ein modernes Kriegsschiff auf-
gekreuzt wäre, hätte es die *Santa María*, *Niña* und *Pinta* innerhalb
von Sekunden zu Kleinholz verarbeiten und dann sämtliche Flotten
der Welt auf den Meeresgrund schicken können, ohne selbst auch
nur einen Kratzer abzubekommen. Fünf moderne Containerschiffe
hätten die gesamte Fracht aller Handelsschiffe der Welt an Bord
nehmen können.[5] Auf einem modernen Computer finden sämtliche Bücher und Schriftrollen aller mittelalterlichen Bibliotheken
spielend Platz, und es bleibt noch viel Platz für Ihre Urlaubsfotos.
Und eine Bank der Gegenwart hat mehr Geld als alle vormodernen
Weltreiche zusammengenommen.[6]

Im Jahr 1500 hatten nur wenige Städte mehr als 100 000 Einwohner. Die Häuser waren meist aus Lehm, Holz und Stroh, und ein
Gebäude mit drei Stockwerken war ein Wolkenkratzer. Auf den
ungepflasterten Straßen wuselten Fußgänger, Pferde, Ziegen, Hühner und ein paar Handkarren. Man hörte menschliche Stimmen
und Tierlaute, dazwischen hin und wieder einen Hammer oder eine
Säge. Bei Sonnenuntergang legte sich völlige Dunkelheit über die
Stadt, nur hier und da flackerte eine Kerze oder ein Kienspan. Was
würde eine Einwohnerin einer solchen Stadt denken, wenn sie das
moderne Tokio, New York oder Mumbai sehen könnte?

Vor dem 16. Jahrhundert hatte noch nie ein Mensch den gesamten
Erdball umrundet. Das änderte sich erst im Jahr 1522, als Magellans
Expedition nach einer 72 000 Kilometer langen Reise nach Spanien
zurückkehrte. Die Weltumseglung hatte drei Jahre gedauert und fast
sämtliche Teilnehmer das Leben gekostet, Magellan eingeschlos-
sen. Im Jahr 1873 konnte sich der französische Schriftsteller Jules
Verne vorstellen, dass seine Romanfigur Phileas Fogg, ein reicher
englischer Abenteurer, in achtzig Tagen um die Welt reiste. Und
inzwischen kann jeder mit einem mittleren Einkommen die Erde
innerhalb von 48 Stunden sicher und bequem umrunden.

Im Jahr 1500 waren die Menschen an die Erdoberfläche gefes-
selt. Sie konnten zwar Türme errichten und Berge besteigen, doch

der Himmel war den Vögeln, Engeln und Göttern vorbehalten. Am 20. Juli 1969 landete der erste Mensch auf dem Mond. Das war nicht nur eine historische, sondern auch eine evolutionäre und kosmische Leistung. Vier Milliarden Jahre lang hatte kein Organismus auch nur die Erdatmosphäre verlassen und schon gar keinen Fuß oder Tentakel auf den Mond gesetzt.

Lange Zeit blieben den Menschen 99,99 Prozent aller Lebewesen auf dem Planeten verborgen: die Mikroorganismen. Nicht, dass ihre Existenz für uns nicht von Interesse gewesen wären. Jeder von uns trägt Abermilliarden von diesen einzelligen Lebewesen mit sich herum. Sie sind unsere besten Freunde und unsere ärgsten Feinde. Sie verdauen unsere Nahrung, räumen unseren Darm auf und hin und wieder bringen sie uns auch um. Doch erst im Jahr 1674 begegnete der Mensch dem ersten Mikroorganismus, als nämlich Anton van Leeuwenhoek durch sein selbstgebautes Mikroskop blickte und zu seiner Verblüffung in einem Wassertropfen eine ganze Welt von quirligen Kleinstlebewesen sah. In den folgenden drei Jahrhunderten haben die Menschen Bekanntschaft mit zahllosen Arten von Mikroorganismen gemacht, die tödlichsten Infektionskrankheiten besiegt und die Mikroorganismen in den Dienst der Medizin und Industrie gestellt. Heute stellen wir Bakterien her, die Medikamente und Biotreibstoffe produzieren und Parasiten töten.

Ein Augenblick, der diese erstaunliche Entwicklung der vergangenen 500 Jahre verkörpert wie kein anderer, ist der 16. Juli 1945, 5 Uhr 29 und 45 Sekunden. In diesem Moment zündeten amerikanische Wissenschaftler in Alamogordo, New Mexico, die erste Atombombe. Von diesem Zeitpunkt an hatte die Menschheit die Möglichkeit, der Geschichte nicht nur eine neue Richtung zu geben, sondern sie auch zu beenden.

*

Die historische Entwicklung, die uns nach Alamogordo und auf den Mond führte, wird als »wissenschaftliche Revolution« bezeichnet. Wenn die Menschheit während dieser Revolution einen derartigen Machtzuwachs erlebte, dann lag das daran, dass sie Ressourcen in die naturwissenschaftliche Forschung investierte. Eine Revolution ist es auch deshalb, weil die Menschheit vor dem Jahr 1500 nicht glaubte, dass sie auf medizinischem, militärischem oder wirtschaftlichem Gebiet Fortschritte erzielen konnte. Die Reichen und Mächtigen investierten zwar in Bildung und Wissen, doch dabei ging es ihnen vor allem darum, bestehende Fähigkeiten zu bewahren, und nicht darum, neue zu erwerben. Die typischen vormodernen Herrscher finanzierten Priester, Philosophen und Dichter, damit diese ihre Herrschaft legitimierten und die gesellschaftliche Ordnung aufrechterhielten. Ihre Aufgabe bestand nicht darin, neue Medikamente zu entwickeln, Waffen zu erfinden oder die Wirtschaft anzukurbeln.

In den zurückliegenden fünf Jahrhunderten glaubten dagegen immer mehr Menschen daran, dass sie zusätzliche Macht erwerben konnten, indem sie in die Forschung investierten. Das war indes kein blinder Glaube, denn es bestätigte sich überall und immer wieder. Und je mehr Beweise es gab, umso bereitwilliger investierten die Reichen und Mächtigen neue Mittel in die Wissenschaften. Diesem Glauben und den damit einhergehenden Investitionen haben wir es zu verdanken, dass wir heute zum Mond fliegen, neue Mikroorganismen schaffen und Atombomben zünden können.

Zum Beispiel gab die Regierung der Vereinigten Staaten in den vergangenen Jahrzehnten Abermilliarden an US-Dollars für die Kernforschung aus. Mit den daraus resultierenden Erkenntnissen konnten Atomkraftwerke errichtet werden, die billige Energie für die amerikanische Industrie lieferten. Diese zahlt Steuern an die Regierung der Vereinigten Staaten, die wiederum einen Teil dieser Einnahmen in die weitere Erforschung der Kernphysik investiert.

Kraft · Ressourcen · Forschung

Der Selbstverstärkungseffekt der wissenschaftlichen Revolution. Die Wissenschaft benötigt mehr als nur Forschungsergebnisse, um Fortschritte zu erzielen. Sie ist auf die gegenseitige Verstärkung von Wissenschaft, Politik und Wirtschaft angewiesen. Politische und wirtschaftliche Institutionen stellen die Ressourcen zur Verfügung, ohne die wissenschaftliche Forschung kaum möglich wäre. Im Gegenzug schafft die Wissenschaft neue Macht, die zum Teil auf den Erwerb neuer Ressourcen verwendet wird, und diese wiederum werden zum Teil in die Forschung investiert.

Warum glaubten in der Neuzeit immer mehr Menschen daran, dass ihnen die Forschung neue Macht verschaffen konnte? Wie kam das Bündnis aus Wissenschaft, Politik und Wirtschaft zustande? In diesem Kapitel sehen wir uns den einmaligen Charakter der modernen Wissenschaften an. In den nächsten beiden geht es um das Bündnis, das die Wissenschaften, die europäischen Kolonialreiche und die kapitalistische Wirtschaft eingingen.

Wir wissen, dass wir nichts wissen

Spätestens seit der kognitiven Revolution verspüren die Menschen ein unwiderstehliches Bedürfnis, das Universum zu verstehen. Unsere Vorfahren verwendeten viel Zeit darauf, den Geheimnissen der Natur auf den Grund zu gehen. Doch die moderne wissenschaftliche Tradition unterscheidet sich durch eine Kombination von drei wesentlichen Eigenschaften von allen anderen Wissenstraditionen:

1. Das Eingeständnis der Unwissenheit. Die moderne Wissenschaft ist bereit zuzugeben, dass sie nicht alles weiß. Mehr noch, sie geht davon aus, dass alles, was wir zu wissen glauben, durch neue Erkenntnisse widerlegt werden kann. Es gibt keine Vorstellung und keine Theorie, die nicht hinterfragt werden kann.

2. Die zentrale Bedeutung von Beobachtung und Mathematik. Nachdem sie ihre Unwissenheit zugegeben hat, versucht die moderne Wissenschaft, neues Wissen zu erwerben. Dazu sammelt sie Beobachtungen und verknüpft diese mit Hilfe mathematischer Instrumente zu allgemeingültigen Theorien.

3. Der Erwerb neuer Fähigkeiten. Die moderne Wissenschaft gibt sich nicht damit zufrieden, Theorien aufzustellen. Sie nutzt diese Theorien, um neue Fähigkeiten zu erwerben und vor allem neue Technologien zu entwickeln.

Die wissenschaftliche Revolution war keine Revolution des Wissens, sondern vor allem eine Revolution der Unwissenheit. Die große Entdeckung, mit der die wissenschaftliche Revolution losgetreten wurde, war die Erkenntnis, dass wir Menschen nicht im Besitz der Wahrheit sind, und dass wir auf die wichtigsten Fragen keine Antworten wissen.

Vormoderne Wissenstraditionen im Islam, Christentum, Buddhismus oder Konfuzianismus erklärten, dass alles, was es über die Welt zu wissen gab, bereits bekannt war. Die mächtigen Götter, der eine und allmächtige Gott oder die großen Weisen der Vergangenheit waren bereits im Besitz aller Weisheit und aller Antworten, und sie offenbarten uns diese in ihren Schriften und mündlichen Überlieferungen. Wissenserwerb bedeutete, diese alten Weisheiten gründlich zu studieren. Es war unvorstellbar, dass die Bibel, der Koran oder die Vedas ein entscheidendes Geheimnis des Universums übersehen haben könnten, und dass es an gewöhnlichen Sterblichen sein könnte, dieses Geheimnis zu lüften.

Diese Traditionen kennen nur zwei Arten von Unwissenheit: Erstens könnten Einzelne aus irgendeinem Grund eine entscheidende Erkenntnis nicht mitbekommen haben. In diesem Fall müssen sie nur einen weiseren Menschen fragen. Es besteht keinerlei Notwendigkeit, Neues zu entdecken. Ein Bauer des 13. Jahrhunderts mochte nicht wissen, woher die Menschheit kam. Doch die christliche Tradition hatte die Antwort, und der Bauer konnte einfach einen Geistlichen fragen.

Und zweitens kann eine ganze Wissenstradition keine Kenntnis von unbedeutenden Details haben. Was die mächtigen Götter nicht offenbarten und was die Weisen der Vergangenheit nicht in ihre Schriften aufnahmen, war definitionsgemäß irrelevant. Wenn unser mittelalterlicher Bauer wissen wollte, wie Spinnen ihr Netz weben, dann hatte es wenig Sinn, sich mit dieser Frage an einen Geistlichen zu wenden, denn die Heilige Schrift hatte nichts über Spinnen zu sagen. Das bedeutet nicht, dass das Christentum unzureichend gewesen wäre, es heißt nur, dass diese Frage keinerlei Relevanz hatte. Gott wusste schließlich, wie Spinnen ihr Netz weben. Wenn diese Information zum Seelenheil der Menschheit beigetragen hätte, dann hätte er eine umfassende Erklärung in die Bibel aufgenommen.

Das Christentum verbot die Beschäftigung mit Spinnen zwar nicht ausdrücklich. Doch ein Spinnenforscher – wenn es so etwas im Europa des Mittelalters überhaupt gegeben haben sollte – musste seine Randstellung in der Gesellschaft anerkennen und einsehen, dass er mit seinen Erkenntnissen nichts zu den ewigen Wahrheiten des Christentums beizutragen hatte. So viel ein Wissenschaftler auch über Spinnen, Schmetterlinge oder Galapagosfinken herausfinden mochte, es handelte sich um Banalitäten, mit denen er den grundlegenden Wahrheiten der Gesellschaft, Politik und Wirtschaft nichts hinzufügen konnte.

Ganz so einfach war das natürlich nie. Selbst in allerfrömmsten Zeiten gab es immer Menschen, die behaupteten, es gebe sehr wohl zentrale Fragen, zu denen die Weisen und die Heiligen Schriften keine Antwort wussten. Doch solche Menschen wurden in der Regel verfolgt oder zum Schweigen gebracht, oder aber sie gründeten ihre eigene Tradition und behaupteten nun ihrerseits, dass sie alles wüssten, was es zu wissen gab. Der Prophet Mohammed begann beispielsweise seine Laufbahn, indem er seine arabischen Landsleute beschuldigte, fern der göttlichen Wahrheit zu leben. Schon bald ging er dazu über zu behaupten, er selbst befinde sich im Besitz dieser Wahrheit, und seine Anhänger nannten ihn »das Siegel der Propheten«. Das heißt, Mohammed hatte das letzte Wort gesprochen, und über seine Offenbarungen hinaus war kein weiteres Wissen mehr nötig.

Die modernen Wissenschaften bringen dagegen ein völlig neues Wissensverständnis mit und gehen davon aus, dass die Menschheit die wichtigsten Fragen nach wie vor nicht beantworten kann. Darwin bezeichnete sich nie als »das Siegel der Biologie« und behauptete nie, er habe das Rätsel des Lebens ein für allemal gelöst. Auch nach Jahrhunderten der Forschung geben Biologen freimütig zu, dass sie noch immer nicht wissen, wie das Bewusstsein im Gehirn entsteht. Und Physiker gestehen unumwunden, dass sie den Urknall nicht erklären können und keine Ahnung haben, wie sie die Quantenmechanik und die Relativitätstheorie unter einen Hut bringen sollen.

Widersprüchliche wissenschaftliche Theorien werden anhand von immer neuen Beweisen hitzig debattiert. Ein gutes Beispiel ist die Ökonomie: Wirtschaftswissenschaftler verkaufen ihre jeweilige Theorie zwar gern als die beste und einzig richtige, doch nach jeder Finanzkrise und jeder Aktienblase werden neue Theorien aufgestellt, und die meisten Experten geben zu, dass das letzte Wort noch längst nicht gesprochen ist.

Es kommt zwar durchaus vor, dass eine Theorie gründlich bewiesen ist und mögliche Alternativen längst zu den Akten gelegt sind. Solche Theorien gelten als wahr, doch wenn neue Entdeckungen gemacht werden sollten, die sie in Frage stellen, dann müssten sie korrigiert oder verworfen werden. Das trifft zum Beispiel auf die Plattentektonik oder die Evolutionstheorie zu.

Aufgrund dieser Bereitschaft, ihre eigene Unwissenheit einzugestehen, ist die moderne Wissenschaft dynamischer, flexibler und neugieriger als alle früheren Wissenstraditionen. Dies ist ein hervorragender Ausgangspunkt, um neues Wissen zu erwerben und neue Techniken zu erfinden. Daneben stellt es jedoch ein Problem dar, mit dem sich unsere Vorfahren nicht auseinandersetzen mussten. Wenn wir davon ausgehen, dass wir nicht alles wissen, und dass unser Wissen vorläufig ist, dann trifft dies natürlich auch auf die gemeinsamen Mythen zu, die wir benötigen, um die effektive Zusammenarbeit von Millionen von Menschen zu organisieren. Wenn bewiesen wird, dass viele dieser Mythen mindestens zweifelhaft sind, wie sollen sie dann eine Gesellschaft zusammenhalten? Wie können Gemeinschaften, Staaten und internationale Systeme dann überhaupt noch funktionieren?

Daher muss jeder Versuch, die gesellschaftliche und politische Ordnung aufrechtzuerhalten, zu einem von zwei unwissenschaftlichen Tricks greifen:

1. Man nehme eine wissenschaftliche Theorie und erkläre sie zur endgültigen und absoluten Wahrheit, auch wenn dies der gängigen wissenschaftlichen Praxis widerspricht. Diesen Trick verwendeten die Nationalsozialisten (die ihre Rassentheorien auf vermeintliche biologische Erkenntnisse stützten) oder die Kommunisten (die behaupteten, Marx und Lenin hätten die unwiderlegbare Wahrheit über die Wirtschaft erkannt).

2. Man klammere die Wissenschaft aus und halte sich an eine absolute Wahrheit, die nicht aus der Wissenschaft stammt. So geht der

liberale Humanismus mit seinem Dogma von der Einmaligkeit des Menschen und den daraus abgeleiteten Menschenrechten vor, das leider sehr wenig mit der wissenschaftlichen Erforschung des *Homo sapiens* zu tun hat.

Das sollte uns allerdings nicht weiter überraschen. Selbst die Wissenschaft greift immer wieder auf religiöse und ideologische Überzeugungen zurück, um ihre Forschung zu rechtfertigen und zu finanzieren.

Trotzdem zeigt unsere moderne Kultur größere Bereitschaft als jede andere, ihre Unwissenheit anzuerkennen. Wenn die Moderne ihre gesellschaftliche Ordnung trotz der neuen Mode des Zweifels aufrechterhalten konnte, dann liegt das vor allem daran, dass eine fast religiöse Technologie- und Wissenschaftsgläubigkeit aufkam, die den Glauben an absolute Wahrheiten weitgehend verdrängt hat.

Das Dogma der Wissenschaft

Die moderne Wissenschaft hat kein Dogma. Sie verwendet jedoch einige verbindliche Forschungsmethoden und basiert auf empirischen Beobachtungen, aus denen sie mit Hilfe mathematischer Modelle ihre Schlüsse zieht (»empirisch« bedeutet, dass wir sie mit mindestens einem unserer Sinne wahrnehmen können).

Natürlich haben Menschen schon immer ihre Umwelt beobachtet, doch sie maßen diesen Beobachtungen nur geringe Bedeutung bei. Die Menschen glaubten, dass Jesus, Buddha, Konfuzius, Mohammed oder irgendjemand sonst schon alles wusste, was man wissen musste. Der Wissenserwerb beschränkte sich daher darauf, einen vorhandenen Kanon zu studieren und umzusetzen. Warum sollte man wertvolle Ressourcen darauf verschwenden, neue Beobachtungen zu sammeln, wenn wir doch schon alle Antworten hatten?

Aber nachdem unsere Kultur erkannt hatte, wie wenig sie in Wirklichkeit wusste, musste sie völlig neues Wissen erwerben. Unsere Forschungsmethode geht daher davon aus, dass alles alte Wissen unzureichend ist. Statt vorhandene Bibliotheken auswendig zu lernen, legt die Wissenschaft daher den Schwerpunkt auf neue Beobachtungen und Experimente. Wann immer eine neue Beobachtung zum bestehenden Wissen in Widerspruch steht, geben wir der Beobachtung den Vorrang. Das bedeutet nicht, dass frühere Erkenntnisse keinen Wert mehr haben. Physiker, die das Spektrum ferner Galaxien analysieren, Archäologen, die Funde aus einer bronzezeitlichen Ausgrabungsstätte auswerten, und Politikwissenschaftler, die den Ursprung des Kapitalismus untersuchen, fangen nicht jedes Mal bei null an. Natürlich beschäftigen sie sich zunächst mit den Entdeckungen der alten Gelehrten. Doch vom ersten Semester an ist angehenden Physikern, Archäologen und Politikwissenschaftlern klar, dass sie Albert Einstein, Heinrich Schliemann und Max Weber hinter sich lassen müssen.

*

Bloße Beobachtungen sind natürlich noch kein Wissen. Um das Universum zu verstehen, müssen wir unsere Beobachtungen zu umfassenden Theorien zusammensetzen. Frühere Traditionen formulierten ihre Theorien meist in Form von Erzählungen. Die modernen Wissenschaften verwenden dazu die Mathematik.

In der Bibel, dem Koran, den Veden oder den klassischen konfuzianischen Texten suchen wir vergeblich nach Gleichungen, Diagrammen und Berechnungen. Wenn traditionelle Mythen und Heilige Schriften ihre allgemeinen Grundsätze formulierten, dann taten sie dies mit Hilfe von Gleichnissen, nicht mit mathematischen Formeln. Ein Grundprinzip des Manichäismus besagte beispielsweise, dass die Welt ein Schlachtfeld im ewigen Kampf von Gut und Böse ist. Die böse Kraft hatte die Materie erschaffen, und die gute den Geist.

Die Menschen waren zwischen diesen beiden Kräften gefangen und mussten sich zwischen Gut und Böse entscheiden. Doch der Prophet Mani unternahm keinen Versuch, die Beziehung zwischen Gut und Böse mit exakten mathematischen Gleichungen zu beschreiben. Er stellte keine Formeln auf wie »die auf den Menschen wirkende Kraft ist gleich der Beschleunigung seines Geistes dividiert durch die Masse seines Körpers«.

Aber genau das versuchen die Wissenschaftler. Im Jahr 1687 veröffentlichte Isaac Newton seine *Mathematischen Prinzipien der Naturlehre,* das vielleicht wichtigste Buch der modernen Geschichte. Hier stellte Newton eine allgemeine Theorie zur Bewegung aller Körper des Universums auf. Ihre Bedeutung verdankt Newtons Theorie ihrer erstaunlichen Kürze und Klarheit. Newton verdichtete Millionen von Beobachtungen und stellte drei einfache Formeln auf, mit denen sich die Bewegung eines fallenden Blatts genauso beschreiben ließ wie die Flugbahn eines Kometen:

$$(1)\ \sum \vec{F} = 0$$
$$(2)\ \sum \vec{F} = m\vec{a}$$
$$(3)\ \vec{F}_{1,2} = -\vec{F}_{2,1}$$

Wer die Flugbahn einer Kanonenkugel oder eines Planeten verstehen oder vorhersagen wollte, musste nun nur noch einige empirische Beobachtungen über das fragliche Objekt sammeln (Welche Masse hat es? Welche äußeren Kräfte wirken?) und diese Beobachtungen in Newtons Formeln einsetzen. Es war die reinste Magie. Erst gegen Ende des 19. Jahrhunderts machten Wissenschaftler Beobachtungen, die sich nicht mit den Newtonschen Gesetzen in Einklang bringen ließen, und diese führten zu den nächsten Revolutionen in der Physik, der Relativitätstheorie und der Quantenmechanik.

*

Newton zeigte, dass das Buch der Natur in der Sprache der Mathematik geschrieben ist. Einige Kapitel sind recht einfach und lassen sich auf simple Gleichungen reduzieren. Andere sind dagegen unglaublich kompliziert. Immer wieder haben Wissenschaftler versucht, die Biologie, Wirtschaft oder Psychologie in einfachen Newtonschen Gleichungen zu beschreiben, nur um festzustellen, dass die Wirklichkeit viel zu komplex ist. Trotzdem gaben die Wissenschaftler die Mathematik nicht auf. Stattdessen bedienten sie sich bei der Statistik und der Wahrscheinlichkeitsrechnung, um die komplexeren Aspekte der Wirklichkeit zu verstehen.

Im Jahr 1744 beschlossen die beiden schottischen Geistlichen Robert Wallace und Alexander Webster, eine Altersversicherung für die Witwen von Priestern der Presbyterianischen Kirche einzurichten. Dazu sollte jeder Geistliche jedes Jahr einen bestimmten Anteil seines Einkommens in eine Rentenkasse einbezahlen. Nach seinem Tod sollte die Witwe Ausschüttungen aus den Gewinnen dieser Kasse erhalten, die ihr ein angenehmes Alter ermöglichen sollten. Um die Finanzierung zu sichern, mussten die Gesellschafter jedoch genau wissen, wie viele Geistliche jedes Jahr starben, wie viele Witwen und Waisen zu versorgen waren, und um wie viele Jahre die Witwe ihren Mann überlebte. Aber wie ließ sich das vorhersagen?

Die beiden Kirchenmänner beteten nicht zu Gott, er möge ihnen die Antwort geben. Sie suchten auch nicht in der Heiligen Schrift und begannen keine philosophische Diskussion. Vielmehr baten die pragmatischen Schotten den Mathematiker Colin Maclaurin von der Universität von Edinburgh um Hilfe, und zu dritt werteten sie aktuelle statistische Daten zu Geburten, Todesfällen und durchschnittlichen Lebenserwartungen aus, um zu ermitteln, wie viele Priester durchschnittlich im Laufe eines Jahres starben. Bei ihrer Arbeit stützten sie sich auf die neuesten Erkenntnisse auf dem Gebiet der Statistik und der Wahrscheinlichkeitsrechnung, zum Beispiel Jacob Bernoullis Gesetz der großen Zahlen. Dieses Gesetz besagt, dass ein einzelnes Ereignis (zum Beispiel die Lebenserwartung einer ganz bestimmten Person) zwar sehr schwer vorherzusehen ist, dass sich das durchschnittliche Ergebnis vieler ähnlicher Ereignisse (zum Beispiel die Lebenserwartung von tausend Personen) sehr wohl vorhersagen lässt. Maclaurin konnte zwar nicht vorhersagen, wann Webster und Wallace das Zeitliche segnen würden, doch wenn er genug Daten zur Verfügung hatte, konnte er mit einiger Sicherheit ermitteln, wie viele ihrer Kollegen nächstes Jahr sterben würden. Zum Glück gab es bereits Daten, auf die er zurückgreifen konnte. Als besonders wichtig erwiesen sich die Versicherungstabellen, die ein gewisser Edmund Halley, der Entdecker des nach ihm benannten Kometen, fünfzig Jahre zuvor veröffentlicht hatte. Diese Tabellen basierten wiederum auf den Daten von 1238 Geburten und 1174 Todesfällen in der Stadt Breslau, und dort hieß es zum Beispiel: »Ein 20-Jähriger stirbt mit einer Wahrscheinlichkeit von 1:100 in diesem Jahr, ein 50-Jähriger stirbt dagegen mit einer Wahrscheinlichkeit von 1:39 in diesem Jahr.«

Nach komplizierten Berechnungen ermittelten Webster und Wallace, dass zu jedem beliebigen Zeitpunkt 930 Geistliche der Presbyterianischen Kirche Schottlands am Leben waren. Davon starben pro Jahr durchschnittlich 27. Von diesen 27 hinterließen 18 eine Witwe und 5 nur Waisen, aber keine Witwe. Von den 18, die vor ihrer Frau das Zeitliche segneten, hinterließen 2 minderjährige Kinder aus früheren Ehen. Dann errechneten sie, in welchem Zeitraum die Witwen wieder heirateten (und damit den Anspruch auf ihre Witwenrente verloren). Ausgehend von diesen Berechnungen ermittelten Webster und Wallace, wie viel die Geistlichen jährlich in die Rentenkasse einzahlen mussten, um für ihre Hinterbliebenen zu sorgen. Die niedrigste Rate lag bei 2 Pfund, 12 Schilling und 2 Pence pro Jahr (damit sicherten sie ihrer Witwe eine Jahresrente von 10 Pfund, was damals eine ordentliche Summe war). Mit der höchsten Rate von 6 Pfund, 11 Schilling und 3 Pence pro Jahr garantierten sie der Witwe eine fürstliche Jahresrente von 25 Pfund.

Nach ihren Berechnungen sollte der Rentenfonds bis zum Jahr 1765 über ein Kapital von 58.348 Pfund verfügen. Ihre Berechnungen erwiesen sich als erstaunlich exakt: Im Jahr 1765 wiesen die Bücher ein Kapital von 58.347 Pfund aus – sie hatten sich um ein einziges Pfund verrechnet! Das war mindestens so gut wie die Prophezeiungen von Habakuk, Jeremias oder Johannes. Heute ist die von Webster und Wallace ins Leben gerufene Rentenkasse »Scottish Widows« eines der größten Versicherungsunternehmen der Welt. Es versichert nicht nur schottische Witwen, sondern Kunden in aller Welt, und verfügt über ein Vermögen von 100 Milliarden Pfund Sterling.[7]

Wahrscheinlichkeitsrechnungen wie die der beiden schottischen Kirchenmänner wurden nicht nur zur Grundlage der Versicherungsmathematik (ein unentbehrliches Werkzeug des Renten- und Versicherungswesen), sondern auch für die Bevölkerungsforschung (die ebenfalls auf einen Geistlichen, nämlich den anglikanischen Pfarrer Thomas Malthus zurückgeht). Diese wiederum war das Fundament, auf dem Charles Darwin (der fast anglikanischer Pfarrer geworden wäre) seine Evolutionstheorie errichtete, die weniger mit Gleichungen als mit Wahrscheinlichkeitsrechnungen arbeitet. (Es gibt keine Formel, um zu berechnen, wie sich ein ganz bestimmter Organismus entwickelt. Vielmehr berechnet die Evolutionstheorie Wahrscheinlichkeiten, mit denen genetische Mutationen weitergegeben werden.) Die Wahrscheinlichkeitsrechnung fand nach und nach auch Eingang in die Wirtschaftswissenschaften, Soziologie, Psychologie, Politikwissenschaften und eine Reihe anderer Gesellschafts- und Naturwissenschaften. Selbst die Physik verließ schließlich den sicheren Boden der Newtonschen Formeln und wagte sich in die Unschärfen der Quantenmechanik vor.

*

Wenn wir sehen wollen, wie weit diese Entwicklung inzwischen geht, müssen wir nur einen Blick in die Lehrpläne unserer Schulen und Universitäten werfen. Früher war die Mathematik eine exotische Disziplin, mit der sich nur eine kleine Minderheit von Experten beschäftigte. Im Mittelalter standen vor allem die drei Fächer Logik, Grammatik und Rhetorik (das sogenannte Trivium) auf dem Stundenplan, und der Mathematikunterricht ging kaum über einfache Arithmetik und Geometrie hinaus. Niemand beschäftigte sich mit Statistik, von Wahrscheinlichkeiten ganz zu schweigen. Das wichtigste Fach war die Theologie.

Heute besuchen nur noch Philosophiestudenten Kurse in Logik oder Rhetorik und nur angehende Priester und Religionslehrer studieren Theologie. Aber immer mehr sind dazu gezwungen, Mathematikkurse zu belegen. Wir beobachten eine unaufhaltsame Verschiebung hin zu den »exakten« Wissenschaften, die deshalb exakt heißen, weil sie mit den Instrumenten der Mathematik arbeiten. Selbst Fächer, die in der Vergangenheit zu den Geisteswissenschaften zählten, etwa die Erforschung der menschlichen Sprache (Linguistik) oder Psyche (Psychologie) bedienen sich zunehmend bei der Mathematik und schmücken sich mit der Bezeichnung »exakte Wissenschaft«. Heute müssen nicht nur Studierende der Physik oder Biologie mathematische Fächer belegen, sondern auch Psychologen, Soziologen, Wirtschafts- und Politikwissenschaftler müssen sich mit Statistik und Wahrscheinlichkeitsrechnung herumschlagen.

Das Vorlesungsverzeichnis des Fachbereichs Psychologie an meiner Universität beginnt mit einem Kurs »Einführung in die Statistik und in die Methode der psychologischen Forschung«. Wer Psychologie studieren will, muss diesen Kurs im ersten Semester belegen. Das zweite Jahr beginnt mit »Statistische Methoden der psychologischen Forschung«. Auch dieser Kurs ist verpflichtend. Konfuzius, Buddha, Jesus und Mohammed hätten nicht schlecht gestaunt, wenn man ihnen gesagt hätte, sie müssten Statistik studieren, um den menschlichen Geist zu verstehen und seine Krankheiten zu heilen.

Wissen ist Macht

Die meisten Menschen haben ihre liebe Not, die Wissenschaften zu verstehen, weil ihre mathematische Sprache unseren Gehirnen fremd ist und ihre Erkenntnisse oft genug dem gesunden Menschenverstand widersprechen. Wie viele der sieben Milliarden Menschen auf unserem Planeten verstehen Quantenmechanik, Zellbiologie oder Makroökonomie? Wenn die Wissenschaften trotzdem ein derart großes Ansehen genießen, dann vor allem wegen der Macht, die sie uns verleihen. Präsidenten und Generäle haben zwar keine Ahnung von Atomphysik, aber sie haben recht gute Vorstellungen davon, was sie mit einer Atombombe anrichten können.

Im Jahr 1620 veröffentlichte Francis Bacon ein wissenschaftliches Manifest mit dem Titel *Neues Organon* (was soviel bedeutet wie »neues Werkzeug«): Hier schrieb er den berühmten Satz »Wissen ist Macht«. Der wahre Prüfstein für Wissen sei nicht, ob es wahr sei oder nicht, sondern ob es uns Macht verleihe, erklärte er. Wissenschaftler nehmen in der Regel an, dass keine Theorie hundertprozentig richtig ist. Daher ist die Wahrheit keine gute Messlatte für das Wissen. Die wahre Bewährungsprobe für das Wissen ist vielmehr seine Nützlichkeit. Eine Theorie, die uns Macht verleiht, neue Werkzeuge an die Hand gibt und ermöglicht, neue Dinge zu tun, ist »Wissen«.

In den vergangenen Jahrhunderten hat uns die Wissenschaft zahlreiche neue Werkzeuge gegeben. Einige sind intellektueller Natur, etwa die Instrumente zur Vorhersage von Sterberaten und Wirtschaftswachstum. Wichtiger sind jedoch die technischen Werkzeuge. Die Beziehung zwischen Wissenschaft und Technologie ist so stark, dass heute viele die beiden verwechseln. Wir denken oft, dass sich neue Werkzeuge nicht ohne wissenschaftliche Forschung entwickeln lassen und dass die Forschung umgekehrt wenig Sinn hat, wenn sie keine neuen Technologien hervorbringt.

Diese Beziehung zwischen Wissenschaft und Technologie ist jedoch eine sehr neue Erscheinung. Vor 1500 waren Wissenschaft und Technologie zwei klar getrennte Gebiete. Als Bacon zu Beginn des 17. Jahrhunderts vorschlug, die beiden zu vereinen, war dies ein revolutionärer Gedanke. Im Verlauf des 17. und 18. Jahrhunderts gingen beide eine immer engere Verbindung ein, aber erst im 19. Jahrhundert kann man von einer wirklichen Ehe zwischen beiden sprechen. Noch im Jahr 1800 dachten Herrscher, die eine schlagkräftige Armee, oder Geschäftsleute, die ein erfolgreiches Unternehmen wollten, nicht im Entferntesten daran, Physiker, Biologen oder Wirtschaftswissenschaftler zu bezahlen.

Was nicht ausschließen soll, dass schon früher der eine oder andere Herrscher auf diesen Gedanken gekommen sein könnte. Ein guter Historiker findet Vorläufer für alles. Aber ein besserer Historiker weiß, wann es sich bei diesen Vorläufern um bloße Kuriositäten handelt, die den Blick auf die großen Zusammenhänge verstellen. Deshalb können wir ganz allgemein festhalten, dass Herrscher und Unternehmer vor Beginn der Neuzeit keine Wissenschaftler bezahlten, um das Universum zu erforschen und neue Technologien zu entwickeln, und dass die meisten Denker ihre Erkenntnisse nicht verwendeten, um Geräte zu erfinden. Die Herrschenden finanzierten Schulen und Universitäten, deren Bildungsauftrag lautete, althergebrachtes Wissen weiterzugeben und die bestehende Gesellschaftsordnung zu bestätigen.

Hier und da erfanden die Menschen natürlich die eine oder andere neue Technologie, doch diese waren meist das Produkt der Basteleien von ungebildeten Handwerkern, und nicht der systematischen wissenschaftlichen Forschung. Der Gedanke einer »Abteilung für Forschung und Entwicklung« war den frühneuzeitlichen Herrschern, Feldherren, Geistlichen und Unternehmern fremd. Sie hatten wenig Interesse an »Entwicklung« und sahen keine Verbindung zwischen dieser und der »Forschung«. Wagenbauer zimmerten jahraus, jahrein dieselben Fuhrwerke aus denselben Materialien. Sie verwendeten nicht einen Teil ihres Jahresgewinns, um neue Techniken zu erforschen und neue Modelle zu entwickeln. Wenn sich die Bauweise gelegentlich verbesserte, dann war das nur dem Geschick eines erfahrenen Handwerkers zu verdanken, der nie einen Fuß in eine Universität gesetzt hatte und vermutlich nicht einmal lesen und schreiben konnte.

*

Nirgends wird der kulturelle Sprung deutlicher als auf militärischem Gebiet. Heute sind Waffentechnologie und Wissenschaft zwei Seiten ein und derselben Münze. Eine der wichtigsten Mächte der Gegenwart ist der militärisch-industrielle Komplex, der eigentlich genauer militärisch-industriell-wissenschaftlicher Komplex heißen müsste. Die Militärs der Welt initiieren, finanzieren und dirigieren einen erheblichen Teil der wissenschaftlichen Forschung und der technischen Entwicklung. Wenn sich taktische, strategische oder politische Schwierigkeiten auftun, wenden sich Staatenlenker immer häufiger an Wissenschaftler in der Hoffnung auf Wunderwaffen, die das Problem lösen.

Als sich der Erste Weltkrieg in einem zermürbenden Stellungskrieg festfraß, riefen beide Seiten nach ihren Wissenschaftlern, die mit Waffen aus dem Labor den Stillstand überwinden sollten. Die Männer in den weißen Kitteln eilten herbei und erfanden ein Arsenal von Panzern, Kampfflugzeugen, Giftgas, Unterseebooten, Maschinengewehren, Geschützen, Bomben und anderem tödlichen Gerät.

Im Zweiten Weltkrieg wurde die wissenschaftliche Front noch wichtiger. Als die Deutschen Ende 1944 und Anfang 1945 mit einer totalen Niederlage rechnen mussten, kämpften trotzdem viele weiter, weil sie an »Wunderwaffen« wie die V2-Rakete glaubten. Während die Deutschen Raketen und erste Düsenflugzeuge entwickelten, baute das Manhattan Project in den Vereinigten Staaten Atombomben. Noch im August 1945, drei Monate nach der Kapitulation Deutschlands, sprachen japanische Führer vom Kampf bis zum Tod. Amerikanische Generäle befürchteten, dass eine Invasion Japans eine Million amerikanische Soldaten das Leben kosten und den Krieg noch bis 1946 hinziehen würde. Zwei Wochen und zwei Atombomben später erklärte Japan seine bedingungslose Kapitulation, und der Krieg war beendet.

Nicht nur beim Angriff, auch bei der Verteidigung spielt die Wissenschaft eine immer größere Rolle. Heute halten viele Amerikaner den Terrorismus nicht für ein politisches, sondern ein technisches Problem. Sie meinen, man müsse nur ein paar Millionen in die Nanotechnologie investieren, und schon könnten die Vereinigten Staaten Spionagefliegen an die Wand jeder afghanischen Höhle schicken. Die Erben von Osama bin Laden könnten nicht einmal eine Tasse Kaffee brühen, ohne dass diese wichtige Information an das Hauptquartier der CIA übermittelt wird. Und mit ein paar weiteren Millionen für die Gehirnforschung könne man jeden Flughafen mit ultramodernen Hirnscannern ausstatten, die sofort jeden hasserfüllten Gedanken in den Köpfen der Fluggäste erkennen. Funktioniert das wirklich? Das weiß niemand. Ist es vernünftig, winzige Spionagedrohnen und Gedankenleser zu entwickeln? Nicht unbedingt. Aber egal was man davon halten mag, während Sie diese Zeilen lesen, fließen Millionen von Dollar aus dem Verteidigungshaushalt in die Labors der Nanotechnologie und der Hirnforschung.

Diese Besessenheit mit der Kriegstechnologie ist ein neues Phänomen. Bis weit ins 19. Jahrhundert hinein wurden militärische Revolutionen nicht durch technischen, sondern durch organisatorischen Fortschritt bewirkt. Beim ersten Aufeinandertreffen zweier fremder Zivilisationen spielten technische Unterschiede zwar oft eine entscheidende Rolle. Doch selbst dann dachte kaum jemand daran, diesen Unterschied bewusst herbeizuführen oder zu vergrößern. Die meisten Reiche verdankten ihren Aufstieg keinen technischen Zaubereien, und ihre Herrscher verschwendeten kaum einen Gedanken an Innovationen. Die Araber besiegten das Perserreich nicht, weil sie überlegene Bogen und Schwerter mitbrachten, die Seldschuken hatten keinen technischen Vorsprung gegenüber den Byzantinern und die Mongolen fuhren bei der Eroberung Chinas keine Wunderwaffe auf. Im Gegenteil, in allen drei Fällen hatten die Unterlegenen die bessere militärische und zivile Technik.

Die Armee des Römischen Reichs ist ein besonders gutes Beispiel. Die Römer hatten die beste Armee ihrer Zeit, doch ihre Schlagkraft hatte sich vor allem ihrer effizienten Organisation, ihrer eisernen Disziplin und ihren gewaltigen menschlichen Reserven zu verdanken. Waffentechnisch hatten die Römer keinen Vorteil gegenüber den Karthagern, Makedoniern oder Seleukiden. Ihre Armee hatte keine Forschungsabteilung und kämpfte über Jahrhunderte hinweg mit mehr oder weniger denselben Waffen. Wenn die Legionen von Scipio Aemilianus, der im zweiten Jahrhundert vor unserer Zeitrechnung Karthago zerstörte und die Numantier aushungerte, ein halbes Jahrtausend später auf die Armee von Konstantin dem Großen getroffen wäre, dann hätte Scipio durchaus Chancen gehabt, als Sieger vom Feld zu gehen. Aber stellen Sie sich vor, was mit seiner Armee passiert wäre, wenn sie sich mit ihren Katapulten einer Panzerdivision des 20. Jahrhunderts entgegengestellt hätte. Scipio war zwar ein genialer Stratege und seine Soldaten waren kampferprobte Haudegen, doch gegen die modernen Geschütze hätten sie nicht den Hauch einer Chance gehabt.

Auch in China interessierten sich die Generäle und Denker nicht für die Entwicklung neuer Waffen. Die wichtigste militärische Erfindung der Chinesen war das Schießpulver. Doch soweit wir heute wissen, wurde es durch Zufall entdeckt, als daoistische Alchemisten nach dem Lebenselixier suchten. Die weitere Entwicklung des Schießpulvers sagt noch mehr über die Einstellung der alten Chinesen zur Waffentechnik aus. Man könnte meinen, dass sich China mithilfe der Erfindung der Alchemisten nun zur Weltherrschaft aufschwang. Doch die Chinesen verwendeten die neue Chemikalie vor allem zur Herstellung von Feuerwerkskörpern. Selbst in den letzten Tagen der Song-Dynastie berief der Kaiser angesichts der Bedrohung durch die Mongolen keine Forschergruppe ein, um das Reich mit der Erfindung einer Wunderwaffe zu retten. Erst im 15. Jahrhundert – rund 600 Jahre nach der Erfindung des Schießpulvers – wurden Kanonen zur kriegsentscheidenden Waffe auf den Schlachtfeldern Europas, Asiens und Afrikas. Warum verging so viel Zeit, bis das militärische Potenzial dieser neuen Erfindung erkannt wurde? Ganz einfach: Weil sich damals Herrscher, Gelehrte oder Geschäftsleute nicht im Geringsten für die Entwicklung neuer Militärtechnologien interessierten.

Im 15. und 16. Jahrhundert änderte sich dies allmählich, doch es sollten noch zwei weitere Jahrhunderte vergehen, ehe die Herrschenden die Entwicklung neuer Waffen finanzierten. Militärische Logistik und Strategie waren noch immer wichtiger als Waffentechnologie. Die Kriegsmaschinerie, mit der Napoleon in der Dreikaiserschlacht bei Austerlitz die russischen und österreichischen Armeen besiegte, fuhr noch fast dieselben Waffen auf wie der Sonnenkönig Ludwig XIV. Napoleon selbst kam zwar aus der Artillerie, doch er hatte kein Interesse an »Wunderwaffen« und ignorierte Vorschläge zur Entwicklung von Flugmaschinen, Unterseebooten und Raketen.

Erst mit der Industriellen Revolution und dem Aufstieg des Kapitalismus gingen Wissenschaft, Industrie und Kriegstechnologie eine untrennbare Beziehung ein. Sobald diese jedoch einmal geknüpft war, veränderte sie die Welt.

Das Fortschrittsideal

Vor der wissenschaftlichen Revolution glaubte kaum jemand an Fortschritt. Die meisten Kulturen meinten, das Goldene Zeitalter liege in der Vergangenheit und die Welt befinde sich auf dem absteigenden Ast. Wenn sich die Menschen an die überlieferten Weisheiten hielten, dann konnten sie das verlorene Paradies vielleicht wiederherstellen, und mit ein wenig Geschick konnte man sich das Leben hier und da ein bisschen angenehmer gestalten. Doch gegen die grundsätzlichen Probleme des Lebens konnte man mit menschlichem Wissen nichts ausrichten. Wenn selbst Buddha, Konfuzius, Jesus oder Mohammed, die schließlich alles wussten, nichts gegen Hunger, Krankheit, Armut und Krieg tun konnten, was sollten dann gewöhnliche Sterbliche dagegen ausrichten?

Viele Kulturen lebten in der Hoffnung, dass irgendwann ein Erlöser auftreten würde, der die Menschheit von allen Übeln befreite. Die Vorstellung, dass die Menschheit selbst dazu in der Lage sein könnte, indem sie mehr Wissen erwarb und neue Werkzeuge erfand, war reiner Hochmut. Die Geschichte des Turmbaus zu Babel, der Mythos von Ikarus, das Märchen vom Fischer und seiner Frau und zahllose andere Mythen lehrten die Menschen, dass jeder Versuch, die menschlichen Grenzen zu sprengen, nur mit Enttäuschung und Tod endet.

Als unsere moderne Kultur erkannte, wie wenig sie einerseits wusste und welche Macht ihr andererseits die Wissenschaft verlieh, begannen die Menschen zu ahnen, dass tatsächlich so etwas wie Fortschritt möglich sein könnte. Und als die Wissenschaft ein scheinbar unlösbares Problem nach dem anderen löste, kamen viele zu dem Schluss, dass es nichts gab, was die Wissenschaft nicht konnte. Armut, Krankheit, Krieg, Hunger, Alter und Tod waren kein Schicksal, sondern nur das Produkt der Unwissenheit.

Ein berühmtes Beispiel ist der Blitz. Für viele Kulturen war der Blitz ein Hammer, mit dem ein erzürnter Gott die Sünder auf Erden bestraft. Mitte des 18. Jahrhunderts begann Benjamin Franklin, sich für dieses Naturphänomen zu interessieren. In einem der bekanntesten Experimente der Wissenschaftsgeschichte ließ Franklin in einem Gewitter einen Drachen steigen, um seine Hypothese zu überprüfen, dass es sich bei Blitzen um einfache elektrische Entladungen handelte. Indem er empirische Beobachtungen und sein Wissen um die Elektrizität kombinierte, erfand Franklin den Blitzableiter und entwaffnete die Götter.

Die Armut ist ein weiteres Beispiel. Für viele Kulturen war Armut ein unvermeidlicher Teil dieser unvollkommenen Welt. Das Neue Testament berichtet, kurz vor der Kreuzigung sei eine Frau auf Jesus zugekommen und habe ihn mit einem teuren Öl gesalbt, das 300 Denarius gekostet hatte. Seine Jünger schalten die Frau, weil sie diese riesige Summe verschwendete, statt das Geld den Armen zu schenken. Doch Jesus nahm sie in Schutz und sagte: »Ihr habt allezeit Arme bei euch, und wenn ihr wollt, könnt ihr ihnen Gutes tun; mich aber habt ihr nicht allezeit.« (Markus 14:7) Selbst Christen würden dem heute nicht mehr zustimmen. Armut wird zunehmend als technisches Problem verstanden, das nicht allezeit bei uns sein wird. Wenn wir nur die neuesten Erkenntnisse der Agronomie, der Wirtschaftswissenschaften, der Medizin und der Soziologie anwenden, dann können wir die Armut beseitigen, so die Annahme.

Und in der Tat ist die schlimmste Not inzwischen aus weiten Teilen der Welt verschwunden. Heute unterscheidet man zwei Arten der Armut: Die »relative Armut«, die einigen Menschen Möglichkeiten vorenthält, die andere haben, und die »absolute Armut«, die einigen Menschen das zum Überleben Notwendige vorenthält und ihre physische Existenz bedroht. Die relative Armut wird es wohl immer geben, doch in vielen Ländern der Welt gehört die absolute Armut heute der Vergangenheit an.

Bis vor Kurzem lebten die meisten Menschen knapp über der Grenze zur absoluten Armut und schwebten dauernd in Gefahr, weniger Kalorien zu sich nehmen, als sie zum Überleben brauchten. Schon kleinere Fehlkalkulationen oder Unglücksfälle reichten aus, und die Menschen wurden Opfer von Armut und Hunger. Naturkatastrophen und Kriege stürzten oft ganze Völker in den Abgrund und forderten Millionen von Todesopfern. Heute befinden sich große Teile der Welt unter einem Schutzschirm. Versicherungen, staatliche Sozialleistungen und eine Vielzahl von nationalen und internationalen Hilfsorganisationen schützen uns vor Schicksalsschlägen. Wenn eine Region von einer Katastrophe heimgesucht wird, laufen sofort internationale Rettungsaktionen an, um die schlimmsten Folgen abzuwenden. Zwar leiden noch immer viele Menschen unter den Erniedrigungen und Krankheiten der Armut, doch in den meisten Ländern der Welt muss heute niemand mehr verhungern. Im Gegenteil, inzwischen leiden mehr Menschen unter Übergewicht als unter Hunger.

Das Gilgamesch-Projekt

Unter den zahlreichen Geißeln der Menschheit ragt eine ganz besondere Herausforderung heraus: der Tod. Bis vor wenigen Jahrzehnten gingen die meisten Religionen und Ideologien selbstverständlich davon aus, dass der Tod ein unabwendbares Schicksal ist. Im Gegenteil, der Tod gab dem Leben erst seinen Sinn. Versuchen Sie nur, sich den Islam, das Christentum oder die altägyptische Religion in einer Welt ohne Tod vorzustellen. Diese Religionen lehren den Menschen, sich mit dem Tod zu arrangieren, im Schatten des Todes zu leben und nicht zu versuchen, ihn zu besiegen und ewig zu leben. Die führenden Denker und Propheten verwendeten viel Energie darauf, dem Tod einen Sinn zu geben, und hatten kein Interesse daran, ihn zu überwinden.

Das ist die zentrale Botschaft des ältesten Mythos der Menschheit, des Gilgamesch-Epos der alten Sumerer. Der Mythos erzählt die Geschichte von König Gilgamesch von Uruk, des stärksten und fähigsten Menschen der Welt, der alles besitzt und jeden Feind in der Schlacht besiegt. Eines Tages stirbt jedoch sein bester Freund Enkidu. Tagelang sitzt Gilgamesch neben dem Leichnam und starrt ihn an, bis er sieht, wie ein Wurm aus dem Nasenloch seines toten Freundes kriecht. In diesem Moment erfasst ihn die Verzweiflung und er beschließt, nie zu sterben. Er ist entschlossen, den Tod zu besiegen, koste es, was es wolle. Gilgamesch reist bis ans Ende der Welt, tötet Löwen, trifft auf Skorpionmenschen, fährt in die Unterwelt, zerschlägt die furchterregenden Steinriesen von Urschanabi und begegnet Utnapischtim, dem letzten Überlebenden der Flut. Doch alle Mühen sind vergebens. Mit leeren Händen kehrt er nach Hause zurück und ist so sterblich wie eh und je. Er hat nur eines gelernt: Als die Götter den Menschen erschufen, gaben sie ihm den Tod als sein unvermeidliches Schicksal mit, und der Mensch muss lernen, damit zu leben.

Die Apostel des Fortschritts teilen diesen Pessimismus nicht. Für Wissenschaftler ist der Tod kein unvermeidliches Schicksal, sondern lediglich ein technisches Problem. Wir sterben nicht, weil die Götter dies so beschlossen haben, sondern durch technisches Versagen – Herzinfarkte, Krebs, Infektionen. Doch jedes technische Problem hat eine technische Lösung. Wenn das Herz schwächelt, können wir es mit einem Schrittmacher auf Trab bringen oder durch ein neues ersetzen. Wenn der Krebs wuchert, können wir ihn mit Bestrahlung aufhalten. Wenn sich Bakterien breitmachen, können wir sie mit Antibiotika stoppen. Noch können wir zwar nicht alle technischen Probleme lösen, aber keine Sorge, wir arbeiten daran. Unsere besten Wissenschaftler werden ihre Zeit nicht darauf verschwenden, dem Tod einen Sinn zu geben. Sie tun alles, um die physiologischen, hormonellen und genetischen Systeme zu verstehen, die für Tod und Krankheit verantwortlich sind. Sie entwickeln neue Medikamente, revolutionäre Behandlungsmethoden und künstliche Organe, mit denen sie den Sensenmann aufhalten und irgendwann ganz besiegen werden.

Bis vor Kurzem vermieden die Wissenschaftler derart dreiste Behauptungen. »Den Tod besiegen? Das ist doch Unsinn! Wir versuchen nur, eine bessere Behandlungsmethode für Krebs, Tuberkulose und Alzheimer zu finden.« Sie mieden das Thema Tod, da das Ziel zu fern schien und es ratsam war, unsere Erwartungen nicht unnötig hochzuschrauben. Inzwischen können wir jedoch offen über das

Thema reden. Das wichtigste Projekt der wissenschaftlichen Revolution ist das ewige Leben für den Menschen. Gentechnikern ist es unlängst gelungen, die Lebenserwartung von Würmern der Art *Caenorhabditis elegans* zu versechsfachen[8] – warum sollte das beim *Homo sapiens* nicht auch gelingen?

Wie viel Zeit wird das Gilgamesch-Projekt in Anspruch nehmen? Zweihundert Jahre? Fünfhundert? Tausend? Wenn wir uns erinnern, wie wenig wir im Jahr 1900 über den menschlichen Körper wussten, und wie viel Wissen wir in einem einzigen Jahrhundert erworben haben, dann besteht durchaus Grund zum Optimismus. Ernstzunehmende Wissenschaftler mutmaßen, spätestens im Jahr 2050 könnte es die ersten nicht-sterblichen Menschen geben (also keine unsterblichen, sondern nur nicht-sterbliche Menschen, deren Leben sich immer weiter verlängern lässt, denn bei Unfällen könnten sie nach wie vor ums Leben kommen).

Der Sieg über den Tod mag aus unserer Sicht weit in der Zukunft liegen, doch wir haben bereits andere Dinge erreicht, die vor einigen Jahrhunderten unmöglich erschienen. Im Jahr 1199 wurde König Richard Löwenherz von einem Pfeil getroffen und an der Schulter verletzt. Heute wäre dies eine »leichte Verletzung«, doch da es im Jahr 1199 noch keine Antibiotika und keine wirkungsvollen Desinfektionsmittel gab, infizierte sich die Wunde, und der Wundbrand setzte ein. Im Europa des 12. Jahrhunderts gab es nur eine Möglichkeit, den Wundbrand aufzuhalten, und das war die Amputation des betroffenen Arms oder Beins, doch das war in diesem Fall unmöglich, da es sich um die Schulter handelte. So fraß sich der Wundbrand nach und nach durch den gesamten Körper des Königs, und niemand konnte ihm helfen. Zwei Wochen später starb Richard Löwenherz unter furchtbaren Schmerzen.

Noch im 19. Jahrhundert waren selbst die besten Ärzte nicht in der Lage, Infektionen zu behandeln und den Wundbrand aufzuhalten. In Feldlazaretten amputierten Ärzte aus Furcht vor Infektionen selbst nach kleineren Verwundungen Arme und Beine der

Soldaten. Diese Amputationen und andere Operationen (zum Beispiel das Ziehen eines Zahns) wurden natürlich ohne Betäubung durchgeführt. Erst ab Mitte des 19. Jahrhunderts kamen regelmäßig Betäubungsmittel wie Äther, Chloroform und Morphin zum Einsatz. Vor der Entdeckung des Chloroforms mussten vier Soldaten ihren verwundeten Kameraden festhalten, während der Arzt ein verletztes Bein absägte. Am Morgen nach der Schlacht von Waterloo im Jahr 1815 lagen neben dem Feldlazarett Berge von abgesägten Gliedmaßen. Die Sanitätstruppe beschäftigte oft Schreiner und Metzger, weil diese am besten mit Messern und Sägen umgehen konnten.

Zwei Jahrhunderte nach Waterloo ist die Medizin nicht wiederzuerkennen. Mit Tabletten, Spritzen und komplizierten Operationen heilt sie Krankheiten und Verletzungen, die früher ein sicheres Todesurteil bedeutet hätten. Sie bewahrt uns außerdem vor zahllosen Gebrechen, die früher zum Alltag gehörten. Die durchschnittliche Lebenserwartung sprang von 25 bis 40 auf 67 Jahre weltweit und rund 80 Jahre in der entwickelten Welt.[9]

Bei der Kindersterblichkeit wurde der Tod am weitesten zurückgedrängt. Bis ins 20. Jahrhundert erreichte in landwirtschaftlichen Gesellschaften ein Viertel bis ein Drittel der Kinder nie das Erwachsenenalter. Die meisten erlagen »Kinderkrankheiten« wie Diphtherie, Masern und Pocken. Im England des 17. Jahrhunderts starben 15 Prozent aller Neugeborenen innerhalb des ersten Lebensjahrs, insgesamt ein Drittel aller Kinder starb vor dem 15. Lebensjahr.[10] Heute sterben nur 0,5 Prozent während des ersten Lebensjahrs und 0,7 Prozent vor dem 15. Lebensjahr.[11]

Um zu verstehen, was diese Zahlen bedeuten, wollen wir die Statistik beiseite lassen und uns ansehen, was dies im wirklichen Leben bedeutete. Ein gutes Beispiel ist die Geschichte von König Edward I. von England (1237–1307) und seiner Frau, Königin Eleanor (1241–1290). Das königliche Paar und seine Kinder lebten unter den besten Umständen und in der fürsorglichsten Umgebung, die das mittelalterliche Europa zu bieten hatte. Sie hatten Paläste, ausreichend zu essen, warme Kleidung, beheizte Räume, mehr oder weniger sauberes Trinkwasser, Heerscharen von Dienern und die besten Ärzte. Nach Auskunft der historischen Quellen brachte Königin Eleanor zwischen 1255 und 1284 insgesamt 16 Kinder zur Welt:

1. Eine namenlose Tochter, geboren 1255, starb bei der Geburt.
2. Eine Tochter namens Catherine starb im Alter von einem oder drei Jahren.
3. Eine Tochter namens Joan starb im Alter von 6 Monaten.
4. Ein Sohn namens John starb im Alter von 5 Jahren.
5. Ein Sohn namens Henry starb im Alter von 6 Jahren.
6. Eine Tochter namens Eleanor starb im Alter von 29 Jahren.
7. Eine namenlose Tochter starb im Alter von 5 Monaten.
8. Eine Tochter namens Joan starb im Alter von 35 Jahren.
9. Ein Sohn namens Alphonso starb im Alter von 10 Jahren.
10. Eine Tochter namens Margarat starb im Alter von 58 Jahren.
11. Eine Tochter namens Berengeria starb im Alter von 2 Jahren.
12. Eine namenlose Tochter starb kurz nach der Geburt.
13. Eine Tochter namens Mary starb im Alter von 53 Jahren.
14. Ein namenloser Sohn starb kurz nach der Geburt.
15. Eine Tochter namens Elizabeth starb im Alter von 34 Jahren.
16. Ein Sohn namens Edward.

Edward war der lange erhoffte männliche Thronfolger, der die gefährlichen Jahre der Kindheit überlebte und schließlich als Edward II. den Thron bestieg. Im sechzehnten Anlauf kam Eleanor endlich den Erwartungen des Hofs nach. Edward II. war es jedoch nicht vergönnt, selbst einen Erben zu zeugen. Er wurde im Alter von 43 Jahren von seiner Frau Isabella ermordet.[12]

Soweit wir das heute beurteilen können, waren Edward und Eleanor gesund und hatten keine gefährlichen Erbkrankheiten. Trotzdem starben zehn von sechzehn Kindern (also 62 Prozent) noch in der Kindheit, nur sechs erreichten das elfte Lebensjahr, und davon wurden nur drei (oder 18 Prozent) vierzig oder älter. Ein einziger Sohn erreichte das Erwachsenenalter und hatte die Chance, die

Dynastie fortzusetzen. Es ist gut möglich, dass Eleanor noch öfter schwanger wurde und Frühgeburten erlitt. Im Durchschnitt verloren Edward und Eleanor alle drei Jahre ein Kind. Stellen Sie sich vor, was das für eine moderne Familie bedeuten würde. Wer kann sich heute vorstellen, zehn Kinder zu beerdigen?

Egal ob die Wissenschaft das Gilgamesch-Projekt je zu Ende bringen kann oder nicht, aus historischer Sicht ist es faszinierend zu sehen, dass der Tod bereits aus den heutigen Religionen und Ideologien verschwunden ist. Bis ins 18. Jahrhundert gab der Tod beziehungsweise das Leben danach dem Leben erst einen Sinn. Mit Beginn des 18. Jahrhunderts fingen Religionen und Ideologien wie der Liberalismus, der Sozialismus und der Feminismus an, den Tod als technisches Problem zu behandeln und verloren jegliches Interesse an einem Leben danach. Was genau passiert mit einem Kommunisten, einem Kapitalisten oder einer Feministin nach dem Tod? In den Büchern von Karl Marx, Adam Smith oder Simone de Beauvoir sucht man jedenfalls vergeblich nach einer Antwort. Die einzige moderne Ideologie, die überhaupt noch vom Tod spricht, ist der Nationalismus. In besonders pathetischen und dramatischen Momenten verspricht er allen, die für ihr Vaterland sterben, das ewige Leben im Andenken der Nation. Doch dieses Versprechen ist derart vage, dass selbst Nationalisten kaum etwas damit anfangen können.

Die Zuhälter der Wissenschaft

Wir leben in einem Zeitalter der Technologie. Was für unsere Vorfahren politische, ethische und spirituelle Zwickmühlen waren, das behandeln wir zunehmend als technische Fragen. Mit ihren erstaunlichen Erfolgen im Kampf gegen Blitzschlag, Armut und Tod hat uns die Wissenschaft zu begeisterten Fortschrittsgläubigen gemacht. Viele sind überzeugt, dass sie »zum Nutzen der Menschheit« arbeitet und wir ihr rückhaltlos vertrauen können. Lassen wir die Wissenschaftler nur ihre Arbeit machen, und sie werden das Paradies auf Erden schaffen, denken sie.

In Wirklichkeit wird die Wissenschaft allerdings weniger vom »Nutzen der Menschheit« geleitet, sondern von den Interessen von Wirtschaft, Politik und Religion. Die Wissenschaft ist schließlich eine kostspielige Angelegenheit. Wer den menschlichen Körper erforschen will, muss teure Laboratorien einrichten, Geräte und Chemikalien anschaffen und Wissenschaftler, Elektriker, Klempner und Reinigungskräfte bezahlen. Wer den Gesetzen der Wirtschaft auf den Grund gehen will, muss Computer kaufen, riesige Datenbanken anlegen und komplizierte Programme zur Verarbeitung der Daten entwickeln. Und wer das Verhalten von Jägern und Sammlern verstehen will, muss ferne Länder bereisen, alte Feuerstellen ausgraben und versteinerte Knochen untersuchen. Das kostet alles eine Menge Geld.

In den vergangenen Jahrtausenden gab es möglicherweise immer wieder Menschen, die gern den menschlichen Körper, die Gesetze der Wirtschaft und das Leben der Jäger und Sammler erforscht hätten. Aber ohne ausreichende Finanzierung kamen sie nicht allzu weit. In den letzten fünf Jahrhunderten hat die Wirtschaft vor allem deshalb solche Wunder vollbracht, weil die Reichen und Mächtigen bereit waren, Milliarden in die wissenschaftliche Forschung zu investieren. Wenn die Erde kartiert, das Universum vermessen und das Tierreich katalogisiert wurde, dann ist das diesen Milliarden eher zu verdanken als genialen Entdeckern wie Christoph Kolumbus, Galileo Galilei und Charles Darwin. Wenn es Darwin nie gegeben hätte, dann würden wir die Evolutionstheorie eben mit dem Namen Alfred Russel Wallace verbinden (Wallace entwickelte seine Theorie unabhängig von Darwin, doch Darwin veröffentlichte seine zuerst und heimste den ganzen Ruhm ein). Aber wenn die Reichen und Mächtigen Europas nicht bereit gewesen wären, Geographen, Zoologen und Botaniker in alle Welt zu schicken, dann hätten weder Darwin noch Wallace die empirischen Daten sammeln können, die sie benötigten, um ihre Evolutionstheorien aufzustellen. Vermutlich hätten sie es nicht einmal versucht. Darwin wäre wahrscheinlich ein anglikanischer Priester geworden und hätte sein Genie auf eine neue Interpretation der Psalmen verwendet.

Aber warum flossen die Milliarden aus den Schatzkammern der Regierungen und Unternehmen in die Laboratorien und Universitäten? In wissenschaftlichen Kreisen waren viele so naiv, an das Märchen der »zweckfreien Wissenschaft« zu glauben. Sie meinten, allein das Erkenntnisinteresse sei doch Grund genug, um Ressourcen in wissenschaftliche Forschung zu investieren. Im Elfenbeinturm glauben das viele bis heute, doch mit der Wirklichkeit der Wissenschaftsfinanzierung hat dies nichts zu tun.

Die meisten wissenschaftlichen Untersuchungen werden von Leuten bezahlt, die hoffen, mit dem Ergebnis ihre politischen, wirtschaftlichen oder religiösen Ziele zu erreichen. Zum Beispiel gaben Könige und Bankiers des 16. Jahrhunderts Unsummen für geographische Expeditionen in aller Welt aus, während sie für die Erforschung der Kinderpsychologie keinen roten Heller übrig hatten. Die Erklärung ist einfach: Die Könige und Bankiers hofften, mit diesen neuen geographischen Erkenntnissen im Gepäck Reiche zu erobern und Handelsimperien zu errichten, während sie sich von einem Verständnis der kindlichen Psyche recht wenig versprachen.

In den 1940er Jahren steckten die Amerikaner und Russen gewaltige Summen in die Kernforschung und nicht in die Unterwasserarchäologie. Sie gingen davon aus, dass sie mit Hilfe der Atomphysik Wunderwaffen bauen würden, während sich mit der Unterwasserarchäologie kein Krieg gewinnen ließ. Die Wissenschaftler selbst sind sich der politischen, wirtschaftlichen und religiösen Interessen hinter der Finanzierung nicht immer bewusst, und viele forschen tatsächlich aus wissenschaftlicher Neugierde. Doch die Wissenschaftler geben nur selten die wissenschaftliche Agenda vor.

Aber selbst wenn wir eine »zweckfreie Wissenschaft« finanzieren wollten, die keinen politischen, wirtschaftlichen und religiösen

Interessen untersteht, dann wäre das vermutlich gar nicht möglich. Denn wenn es an die Verteilung unserer begrenzten Mittel geht, müssen wir uns Fragen stellen wie: »Was ist wichtiger?« und »Was ist gut?« Das sind keine wissenschaftlichen Fragen. Die Wissenschaft kann zwar erklären, was es auf der Welt gibt, wie die Dinge funktionieren und wie die Zukunft aussehen könnte. Aber definitionsgemäß fragt sie nicht, wie die Zukunft aussehen *sollte*. Diese Fragen stellen nur Ideologien und Religionen.

Nehmen wir das folgende Dilemma: Zwei Biologinnen arbeiten in derselben Abteilung, bringen dieselben Qualifikationen mit und bewerben sich um Forschungsgelder in Höhe von einer Million Euro, um ihre unterschiedlichen Projekte zu finanzieren. Frau Koch will eine Krankheit erforschen, die das Euter einer Kuh befällt und deren Milchproduktion um 10 Prozent verringert. Frau Bühler will untersuchen, ob Kühe seelisch leiden, wenn sie von ihren Kälbern getrennt werden. Nehmen wir an, die Fördereinrichtung hat nur begrenzte Mittel zur Verfügung und kann nur eines der beiden Projekte fördern – für welches sollte sie sich entscheiden?

Diese Frage kann die Wissenschaft nicht selbst beantworten, denn es handelt sich um eine politische, wirtschaftliche oder religiöse Angelegenheit. In der Welt von heute hat Frau Koch eindeutig bessere Chancen, gefördert zu werden. Nicht, weil Euterkrankheiten von einem wissenschaftlichen Standpunkt aus interessanter wären als die Psyche der Kuh, sondern weil die Milchindustrie, die von den Untersuchungen profitiert, mehr Geld in der Tasche hat und über größeren Einfluss verfügt als der Tierschutzverein.

In einer hinduistischen Gesellschaft, in der die Kühe als heilig gelten, oder in einer Gesellschaft, die sich für die Rechte der Tiere engagiert, hätte Frau Bühler möglicherweise bessere Aussichten. Aber solange Frau Bühler in einer Gesellschaft lebt, die vor allem am ökonomischen Potenzial der Forschung und der Gesundheit ihrer menschlichen Angehörigen interessiert ist, sollte sie diese Erwägungen in ihrem Förderantrag berücksichtigen und zum

Beispiel schreiben: »Die Depression der Kühe beeinträchtigt die Milchproduktion. Wenn wir die Psyche der Kühe verstehen, können wir Psychopharmaka entwickeln, mit denen sich ihre Stimmung aufhellen und die Milchproduktion um 10 Prozent steigern lässt. Ich gehe davon aus, dass sich auf dem Markt für Rinderpsychopharmaka pro Jahr Gewinne von 250 Millionen Euro erzielen lassen.«

Die Wissenschaft ist nicht in der Lage, ihre eigenen Prioritäten zu setzen. Genauso wenig hat sie einen Einfluss darauf, was mit ihren Entdeckungen geschieht. Aus rein wissenschaftlicher Sicht ist es beispielsweise unklar, was wir mit unseren Erkenntnissen aus der Genforschung anfangen sollen. Sollten wir dieses Wissen nutzen, um Krebs zu heilen, eine Rasse von Übermenschen zu züchten oder Milchkühe mit Rieseneutern zu schaffen? Eine demokratische Regierung, ein kommunistischer Staat, ein nationalsozialistisches Regime und ein kapitalistisches Unternehmen würden dieselben wissenschaftlichen Erkenntnisse zu ganz unterschiedlichen Zwecken nutzen, und nur aus Sicht der Wissenschaft betrachtet gibt es keinen Grund, eine Nutzung der anderen vorzuziehen.

Vereinfacht gesagt kann sich die wissenschaftliche Forschung nur im Verbund mit einer Religion oder Ideologie entwickeln. Die Ideologie rechtfertigt die Kosten der Forschung. Im Gegenzug gibt sie die wissenschaftliche Agenda vor und bestimmt, was mit den Erkenntnissen passieren soll. Um zu verstehen, wie die Menschheit nach Alamogordo und auf den Mond kam, und keine der vielen anderen möglichen Richtungen einschlug, reicht es daher nicht aus, sich die Leistungen von Physikern, Biologen und Soziologen anzusehen. Wir müssen auch die politischen, wirtschaftlichen und ideologischen Kräfte einbeziehen, die Physik, Biologie und Soziologie formten und sie in ganz bestimmte Richtungen lenkten.

Zwei Kräfte verdienen unsere besondere Aufmerksamkeit: der Imperialismus und der Kapitalismus. Die Rückkopplung zwischen Wissenschaft, Imperium und Kapital war vermutlich in den vergangenen fünf Jahrhunderten *der* Motor der Geschichte. In den folgenden Kapiteln wollen wir uns mit diesem Motor beschäftigen. Zunächst schauen wir uns an, wie die zwei Turbinen Wissenschaft und Imperium aneinander gekoppelt waren, und dann untersuchen wir, wie beide mit der Geldpumpe des Kapitalismus verbunden wurden.

Kapitel 15

Wissenschaft und Weltreich

Wie weit ist die Sonne von der Erde entfernt? Diese Frage beschäftigte die Astronomen der frühen Neuzeit, vor allem nachdem Kopernikus erklärt hatte, dass nicht die Erde im Mittelpunkt des Universums stehe, sondern die Sonne. Die Astronomen und Mathematiker, die sich an ihrer Beantwortung versuchten, kamen auf sehr unterschiedliche Ergebnisse. Erst im 18. Jahrhundert wurde eine zuverlässige Methode zur Bestimmung der Entfernung entdeckt. Alle paar Jahre zieht der Planet Venus von der Erde aus gesehen an der Sonnenscheibe vorüber. Wie lange er dafür benötigt, hängt davon ab, von wo aus dieses Schauspiel beobachtet wird. Wenn also ein sogenannter Venus-Durchgang von mehreren Kontinenten aus beobachtet wurde, konnten Astronomen mit Hilfe einer einfachen trigonometrischen Berechnung die exakte Entfernung zwischen Erde und Sonne bestimmen.

Astronomen wussten, dass das Himmelsphänomen in den Jahren 1761 und 1769 bevorstand. Daher wurden Expeditionen von Europa in alle Himmelsrichtungen ausgesandt, um den Venus-Durchgang von so vielen Punkten wie möglich zu beobachten. Im Jahr 1761 verfolgten Wissenschaftler das Ereignis von Sibirien, Nordamerika, Madagaskar und Südafrika aus. Als sich der zweite Durchgang im Jahr 1769 näherte, mobilisierte die europäische Wissenschaftsgemeinde alle Anstrengungen und schickte Beobachter bis nach Nordkanada und Kalifornien (was damals Wildnis war). Die Royal Society von London, die renommierteste Wissenschaftsvereinigung ihrer Zeit, kam zu dem Schluss, dass auch das noch nicht ausreichte. Um die Entfernung zwischen Erde und Sonne so exakt wie möglich zu ermitteln, sollte ein Beobachter bis in den Südwestpazifik reisen.

Die Royal Society scheute weder Kosten noch Mühen und entsandte den bekannten Astronomen Charles Green nach Tahiti. Es wäre jedoch Geldverschwendung gewesen, eine wissenschaftliche Expedition in eine derart weit entfernte und unbekannte Gegend zu schicken, um eine einzige astronomische Beobachtung zu machen. Also wurde Green von acht weiteren Wissenschaftlern aus verschiedenen Disziplinen begleitet, allen voran die Botaniker Joseph Banks und Daniel Solander. Mit von der Partie waren außerdem einige Maler, die Inseln, Pflanzen, Tiere und Menschen zeichnen sollten, denen sie auf ihrer Reise begegneten. Die Expedition wurde mit neuesten wissenschaftlichen Geräten ausgestattet, die Banks und die Royal Society angeschafft hatten. Das Kommando führte Kapitän James Cook, ein erfahrener Seemann, Geograph und Ethnograph.

Die Expedition stach 1768 von England aus in See, beobachtete wie geplant 1769 den Venusdurchgang auf Tahiti, erkundete verschiedene Pazifikinseln, besuchte Australien und Neuseeland und kehrte 1771 beladen mit Bergen von astronomischen, geographischen, meteorologischen, botanischen, zoologischen und anthropologischen Daten aus dem Pazifik, Australien und Neuseeland wieder nach Hause zurück. Die Bedeutung der Cook-Expedition lässt sich gar nicht hoch genug einschätzen. Mit ihren Funden brachte sie zahlreiche Disziplinen voran, und mit ihren wundersamen Geschichten aus dem Südpazifik beflügelte sie die Fantasie der Europäer und inspirierte Generationen von künftigen Wissenschaftlern.

Die Expedition hatte auch erhebliche Bedeutung für die Medizin. Weltumseglungen wurden damals durch eine geheimnisvolle Krankheit namens Skorbut beeinträchtigt, die regelmäßig die Hälfte der Schiffsbesatzung dahinraffte. Die Erkrankten wurden erst lustlos und träge, und ihr Zahnfleisch begann zu bluten. Später fielen ihnen die Zähne aus, am ganzen Körper brachen Wunden auf, sie litten unter Fieber und Gelbsucht und konnten ihre Arme und Beine nicht mehr bewegen. Die britische Marine verlor mehr Matrosen durch Skorbut als durch feindliche Kanonen. Zwischen dem 16. und dem 18. Jahrhundert sollen insgesamt 2 Millionen Seeleute an der Krankheit gestorben sein! Es gab zahlreiche Spekulationen über die Ursachen von Skorbut, und es wurden viele Versuche unternommen, der Krankheit beizukommen, doch ohne Erfolg: Die Besatzungen starben nach wie vor wie die Fliegen. Die Wende kam im Jahr 1747, als ein englischer Arzt namens James Lind ein Experiment mit Seeleuten durchführte, die bereits an Skorbut erkrankt waren. Er teilte sie in verschiedene Gruppen ein und verabreichte jeder eine andere Behandlung. Eine Gruppe bekam Zitrusfrüchte, ein verbreitetes Hausmittel gegen Skorbut. Die Patienten aus dieser Gruppe erholten sich rasch. Lind wusste noch nicht, dass Skorbut durch Vitamin C-Mangel hervorgerufen wird. Auf langen Seereisen ernährten sich die Besatzungen in der Regel nur von Schiffszwieback und Trockenfleisch und nahmen kaum Obst oder Gemüse zu sich, mit denen sie ihrem Körper Vitamin C zugeführt hätten.

Die britische Marine betrachtete Linds Experimente mit Skepsis, doch James Cook war überzeugt. Er beschloss, die Erkenntnisse des Arztes auf seiner Weltreise zu überprüfen. Cook nahm eine Ladung Sauerkraut an Bord und bestand darauf, dass seine Matrosen bei jedem Landgang große Mengen frisches Obst und Gemüse zu sich nahmen. Auf der gesamten Expedition starb kein einziger seiner Matrosen an Skorbut. In den folgenden Jahrzehnten machten es die Flotten der Welt Cook nach und retteten so das Leben von ungezählten Matrosen und Reisenden.[1]

Cooks Expedition hatte jedoch auch eine dunkle Seite. Cook war nicht nur ein erfahrener Seemann und Geograph, er war auch ein Offizier der Marine. Diese gab ihm 85 gut bewaffnete Matrosen und Soldaten mit und rüstete sein Schiff mit Kanonen, Musketen, Schießpulver und anderen Waffen aus. Ein Gutteil der gesammelten Informationen – vor allem astronomische, geographische, meteorologische und anthropologische Daten – war natürlich auch von großem politischen und militärischen Wert. Die Entdeckung einer wirkungsvollen Behandlung gegen Skorbut festigte die Vorherrschaft der Briten auf den Weltmeeren und erlaubte ihnen, Armeen auf die andere Seite der Erde zu schicken. Cook beanspruchte viele der von ihm »entdeckten« Inseln für die britische Krone, allen voran Australien. Seine Expedition legte den Grundstein für die britische Besetzung des Südwestpazifiks, die Eroberung Australiens, Tasmaniens und Neuseelands, die Besiedlung der neuen Kolonien durch Millionen von Europäern und die Auslöschung der einheimischen Kulturen und der meisten Ureinwohner.[2]

Im Jahrhundert nach Cooks Expedition nahmen europäische Siedler den Ureinwohnern Australiens und Neuseelands den größten Teil des fruchtbaren Landes ab. Die einheimische Bevölkerung brach um 90 Prozent ein, und die wenigen Überlebenden wurden von einem erbarmungslosen rassistischen System unterjocht. Für die australischen Aborigines und die neuseeländischen Maoris markierte die Cook-Expedition den Beginn einer Katastrophe, von der sie sich nie wieder völlig erholten.

Noch schlimmer erging es den Ureinwohnern von Tasmanien. Nachdem sie zehntausend Jahre lang in Isolation überlebt hatten, wurden sie im Jahrhundert nach Cooks Ankunft nahezu vollständig ausgerottet. Die europäischen Siedler vertrieben sie zunächst aus den fruchtbarsten Regionen der Insel, und als sie sich dann auch noch die Wildnis unter den Nagel reißen wollten, machten sie Jagd auf die Ureinwohner und ermordeten sie systematisch. Einige der letzten Überlebenden wurden in einem christlichen Konzentrationslager zusammengepfercht, wo sie von wohlmeinenden aber ignoranten Missionaren indoktriniert und in der modernen Lebensweise unterwiesen wurden. Die Tasmanen sollten Lesen und Schreiben, die christliche Lehre sowie »nützliche Fähigkeiten« wie Nähen und Säen lernen. Doch sie weigerten sich. Stattdessen verfielen sie in Melancholie, bekamen keine Kinder mehr, verloren jegliches Interesse am Leben und wählten schließlich den einzigen Fluchtweg aus der modernen Welt der Wissenschaft und des Fortschritts – den Tod.

Doch selbst nach dem Tod wurden sie weiter von Wissenschaft und Fortschritt verfolgt. Im Namen der Erkenntnis bemächtigten sich Anthropologen und Museumsdirektoren der Leichen von Tasmaniern. Sie wurden seziert, gewogen, gemessen und in gelehrten Artikeln beschrieben. Ihre Schädel und Skelette wurden in Museen und anthropologischen Sammlungen ausgestellt. Erst 1976 bestattete das Tasmanian Museum das Skelett von Truganini, die von vielen für die letzte »reinrassige« tasmanische Ureinwohnerin gehalten wurde, und die hundert Jahre zuvor gestorben war.[3] Das English Royal College of Surgeons, die Königliche Chirurgenschule in Großbritannien, hatte noch bis 2002 Haar- und Hautproben von Truganini in ihrem Besitz.

Handelte es sich bei der Cook-Expedition um eine wissenschaftliche Erkundungsmission, die neues Wissen sammeln sollte und von Streitkräften begleitet wurde, die für ihren Schutz sorgen sollten? Oder handelte es sich um eine militärische Expedition, die neue Länder erobern sollte und von einigen Wissenschaftlern begleitet wurde, die sich die Gelegenheit nicht entgehen lassen und einige Untersuchungen durchführen wollten? Beide Fragen kann man mit Ja beantworten. Die wissenschaftliche Revolution und der moderne Imperialismus sind zwei Seiten ein und derselben Medaille. Teilnehmer wie James Cook und der Botaniker Joseph Banks konnten Wissenschaft nicht vom Imperium unterscheiden. Genauso wenig wie die arme Truganini.

Warum ausgerechnet Europa?

Es gehört zu den erstaunlicheren Wendungen der Geschichte, dass die Bewohner einer Insel im Nordatlantik Ende des 18. Jahrhunderts einen Kontinent auf der Südhalbkugel des Planeten eroberten. Über Jahrtausende hinweg waren die Britischen Inseln und ganz Westeuropa nichts als ein unbedeutender Wurmfortsatz des Mittelmeerraums gewesen. Hier passierte nichts, was von Bedeutung gewesen wäre. Auch das Römische Reich, das einzige europäische Imperium, verdankte seinen Reichtum den Provinzen in Nordafrika, dem Balkan und dem Nahen Osten. Die westeuropäischen Provinzen Roms waren ein armer und unterentwickelter »Wilder Westen«, der außer Erzen und Sklaven nichts zu bieten hatte. Der Norden Europas war sogar derart verlassen und rückständig, dass sich die Römer gar nicht erst die Mühe machten, ihn zu erobern.

Erst gegen Ende des 15. Jahrhunderts wurde Europa zu einem Treibhaus militärischer, politischer, wirtschaftlicher und kultureller Entwicklung. Zwischen 1500 und 1750 nahm Westeuropa an Fahrt auf und schwang sich zum Herrn des amerikanischen Doppelkontinents und der Weltmeere auf. Doch den asiatischen Großmächten waren die Europäer noch immer nicht gewachsen. Die Meere eroberten sie nur deshalb, weil sich die Herrscher des Ostens nicht dafür interessierten. Die frühe Neuzeit war das Goldene Zeitalter des Osmanischen Reichs im Mittelmeerraum, des Safawidenreichs in Persien, des Mogulreichs in Indien und der Ming- und Qing-Dynastien in China. Sie erweiterten ihre Territorien beträchtlich und genossen einen beispiellosen demographischen und wirtschaftlichen Aufschwung. Noch im Jahr 1775 zeichnete Asien für 80 Prozent der Weltwirtschaft verantwortlich. Indien und China machten zusammen allein zwei Drittel der weltweiten Produktion aus. Im Vergleich dazu war Europa ein wirtschaftlicher Zwerg.[4]

Erst zwischen 1750 und 1850 verlagerte sich das globale Machtzentrum nach Europa, als die Europäer die asiatischen Mächte in einer Reihe von Kriegen erniedrigten und weite Teile Asiens eroberten. Im Jahr 1900 beherrschten die Europäer unangefochten die Weltwirtschaft und den größten Teil der Erde. Im Jahr 1950 waren Westeuropa und die Vereinigten Staaten zusammen für mehr als 50 Prozent der Weltwirtschaft verantwortlich, während Chinas Anteil auf 5 Prozent zusammengeschrumpft war.[5] Unter der Ägide der Europäer entstanden eine neue Weltordnung und eine neue Weltkultur. Heute sind die meisten Menschen der Welt kulturell gesehen Europäer, auch wenn sie das nicht so gern zugeben. So sehr sie gegen Europa wettern mögen, die meisten Menschen auf unserem Planeten sehen Politik, Medizin, Krieg und Wirtschaft durch eine europäische Brille. Selbst die aufstrebende Wirtschaftsmacht China, die demnächst zur führenden Weltmacht aufsteigen könnte, wird auf einem europäischen Produktions- und Finanzierungsmodell errichtet.

Wie gelang es den Europäern, aus ihrem entlegenen Winkel herauszukommen und die ganze Welt zu erobern? Als einer der Gründe werden oft die europäischen Wissenschaften genannt. Niemand würde anzweifeln, dass die Europäer ihre Vorherrschaft nach 1850 zu einem Gutteil dem militärisch-industriell-wissenschaftlichen Komplex und seinen technologischen Wunderwerken verdankten. Alle erfolgreichen Kolonialreiche des 19. und 20. Jahrhunderts förderten die wissenschaftliche Forschung in der Hoffnung auf technologische Innovationen, und viele Wissenschaftler brachten ihre Zeit damit zu, Waffen, Medizin und Maschinen für ihre imperialistischen Geldgeber zu entwickeln. Wenn sie ihren afrikanischen Feinden gegenüberstanden, sagten europäische Soldaten oft: »Egal was passiert, wir haben Maschinengewehre und sie nicht.« Aber genauso entscheidend war die zivile Technologie. Die Soldaten wurden mit Dosennahrung verpflegt, mit Eisenbahnen und Dampfschiffen transportiert und mit einem neuen Arsenal von Arzneimitteln am Leben erhalten. Diese logistischen Fortschritte waren bei der Eroberung von Afrika wichtiger als die Maschinengewehre.

Vor 1850 war die Situation noch eine ganz andere. Der militärisch-industriell-wissenschaftliche Komplex steckte in den Kinderschuhen, die Früchte der wissenschaftlichen Revolution waren noch nicht reif, und der technische Vorsprung der Europäer gegenüber den asiatischen und afrikanischen Mächten war gering. Als James Cook im Jahr 1770 in Australien anlegte, verfügte er zwar über bessere Technologie als die Aborigines, aber das traf auch auf die Osmanen und Chinesen zu. Warum wurde Australien dann von Kapitän James Cook erkundet und kolonisiert, und nicht von Kapitän Wan Zhengse oder Kapitän Hussein Pascha? Und wenn die Europäer im Jahr 1770 gegenüber den Muslimen, Indern und Chinesen noch keinen nennenswerten technischen Vorsprung hatten, wie gelang es ihnen dann, im Laufe der nächsten hundert Jahre den Graben derart zu vergrößern?

Warum entwickelte sich der militärisch-industriell-wissenschaftliche Komplex in Europa und nicht in Indien? Als Großbritannien zum großen Sprung ansetzte, warum gelang es Frankreich, Deutschland und den Vereinigten Staaten, so schnell nachzuziehen, während China immer weiter zurückblieb? Und als der Abstand zwischen industrialisierten und nicht-industrialisierten Nationen zum wirtschaftlichen und politischen Machtfaktor wurde, warum gelang es dann Ländern wie Russland, Italien und Österreich, den Anschluss zu halten, nicht aber Persien, Ägypten und dem Osmanischen Reich? Die Technologie der ersten Industriellen Revolution war schließlich nicht sonderlich komplex. Fiel es den Chinesen und Osmanen so schwer, Dampfmaschinen zu bauen, Maschinengewehre zu produzieren und Bahnschienen zu verlegen?

Die erste kommerzielle Bahnlinie nahm 1830 in Großbritannien ihren Betrieb auf. Im Jahr 1850 waren die westlichen Nationen von einem Schienennetz von 40 000 Kilometern Länge überzogen – aber Asien, Afrika und Lateinamerika kamen zusammen auf gerade einmal 400 Kilometer! Bis zum Jahr 1880 war das westliche Schienennetz auf 350 000 Kilometer angewachsen, während der Rest der Welt gerade einmal auf 35 000 Kilometer kam (wovon die Briten den größten Teil in ihrer Kolonie Indien verlegt hatten).[6] In China wurde die erste Bahnlinie im Jahr 1876 in Betrieb genommen. Sie war 25 Kilometer lang und wurde von Europäern eingerichtet – die chinesische Regierung zerstörte sie schon ein Jahr darauf. Im Jahr 1880 gab es nicht einen einzigen Eisenbahnzug im ganzen Chinesischen Reich! Reichten den Chinesen 50 Jahre nicht, um die Bedeutung der

Eisenbahn zu erkennen und zu lernen, wie man Schienen verlegt und Bahnlinien betreibt? In Persien wurde die erste Eisenbahnlinie im Jahr 1888 eröffnet. Sie verband Teheran mit einer zehn Kilometer entfernten Pilgerstätte und wurde von einem belgischen Unternehmen eingerichtet und betrieben. Im Jahr 1950 kam das gesamte Schienennetz des Iran – einem Land, das siebenmal so groß ist wie Großbritannien – auf magere 2500 Kilometer.[7]

Es ist nicht so, als hätte den Chinesen und Persern das technische Knowhow gefehlt – Dampfmaschinen ließen sich schließlich ganz einfach kaufen oder nachbauen. Was ihnen fehlte, waren die Werte und Mythen, der juristische Apparat und die gesellschaftlichen und politischen Strukturen, die im Westen über Jahrhunderte hinweg herangereift waren und sich nicht so einfach kopieren und verinnerlichen ließen. Frankreich und die Vereinigten Staaten konnten rasch in die Fußstapfen von Großbritannien treten, weil die Franzosen und Amerikaner viele Mythen und Gesellschaftsstrukturen mit den Briten gemeinsam hatten. Die Chinesen und Perser konnten nicht Schritt halten, weil sie ganz anders dachten und sich anders organisierten.

Diese Erklärung wirft ein neues Licht auf die Jahrhunderte zwischen 1500 und 1850. In diesem Zeitraum hatte Europa zwar keinen erkennbaren technischen, politischen, militärischen oder wirtschaftlichen Vorsprung gegenüber asiatischen Mächten. Doch Europa baute sich ein einmaliges Potenzial auf, dessen Bedeutung um das Jahr 1850 schlagartig sichtbar wurde. Die scheinbare Gleichheit zwischen Europa, China und der islamischen Welt, die noch 1750 Bestand hatte, war in Wirklichkeit eine Illusion. Stellen Sie sich zwei Maurer vor, die jeder einen Turm bauen. Einer benutzt Holz und Lehmziegel, der andere Stahl und Beton. Zunächst scheinen sich die beiden Methoden nicht allzu sehr voneinander zu unterscheiden, denn beide Türme wachsen mit derselben Geschwindigkeit. Aber nachdem sie eine kritische Höhe erreicht haben, trägt das Gerüst aus Holz und Lehm nicht mehr und fällt in sich zusammen, während der Turm aus Stahl und Beton immer weiter wächst und kein Ende in Sicht scheint.

Was genau war dieses einmalige Potenzial, das sich die Europäer in der frühen Neuzeit anlegten und mit dessen Hilfe sie im 19. und 20. Jahrhundert die ganze Welt eroberten? Auf diese Frage gibt es zwei Antworten, die einander ergänzen: die modernen Wissenschaften und der Kapitalismus. Die Europäer lernten, wissenschaftlich und kapitalistisch zu denken und zu handeln, lange bevor sie einen spürbaren technischen Vorsprung daraus zogen. Als ihre Technologie Früchte trug, waren die Europäer besser als alle anderen in der Lage, sie zu nutzen, und deshalb eroberten sie die Welt. Es ist daher kein Zufall, dass Wissenschaft und Kapitalismus das wichtigste Erbe sind, das der europäische Imperialismus der post-europäischen Welt des 21. Jahrhunderts hinterlässt. Europa und die Europäer mögen nicht mehr die Welt beherrschen, doch Wissenschaft und Kapital werden immer stärker. Den Siegeszug des Kapitalismus wollen wir uns im nächsten Kapitel ansehen. In diesem Kapitel geht es um die Romanze zwischen dem europäischen Imperialismus und den modernen Wissenschaften.

Die Eroberungsmentalität

Die modernen Wissenschaften wuchsen mit den europäischen Imperien. Natürlich stehen sie tief in der Schuld der alten wissenschaftlichen Traditionen, zum Beispiel des antiken Griechenland, Chinas, Indiens und des Islam. Doch erst in der frühen Neuzeit nahmen die modernen Wissenschaften ihre besondere Form an, Hand in Hand mit der Expansion der Kolonialreiche Spaniens, Portugals, Großbritanniens, Frankreichs, Russlands und der Niederlande. Während der frühen Neuzeit lieferten Chinesen, Inder, Muslime, amerikanische Ureinwohner und Polynesier noch wichtige Beiträge zur wissenschaftlichen Revolution. Adam Smith und

Karl Marx lasen die Abhandlungen von muslimischen Wirtschafts-
wissenschaftlern, medizinische Handbücher nahmen Behandlungsmethoden von indianischen Heilern auf und die westliche Anthro-
pologie wurde durch Auskünfte von polynesischen Ureinwohnern
bereichert. Doch bis zur Mitte des 20. Jahrhunderts waren es die
europäischen Weltmächte, die all die zahllosen wissenschaftlichen
Erkenntnisse zusammenführten und umfassende wissenschaftliche
Disziplinen schafften. Der Ferne Osten und die islamische Welt
brachten Menschen hervor, die den westlichen Denkern an Neugierde und Intelligenz in nichts nachstanden. Doch zwischen 1500
und 1950 machten sie keine einzige Entdeckung, die zum Verständnis der Naturwissenschaften auch nur annähernd so viel beigetragen
hätten wie die eines Isaac Newton oder Charles Darwin.

Das heißt nicht, dass die Europäer ein besonderes Wissenschafts-
gen besäßen oder dass sie auf alle Ewigkeit die Physik oder die Biologie beherrschen werden. Es heißt nur, dass die Europäer dank
eines historischen Zufalls die wissenschaftliche Revolution anführ-
ten. Genau wie der Islam kein Monopol der Araber mehr ist, ist auch
die Wissenschaft längst kein Monopol der Europäer mehr.

Wie entstand diese historische Verbindung zwischen den
modernen Wissenschaften und dem europäischen Imperialismus? Im 19. und 20. Jahrhundert war es die Technologie, die diese
Allianz verstärkte, doch in der frühen Neuzeit hatte dieser Faktor
noch kaum Bedeutung. Die Verbindung zwischen dem Pflanzen
suchenden Botaniker und dem Kolonien suchenden Kapitän ist
eine ähnliche Weltsicht. Sowohl der Wissenschaftler als auch der
Eroberer begann mit einem Eingeständnis seines Unwissens (»Ich
weiß nicht, was mich da draußen erwartet«). Um diesen Mangel zu
beheben, machten sich beide auf die Suche nach neuen Erkenntnissen. Und beide hofften, dass sie mit diesem neuen Wissen
schließlich die Welt beherrschen würden.

*

Von Beginn an waren die europäischen Entdeckungsfahrten immer auch Eroberungszüge, und umgekehrt. Das macht die Einmaligkeit des europäischen Imperialismus aus. Frühere Imperialisten nahmen an, dass sie die Welt bereits völlig verstanden. Bei der Eroberung nutzten sie lediglich *ihre* Sicht der Welt und verbreiteten sie. Die Araber eroberten Ägypten, Spanien oder Indien nicht, weil sie dort etwas entdecken wollten, das sie noch nicht kannten. Die Römer, Mongolen und Azteken verleibten sich gierig immer neue Völker und Stämme ein, um Macht und Reichtümer zu horten, aber nicht um Wissen zu finden. Europäische Imperialisten brachen dagegen in ferne Länder auf, um sich nicht nur neue Länder anzueignen, sondern auch neues Wissen.

James Cook war keineswegs der erste Entdecker, er trat nur in die Fußstapfen der Portugiesen und Spanier des 15. und 16. Jahrhunderts. Heinrich der Seefahrer und Vasco da Gama erkundeten die Küste Afrikas und eroberten gleichzeitig Inseln und Häfen. Christoph Kolumbus »entdeckte« Amerika und beanspruchte zugleich im Namen der spanischen Krone die Herrschaft über diese neuen Inseln. Ferdinand Magellan umsegelte die Welt und legte zugleich den Grundstein für die Eroberung der Philippinen durch die Spanier.

Im Laufe der Zeit wurde die Verflechtung von Erforschung und Eroberung immer enger. Im 18. und 19. Jahrhundert waren bei fast jeder größeren militärischen Expedition, die Europa auf der Suche nach fernen Ländern verließ, immer auch Wissenschaftler an Bord, die diese Länder »entdeckten« und erforschten. Als Napoleon im Jahr 1798 in Ägypten einfiel, nahm er 165 Wissenschaftler mit, die die neue Disziplin der Ägyptologie begründeten und wichtige Beiträge zu Forschungsgebieten wie dem Orientalismus, der Linguistik und der Botanik leisteten.

Im Jahr 1831 entsandte die Marine seiner Majestät des Königs von Großbritannien die *HMS Beagle* nach Südamerika, zu den Falklandinseln und nach Galapagos, um die Küste zu kartographieren und besser auf einen etwaigen Krieg mit anderen Kolonialmächten vorbereitet zu sein. Der Kapitän des Schiffs war ein Amateurwissenschaftler und beschloss, einen Geologen mit an Bord zu nehmen, um die geologischen Formationen auf der Route zu untersuchen. Nachdem einige Geologen seine Einladung abgelehnt hatten, sprach der Kapitän einen 22-Jährigen Absolventen der Universität Cambridge an, der eigentlich Theologie studiert hatte, aber sich mehr für Geologie und Naturkunde interessierte als für die Bibel. Dieser Student, ein gewisser Charles Darwin, nahm das Angebot an, und der Rest ist bekannt. Auf der Expedition der *Beagle* zeichnete der Kapitän eifrig militärische Karten, während Darwin Daten sammelte und zu Erkenntnissen kam, die schließlich als Evolutionstheorie bekannt werden sollten.

*

Am 20. Juli 1969 landeten Neil Armstrong und Buzz Aldrin auf dem Mond. In den Monaten vor der Landung bereiteten sich die Astronauten der Apollo-Mission in der Mondlandschaft einer Wüste im Westen der Vereinigten Staaten auf das Ereignis vor. In der Gegend leben einige Indianerstämme und eine (vermutlich erfundene) Geschichte beschreibt eine Begegnung zwischen den Astronauten und einem der Ureinwohner:

Während des Trainings trafen die Astronauten eines Tages einen alten Ureinwohner. Der Mann fragte sie, was sie denn da trieben, und die Astronauten erklärten, sie gehörten einer Forschungsexpedition an, die in Kürze auf den Mond fliegen würde. Als der alte Mann das hörte, schwieg er eine Weile lang, dann fragte er die Astronauten, ob sie ihm einen Gefallen tun könnten.

»Was können wir für Sie tun?«, fragten sie.

»Die Leute meines Stammes glauben, dass auf dem Mond heilige Geister leben«, erwiderte der alte Mann. »Dürfte ich Sie bitten, ihnen eine wichtige Botschaft meines Volkes auszurichten?«

»Wie lautet die Botschaft?«, fragten die Astronauten.

Der Mann antwortete etwas in der Sprache seines Stammes und bat die Astronauten, den Satz so lange zu wiederholen, bis sie ihn korrekt aufsagen konnten.

»Was bedeutet das?«, fragten sie ihn.

»Ach, das kann ich Ihnen nicht sagen«, antwortete er. »Das ist ein Geheimnis, das nur mein Stamm und die Mondgeister kennen dürfen.«

Als die Astronauten zu ihrer Basis zurückkamen, suchten sie so lange, bis sie jemanden fanden, der die Sprache des Alten verstand, und baten ihn, die Geheimbotschaft zu übersetzen. Als sie ihm den Satz aufsagten, lachte der Übersetzer schallend. Nachdem er sich beruhigt hatte, verriet er ihnen, was sie da so gewissenhaft auswendig gelernt hatten: »Glaubt diesen Leuten kein Wort. Sie sind gekommen, um Euch Euer Land wegzunehmen.«

Weiße Flecken auf der Landkarte

Die moderne »Erforschen und Erobern«-Mentalität lässt sich anhand der Entwicklung der Weltkarten anschaulich nachvollziehen. Schon lange vor der Neuzeit haben viele Kulturen Weltkarten angefertigt. Natürlich kannte keine dieser Kulturen die ganze Welt. Keine Kultur in Afrika, Asien und Europa hatte eine Ahnung von der Existenz Amerikas, keine amerikanische Kultur kannte die übrigen Kontinente. Das hinderte sie allerdings nicht daran, Weltkarten zu zeichnen. Unbekannte Regionen wurden einfach weggelassen oder mit Fabelwesen und Drachen gefüllt. Diese Karten hatten keine weiße Flecken. Sie vermittelten den Eindruck, die ganze Welt sei bekannt.

Während des 15. und 16. Jahrhunderts gingen die Europäer dazu über, Weltkarten mit vielen weißen Flecken zu zeichnen – ein Hinweis auf die beginnende wissenschaftliche Revolution und den kolonialen Entdeckerdrang der Europäer. Diese weißen Flecken markierten eine psychologische und ideologische Wende, denn damit gestanden sich die Europäer ein, dass sie große Teile der Welt nicht kannten.

Der größte Durchbruch kam jedoch im Jahr 1492, als Christoph Kolumbus in Spanien Anker lichtete, um in Richtung Westen nach Ostasien zu segeln. Nach seinen Berechnungen, die auf den »voll-

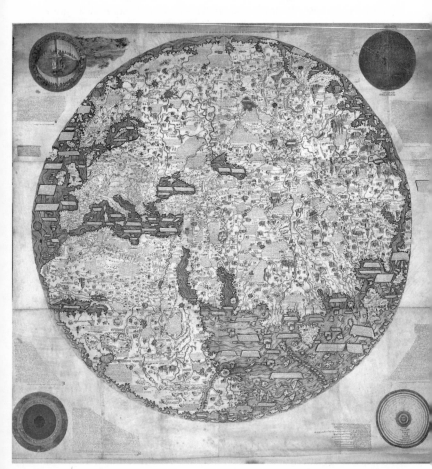

24. Eine europäische Weltkarte aus dem Jahr 1459. Die Karte ist voller Details. Der Zeichner ging offenbar davon aus, dass die Europäer die ganze Welt kannten.

ständigen« Weltkarten basierten, musste Japan etwa 7000 Kilometer westlich von Spanien liegen. In Wirklichkeit sind es mehr als 20 000 Kilometer, und zwischen beiden lag ein ganzer, bis dahin unbekannter Kontinent. Am 12. Oktober 1492 gegen 2 Uhr morgens stieß die Expedition von Kolumbus auf diesen unbekannten Kontinent. Vom Mast der *Pinta* aus erspähte ein Matrose namens Juan Rodriguez Bermejo eine Insel der Bahamas und rief: »Land! Land!« Danach sollte sich die Welt für immer verändern.

Kolumbus war überzeugt, dass er an einer kleinen Insel vor der Küste Ostasiens angelangt war, und dass die Menschen, denen er am Strand begegnete, Inder waren (weshalb die Ureinwohner bis heute als »Indios« oder »Indianer« bezeichnet werden). Kolumbus hielt sein Leben lang an diesem Irrtum fest. Der Gedanke, dass er einen völlig unbekannten Kontinent entdeckt haben könnte, war für ihn genauso unvorstellbar wie für viele seiner Zeitgenossen. Jahrtausendelang hatten die größten Gelehrten und vor allem die unfehlbare Heilige Schrift nur von Europa, Afrika und Asien gesprochen. Sie konnten sich unmöglich geirrt haben. Die Bibel konnte doch nicht einfach die Hälfte der Welt übersehen haben! Das war so, als hätte die Apollo-Mission auf dem Weg zum Mond einen unbekannten Erdtrabanten entdeckt, der die Erde umkreiste und allen Astronomen entgangen war. In seiner Weigerung, sich seine Unwissenheit einzugestehen, war Kolumbus noch ein Mensch des Mittelalters. Er war überzeugt, dass er die ganze Welt kannte, und selbst seine eigene Entdeckung konnte ihn nicht vom Gegenteil überzeugen.

Der erste moderne Mensch war Amerigo Vespucci, ein italienischer Seefahrer, der zwischen 1499 und 1504 an mehreren Expeditionen nach Amerika teilnahm. Zwischen 1502 und 1504 wurden in Europa unter seinem Namen zwei Briefe veröffentlicht, die diese Expeditionen beschrieben. In diesen Briefen hieß es, die neuen Inseln, die Kolumbus gefunden hatte, befanden sich nicht etwa vor der Küste Ostasiens, sondern gehörten zu einem eigenen Kontinent, den weder die Bibel noch die Geographen der Antike oder die zeitgenössischen Europäer kannten. Ein angesehener Kartenzeichner namens Martin Waldseemüller ließ sich von diesen Argumenten überzeugen; im Jahr 1507 druckte er eine aktualisierte Weltkarte, auf der er die entdeckten Inseln erstmals als neuen Kontinent einzeichnete. Da er fälschlicherweise davon ausging, Amerigo Vespucci sei der Entdecker, beschloss Waldseemüller, den neuen Kontinent nach ihm zu benennen: Amerika. Waldseemüllers Karte erfreute sich großer Beliebtheit und wurde von zahlreichen Kartographen kopiert. Auf diese Weise verbreitete sich der Name des neuen Kontinents. So falsch der Name ist, im Grunde ist es nur gerecht, dass ein Viertel der Welt nach einem unbekannten Italiener benannt wurde, an den

25. Die Salviati-Karte aus dem Jahr 1525. Während die Weltkarte aus dem Jahr 1459 voller Kontinente, Inseln und detaillierter Erläuterungen ist, besteht die Salviati-Karte fast nur aus weißen Flecken. Das Auge wandert die amerikanische Küste hinunter, von Brasilien über Argentinien bis nach Feuerland, und läuft dort ins Leere. Wer auch nur das geringste bisschen Neugierde mitbringt, fragt nach einem einzigen Blick auf die Karte sofort: »Aber wie geht es dahinter weiter?« Die Karte gibt keine Antworten. Sie lädt den Betrachter ein, selbst in See zu stechen und es herauszufinden.

wir uns heute nur deshalb erinnern, weil er den Mut hatte zu sagen, »Wir wissen es nicht«.

Das war die Geburtsstunde der wissenschaftlichen Revolution. Mit der Entdeckung Amerikas lernten die Europäer, neuen Beobachtungen größeres Gewicht beizumessen als alten Überlieferungen, und der Wunsch, Amerika zu erobern, zwang sie, mit halsbrecherischer Geschwindigkeit neues Wissen zu erwerben. Um dieses riesige neue Land wirklich beherrschen zu können, mussten sie gewaltige Mengen an Information über Geographie, Klima, Flora, Fauna, Sprachen, Kulturen und die Geschichte des Kontinents sammeln. Die Bibel, alte Atlanten und mündliche Überlieferungen halfen ihnen dabei nicht weiter.

Bald lernten nicht nur die Kartographen, sondern auch europäische Wissenschaftler aller anderen Disziplinen, Karten mit weißen Flecken zu zeichnen. Sie gaben zu, dass ihre Theorien alles andere als vollständig waren, und dass es eine Menge wichtiger Dinge gab, von denen sie nicht die geringste Ahnung hatten.

*

Die weißen Flecken auf der Landkarte übten eine magische Anziehungskraft auf die Europäer aus, und sie machten sich daran, einen nach dem anderen auszufüllen. Während des 15. und 16. Jahrhunderts umsegelten europäische Expeditionen Afrika, erforschten Amerika, überquerten den Pazifischen und den Indischen Ozean und errichteten rund um den Globus ein Netzwerk von Stützpunkten und Kolonien. Sie gründeten die ersten Weltreiche, die diesen Namen verdienten, und schufen das erste weltumspannende Handelsnetz. Mit ihren kolonialen Abenteuern bereiteten die Europäer der Geschichte der isolierten Völker und Kulturen ein Ende und fügten die Welt zu einer einzigen Gesellschaft zusammen.

Die Mischung aus Expedition und Eroberung, wie sie die Europäer betrieben, erscheint uns heute derart vertraut, dass wir kaum nachvollziehen können, wie revolutionär sie damals war. Bis zu diesem Zeitpunkt hatte es nichts Vergleichbares gegeben. Eroberungsexpeditionen in ferne Länder sind keine naheliegenden Unternehmungen. Die meisten menschlichen Gesellschaften der Geschichte waren derart beschäftigt mit den Konflikten vor ihrer eigenen Haustür, dass es ihnen nie in den Sinn gekommen wäre, andere Erdteile zu erkunden und zu erobern. Die meisten Großreiche beschränkten ihre Aktivitäten auf ihre unmittelbare Nachbarschaft und erreichten ferne Länder nur deshalb, weil sie sich von einem Nachbarland zum nächsten voranschoben. So eroberten die Römer Etrurien in Mittelitalien, um die Stadt Rom zu schützen (zirka 350–300 v. u. Z.). Dann eroberten sie die Poebene, um Etrurien zu sichern (120 v. u. Z.). Wenig später rückten sie in die heutige Provence ein, um sich in der Poebene den Rücken freizuhalten, nahmen Gallien ein, um die Provence zu schützen (50 v. u. Z.) und setzten schließlich nach Britannien über, um Gallien zu verteidigen (50 u. Z.). Insgesamt brauchten sie 400 Jahre, um von Rom nach London zu kommen. Im Jahr 350 v. u. Z. wäre kein Römer auf den Gedanken gekommen, auf direktem Weg zu den Britischen Inseln zu segeln und sie zu erobern.

Gelegentlich unternahmen ehrgeizige Herrscher oder Abenteurer weite Eroberungsfeldzüge, doch dabei rückten sie in der Regel auf den ausgefahrenen Wegen der Händler und früheren Reiche vor. Alexander der Große errichtete beispielsweise kein neues Reich, sondern eroberte einfach ein bestehendes, nämlich das der Perser. Wenn es Vorbilder für die europäischen Imperien der Neuzeit gab, dann bestenfalls die antiken Seereiche von Athen und Karthago oder das Inselreich von Majapahit, das sich im 14. Jahrhundert über weite Teile Indonesiens erstreckte. Doch selbst diese Imperien wagten sich nur selten in unbekannte Gewässer vor: Im Vergleich mit den weltumspannenden Unternehmungen der Europäer handelte es sich um regionale Angelegenheiten.

Viele Wissenschaftler behaupten, die Reisen des chinesischen Admirals Zheng He hätten die europäischen Entdeckungsreisen vorweggenommen und noch in den Schatten gestellt. Zwischen 1405 und 1433 führte Zheng He sieben gewaltige Flotten von China bis in die entlegensten Winkel des Indischen Ozeans. An der größten Expedition nahmen fast 300 Schiffe und 30 000 Seeleute teil.[8] Sie besuchten Indonesien, Sri Lanka, Indien, den Persischen Golf, das Rote Meer und Ostafrika. Chinesische Schiffe gingen in Dschidda, dem Haupthafen der arabischen Region Hedschas, und in Malindi an der kenianischen Küste vor Anker. Die Flotte, mit der Kolumbus 1492 in den Bahamas anlegte, bestand dagegen aus drei Nussschalen und 120 Seeleuten – ein Witz neben Zheng Hes Armada.[9]

Trotzdem gab es einen ganz entscheidenden Unterschied. Zheng erforschte zwar die Meere, doch er hatte kein Interesse daran, die besuchten Länder zu erobern. Er unterstützte Herrscher, die China freundlich gesonnen waren, aber er unternahm keinen systematischen Versuch, Länder zu besetzen oder gar zu besiedeln. Zheng Hes Expeditionen waren außerdem kaum in der chinesischen Kultur verwurzelt. Als in den 1430er Jahren ein neuer Kaiser an die Macht kam, stellte dieser die Expeditionen umgehend ein. Die Flotte wurde eingemottet, technisches und geographisches Wissen geriet in Vergessenheit und die Erkundungsfahrten wurden nie wieder aufgenommen. In den kommenden Jahrhunderten beschränkten die chinesischen Kaiser – genau wie die meisten ihrer Vorgänger – ihre Interessen auf die unmittelbare Umgebung des Reichs der Mitte.

Die Expeditionen von Zheng He zeigen, dass die Europäer keinen technischen Vorsprung hatten. Was die europäischen Expeditionen so einmalig macht, ist der beispiellose und unstillbare Entdeckungs- und Eroberungsdrang. Wenn die vormodernen Imperien keine Expeditionen aussandten, um ferne Länder zu erforschen und zu erobern, dann lag das nicht daran, dass sie nicht dazu in der Lage gewesen wären. Sie hatten ganz einfach kein Interesse daran. Die Römer unternahmen nie den Versuch, Indien oder Skandinavien zu erobern, die Perser verspürten nie die Motivation, sich Madagaskar oder Spanien unter den Nagel zu reißen, und die Chinesen wollten sich nie in Indonesien oder Afrika breitmachen. Die meisten chinesischen Kaiser ließen selbst das benachbarte Japan in Frieden. Das war nicht weiter verwunderlich. Wozu sollten die Römer Indien erobern, oder was hätten die Chinesen in Indonesien gewollt? Die eigentliche Ausnahme waren die Europäer der frühen Neuzeit, die plötzlich von einer Art Wahn befallen wurden und in unbekannte Länder mit fremden Kulturen aufbrachen, einen Fuß auf den Strand setzten und sofort erklärten: »Ich beanspruche dieses Land für meinen König!«

Invasion aus dem All

Um das Jahr 1517 hörten die spanischen Siedler in der Karibik erste Gerüchte über das mächtige Aztekenreich, das irgendwo auf dem Festland liegen sollte. Nur vier Jahre später lag die Hauptstadt der Azteken in Trümmern, ihr Reich war zerschlagen und Hernán Cortés herrschte über ein riesiges spanisches Reich in Mexiko.

Die Spanier feierten nicht lange, sondern entsandten sofort Expeditionen in alle Himmelsrichtungen, um das Land zu erforschen und zu erobern. Etwas mehr als ein Jahrzehnt später stieß Francisco Pizarro in Südamerika auf das Inkareich und eroberte es im Jahr 1532. Die früheren Herrscher Mittelamerikas – die Azteken, Tolteken oder Mayas – hatten bestenfalls von der Existenz Südamerikas gehört und nie daran gedacht, es erobern zu wollen. Umgekehrt wussten die südamerikanischen Kulturen kaum etwas von der Existenz der Kulturen in Mittelamerika. In zehn Jahren vollbrachten die Spanier etwas, was die einheimischen Kulturen in zweitausend Jahren nicht geschafft hatten.

Hätten sich die Azteken und Inkas mehr für ihre Umgebung interessiert, und hätten sie gewusst, was die Spanier mit ihren Nachbarn angestellt hatten, dann hätten sie sich den Spaniern vielleicht etwas entschlossener und erfolgreicher entgegengestellt. In den Jahren zwischen der Landung von Christoph Kolumbus in der Karibik (1492)

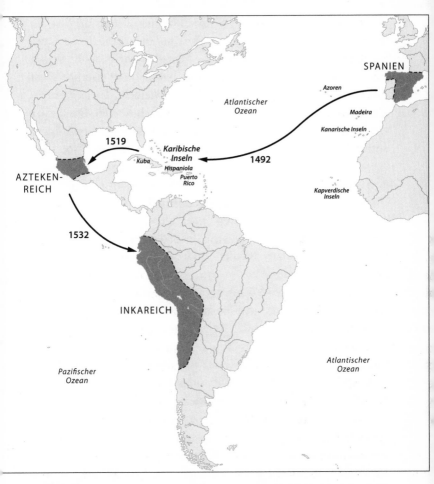

Karte 6. Die Reiche der Azteken und Inkas zur Zeit der Eroberung durch die Spanier

und der Ankunft von Cortés in Mexiko (1519) hatten die Spanier die meisten Inseln der Karibik erobert und dort eine Reihe neuer Kolonien errichtet. Für die unterworfenen Einheimischen waren diese Kolonien die Hölle auf Erden. Sie wurden mit eiserner Faust von gierigen und skrupellosen Siedlern unterjocht, die jeden beim geringsten Anzeichen von Widerstand einfach töteten. Die einheimische Bevölkerung wurde versklavt und zur Arbeit in Bergwerken und auf Pflanzungen gezwungen. Die meisten starben schon bald, entweder weil sie den unmenschlichen Arbeitsbedingungen erlagen, oder weil sie dem Zoo von unbekannten Krankheitserregern zum Opfer fielen, die als blinde Passagiere an Bord der spanischen Schiffe nach Amerika gekommen waren. Innerhalb von nur zwanzig Jahren war fast die gesamte einheimische Bevölkerung der Karibik ausgestorben. Die spanischen Siedler importierten afrikanische Sklaven, um die Lücke zu füllen.

Obwohl sich dieser Völkermord vor der Haustür der Azteken abspielte, hatten diese nicht die geringste Ahnung davon, als Cortés an der Ostküste ihres Reichs an Land ging. Die Spanier hätten genauso gut wie Außerirdische aus dem All kommen können. Die Azteken waren überzeugt, dass sie die ganze Welt kannten und zum größten Teil beherrschten. Sie konnten sich nicht vorstellen, dass jenseits dieses Horizonts so etwas wie die Spanier existieren konnte. Als Cortés und seine Männer am sonnigen Strand des heutigen Veracruz landeten, waren sie die ersten vollkommen unbekannten Menschen, denen die Azteken begegneten.

Die Azteken wussten nicht, wie sie sich verhalten sollten. Sie hatten ihre liebe Not zu verstehen, wer diese Außerirdischen waren. Sie hatten helle Haut und eine Menge Gesichtshaar. Einige hatten sonnenfarbenes Haar. Aber vor allem stanken sie entsetzlich. (Die Azteken waren in der Hygiene sehr viel weiter als die Spanier. Zu Beginn ihrer Invasion wurden die Spanier auf Schritt und Tritt von Einheimischen mit Räuchergefäßen begleitet. Die Spanier meinten, sie würden als Götter verehrt. Aber aus einheimischen Quellen wissen wir, dass der Rauch aus Harzen und Ölen dazu dienen sollte, die Gegenwart der Spanier erträglich zu machen.)

Noch verwirrender waren die Dinge, die die Außerirdischen mitbrachten. Sie kamen in schwimmenden Häusern, wie sie noch nie jemand gesehen hatte. Sie ritten auf großen und furchterregenden Tieren und waren schnell wie der Wind. Mit glänzenden Metallstäben konnten sie Blitz und Donner erzeugen. Sie hatten lange, glänzende Schwerter und trugen unzerstörbare Rüstungen, gegen die die Einheimischen mit ihren Holzkeulen und Speeren nichts ausrichten konnten.

Einige Azteken meinten, es handele sich um Götter. Andere hielten die Spanier für Dämonen, Totengeister oder mächtige Zauberer. Statt alle verfügbaren Kräfte zu mobilisieren und die Spanier niederzumetzeln, beratschlagten, zögerten und verhandelten die Azteken. Sie sahen keinen Grund zur Eile – schließlich war Cortés mit höchstens 350 Begleitern angekommen. Was sollten diese wenigen Fremden schon gegen ein Millionenreich ausrichten?

Cortés wusste zwar genauso wenig über die Azteken wie sie über ihn, doch er und seine Männer hatten gegenüber ihrem Gegner einen entscheidenden Vorteil. Während die Azteken durch nichts auf die Begegnung mit den sonderbar aussehenden und übelriechenden Aliens vorbereitet waren, wussten die Spanier, dass die Erde voller unbekannter menschlicher Welten war, und sie waren im Überfall auf diese Welten bestens geübt. Sie hatten große Erfahrung bei der Besetzung fremder Länder gesammelt und wussten, wie sie mit Situationen umzugehen hatten, in denen sie nicht das Geringste wussten. In unbekannten Welten fühlten sich die modernen europäischen Eroberer und Wissenschaftler in ihrem Element.

Als Cortés im Juli 1519 an diesem sonnigen Strand an Land ging, wusste er, was er zu tun hatte. Wie ein Außerirdischer, der einem Raumschiff entsteigt, erklärte er den verblüfften Einheimischen: »Wir kommen in friedlicher Absicht. Bringt uns zu eurem Anführer.« Cortés erklärte, er sei ein Botschafter des großen Königs von

Spanien und bat um ein diplomatisches Gespräch mit dem Aztekenherrscher Moctezuma II. (Das war eine schamlose Lüge, denn Cortés führte eine unabhängige Truppe von gierigen Abenteurern an. Der König von Spanien hatte weder von Cortés noch von den Azteken gehört.) Cortés erhielt Führer, Essen und Unterstützung von den Einheimischen, die Feinde der Azteken waren. Dann marschierte er in Richtung der Hauptstadt des Aztekenreichs, der großen Metropole Tenochtitlan.

Die Azteken, die nichts von dem Völkermord in der Karibik mitbekommen hatten, ahnten nicht, in welcher Gefahr sie schwebten. Sie erlaubten den Außerirdischen, bis zu ihrer Hauptstadt zu marschieren und arrangierten sogar ein Gespräch zwischen dem Anführer der Aliens und ihrem Herrscher Moctezuma. Während dieser Begegnung gab Cortés plötzlich ein Zeichen und seine bis an die Zähne mit Schwertern und Rüstungen bewaffneten Begleiter ermordeten Moctezumas Leibwache (die eine Rüstung aus Baumwolle trugen und mit Holzkeulen und Steinäxten bewaffnet waren).

Cortés befand sich in einer schwierigen Lage. Er hatte zwar den Herrscher als Geisel genommen, doch er war von Zehntausenden wütenden Aztekenkriegern und Millionen feindlichen Indios umringt und befand sich auf einem Kontinent, von dem er praktisch nichts wusste. Er hatte einige Hundert spanische Soldaten zur Verfügung, und die Verstärkung war 1500 Kilometer entfernt auf Kuba.

Cortés hielt Moctezuma in seinem Palast gefangen und tat so, als bliebe Moctezuma freiwillig, und als sei der »spanische Botschafter« nicht mehr als ein Gast. Moctezuma spielte mit – vielleicht wurde er Opfer einer Art Stockholm-Syndrom und schlug sich auf die Seite seiner Entführer. Das Aztekenreich war extrem zentralistisch organisiert und von dieser beispiellosen Situation völlig gelähmt. Moctezuma verhielt sich nach wie vor wie ein Herrscher, und die aztekische Elite gehorchte ihm, was wiederum bedeutete, dass sie Cortés gehorchte. Inzwischen verhörte Cortés Moctezuma und seine Begleiter, darunter Dolmetscher, die mehrere Sprachen der

Region beherrschten. Außerdem schickte er Expeditionstrupps aus, um das Aztekenreich und seine Einwohner besser kennenzulernen.

Schließlich lehnten sich die Azteken doch noch gegen Cortés und Moctezuma auf, wählten einen neuen König und vertrieben die Spanier aus Tenochtitlan. Doch inzwischen hatte ihre Macht Risse bekommen, und Cortés nutzte sein Wissen, um diese Risse aufzubrechen und das Reich von innen heraus zu sprengen. Unter anderem brachte er viele der von den Azteken unterworfenen Völker auf seine Seite. Diese Völker verrechneten sich gründlich. Sie hassten die Azteken, doch sie hatten keine Ahnung vom Völkermord in der Karibik. Sie nahmen an, die Spanier würden ihnen helfen, das Joch der Azteken abzuschütteln – dass die Spanier danach das Zepter in die Hand nehmen könnten, kam ihnen nie in den Sinn. Wenn Cortés mit seinen paar Hundert Schergen Ärger machen würde, dann würde man schon mit ihm fertigwerden. Die aufrührerischen Stämme stellten Cortés Zehntausende Krieger zur Verfügung, und mit dieser Armee belagerte Cortés Tenochtitlan und eroberte die Stadt schließlich.

Nun kamen mehr und mehr spanische Soldaten und Siedler nach Mexiko, einige aus Kuba, andere direkt aus Spanien. Als die Einheimischen erkannten, was gespielt wurde, war es bereits zu spät. Hundert Jahre nach der Landung der Spanier in Veracruz war die Zahl der Ureinwohner um 90 Prozent eingebrochen. Die wenigen überlebenden Indios wurden von einem gierigen, rassistischen Regime versklavt, das die Unterdrückung durch die Azteken weit in den Schatten stellte.

Zehn Jahre nach der Ankunft von Cortés in Mexiko landete Pizarro an der Küste des Inkareichs. Er brachte noch weniger Soldaten mit als Cortés: Seine Expedition bestand lediglich aus 168 Männern! Doch Pizarro brachte das Wissen aller früheren Eroberungen mit, während die Inkas nichts vom Schicksal der Azteken gehört hatten. Pizarro schaute sich seine Strategie von Cortés ab. Er stellte sich als friedlicher Botschafter des spanischen Königs vor, lud Inkaherrscher Atahualpa zu einem diplomatischen Gespräch ein und nahm ihn als Geisel. Dann eroberte Pizarro das gelähmte Reich mit Hilfe von Verbündeten vor Ort. Hätte Atahualpa auf CNN gesehen, was mit Moctezuma passierte, wäre er nicht auf diesen alten Trick hereingefallen. Und wenn die unterworfenen Völker des Inkareichs gewusst hätten, was mit den Mexikanern passiert war, hätten sie nicht gemeinsame Sache mit den Eindringlingen gemacht. Aber sie hatten nicht die geringste Ahnung.

*

Die Ureinwohner Amerikas waren nicht die Einzigen, die einen hohen Preis für ihren Provinzialismus bezahlen mussten. Die großen Reiche Asiens – die Osmanen, Perser, Moguln und Chinesen – bekamen sehr bald mit, dass die Europäer einen neuen Kontinent entdeckt hatten. Doch sie interessierten sich nicht dafür. Sie glaubten nach wie vor, dass sich die Welt um Asien drehte und unternahmen keinerlei Anstrengungen, den Europäern die Kontrolle über Amerika oder die neuen Schifffahrtsrouten im Atlantik und Pazifik streitig zu machen. Selbst winzige europäische Königreiche wie Schottland oder Dänemark schickten Eroberungs- und Forschungsexpeditionen nach Amerika, doch die islamischen Imperien, China oder Indien machten sich nicht die Mühe, auch nur eine einzige Expedition zu entsenden. Die erste nicht-europäische Macht, die eine Militärexpedition auf den amerikanischen Kontinent schickte, war Japan, und zwar während des Zweiten Weltkriegs. Im Jahr 1942 besetzten japanische Soldaten die Inseln Kiska und Attu vor der Küste Alaskas und nahmen zehn Soldaten und einen Hund gefangen. Näher kamen sie dem Festland nie.

Man kann nicht behaupten, dass die Osmanen oder Chinesen zu weit weg gewesen seien oder dass ihnen das technische, wirtschaftliche und militärische Knowhow zur Erforschung und Eroberung gefehlt hätte. Mit den Mitteln, mit denen Zheng He in den 1420er Jahren nach Afrika segelte, wären die Chinesen auch bis nach Amerika gekommen. Aber sie hatten einfach kein Interesse. Die erste chinesische Weltkarte, auf der Amerika eingezeichnet war, stammt aus dem Jahr 1602 und wurde von einem europäischen Missionar angefertigt.

Drei Jahrhunderte lang waren die Europäer die unumstrittenen Herrscher Amerikas, Ozeaniens, des Atlantiks und des Pazifiks. Wenn es zu Auseinandersetzungen kam, dann zwischen Europäern. Mit den Reichtümern und Ressourcen, die sie aus ihren Kolonien zusammentrugen, konnten sie den großen asiatischen Reichen vor ihrer eigenen Haustür auf der Nase herumtanzen. Als die Osmanen, Perser, Inder und Chinesen aufwachten und Interesse an den Ereignissen im Ausland zeigten, war es bereits zu spät.

*

Die nichteuropäischen Nationen entwickelten erst im 20. Jahrhundert eine globale Sicht. Das war einer der entscheidenden Gründe für das Ende der europäischen Vorherrschaft. Während des Unabhängigkeitskriegs in Algerien (1954–62) besiegten die algerischen Guerillakämpfer die französische Armee, obwohl diese zahlenmäßig, technisch und wirtschaftlich haushoch überlegen war. Die Algerier behaupteten sich, da sie von einem weltumspannenden, antikolonialen Netzwerk unterstützt wurden, und weil sie es verstanden, die globalen Medien und sogar die öffentliche Meinung in Frankreich für sich zu nutzen. Die Niederlage, die das kleine Nordvietnam den großen Vereinigten Staaten beibrachte, hatte ähnliche Ursachen. Die Guerillakrieger demonstrierten, dass man selbst eine Supermacht besiegen konnte, wenn man aus einem regionalen Konflikt einen globalen Krieg machte. Man kann darüber spekulieren, was wohl passiert wäre, wenn Moctezuma die öffentliche Meinung in Spanien hätte beeinflussen können oder wenn er Militärhilfe von den Portugiesen, Franzosen oder Osmanen und anderen Feinden Spaniens bekommen hätte.

Seltene Spinnen und vergessene Schriften

Die modernen Wissenschaften und Imperien wurden angetrieben von dem nagenden Gefühl, dass hinter dem Horizont vielleicht irgendetwas Wichtiges auf sie warten könnte – etwas, das man erforschen und beherrschen musste. Doch die Verbindung zwischen Wissenschaft und Imperium ging noch weiter. Denn nicht nur der Antrieb war derselbe, auch die Praxis der Imperialisten und Wissenschaftler war eng miteinander verknüpft. Für die meisten Europäer war der Aufbau eines Imperiums ein wissenschaftliches Projekt, und der Aufbau einer wissenschaftlichen Disziplin war umgekehrt ein imperiales Projekt.

Als die Muslime Indien eroberten, brachten sie keine Archäologen, Geologen und Zoologen zur systematischen Erforschung der indischen Geschichte, Gesteinsformationen und Fauna mit. Als die Engländer Indien eroberten, hatten sie all diese Wissenschaftler im Gepäck. Am 10. April 1802 begann *The Great Survey of India*, die Große Trigonometrische Vermessung des Subkontinents, die sechzig Jahre dauern sollte. Unterstützt durch Zehntausende indische Arbeiter, Gelehrte und Führer kartographierten die Briten ganz Indien, markierten Grenzen, maßen Entfernungen und berechneten erstmals die exakte Höhe des Mount Everest und anderer Gipfel des Himalaja. Die Briten erforschten natürlich die militärischen Ressourcen der indischen Provinzen und ihre Rohstoffquellen, aber daneben sammelten sie auch Informationen über seltene Spinnen, katalogisierten bunte Schmetterlinge, suchten nach den Ursprüngen ausgestorbener Sprachen und gruben vergessene Ruinen aus.

Ein Beispiel für diesen Eifer ist die Erforschung eines antiken Hügels namens Mohenjo-Daro. Unter diesem Hügel verbarg sich eine der wichtigsten Städte der Indus-Kultur, die im dritten Jahrtausend vor unserer Zeitrechnung entstanden sein muss und um 1900 v. u. Z. zerstört wurde. Vor Ankunft der Briten hatte sich kein indischer Herrscher – die Maurya und Gupta genauso wenig wie die

Sultane von Delhi oder die Großmoguln – für diese Ruinen interessiert. Im Jahr 1922 stieß ein Team von britischen Archäologen auf
die Stätte, führte Grabungen durch und präsentierte der erstaunten
Weltöffentlichkeit die Ursprünge der indischen Zivilisation, an die
sich kein Inder erinnerte.

Ein weiteres Beispiel für die wissenschaftliche Neugierde der Briten ist die Entschlüsselung der Keilschrift. Nachdem sie im Nahen
Osten fast drei Jahrtausende lang die wichtigste Schrift gewesen
war, wurde sie allmählich durch andere ersetzt und verschwand zu
Beginn des ersten Jahrtausends unserer Zeitrechnung. Während der
folgenden zweitausend Jahre begegneten die Bewohner der Region
zwar immer wieder Keilschrift-Texten auf Gebäuden, Stelen, antiken Ruinen und Tonscherben. Doch sie konnten diese sonderbaren
Haken und Kratzer nicht lesen, und nach allem was wir heute wissen,
unternahmen sie auch keinen Versuch. Das europäische Interesse
an der Keilschrift wurde im Jahr 1618 geweckt, als der spanische
Botschafter in Persien einen Ausflug zu den Ruinen der antiken
Stadt Persepolis unternahm und Inschriften sah, die niemand lesen
konnte. Die Nachricht von dieser unbekannten Schrift machte unter
europäischen Gelehrten die Runde und weckte ihre Neugierde. Im
Jahr 1657 veröffentlichten europäische Forscher die erste Kopie einer
Inschrift aus Persepolis. Weitere Abschriften folgten, und zwei Jahr-
hunderte lang versuchten europäische Wissenschaftler erfolglos, die
Texte zu entziffern.

In den 1830er Jahren wurde ein britischer Offizier namens Henry
Rawlinson nach Persien entsandt, um dem Schah beim Aufbau
einer Armee nach europäischen Vorbild behilflich zu sein. In seiner Freizeit reiste Rawlinson durchs Land und wurde von Berg-
führern zu einer 15 Meter hohen und 25 Meter breiten Inschrift auf
einer Felswand im Zāgros-Gebirge geführt – der Behistun-Inschrift.
Der Text, den König Darius I. rund 500 v. u. Z. hoch in den Fels
hatte meißeln lassen, war in drei Sprachen verfasst: Altpersisch,
Elamisch und Babylonisch. Die Einheimischen kannten das Monu-

ment natürlich, doch keiner konnte den Text lesen, und sie interessierten sich auch nicht dafür. Doch Rawlinsons wissenschaftliche Neugier war geweckt. Er war überzeugt, dass die Inschrift eine Tür zu einer alten und vergessenen Welt war. Wenn sich diese Inschrift entziffern ließ, konnten auch die zahlreichen Inschriften und Texte, die damals im Nahen Osten entdeckt wurden, zum Sprechen gebracht werden.

In den nächsten zehn Jahren ging Rawlinson seinem neuen Hobby nach: der Abschrift der Behistun-Inschrift. Er setzte sein Leben aufs Spiel, als er in schwindelerregender Höhe die sonderbaren Zeichen kopierte. Außerdem heuerte er Helfer aus der Gegend an, vor allem einen kurdischen Jungen, der in die unzugänglichsten Teile der Wand kletterte und den oberen Teil der Inschrift kopierte. Im Jahr 1847 hatte er das Projekt abgeschlossen und schickte triumphierend die vollständige Abschrift nach Europa.

Doch Rawlinson ruhte sich nicht auf seinen Lorbeeren aus. Zwischen seinen verschiedenen militärischen und politischen Missionen verbrachte er ungezählte Stunden mit der Suche nach dem Schlüssel, mit dem er die Tür zu dieser geheimnisvollen Kultur öffnen konnte. Nachdem er verschiedene Methoden angewandt und die unterschiedlichsten Kniffe versucht hatte, gelang es ihm schließlich. Zunächst entzifferte er den altpersischen Text der Inschrift. Das war der einfachste, denn Altpersisch unterschied sich nicht allzu sehr vom modernen Persisch, das Rawlinson beherrschte. Nachdem er den altpersischen Teil geknackt hatte, machte er sich daran, auch den elamischen und babylonischen Texten ihr Geheimnis zu entreißen. Die große Tür öffnete sich und heraus strömte ein Jahrtausende altes, aber sehr lebendiges Stimmengewirr – das Gewusel der sumerischen Märkte, die Prahlereien assyrischer Könige und das Gezänk babylonischer Bürokraten.

*

Ein weiteres Beispiel für das enge Zusammenspiel von Imperium und Wissenschaft ist das Leben von Sir William Jones. Im September 1783 kam Jones als Richter des Obersten Gerichtshofs von Bengalen nach Indien. Er war so begeistert von den Wundern des Subkontinents, dass er weniger als ein halbes Jahr nach seiner Ankunft die Asiatic Society gründete. Diese wissenschaftliche Gesellschaft widmete sich dem Studium der Kultur, Geschichte und Gesellschaft Asiens und insbesondere Indiens. Nur zwei Jahre später veröffentlichte Jones ein Buch mit dem Titel *The Sanskrit Language* und begründete damit die neue Disziplin der vergleichenden Sprachwissenschaften.

In seinem Buch verwies Jones auf die erstaunlichen Ähnlichkeiten zwischen Sanskrit (der alten und heiligen Sprache der Hindus) und dem Griechischen und Lateinischen sowie auf Ähnlichkeiten zwischen diesen Sprachen und dem Gotischen, Keltischen, Altpersischen, Deutschen, Französischen und Englischen. In Sanskrit heißt »Mutter« beispielsweise »matar«, im Lateinischen »mater« und im Altkeltischen »mathir«. Jones mutmaßte, dass diese Sprachen einen gemeinsamen Ursprung haben und zu derselben Sprachfamilie gehören mussten (die später als indogermanische oder indoeuropäische Sprachfamilie bezeichnet werden sollte).

Wenn *The Sanskrit Language* eine bahnbrechende Untersuchung war, dann nicht nur wegen der gewagten These (die sich als richtig herausstellte), sondern auch wegen der Methode, mit der Jones verschiedene Sprachen miteinander verglich. Diese Methode wurde von zahlreichen anderen Sprachforschern übernommen und ermöglichte die systematische Untersuchung der Entwicklung aller Sprachen der Welt.

Die Imperien unterstützten die Sprachwissenschaften begeistert. Die europäischen Kolonialherren waren der Ansicht, um effektiv herrschen zu können, müssten sie die Sprachen und Kulturen ihrer Untertanen verstehen. Britische Offiziere, die nach Indien versetzt wurden, mussten bis zu drei Jahre lang in Kalkutta die Schulbank drücken und studierten dort hinduistisches und islamisches neben englischem Recht; Sanskrit, Urdu und Persisch neben Griechisch und Latein; und die Kultur der Tamilen, Bengalen und Hindustani neben Mathematik, Wirtschaft und Geographie. Die Sprachwissenschaften boten ein unverzichtbares Werkzeug, um die Struktur und Grammatik der einheimischen Sprachen zu verstehen.

Dank der Arbeit von Menschen wie William Jones und Henry Rawlinson besaßen die europäischen Eroberer hervorragende Kenntnisse über ihre Imperien – mehr als alle früheren Eroberer und mehr als die Einheimischen selbst. Ihr überlegenes Wissen brachte ihnen natürlich eine ganze Menge praktischer Vorteile. Ohne dieses Instrument wäre es den Briten vermutlich nie gelungen, mit einem geradezu lächerlichen Kontingent zwei Jahrhunderte lang Hunderte Millionen von Indern zu beherrschen. Im ganzen 19. und zu Beginn des 20. Jahrhunderts reichten weniger als 5000 britische Beamte, zwischen 40 000 und 70 000 britische Soldaten und geschätzte 100 000 britische Unternehmer, Frauen, Kinder und Mitläufer aus, um 300 Millionen Inder zu unterwerfen und zu beherrschen.[10]

Doch die Imperien finanzierten die Sprachforscher, Botaniker, Geographen und Historiker nicht nur aufgrund der naheliegenden praktischen Vorteile. Die Wissenschaften lieferten dem Imperialismus außerdem ein ideologisches Feigenblatt. Die modernen Europäer waren überzeugt, dass Wissenserwerb an sich gut ist. Die Tatsache, dass Imperien unablässig neues Wissen hervorbrachten, ließ sie in einem fortschrittlichen und positiven Licht erscheinen. Bis heute kann man in historischen Darstellungen der Geographie, Archäologie oder Botanik lesen, wie segensreich der Imperialismus doch gewesen sei – zumindest zwischen den Zeilen. Geschichten der Botanik breiten den Mantel des Schweigens über das Leid der Aborigines, doch für James Cook oder Joseph Banks haben sie meist ein gutes Wort übrig.

Und natürlich kam das von den Imperialisten gesammelte Wissen auch den unterworfenen Völkern zugute und brachte ihnen den »Fortschritt« in Form von Medizin und Bildung, Eisenbahnlinien und Kanälen, Recht und Wohlstand – zumindest theoretisch. Damit konnten die europäischen Imperialisten behaupten, den Kolonialherren gehe es nicht um Ausbeutung, sondern sie trugen »die Bürde des Weißen Mannes«, wie Rudyard Kipling es in dem gleichnamigen Gedicht nannte:

Die Bürde des Weißen Mannes

Ergreift die Bürde des Weißen Mannes
schickt die Besten aus, die ihr erzieht;
Bannt eure Söhne ins Exil
den Bedürfnissen euerer Gefangenen zu dienen;
in schwerem Geschirre aufzuwarten
verschreckten wilden Leuten
euren neugefangenen verdrossenen Völkern,
halb Teufel und halb Kind.

Dieser Ideologie zufolge nahmen die Europäer die Kolonialherrschaft aus reiner Selbstlosigkeit und zum Nutzen der Nichteuropäer auf sich.

Die Tatsachen widersprachen diesem Mythos allerdings. Im Jahr 1764 eroberten die Briten Bengalen, seinerzeit die reichste Provinz Indiens. Die neuen Herrscher waren in erster Linie daran interessiert, sich die Taschen zu füllen. Dazu verfolgten sie eine verheerende Wirtschaftspolitik, die innerhalb kürzester Zeit zu einer riesigen Hungersnot führte. Die Katastrophe begann im Jahr 1769, erreichte im Jahr darauf verheerende Ausmaße und endete erst 1773. Rund zehn Millionen Bengali, etwa ein Drittel aller Einwohner der Provinz, kamen ums Leben.[11] Das hinderte William Jones und seine Kollegen jedoch nicht daran zu behaupten, sie brächten Bengalen den Fortschritt.

Doch unterm Strich trifft die Geschichte von der Unterdrückung und Ausbeutung genauso wenig zu wie die von der »Bürde des

Weißen Mannes«. Die europäischen Imperien waren auf so vielen Gebieten und in so vielfältiger Weise tätig, dass Kritiker leicht von den Kolonialherren verschuldete Katastrophen und Verbrechen finden, während Befürworter genauso leicht lange und eindrucksvolle Listen von Vorzügen und Fortschritten zusammenstellen können. Aufgrund ihrer Allianz mit den Wissenschaften hatten die europäischen Imperien eine derartige Machtfülle und agierten in derart gewaltigen Dimensionen, dass sie vermutlich jenseits von Gut und Böse waren. Sie schufen die Welt, wie wir sie heute kennen, und sie lieferten die Ideologien, aufgrund derer wir heute unsere moralischen Urteile fällen.

Doch das Imperium fand auch andere und unheilvollere Anwendungen für die Wissenschaften. Biologen, Anthropologen und selbst Sprachwissenschaftler sollten den wissenschaftlichen Beweis liefern, dass die Europäer allen anderen Rassen überlegen waren, weshalb sie das Recht (und vielleicht sogar die Pflicht) hatten, über den Rest der Welt zu herrschen. William Jones argumentierte beispielsweise, dass alle indoeuropäischen Sprachen von einer einzigen Ursprache abstammten. Viele Wissenschaftler wollten herausfinden, wer diese Sprache gesprochen haben könnte. Dabei stellten sie fest, dass sich die ersten Sprecher des Sanskrit, die vor mehr als 3000 Jahren von Zentralasien nach Indien einfielen, *Arya* nannten. Die Sprecher der ältesten persischen Sprachen bezeichneten sich als *Airiia*. Daraus schlossen die europäischen Wissenschaftler, dass die Sprecher dieser Ursprache, aus der Sanskrit, Persisch und natürlich auch Griechisch, Latein, Gotisch oder Keltisch hervorgingen, »Arier« geheißen haben könnten. Sollte es ein bloßer Zufall sein, dass die Begründer der großartigen indischen und persischen Kulturen und der nicht weniger großartigen Kulturen von Griechenland und Rom sämtlich Arier waren?

Im nächsten Schritt vermengten britische, französische und deutsche Wissenschaftler die linguistische Theorie der fleißigen Arier mit Darwins Theorie der natürlichen Auslese und behaupteten, die Arier seien nicht nur eine Sprachfamilie gewesen, sondern eine biologische Gruppe – eine Rasse. Und zwar nicht irgendeine Rasse, sondern eine Herrenrasse von großen, blonden, blauäugigen, fleißigen und superintelligenten Menschen, die aus den Nebeln des Nordens hervorbrachen und in aller Welt den Grundstein der Kultur legten. Bedauerlicherweise vermischten sich die Arier, die Indien und Persien erobert hatten, mit der einheimischen und nicht-arischen Bevölkerung. Sie verloren ihr blondes Haar und mit ihm ihre Intelligenz und ihren Fleiß. Das wiederum habe zur Folge gehabt, dass Indien und Persien degenerierten und schwächer geworden seien. In Europa hätten sich die Arier dagegen ihre rassische Reinheit erhalten. Aus diesem Grund seien die Europäer in der Lage gewesen, die Welt zu erobern und als Einzige fähig, sie zu regieren – immer vorausgesetzt, sie vermischten sich nicht mit den minderwertigen Rassen.

In den letzten Jahrzehnten sind rassistische Theorien, die lange in hohem Ansehen standen, unter Wissenschaftlern und Politikern ein absolutes Tabu. Damit ist die Diskriminierung jedoch keineswegs zu Ende, denn an die Stelle des Rassismus der imperialistischen Ideologie ist heute ein »Kulturismus« getreten. Das Wort »Kulturismus« gibt es zwar nicht, aber es ist an der Zeit, es einzuführen. Viele Menschen führen nach wie vor einen heldenhaften Kampf gegen den Rassismus und bemerken gar nicht, dass sich die Fronten längst verlagert haben. Die heutigen Eliten kleiden ihre Behauptungen über die Vorzüge bestimmter menschlicher Gruppen nämlich nicht mehr in ein biologisches Gewand, sondern erklären sie mit Hilfe von vermeintlichen historischen Unterschieden. Heute sagt niemand mehr, »es liegt ihnen im Blut«. Heute heißt es, »es liegt in ihrer Kultur«.

Daher achten die rechten Parteien in Europa, die gegen Einwanderung aus muslimischen Ländern Front machen, sehr sorgfältig darauf, rassistisches Vokabular zu meiden. Jean-Marie le Pen hätte nie im Fernsehen behauptet: »Die arische Rasse ist der semitischen von Natur aus überlegen. Wir müssen verhindern, dass die minderwertigen semitischen Rassen das arische Blut verwässern und die arische Kultur zerstören.« Stattdessen behaupten die Politiker des französischen Front National, der niederländischen Partij voor de Vrijheid, des Bündnisses Zukunft Österreich und ähnlicher Parteien mit fremdenfeindlichen Programmen, die westliche Kultur, die sich in Europa entwickelt habe und sich durch demokratische Werte, Toleranz und Gleichheit der Geschlechter auszeichne, sei der islamischen Kultur überlegen, die im Nahen Osten entstanden sei und sich durch autokratische Politik, Fanatismus und Frauenhass auszeichne. Da sich diese beiden Kulturen so stark unterschieden, und da viele Muslime nicht bereit seien, die westlichen Werte anzunehmen, könnten sie auch nicht im Westen leben, da sie nur Konflikte in diese Gesellschaften tragen und die europäischen Demokratien aushöhlen würden.

Kulturistische Thesen wie diese werden durch Untersuchungen von Geistes- und Sozialwissenschaftlern unterfüttert. Nicht alle Historiker und Anthropologen akzeptieren diese Theorien und die wenigsten heißen ihre Verwendung durch die Politik gut. Aber während es Biologen heute leicht fällt, sich vom Rassismus zu distanzieren, ist es für Historiker und Anthropologen schwer, auf Abstand zum Kulturismus zu gehen. Biologen verweisen gern darauf, dass die Unterschiede zwischen den verschiedenen menschlichen Populationen vernachlässigbar gering sind, sodass die Biologie den Rassisten inzwischen keine Nahrung mehr bietet. Historiker und Anthropologen können dagegen schlecht behaupten, dass die Unterschiede zwischen den verschiedenen menschlichen Kulturen vernachlässigbar gering sind. Wenn die Unterschiede so gering wären, warum sollte man dann Historiker und Anthropologen bezahlen, um sie zu erforschen?

*

So unterstützten sich Wissenschaft und Imperialismus gegenseitig. Die Wissenschaftler lieferten das praktische Wissen, die ideologische Rechtfertigung und die technischen Werkzeuge. Ohne ihren Beitrag hätten die Europäer schwerlich die Welt erobern können. Die Eroberer bedankten sich, indem sie den Wissenschaftlern Informationen und Schutz boten, alle möglichen sonderbaren und faszinierenden Projekte finanzierten und die wissenschaftliche Denkweise bis in die entlegensten Weltregionen brachten. Ohne die Unterstützung durch den Imperialismus wäre die europäische Wissenschaft vermutlich nicht allzu weit gekommen. Es gibt nur wenige wissenschaftliche Disziplinen, die nicht als Handlanger der imperialistischen Expansion begannen und ihre Entdeckungen, Sammlungen, Gebäude und Bibliotheken nicht der großzügigen Unterstützung durch Offiziere der Armee, Kapitäne der Marine und Gouverneure der Kolonien verdanken.

Das ist allerdings noch nicht die ganze Geschichte. Die Wissenschaft wurde nämlich nicht nur durch den Imperialismus unterstützt, sondern auch durch andere Einrichtungen. Und die europäischen Kolonialreiche verdanken ihren Erfolg ihrerseits nicht nur den Wissenschaften, sondern auch anderen Faktoren. Hinter dem kometenhaften Aufstieg von Wissenschaft und Imperialismus steht eine weitere wichtige Kraft. Scharfsichtige Beobachter können im Halbdunkel den Frack und eleganten Zylinder des Kapitalisten ausmachen, der sein Scheckbuch zückt. Ohne Unternehmer, die auf einen Profit hofften, wäre Kolumbus nie nach Amerika gekommen, James Cook hätte nie seinen Fuß auf australischen Boden gesetzt, und Neil Armstrong hätte nie diesen kleinen Schritt auf dem Mond gemacht.

Kapitel 16

Die Religion des Kapitalismus

Versuchen Sie mal, ohne Geld Wissenschaft zu betreiben oder ein Imperium zu erobern. Andererseits, warum sollte man das überhaupt wollen, wenn kein Gewinn dabei herausspringt? Geld ist untrennbar mit der wissenschaftlichen Revolution verbunden. Aber ist Geld das Ziel oder nur ein gefährliches Mittel auf dem Weg dorthin?

Geld ist ein launischer Freund. Es hat Staaten gegründet und in den Ruin gestürzt, neue Horizonte eröffnet und Millionen versklavt, das Räderwerk der Industrie angetrieben und Tausende Arten ausgerottet. So komplex die Geschichte der modernen Wirtschaft ist, sie lässt sich mit einem einzigen Wort zusammenfassen: Wachstum. Ob es uns gefällt oder nicht, in den letzten 500 Jahren ist die Wirtschaft so rasant gewachsen wie der hormongeflutete Körper eines Jugendlichen. Mit ihrem unersättlichen Appetit verschlingt sie alles, was sie greifen kann, und wächst mit atemberaubenden Tempo.

Über Jahrtausende hinweg befand sich die Wirtschaft im Stillstand. Natürlich wuchs die weltweite Produktion allmählich, aber das lag am Bevölkerungswachstum und an der Besiedlung neuer Gebiete. Die Pro-Kopf-Produktion blieb dagegen weitgehend gleich. In der Neuzeit änderte sich dies dramatisch. Im Jahr 1500 wurden weltweit Güter und Dienstleistungen im Wert von umgerechnet rund 250 Milliarden Dollar produziert. Heute sind es etwa 60 Billionen Dollar. Interessanter ist jedoch, dass im Jahr 1500 die Produktion pro Kopf umgerechnet bei durchschnittlich 550 Dollar lag, während heute jeder Mann, jede Frau und jedes Kind pro Jahr durchschnittlich Waren und Dienstleistungen im Wert von 8800 Dollar produziert.[1] Wie lässt sich dieses erstaunliche Wachstum erklären?

Die Wirtschaft ist berüchtigt für ihre Kompliziertheit. Um die Sache zu vereinfachen, nehmen wir ein hypothetisches Beispiel:

Herr Taler gründet eine Bank.

Der Bauunternehmer Maurer hat gerade ein großes Projekt abgeschlossen und 1 Million Euro kassiert, die er auf die neue Bank bringt. Nun hat die Bank ein Kapital von 1 Million.

Frau Back träumt davon, eine Großbäckerei zu eröffnen. Leider fehlt ihr das nötige Kleingeld. Also geht sie zur Bank, erzählt Herrn Taler von ihrem Traum und geht mit einem Kredit von 1 Million nach Hause.

Frau Back beauftragt Herrn Maurer, ihr für den stolzen Preis von 1 Million eine Großbäckerei zu bauen, und zahlt im Voraus.

Herr Maurer nimmt die Million und trägt sie auf die Bank.

Wie viel Geld hat Herr Maurer jetzt auf dem Konto?

2 Millionen.

Und wie viel Geld befindet sich wirklich in der Bank?

1 Million.

Doch damit ist die Geschichte noch nicht zu Ende. Wie es in solchen Fällen eben so geht, informiert Herr Maurer seine Kundin Frau Back, dass sich unvorhergesehene Schwierigkeiten ergeben haben und der Bau nun 2 Millionen kostet. Aber Frau Back lässt sich nicht aus der Ruhe bringen. Sie geht noch einmal zur Bank, überzeugt Herrn Taler, ihr einen weiteren Kredit zu geben und geht mit einer weiteren Million in der Tasche nach Hause. Dieses Geld gibt sie Herrn Maurer, der es auf sein Konto einzahlt.

Wie viel Geld hat Herr Maurer jetzt auf seinem Konto?

3 Millionen.

Und wie viel Geld befindet sich wirklich in der Bank?

Immer noch nur 1 Million. Und zwar dieselbe Million, die von Anfang an auf der Bank lag.

Nach den Gesetzen des modernen Bankwesens lässt sich dieses Spiel noch sieben Mal wiederholen: Dann hätte Herr Maurer 10 Millionen auf seinem Konto, während die Bank nur eine Million im Tresor hat. Für jeden Euro, den eine Bank besitzt, darf sie zehn verleihen, was umgekehrt bedeutet, dass 90 Prozent des Geldes auf unseren Konten nicht durch »echtes Geld« gedeckt ist.[2] Wenn alle Kunden von Herrn Talers Bank plötzlich das Geld von ihren Konten abheben wollen, bricht sie zusammen. Und dasselbe gilt für Barclays, Lloyds, die Deutsche Bank, die Citibank und jede andere Bank der Welt.

Ist das Ganze also ein riesiges Schneeballsystem und ein riesiger Schwindel? Wenn ja, dann ist die gesamte moderne Wirtschaft ein Schwindel. Aber Jahrhunderte des realen Wirtschaftswachstums lassen vermuten, dass es sich nicht um einen Betrug handelt, sondern um eine Meisterleistung der menschlichen Fantasie. Banken und damit die ganze Wirtschaft funktionieren nur, weil wir Vertrauen in die Zukunft haben. Der Wert unseres Geldes ist fast ausschließlich durch dieses Vertrauen gedeckt.

In unserem Fall wird die Differenz zwischen dem Kontoauszug von Herrn Maurer und der Summe im Tresor der Bank durch die Bäckerei gedeckt, die bislang nur in der Fantasie der Beteiligten existiert und eines Tages Wirklichkeit werden könnte. Sowohl Frau Back als auch Herr Taler stellen sich vor, dass die Bäckerei in etwa einem Jahr ihren Betrieb aufnimmt und dann täglich Tausende Brote, Brötchen, Torten und Kuchen backt. Der Gewinn aus den Verkäufen deckt die Differenz, denn mit ihm kann Frau Back ihren Kredit zurückzahlen und Herr Maurer seine Ersparnisse abheben. Aber diese Backwaren sind bislang ein reines Fantasieprodukt. Die Bäckerei lässt sich nur mit dem Vertrauen errichten, das Frau Back und Herr Taler in ihre Fantasie und Herr Maurer in die Bank haben.

Wir haben schon gesehen, dass Geld eine erstaunliche Erfindung ist, weil es die unterschiedlichsten Dinge repräsentieren kann und alles in fast alles verwandeln kann. Doch vor Beginn der Neuzeit waren dem Geld Fesseln angelegt. Es konnte nämlich nur Dinge repräsentieren oder verwandeln, die im Hier und Jetzt existierten. Dadurch war das Wachstum erheblich eingeschränkt, denn das erschwerte die Finanzierung neuer Unternehmungen.

Nehmen wir unsere Bäckerei. Was wäre passiert, wenn das Geld nur Dinge repräsentieren kann, die tatsächlich existieren? Die Bäckerei wäre nie gegründet worden. Frau Back hat zwar eine Menge Ideen im Kopf, aber sie kann nichts Handfestes vorweisen. Wenn sie einen Bauunternehmer findet, der bereit ist, mit seiner Arbeit in Vorlage zu treten und sich in ein paar Jahren bezahlen zu lassen, dann ist alles schön und gut. Doch solche Leute sind rar. Damit hat Frau Back ein Problem: Sie hat ja noch keine Bäckerei und deswegen auch keine Kuchen. Kein Kuchen, kein Geld. Kein Geld, kein Bauunternehmer. Kein Bauunternehmer, keine Bäckerei.

DER TEUFELSKREIS DER
VORMODERNEN WIRTSCHAFT

Keine Bäckerei   Kein Kuchen

Kein Bau-   Kein Geld
unternehmer

In diesem Stillstand war die Menschheit über Jahrtausende hinweg gefangen. Erst in der Neuzeit befreite sie sich aus dieser Falle, als ein neues System aufkam, das auf Vertrauen in die Zukunft aufgebaut war. In diesem neuen System kamen die Menschen überein, imaginäre Güter (also solche, die es im Hier und Jetzt noch nicht gab) durch eine besondere Art von Geld zu repräsentieren, die sie »Kredit« nannten. Dieser Kredit erlaubt uns, die Gegenwart auf Kosten der Zukunft zu erschaffen. Kredit basiert auf dem Gedanken, dass wir in Zukunft mehr Ressourcen zur Verfügung haben werden als in der Gegenwart. Wenn wir heute Dinge aufbauen und mit dem Einkommen von morgen bezahlen können, dann eröffnen sich ungeahnte Möglichkeiten.

DER MAGISCHE ZIRKEL
DER MODERNEN WIRTSCHAFT

Vertrauen
in die Zukunft

Kredit

Honorar für
Bauunternehmer

Kuchen,
die Kredite ab-
bezahlen

Neue
Bäckereien

Wenn der Kredit so eine wunderbare Sache ist, warum kam die Menschheit dann nicht früher auf diesen Gedanken? Natürlich tat sie das. Schon die alten Sumerer verliehen Geld. Das Problem war nur, dass niemand ausreichendes Vertrauen in die Zukunft hatte, um größere Kredite zu vergeben. Die meisten Menschen waren überzeugt, die Geschichte trete auf der Stelle oder schlimmer noch, es ginge immer weiter bergab. In wirtschaftliche Begriffe übersetzt glaubten sie also, dass die Gesamtsumme des Wohlstands begrenzt war und vielleicht sogar immer kleiner wurde – dass die Wirtschaft wachsen würde, konnten sie sich nicht vorstellen. Nur wenige hatten das Vertrauen, dass sie, ihr Land oder die ganze Welt in zehn Jahren mehr produzieren könnte als heute. Die Wirtschaft war also ein Nullsummenspiel. Wenn eine Bäckerei größere Gewinne erzielte, dann nur auf Kosten einer anderen Bäckerei. Venedig könnte zwar einen Boom erleben, aber nur, weil es mit Genua gleichzeitig bergab ging. Der König von England könnte zwar reicher werden, aber nur auf Kosten des Königs von Frankreich. Die Wirtschaft war wie ein Kuchen, der nie größer wurde. Man konnte ihn zwar in verschieden große Stücke schneiden, aber es war immer derselbe Kuchen.

Das war auch der Grund, warum Reichtum in vielen Kulturen als Sünde galt. Oder wie Jesus sagte: »Eher geht ein Kamel durch ein Nadelöhr, als dass ein Reicher in das Reich Gottes gelangt.« (Matthäus 19,24) Wenn der Kuchen immer gleich groß ist, und ich mir ein großes Stück herausschneide, dann muss ich mir etwas genehmigt haben, das anderen zusteht. Deshalb mussten die Reichen Buße tun und einen kleinen Teil ihres Reichtums den Armen spenden.

Und da der Kuchen nicht größer wurde, gab es kaum Kredit. Kredit ist nämlich die Differenz zwischen dem Kuchen von heute und dem Kuchen von morgen. Wenn der Kuchen nicht größer wird, warum sollte man dann Kredite vergeben? Wenn man einem Bäcker oder König Geld lieh, musste man schon hoffen, dass sie jemand anderem ein Stück abzwackten. Daher vergab kaum jemand Kredite, und wenn, dann nur kurzfristig kleine Summen zu horrenden Zinsen. Unter diesen Umständen hätte Frau Back ihre Bäckerei nie eröffnet, und Könige konnten ihre Paläste oder Kriege nur finanzieren, indem sie neue Steuern erhoben.

Es war eine Situation, in der alle nur verlieren konnten. Da es kaum Kredit gab, wurden kaum Unternehmen gegründet. Und ohne neue Unternehmen dümpelte die Wirtschaft vor sich hin. Da die Wirtschaft nicht wuchs, nahmen alle an, dass sie nie wachsen würde, und wer Geld hatte, verspürte wenig Lust, es zu verleihen. Die Erwartung der Stagnation erfüllte sich selbst.

Ein Kuchen, der immer größer wird

Dann kam die wissenschaftliche Revolution und mit ihr der Fortschrittsgedanke. Letzterer basiert auf der Vorstellung, dass wir unsere Situation verbessern können, wenn wir unsere Unwissenheit eingestehen und Ressourcen in Forschung investieren. Dieser Gedanke wurde bald von der Wirtschaft aufgegriffen. Wer an Fortschritt glaubt, ist überzeugt, dass sich die Gesamtsumme der menschlichen Produktion, des Handels und des Wohlstands mit Hilfe von Entdeckungen, Erfindungen und Verbesserungen vergrößern lässt. Wir können neue Handelsrouten im Atlantik aufbauen, ohne die Profite der alten Handelsrouten im Indischen Ozean zu schmälern. Wir können neue Güter produzieren, ohne die Produktion der alten zu beeinträchtigen. Wir könnten eine Bäckerei eröffnen, die sich auf Sachertorte und Croissants spezialisiert, ohne dass deshalb die Vollkornbäcker pleitegehen. Jeder entwickelt einen anderen Geschmack und isst einfach mehr. Ich kann reich werden, ohne dass Sie deshalb arm werden; ich kann Übergewicht haben, ohne dass Sie verhungern. Der globale Kuchen kann einfach größer werden.

In den vergangenen fünf Jahrhunderten haben wir unter dem Eindruck des Fortschrittsgedankens immer mehr Vertrauen in die Zukunft investiert. Dieses Vertrauen stellte Kredite bereit, die Kredite kauften reales Wirtschaftswachstum, das Wirtschaftswachstum stärkte das Vertrauen in die Zukunft und bereitete den Boden für neue Kredite. Das passierte natürlich nicht über Nacht, und der Weg dorthin glich gelegentlich einer Achterbahnfahrt. Aber aus der Perspektive eines Satelliten in der Erdumlaufbahn ist der Trend eindeutig. Heute steht so viel Kredit zur Verfügung, dass Regierungen, Unternehmen und Privatpersonen problemlos langfristig und zu niedrigen Zinsen große Summen aufnehmen können, die ihr gegenwärtiges Einkommen weit übersteigen.

DER VORMODERNE ZIRKEL   DER MODERNE ZIRKEL

geringes Vertrauen in die Zukunft — wenig Kredit — langsames Wachstum

großes Vertrauen in die Zukunft — viel Kredit — schnelles Wachstum

Dieser Glaube an den immer größer werdenden Kuchen entwickelte eine gewaltige Sprengkraft. Im Jahr 1776 veröffentlichte der schottische Philosoph Adam Smith sein Buch *Wohlstand der Nationen*, das vielleicht wichtigste wirtschaftliche Manifest aller Zeiten. In den acht Kapiteln des ersten Bandes entwickelte Smith folgenden neuen Gedankengang: Wenn ein Landbesitzer, Weber oder Schuhmacher größere Gewinne erwirtschaftet, als er zum Unterhalt seiner Familie benötigt, dann nutzt er diesen Überschuss, um mehr Mitarbeiter zu beschäftigen und seine Gewinne weiter zu steigern. Je mehr Gewinne er erwirtschaftet, umso mehr Mitarbeiter beschäftigt er. Daraus folgt, dass die Gewinnsteigerung von Unternehmern die Grundlage für den kollektiven Wohlstand ist.

Wenn Sie das nicht sonderlich originell finden, dann liegt das daran, dass wir in einer kapitalistischen Gesellschaft leben, die Smiths Gedanken längst verinnerlicht hat. Variationen dieser Idee hören wir in jeder Nachrichtensendung. Doch Smiths Argument, dass das private Gewinnstreben zu kollektivem Wohlstand führt, ist einer der revolutionärsten Gedanken der Menschheitsgeschichte. Revolutionär nicht nur in wirtschaftlicher, sondern auch in moralischer und politischer Hinsicht. Mit anderen Worten behauptet Smith nämlich, Gier sei gut, und wenn ich reicher werde, nutze ich damit nicht nur mir selbst, sondern allen. Egoismus ist Altruismus.

Smith brachte den Menschen bei, die Wirtschaft als Win-Win-Situation zu verstehen, in der ein Gewinn für mich auch ein Gewinn für Sie ist. Wir können nicht nur beide ein größeres Stück vom Kuchen abbekommen – Ihr Stück wird nur größer, wenn meines auch größer wird. Wenn ich arm bin, bleiben Sie auch arm, weil ich mir Ihre Produkte oder Dienstleistungen nicht leisten kann. Und wenn ich reich bin, geht es auch Ihnen besser, weil Sie mir jetzt etwas verkaufen können. Smith leugnete den traditionellen Gegensatz zwischen Reichtum und Moral und stieß den Reichen das Tor zum Himmelreich weit auf. Reich zu sein bedeutet, ein moralischer Mensch zu sein. Wenn man Smith glaubt, werden die Reichen nicht deshalb reich, weil sie ihren Nachbarn über den Tisch ziehen, sondern weil sie den Kuchen größer machen. Und wenn der Kuchen größer wird, haben alle etwas davon. Die Reichen sind folglich die größten Wohltäter einer Gesellschaft, denn sie sind der Motor des Wachstums, von dem alle profitieren.

Das hängt allerdings davon ab, dass die Reichen ihre Gewinne nicht verprassen, sondern zum Bau neuer Fabriken und zur Schaffung neuer Arbeitsplätze verwenden. Smith wiederholte daher gebetsmühlenartig sein Motto »wenn seine Gewinne steigen, beschäftigt der Weber mehr Mitarbeiter« und nicht etwa »wenn seine Gewinne steigen, feiert der Weber ein rauschendes Fest«. Ein entscheidender Faktor der modernen kapitalistischen Wirtschaft ist die Geburt einer neuen Ethik, nach der Gewinne wieder in die Produktion gesteckt werden. Eine Fabrik erzielt Gewinne, diese Gewinne werden in die Fabrik zurück investiert, was wiederum für neue Gewinne sorgt, die erneut in die Fabrik gesteckt werden, was die Gewinne weiter steigen lässt, und so weiter bis zum jüngsten Tag. Die Gewinne lassen sich auf unterschiedliche Weise investieren: in den Ausbau der Fertigungsanlage, in die wissenschaftliche Forschung oder in die Entwicklung neuer Produkte. Doch alle Investitionen müssen in irgendeiner Form zur Produktions- und Gewinnsteigerung beitragen. In der neuen kapitalistischen Religion lautet das erste und wichtigste Gebot: »Du sollst die Gewinne aus der Produktion in die Steigerung der Produktion investieren.«

Deshalb heißt er ja auch »Kapitalismus«. Kapital ist nämlich etwas ganz anderes als bloßer Reichtum. Kapital besteht aus Geld, Gütern

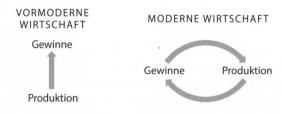

VORMODERNE
WIRTSCHAFT

Gewinne

Produktion

MODERNE WIRTSCHAFT

Gewinne   Produktion

und Ressourcen, die in die Produktion investiert werden. Reichtum wird dagegen verbuddelt oder verprasst. Ein Pharao, der seinen Staatsschatz in den Bau einer unproduktiven Pyramide steckt, ist kein Kapitalist. Ein Pirat, der eine spanische Galeone überfällt und eine Kiste voller Goldmünzen am Strand einer Karibikinsel vergräbt, ist kein Kapitalist. Aber ein Hilfsarbeiter einer Fabrik, der einen Teil seines sauer verdienten Lohns in Aktien anlegt, ist ein Kapitalist.

Der Gedanke, dass die Gewinne aus der Produktion in die Steigerung der Produktion investiert werden müssen, mag banal klingen. Trotzdem war er den Menschen lange Zeit fremd. Vor Beginn der Neuzeit glaubten sie, die Produktion sei mehr oder weniger konstant, weshalb es sinnlos war, Gewinne in die Produktion zurück zu investieren: Egal was wir anstellen, die Produktion steigt ohnehin nicht. Daher lebten die mittelalterlichen Adeligen nach einer Ethik der Großzügigkeit und des Geltungskonsums. Sie gaben ihre Einnahmen für Turniere, Bankette, Paläste und Kriege oder für Wohltätigkeiten und den Bau von Kathedralen aus. Nur wenige versuchten, ihre Gewinne zu investieren, um die Erträge ihrer Landgüter zu steigern, bessere Weizensorten zu züchten oder neue Märkte zu erschließen.

Mit Beginn der Neuzeit wurde der Adel von einer neuen Elite abgelöst, deren Angehörige wahre Gläubige der kapitalistischen Religion waren. Diese neue Elite bestand nicht aus Grafen und Baronen, sondern aus Aufsichtsratsvorsitzenden, Aktienhändlern und Industriellen. Diese Magnaten sind reicher als der mittelalterliche Adel, aber anders als ihre verschwenderischen Vorgänger haben sie weniger Interesse daran, ihr Geld zur Schau zu stellen, und verprassen nur einen kleinen Teil ihrer Gewinne.

Die Adeligen des Mittelalters trugen farbenprächtige, mit Silber und Gold bestickte Roben und verbrachten ihre Zeit mit Banketten, Kostümfesten und prunkvollen Turnieren. Moderne Unternehmensvorstände tragen dagegen langweilige Uniformen namens »Anzüge«, in denen sie ungefähr so farbenprächtig aussehen wie ein Krähenschwarm, und haben wenig Zeit für Kostümfeste oder Bankette. Der typische Investor eilt von einem Geschäftstermin zum nächsten, um geeignete Geldanlagen aufzuspüren und das Auf und Ab seiner Aktien zu verfolgen. Er trägt zwar einen Anzug von Versace und reist in einem Privatjet, doch diese Ausgaben sind nichts im Vergleich zu den Summen, die er in die Produktionssteigerung investiert.

Aber nicht nur die Unternehmer in Versace-Anzügen investieren in die Produktion. Selbst relativ arme Menschen halten die Augen nach den besten Investitionen offen und diskutieren beim Abendessen darüber, ob sie ihre wertvollen Ersparnisse lieber in Aktien oder in Immobilien anlegen sollen. Auch Staaten wollen ihre Steuereinnahmen in produktive Unternehmungen stecken, die zusätzliche Einnahmen bringen. Die einen bauen Hafenanlagen, um die Exporte und damit die künftigen Steuereinnahmen zu steigern. Andere investieren in die Bildung, weil gut ausgebildete Bürger produktiver sind und mehr Steuern zahlen, die sich wieder in das Schulsystem investieren lassen.

*

Der Kapitalismus begann als eine Theorie, die das Funktionieren der Wirtschaft erklärte. Doch die Theorie beschrieb nicht nur, sie bot auch eine Anleitung. Und allmählich wurde aus der Theorie auch eine Religion mit eigenen Verhaltensregeln. Der wichtigste Glaubenssatz des Kapitalismus besagt, dass Wirtschaftswachstum das höchste Gut ist, oder dass es zumindest stellvertretend für das höchste Gut steht, denn Gerechtigkeit, Freiheit und sogar Glück hängen vom Wachstum ab. Fragen Sie doch einmal spaßeshalber einen Kapitalisten, wie man Gerechtigkeit und politische Freiheit nach Simbabwe oder Afghanistan bringen kann. Wahrscheinlich bekommen Sie einen Vortrag zu hören, dass Wohlstand und eine prosperierende Mittelschicht die Voraussetzung für stabile demokratische Institutionen sind und dass afghanische Hirten zu Unternehmensgründern werden müssen.

Die neue Religion hatte auch entscheidenden Einfluss auf die Entwicklung der modernen Wissenschaften. In aller Regel wird die Forschung von staatlichen Einrichtungen oder privaten Unternehmen finanziert. Wenn kapitalistische Staaten und Unternehmen erwägen, ob sie ein bestimmtes Forschungsprojekt fördern sollen oder nicht, lautet die erste Frage: »Ermöglicht dieses Projekt die Steigerung der Produktion und der Gewinne? Lässt es die Wirtschaft wachsen?« Kann ein Projekt diese Fragen nicht mit Ja beantworten, hat es kaum Chancen, einen Geldgeber zu finden. Eine Geschichte der modernen Wissenschaften, die den Kapitalismus ausklammert, ist das Papier nicht wert, auf dem sie gedruckt wird.

Umgekehrt lässt sich die Geschichte des modernen Kapitalismus nur verstehen, wenn man die Wissenschaften mit einbezieht. Der Kapitalismus ist der Glaube an das grenzenlose Wachstum der Wirtschaft. Dieser Glaube widerspricht so ziemlich allem, was wir über das Universum wissen. Ein Wolfsrudel würde sich einem fatalen Irrtum hingeben, wenn es glauben würde, dass das Angebot an Schafen immer weiter wächst. Wenn die menschliche Wirtschaft in der Neuzeit trotzdem exponentiell gewachsen ist, dann hat sie das dem Umstand zu verdanken, dass Wissenschaftler alle paar Jahre neue Fortschritte erzielen, Amerika entdecken, die Dampfmaschine entwickeln oder Schafe klonen. Banken und Staaten drucken Geld, aber unterm Strich zahlen die Wissenschaftler die Zeche.

Kolumbus sucht einen Sponsor

Der Kapitalismus spielte nicht nur beim Aufstieg der modernen Wissenschaften eine entscheidende Rolle, sondern auch bei der Expansion des europäischen Imperialismus. Und auf der anderen Seite waren es die europäischen Imperialisten, die das kapitalistische Kreditwesen ins Leben riefen. Natürlich wurde der Kredit nicht in Europa erfunden: Der Kredit ist so alt wie das Geld, und der Aufstieg des Kapitalismus zu Beginn der Neuzeit war eng mit wirtschaftlichen Entwicklungen in Asien verknüpft. Erinnern wir uns daran, dass Asien bis zum Ende des 18. Jahrhunderts das Herz der Weltwirtschaft war und die Europäer sehr viel weniger Kapital zur Verfügung hatten als die Chinesen, Araber oder Inder.

Doch in China, Indien und der islamischen Welt spielten Kredit und Kapitalismus nur eine untergeordnete Rolle. Die Händler und Geldverleiher auf den Märkten von Istanbul, Isfahan, Delhi und Peking mögen zwar auch kapitalistisch gedacht haben, doch die Könige in ihren Palästen und die Generäle in ihren Festungen verachteten sie als Krämerseelen. Die meisten nichteuropäischen Reiche der frühen Neuzeit wurden von großen Eroberern wie Nurhaci und Nader Shah, von bürokratischen und militärischen Eliten der Qing-Dynastie und der Osmanen errichtet. Sie finanzierten ihre Kriege über Steuern und Plünderungen (was letztlich auf dasselbe hinausläuft). Mit Krediten hatten sie wenig am Hut, und um die Interessen der Händler und Investoren scherten sie sich noch weniger.

In Europa machten sich die Könige und Generäle dagegen das kaufmännische Denken zu eigen, bis die Händler und Bankiers schließlich selbst zur herrschenden Elite wurden. Die europäische Eroberung der Welt wurde immer mehr über Kredite und immer weniger über Steuern finanziert, und sie wurde zunehmend von Kapitalisten gelenkt, die vor allem daran interessiert waren, ihre Erträge zu maximieren. Die Imperien der Händler und Bankiers in Frack und Zylinder siegten erstaunlicherweise über die Imperien der Könige und Adeligen in ihren goldenen Roben und glänzenden Rüstungen. Die kaufmännisch geführten Imperien gingen bei der Finanzierung ihrer Eroberungen einfach deutlich geschickter vor. Niemand zahlt gern Steuern, aber alle wollen investieren und Geld verdienen.

Im Jahr 1484 wurde Christoph Kolumbus beim König von Portugal vorstellig und bat ihn, eine Flotte auszustatten, mit der er nach Westen segeln und eine neue Handelsroute nach Ostasien entdecken wollte. Solche Expeditionen waren eine riskante und kostspielige Angelegenheit. Es war viel Geld nötig, um die Schiffe zu bauen, Proviant zu kaufen und die Heuer zu bezahlen. Außerdem konnte niemand garantieren, dass sich die Investition auszahlte. Der König von Portugal lehnte ab.

Wie so mancher Start-up-Gründer von heute gab Kolumbus nicht auf. Er wandte sich an andere potenzielle Investoren in Italien, Frankreich und England und sprach erneut in Portugal vor. Doch überall wurde er abgewiesen. Schließlich versuchte er sein Glück bei Isabella und Ferdinand, den Herrschern des kürzlich vereinigten Spaniens. Unterstützt von erfahrenen Lobbyisten gelang es ihm, Königin Isabella das erforderliche Kapital zu entlocken. Wie heute jedes Schulkind weiß, gewann Isabella den Jackpot. Nach den Entdeckungen von Kolumbus eroberten die Spanier Amerika, entdeckten Gold- und Silbervorkommen und errichteten Zucker- und Tabakpflanzungen, die den spanischen Königen, Bankiers und Händlern mehr Gewinne bescherten, als sie sich je erträumt hätten.

Ein Jahrhundert später waren Fürsten und Bankiers bereit, den Nachfolgern von Kolumbus deutlich mehr Kapital vorzustrecken. Dank der Schätze der Neuen Welt hatten sie viel mehr Geld in den Taschen, das sie verleihen konnten. Vor allem aber hatten die Fürsten und Bankiers mehr Vertrauen in das Potenzial der Expeditionen und waren eher bereit, ihr Geld dafür herauszurücken. Der magische Zirkel des imperialistischen Kapitalismus kam in Gang: Kredite finanzierten neue Entdeckungen, Entdeckungen wurden zu Kolonien, Kolonien erwirtschafteten Gewinne, Gewinne schufen Vertrauen, und Vertrauen war die Grundlage für neue Kredite. Nichteuropäischen Eroberern wie Nurhaci oder Nader Shah ging nach ein paar Tausend Kilometern die Kraft aus. Kapitalistische

Unternehmer erhielten dagegen mit jeder Eroberung zusätzlichen finanziellen Schwung.

Da diese Expeditionen alles andere als gefahrlos waren, blieben die Kreditgeber trotzdem vorsichtig. Viele Entdecker kehrten mit leeren Händen nach Europa zurück und fanden nichts, was von Wert gewesen wäre. Die Engländer verschwendeten beispielsweise eine Menge Zeit und Energie auf die erfolglose Suche nach der Nordwestpassage nach Asien, die über die Arktis führen sollte. Viele Expeditionen kehrten nie zurück. Schiffe wurden von Eisbergen gerammt, von tropischen Stürmen versenkt oder von Piraten gekapert. Um den Kreis der potenziellen Investoren zu erweitern und das Risiko zu mindern, erfanden die Europäer Aktiengesellschaften. Nun setzte nicht mehr ein Investor sein ganzes Geld auf ein einziges wurmzerfressenes Schiff, sondern die Aktiengesellschaft sammelte Geld von vielen Anlegern, die nur einen kleinen Teil ihres Kapitals wagten. Damit wurden die Risiken begrenzt, nicht aber die möglichen Gewinne. Wer auf das richtige Schiff setzte, konnte selbst mit einer bescheidenen Investition ein Vermögen machen.

Im Laufe der Jahrzehnte entwickelte sich ein ausgeklügeltes Finanzsystem, mit dessen Hilfe Unternehmen und Regierungen innerhalb kürzester Zeit große Kredite auftreiben konnten. Dieses System war bei der Finanzierung von Eroberungs- und Forschungsexpeditionen deutlich effizienter als jedes Königreich oder Imperium. Die neue Macht des Kredits zeigte sich in der erbitterten Auseinandersetzung zwischen Spanien und den Niederlanden. Im 16. Jahrhundert war Spanien die Vormacht in Europa und herrschte über ein riesiges Weltreich. Dazu gehörten große Teile Europas, Amerikas und der Philippinen, sowie eine ganze Reihe von Stützpunkten entlang der Küsten Afrikas und Asiens. Jahr für Jahr kehrten reich mit Schätzen beladene Flotten aus Amerika und Asien in die Häfen von Sevilla und Cádiz zurück. Die Niederlande waren dagegen nichts als ein kleiner, nebliger Sumpf in einem abgelegenen Winkel des spanischen Weltreichs.

Im Jahr 1568 lehnten sich die Niederländer, die überwiegend Protestanten waren, gegen ihre katholischen Herren in Spanien auf. Zunächst schienen die Rebellen die Rolle von Don Quijote spielen zu wollen, der sich mutig den unbezwingbaren Windmühlen entgegenwirft. Doch acht Jahre später hatten die Niederländer nicht nur ihre Unabhängigkeit erkämpft, sondern sie hatten die Spanier und Portugiesen als Herren der Weltmeere abgelöst und ein Weltreich begründet. Plötzlich waren sie der reichste Staat in ganz Europa.

Das Erfolgsgeheimnis der Niederländer war der Kredit. Die niederländischen Bürger, die keine Lust auf einen Landkrieg hatten, heuerten einfach Söldner an, die für sie gegen die Spanier kämpften. Sie selbst hatten sich in immer größeren Flotten hinaus auf die Weltmeere gewagt. Die Söldner und kanonenstarrenden Schiffe hatten ein Vermögen gekostet, doch die Finanzierung ihrer Heere und Flotten fiel ihnen leichter als dem mächtigen spanischen Weltreich, weil es ihnen gelungen war, das Vertrauen der jungen europäischen Finanzbranche zu gewinnen, während die Spanier es leichtfertig verspielten. Die Bankiers gaben den Niederländern genug Kredit für ihr Abenteuer, und so übernahmen die Niederländer die Kontrolle über die Handelsrouten der Welt, die wiederum ansehnliche Gewinne abwarfen. Mit diesen Gewinnen zahlten die Niederländer ihre Kredite zurück, was wiederum das Vertrauen der Geldgeber bestätigte. Amsterdam wurde schnell zu einem der wichtigsten Häfen Europas und zum Finanzzentrum des Kontinents.

*

Aber wie gewannen die Niederländer das Vertrauen des Finanzwesens? Einerseits, indem sie ihre Kredite pünktlich zurückzahlten und das Risiko der Geldverleiher minderten, und andererseits, indem sie ein unabhängiges Justizsystem einrichteten, das die privaten Rechte schützte – vor allem die Eigentumsrechte. Aus Diktaturen, die Privatpersonen und ihr Eigentum nicht schützen, fließt das

Kapital stetig ab und wandert in Staaten, die Recht und Eigentum respektieren.

Stellen Sie sich vor, Sie sind der Sohn einer soliden Augsburger Bankiersfamilie. Ihr Vater will seine Geschäfte ausweiten und Filialen in europäischen Hauptstädten eröffnen. Daher schickt er Sie nach Amsterdam und Ihren jüngeren Bruder nach Madrid. Jedem von Ihnen gibt er 10 000 Golddukaten mit, die sie dort investieren sollen. Ihr Bruder verleiht das Geld an den König von Spanien, der eine Armee ausheben will, um gegen Frankreich in den Krieg zu ziehen. Sie entscheiden sich für einen niederländischen Händler, der ein Stück Wildnis auf einer Halbinsel namens Manhattan kaufen will, weil er meint, dass der Wert des Lands steigt, wenn der Handel auf dem Hudson River floriert. Beide Kredite werden in einem Jahr fällig.

Das Jahr vergeht. Der niederländische Händler verkauft sein Land mit einem hübschen Gewinn und zahlt Ihnen den Kredit mit den vereinbarten Zinsen zurück. Ihr Vater ist hocherfreut. Aber Ihr Bruder in Madrid wird nervös. Der spanische König hat zwar den Krieg gegen Frankreich gewonnen, aber inzwischen hat er sich mit den Türken angelegt. Er braucht jeden Heller, um seinen neuen Krieg zu finanzieren, und denkt gar nicht daran, seine Schulden zu bezahlen. Ihr Bruder schreibt ihm Briefe und bittet Freunde mit Beziehungen zum Hof, sich für ihn einzusetzen, doch ohne Erfolg. Ihr Bruder hat nicht nur keine Zinsen eingenommen, er hat sein gesamtes Kapital verloren. Ihr Vater ist alles andere als zufrieden.

Aber damit nicht genug. Der spanische König lässt Ihrem Bruder über den Finanzminister klar machen, dass er einen weiteren Kredit in derselben Höhe erwartet. Aber Ihr Bruder hat kein Geld mehr. Also schreibt er Ihrem Vater, um ihn zu überzeugen, dass der König diesmal sicher zurückzahlen wird. Wenn es um seinen Jüngsten geht, hat der alte Herr ein weiches Herz. Also stimmt er wider besseres Wissen zu. Ein zweites Mal verschwinden 10 000 Golddukaten auf Nimmerwiedersehen in der Schatztruhe des Königs. In Amsterdam sehen die Dinge rosiger aus. Sie vergeben immer mehr Kredite an niederländische Händler, die sie prompt und mit Zinsen zurückzahlen. Aber auch Ihnen ist das Glück nicht ewig hold. Einer Ihrer Kunden ist überzeugt, dass Holzpantinen in der nächsten Modesaison in Paris der große Renner werden und bittet Sie um einen Kredit, um in der französischen Hauptstadt ein Schuhgeschäft zu eröffnen. Sie leihen ihm das Geld, doch leider interessieren sich die französischen Damen nicht für seine Klompen, und der Händler weigert sich, seinen Kredit zurückzuzahlen.

Ihr Vater tobt und weist Sie und Ihren Bruder an, die Anwälte einzuschalten. Ihr Bruder zieht in Madrid gegen den spanischen König vor Gericht, und Sie verklagen in Amsterdam den gescheiterten Pantoffelhändler. Die spanischen Gerichte unterstehen dem König und die Richter sind sein willfähriges Werkzeug. In den Niederlanden sind die Gerichte dagegen unabhängig. Der spanische Richter lässt die Klage Ihres Bruders gar nicht erst zu, während der niederländische Richter zu Ihren Gunsten entscheidet und das Eigentum des zahlungsunwilligen Schuhschnitzers pfänden lässt. Ihr Vater hat seine Lektion gelernt. Mit niederländischen Unternehmern lassen sich bessere Geschäfte machen als mit dem spanischen König.

Aber damit ist Ihr Bruder noch nicht aus der Klemme. Der König braucht nämlich noch mehr Geld, um seine Feldzüge zu finanzieren. Er ist sich sicher, dass Ihr Vater noch ein bisschen Geld auf der hohen Kante hat. Als der nichts mehr herausrücken will, klagt er Ihren Bruder kurzerhand des Hochverrats an. Wenn Ihr Bruder nicht 20 000 Goldmünzen zahlt, schmort er eben bis an sein Lebensende im Kerker.

Ihr Vater hat genug. Er zahlt die 20 000 Goldmünzen Lösegeld, doch er schwört sich, dass er nie wieder Geschäfte mit den Spaniern machen wird. Er schließt seine Filiale in Madrid und schickt Ihren Bruder nach Rotterdam. Zwei Filialen in den Niederlanden sind eine hervorragende Idee. Er erfährt, dass sogar spanische Kapitalisten ihr Vermögen außer Landes schaffen. Auch sie haben längst verstanden, dass sie ihr Geld besser im Ausland investieren, wo Recht und Eigentum respektiert werden – zum Beispiel in den Niederlanden.

So verspielte der spanische König das Vertrauen der Investoren, während die niederländischen Händler es gewannen. Und genau diese Händler waren es auch, die das niederländische Weltreich errichteten – nicht der Staat. Während der König von Spanien seine Kriege finanzierte, indem er seiner murrenden Bevölkerung immer neue Steuern aufbürdete, finanzierten die Niederländer ihre Eroberungen mit Krediten und über Anteilscheine, mit denen die Käufer am Gewinn beteiligt wurden. Vorsichtige Anleger, die ihr Geld unter keinen Umständen dem spanischen König anvertraut hätten und es sich dreimal überlegt hätten, ehe sie der niederländischen Regierung vertrauten, investierten ihr Vermögen mit Kusshand in niederländische Aktiengesellschaften, die tragende Säule des neuen Imperiums.

Wenn ein vielversprechendes Unternehmen schon alle Anteilscheine verkauft hatte, konnte man sich an die Besitzer dieser Anteile wenden und sie diesen abkaufen, vermutlich zu einem etwas höheren Preis. Und wer Anteilscheine besaß und später feststellte, dass das Unternehmen in der Klemme war, konnte sie zu einem schlechteren Preis wieder verkaufen. Das Geschäft mit den Anteilscheinen führte dazu, dass in den wichtigsten europäischen Handelszentren Börsen eingerichtet wurden, an denen diese Aktien gehandelt wurden.

Die berühmteste niederländische Aktiengesellschaft wurde schon 1602 gegründet, zu einer Zeit, als man auf den Wällen von Amsterdam noch das Donnern der spanischen Kanonen hören konnte. Es war die *Vereenigde Oostindische Compagnie*, die Vereinigte Ostindien-Kompanie, kurz VOC. Dieses Unternehmen beschaffte sich Kapital, indem es an der Börse Aktien ausgab. Damit baute es Schiffe, mit denen es Waren aus China, Indien und Indonesien importierte. Außerdem bezahlte es Truppen, um diese Schiffe vor Konkurrenten und Piraten zu schützen. Und schließlich finanzierte die VOC sogar die Eroberung Indonesiens.

Indonesien ist der größte Archipel der Welt. Anfang des 17. Jahrhunderts gehörten die Abertausenden von Inseln zu Hunderten von Königreichen, Fürstentümern, Sultanaten und Stämmen. Als die VOC im Jahr 1603 erstmals nach Indonesien kam, verfolgte sie ausschließlich wirtschaftliche Interessen. Doch um diese zu sichern und die Gewinne ihrer Aktionäre zu maximieren, gingen die Händler der VOC bald gegen die Potentaten der Region vor, die überhöhte Zölle verlangten, und sie wehrten sich gegen ihre europäischen Konkurrenten. Die VOC rüstete ihre Handelsschiffe mit Kanonen aus, heuerte europäische, japanische, indische und indonesische Söldner an, errichtete Festungen, belagerte Städte und führte Kriege. So sehr uns dies heute befremden mag, es war keine außergewöhnliche Idee. Genau wie es heute einen internationalen Markt für Telefonmarketing gibt, gab es damals einen internationalen Markt für Kriege. Privatunternehmen konnten Soldaten, Generäle und Admiräle anheuern und Kanonen, Schiffe und ganze Armeen mieten. Die internationale Gemeinschaft empfand dies als völlig normal, und wenn ein privates Unternehmen ein Imperium gründete, dann entlockte dies niemandem auch nur ein Stirnrunzeln.

Eine Insel nach der anderen kapitulierte vor dem Ansturm der Söldner, und große Teile Indonesiens wurden eine Kolonie der VOC. Die *Vereenigde Oostindische Compagnie* beherrschte das Inselreich fast zwei Jahrhunderte lang. Erst im Jahr 1800 »verstaatlichte« die niederländische Regierung die Kolonie und verwaltete sie weitere 150 Jahre lang. Wer Angst vor der immer größeren Macht der Unternehmen des 21. Jahrhunderts hat, sollte sich mit der Geschichte der frühen Neuzeit beschäftigen, um zu sehen, was alles passieren kann, wenn Unternehmen ohne jede Aufsicht und Kontrolle ihre Interessen verfolgen.

Während die VOC im Indischen Ozean operierte, war die *Westindische Compagnie* (WIC) im Atlantik aktiv. Um den Handel am wichtigen Hudson River zu kontrollieren, gründete sie am Ufer des Flusses eine Siedlung mit dem Namen Nieuw Amsterdam. Die

Siedlung wurde von Ureinwohnern bedroht und wiederholt von den Briten angegriffen, die sie schließlich im Jahr 1664 eroberten. Die Briten nannten die Siedlung New York. Die Überreste des Walls, von dem aus die WIC ihre Niederlassung gegen Briten und Ureinwohner verteidigte, befinden sich heute unter dem Pflaster der berühmtesten Straße der Welt: der Wall Street.

*

Ende des 17. Jahrhunderts verloren die Niederländer nach kostspieligen Kriegen auf dem Kontinent nicht nur Nieuw Amsterdam, sondern auch ihre Vormachtstellung als Finanz- und Expansionsmotor in Europa. In die Lücke drängten Frankreich und Großbritannien. Zunächst sah es so aus, als befände sich Frankreich in einer stärkeren Position. Es war größer und reicher als England, hatte mehr Einwohner und eine größere und erfahrenere Armee. Doch die Briten gewannen das Vertrauen der Finanzmärkte, wohingegen die Franzosen es verspielten. Während der sogenannten Mississippi-Blase, der größten Finanzkrise des 18. Jahrhunderts, schaufelte sich die französische Krone ihr eigenes Grab. Auch diese Geschichte beginnt mit einer ehrgeizigen Aktiengesellschaft.

Im Jahr 1717 machte sich die französische Mississippi-Kompanie an die Besiedlung des Mississippi-Deltas und gründete die Stadt New Orleans. Um diese Unternehmung zu finanzieren, verkaufte die Gesellschaft, die über beste Beziehungen zum Hof Ludwigs XV. verfügte, Aktien an der Börse von Paris. John Law, der Direktor der Gesellschaft, war nebenbei Direktor der Französischen Zentralbank und Finanzminister.

Im Jahr 1717 hatte der Mississippi wenig mehr zu bieten als Sümpfe und Alligatoren, doch die Mississippi-Kompanie verbreitete Geschichten von märchenhaften Reichtümern und unbegrenzten Möglichkeiten. Französische Adelige, Unternehmer und Bürger gingen diesen Märchen auf den Leim, und die Aktien der Mississippi-Kompanie schossen in schwindelerregende Höhen. Die Aktien waren zu einem Stückpreis von 500 Livres ausgegeben worden. Am 1. August 1719 wurde sie bereits zum Preis von 2750 Livres gehandelt. Am 30. August stand der Kurs bei 4100 Livres und am 4. September bei 5000 Livres. Am 2. Dezember 1719 knackte die Aktie die 10 000er-Marke. Die Franzosen waren euphorisch. Viele Bürger verkauften ihr gesamtes Hab und Gut und nahmen riesige Kredite auf, um Mississippi-Aktien zu erwerben. Alle träumten davon, über Nacht reich zu werden.

Wenige Tage später machte sich Panik breit. Einige Spekulanten erkannten, dass der Aktienkurs nichts mehr mit der Wirklichkeit zu tun hatte, und stießen ihre Aktien ab. Als die Wertpapiere den Markt überschwemmten, stürzte der Kurs ab, und als andere Anleger das sahen, wollten sie ihre Aktien ebenfalls loswerden. Die Kurse stürzten immer weiter ab. Um die Preise zu stabilisieren, ließ der Chef der französischen Zentralbank immer mehr Mississippi-Aktien kaufen, bis der Bank selbst das Geld ausging. In diesem Moment gab der Finanzminister Anweisung, neues Geld zu drucken (wie Sie sich erinnern, waren der Direktor der Zentralbank, der Finanzminister und der Direktor der Mississippi-Kompanie ein und dieselbe Person). So geriet das gesamte staatliche Finanzsystem in den Strudel. Schließlich konnten alle Taschenspielertricks die Katastrophe nicht mehr verhindern. Die Blase platzte, der Aktienkurs stürzte von 10 000 zunächst auf 1000 Livres, um dann vollends einzubrechen und das gesamte französische Finanzsystem mit sich in die Tiefe zu reißen. Die großen Spekulanten verkauften rechtzeitig. Die kleineren Anleger verloren dagegen alles, und viele begingen Selbstmord.

Die Mississippi-Blase war eine der spektakulärsten Finanzkrisen der Geschichte. Das königliche Finanzsystem erholte sich nie mehr von diesem Schlag. Angesichts der Schamlosigkeit, mit der die Mississippi-Kompanie ihren politischen Einfluss genutzt hatte, um die Aktienkurse zu manipulieren und die Spekulation noch weiter anzuheizen, verlor die Öffentlichkeit jedes Vertrauen in das französische Bankwesen und das Finanzgespür des Königs. Dies war einer der entscheidenden Gründe, warum die überseeischen Besitzungen Frankreichs in britische Hände fielen. Während die Briten leicht und zu niedrigen Zinsen Geld aufnehmen konnten, hatten die Franzosen Schwierigkeiten, überhaupt Kredite zu bekommen, und mussten hohe Zinsen zahlen. Um den wachsenden Schuldenberg zu bedienen, musste der französische König immer neue Schulden zu immer höheren Zinsen aufnehmen. In den 1780er Jahren musste Ludwig XVI., der nach dem Tod seines Großvaters den Thron bestiegen hatte, die Hälfte der staatlichen Einnahmen für den Schuldendienst verwenden und schlitterte auf den Staatsbankrott zu. Widerwillig berief er 1789 die Generalstände ein (das Parlament, das seit anderthalb Jahrhunderten nicht mehr zusammengekommen war), um eine Lösung für die Krise zu finden. So begann die Französische Revolution.

Während sich das französische Kolonialreich auflöste, erlebte das Britische Weltreich einen unaufhaltsamen Aufstieg. Wie das Niederländische Reich vor ihm, ruhte das British Empire weitgehend auf den Schultern von Aktiengesellschaften, die ihren Sitz an der Londoner Börse hatten. Die ersten britischen Kolonien in Nordamerika wurden Anfang des 17. Jahrhunderts von Aktiengesellschaften wie der London Company, der Plymouth Company, der Dorchester Company und der Massachusetts Company gegründet.

Auch der indische Subkontinent wurde nicht vom britischen Staat erobert, sondern von einer Söldnerarmee der *British East India Company*. Diese Aktiengesellschaft stellte sogar die VOC in den Schatten. Von ihrem Hauptquartier in der Leadenhall Street in London herrschte sie mehr als ein Jahrhundert lang über ein gewaltiges indisches Reich und unterhielt ein Heer, das mit 350 000 Soldaten größer war als das der britischen Krone. Erst im Jahr 1858 wurde Indien zusammen mit der Armee des Unternehmens »verstaatlicht«. Napoleon mokierte sich über die Briten und nannte sie eine Nation von Krämern. Doch am Ende besiegten diese Krämer Napoleon und gründeten das größte Weltreich aller Zeiten.

Im Namen des Kapitals

Die Verstaatlichung der indonesischen Kolonien durch den niederländischen und der indischen Kolonien durch den britischen Staat
markierte keineswegs das Ende der Verflechtungen zwischen Kapitalismus und Imperialismus. Im Gegenteil, im Verlauf des 19. Jahrhunderts wurde diese Beziehung immer enger. Aktiengesellschaften mussten keine Privatkolonien mehr errichten und verwalten,
denn sie hielten nun in London, Amsterdam und Paris die Zügel
der Regierung in der Hand. Sie konnten sich blind darauf verlassen,
dass der Staat in ihrem Sinne handelte. Den westlichen Regierungen
wurde vorgeworfen, sie seien nichts weiter als die Handlanger der
Kapitalisten.

Ein besonders infames Beispiel ist der erste Opiumkrieg zwischen
Großbritannien und China, der von 1840 bis 1842 dauerte. In der
ersten Hälfte des 19. Jahrhunderts verdienten die Britische Ostindiengesellschaft und die Geschäftsleute der Insel ein Vermögen
mit dem Verkauf von Drogen nach China. Millionen von Chinesen
wurden opiumsüchtig und China erlitt gewaltige wirtschaftliche und
gesellschaftliche Schäden. Ende der 1830er Jahre verbot die chinesische Regierung den Drogenhandel. Da die britischen Drogenhändler
das Verbot einfach ignorierten, begannen die chinesischen Behörden damit, die Rauschmittel zu beschlagnahmen und zu vernichten.
Die Drogenkartelle hatten jedoch beste Beziehungen zur britischen
Regierung und setzten diese unter Druck. Viele Abgeordnete und
Minister waren sogar Aktionäre der Drogenhändler. Sie drängten
die Regierung zum Handeln.

Im Jahr 1840 erklärte Großbritannien China im Namen des »Freihandels« den Krieg. Es war ein Kinderspiel. Die selbstbewussten
Chinesen hatten den neuen Wunderwaffen der Briten – den Dampfschiffen, schweren Geschützen und Schnellfeuergewehren – nichts
entgegenzusetzen. Im folgenden Friedensvertrag erklärten sich die
Chinesen bereit, die Aktivitäten der britischen Drogenhändler nicht

weiter zu behindern. Sie zahlten sogar noch Reparationen für den wirtschaftlichen Schaden, den die chinesische Polizei bei der Vernichtung der Drogen angerichtet hatte, und überließen den Briten Hongkong, das den Drogenhändlern fortan als sicherer Stützpunkt diente. (Hongkong blieb bis 1997 in britischer Hand.) Ende des 19. Jahrhunderts waren rund 40 Millionen Chinesen (rund 10 Prozent der damaligen Bevölkerung) opiumsüchtig.[3]

Auch Ägypten musste lernen, den langen Arm der britischen Kapitalisten zu respektieren. Im 19. Jahrhundert liehen britische und französische Investoren den ägyptischen Herrschern große Summen, zuerst zum Bau des Suezkanals und schließlich zur Finanzierung weniger erfolgreicher Projekte. Die Schulden Ägyptens wuchsen und die europäischen Gläubiger mischten sich zunehmend in die inneren Angelegenheiten des Landes ein. Im Jahr 1881 entlud sich der Zorn gegen die Europäer in einem Aufstand. Die Revolutionäre erklärten einen einseitigen Schuldenschnitt. Königin Victoria war »not amused«. Als Antwort marschierten die Briten in Ägypten ein und eroberten das Land. Ägypten blieb bis nach dem Ende des Zweiten Weltkriegs britisches Protektorat.

∗

Das waren bei Weitem nicht die einzigen Kriege, die im Interesse der Investoren geführt wurden. Einige Kriege wurden sogar auf dem Markt gehandelt, wie jede andere wirtschaftliche Unternehmung. Im Jahr 1821 erhoben sich beispielsweise die Griechen gegen das Osmanische Reich. Der Aufstand weckte große Sympathien in den liberalen Kreisen Großbritanniens, und der romantische Dichter Lord Byron brach sogar nach Griechenland auf, um an der Seite der Rebellen zu kämpfen. Aber auch gewiefte Bankiers witterten ein Geschäft. Sie schlugen den Rebellen die Ausgabe von Revolutionsanleihen vor, die frei an der Londoner Börse gehandelt wurden. Die Griechen versprachen, die Anleihen mit Zinsen zurückzuzahlen, sobald sie ihre Unabhängigkeit erkämpft hatten. Private Anleger kauften die Anleihen, weil sie von den Zinsen angelockt wurden, weil sie die griechische Sache unterstützen wollten, oder beides. Der Kurs der griechischen Revolutionsanleihen schwankte mit dem Kriegsglück auf den Schlachtfeldern des Balkan. Als die Niederlage der Griechen unabwendbar erschien, mussten die Besitzer der Anleihen fürchten, ihre Investition zu verlieren. Da das Interesse der Anleger gleichbedeutend mit dem nationalen Interesse war, wurde im Jahr 1827 eine von den Briten geführte internationale Flotte ins Mittelmeer entsandt, die in der Schlacht von Navarino die türkische Flotte versenkte. Nach Jahrhunderten der Unterdrückung wurde Griechenland endlich unabhängig. Oder fast. Da das Land nämlich seine Schulden nicht zurückzahlen konnte, war seine Wirtschaft über Jahrzehnte hinweg an britische Gläubiger verpfändet.

Diese engen Verflechtungen zwischen Kapital und Politik hatten weitreichende Auswirkungen auf den Kreditmarkt. Die Verfügbarkeit von Krediten in einer Wirtschaft hängt nämlich nicht nur mit rein wirtschaftlichen Faktoren wie der Entdeckung eines Erdölvorkommens oder der Erfindung einer neuen Maschine zusammen, sondern auch mit politischen Ereignissen wie der Ablösung eines Regimes oder einer neuen Außenpolitik. Nach der Schlacht von Navarino waren die britischen Kapitalisten zunehmend bereit, in zweifelhafte Auslandsgeschäfte zu investieren. Wenn die Schuldner die Zahlung verweigerten, konnten sie schließlich davon ausgehen, dass die britische Armee ihnen ihr Geld schon zurückholen würde.

Genau deshalb ist das Rating, die Einstufung der Kreditwürdigkeit, heute viel wichtiger für das wirtschaftliche Wohl eines Landes als seine Rohstoffvorkommen. Die Kreditwürdigkeit ist ein Gradmesser für die Wahrscheinlichkeit, mit der ein Land seine Kredite bedienen kann. Zu deren Ermittlung werden neben wirtschaftlichen auch politische, gesellschaftliche und sogar kulturelle Faktoren herangezogen. Ein Land mit großen Erdölvorkommen, das von einer Diktatur beherrscht wird, von Bürgerkriegen überzogen wird und unter einer korrupten Justiz leidet, erhält vermutlich eine schlechte Bewertung und bleibt arm, da es nicht in der Lage ist, die erforderlichen Kredite aufzunehmen, um die Ölvorkommen zu erschließen. Ein Land ohne Bodenschätze, das demokratisch regiert wird, in Frieden lebt und über einen funktionierenden Rechtsstaat verfügt, erhält dagegen gute Noten. Es kann daher genug billige Kredite aufnehmen, um ein gutes Bildungssystem auf die Beine zu stellen und eine boomende Hightech-Industrie aufzubauen.

Der Kult des Marktes

Nicht allen Kapitalisten gefällt dieses enge Bündnis von Kapital und Politik. Viele sind es leid, dass die wirtschaftlichen Positionen einer Regierung oft durch ihre politischen Interessen verzerrt werden, weshalb sie schlechte Investitionen tätigt und das Wachstum behindert. Sie beklagen, dass manche Regierung Unternehmen hart besteuert und mit den Einnahmen großzügige Arbeitslosengelder bezahlt, weil dies bei den Wählern gut ankommt. Ihrer Ansicht nach wäre es sinnvoller, wenn die Regierung das Geld bei den Unternehmern belassen hätte, damit diese neue Fabriken errichten und die Arbeitslosen in Lohn und Brot setzen.

Nach Ansicht dieser Kritiker sollte sich die Politik aus der Wirtschaft heraushalten, Steuern und staatliche Kontrolle auf ein Minimum reduzieren und die Kräfte des Marktes agieren lassen. Private Anleger, die nicht von politischem Kalkül belastet sind, wissen am besten, wo sie ihre Gewinne investieren müssen; wenn der Staat sie nur frei agieren ließe, würde die Wirtschaft exponentiell wachsen und die Welt wäre glücklich, gerecht und frei. Das ist der Grundgedanke des Kultes der freien Marktwirtschaft, der wichtigsten Spielart der kapitalistischen Religion. Die Anhänger dieses Kults beobachten die Regierung mit Argusaugen und geißeln militärische Abenteuer im Ausland genauso wie staatliche Sozialhilfeprogramme zu Hause. Diese Gurus der Marktwirtschaft haben ein Mantra, das sie den Politikern unentwegt einbläuen: »Mischt euch nicht ein.«

In dieser extremen Form ist der Glaube an den Markt vermutlich genauso naiv wie der Glaube an das Christkind, denn einen Markt ohne politische Eingriffe gibt es nicht. Die wichtigste wirtschaftliche Ressource ist das Vertrauen in die Zukunft, und diese Ressource wird ständig von Betrügern und Scharlatanen bedroht. Die Märkte selbst bieten keinen Schutz vor Missbrauch. Es ist die Aufgabe des politischen Systems, Betrüger zu bestrafen und dazu Armeen, Polizeikräfte, Gerichte und Gefängnisse bereitzustellen. Wenn Regierungen ihre Aufgaben versäumen und den Markt nicht ausreichend kontrollieren, schwindet das Vertrauen, niemand vergibt mehr Kredite und die Wirtschaft bricht ein. Das belegt die Mississippi-Blase des Jahres 1719 genauso eindrucksvoll wie das Platzen der Immobilienblase in den Vereinigten Staaten im Jahr 2007 und die darauf folgende weltweite Finanzkrise.

Die Hölle der Kapitalisten

Es gibt noch einen ganz elementaren Grund, warum man den Märkten nie völlig freie Hand lassen sollte. Dazu erzählt Adam Smith eine einfache Geschichte: »Wenn ein Schuhmacher größere Gewinne erwirtschaftet, als er seiner Ansicht nach zum Unterhalt seiner Familie benötigt, nutzt er diesen Überschuss, um mehr Mitarbeiter zu beschäftigen.« Das bedeutet, dass Egoismus und Gier allen nützen, da der Überschuss verwendet wird, um die Produktion auszuweiten und mehr Mitarbeiter zu beschäftigen.

Aber was passiert, wenn der gierige Schuhmacher seine Profite steigert, indem er seinen Mitarbeitern weniger bezahlt und sie länger arbeiten lässt? Die übliche Antwort lautet, dass der Markt die Mitarbeiter schützt. Wenn der Schuhmacher miserable Bezahlung und Arbeitsbedingungen bietet, dann kündigen seine besten Mitarbeiter einfach und gehen zur Konkurrenz. Dann laufen dem tyrannischen Schuhmacher nach und nach alle Mitarbeiter weg, und wenn er sich nicht bessert, kann er seinen Laden bald dichtmachen. Seine eigene Gier wäre also Grund genug, seine Mitarbeiter gut zu behandeln.

Theoretisch klingt das vernünftig, doch die Wirklichkeit sieht anders aus. In einem vollkommen freien Markt, der nicht von Herrschern und Priestern kontrolliert wird, können gierige Kapitalisten Monopole errichten oder sich gegen ihre Arbeitnehmer verbünden. Wenn die Schuhproduktion eines Landes von einem einzigen Unternehmen kontrolliert wird, oder wenn sich alle Fabrikbesitzer absprechen und die Löhne gleichzeitig senken, dann können sich die Arbeitnehmer nicht mehr schützen, indem sie sich einen neuen Arbeitgeber suchen.

Schlimmer noch, die gierigen Bosse können harte Arbeitsgesetze erlassen, um die Bewegungsfreiheit der Arbeitnehmer einzuschränken, sie können ihre Arbeitnehmer in die Schuldknechtschaft zwingen oder ganz einfach die Sklaverei einführen. Im ausgehenden Mittelalter war die Sklaverei im christlichen Europa so gut wie unbekannt. In der frühen Neuzeit ging der Aufstieg des Kapitalismus Hand in Hand mit dem transatlantischen Sklavenhandel. Für diese Katastrophe waren keine Tyrannen oder Rassisten verantwortlich, sondern die ungezügelten Kräfte des Marktes.

Als die Europäer Amerika eroberten, erschlossen sie Gold- und Silberminen und legten Zuckerrohr-, Tabak- und Baumwollpflanzungen an. Die Bergwerke und Plantagen waren das Standbein der Produktion und des Exports der Kolonien. Besonders wichtig waren die Zuckerrohrplantagen. Im Mittelalter war der Zucker in Europa ein Luxusgut. Er wurde zu exorbitanten Preisen aus dem Nahen Osten importiert und sparsam als Geheimzutat in Delikatessen und widerlichen Arzneien verwendet. Nachdem in Amerika die ersten

Zuckerrohrplantagen errichtet worden waren, kam Zucker in immer größeren Mengen nach Europa. Der Preis verfiel und in Europa entstand ein beispielloser Boom von Süßigkeiten wie Kuchen, Plätzchen, Schokolade, Bonbons und gesüßten Getränken wie Kakao, Kaffee und Tee. Die Europäer wurden zu Schleckermäulern. Der jährliche Zuckerverbrauch eines Engländers stieg in 200 Jahren von null zu Beginn des 17. Jahrhunderts auf nahezu acht Kilogramm.

Doch die Zuckerrohrernte und die Zuckerherstellung sind extrem arbeitsintensiv. Niemand wollte freiwillig den ganzen Tag auf malariaverseuchten Feldern und unter der erbarmungslosen tropischen Sonne arbeiten. Wenn die Pflanzer Lohnarbeiter beschäftigt hätten, dann wäre der Preis exorbitant hoch geblieben und die Süßwarenindustrie hätte es vermutlich nie gegeben. Mit ihrem Marktgespür und ihrer Profitgier stellten die europäischen Plantagenbesitzer also auf Sklavenwirtschaft um.

Zwischen dem 16. und dem 19. Jahrhundert wurden rund 10 Millionen Afrikaner als Sklaven nach Amerika verschleppt. Rund 70 Prozent arbeiteten auf Zuckerrohrplantagen. Die Arbeitsbedingungen waren unmenschlich, die meisten Sklaven starben einen qualvollen Tod, und viele weitere Millionen kamen schon während der Sklavenjagd oder auf dem langen Transport vom Innern des afrikanischen Kontinents nach Amerika ums Leben. Und das nur, damit die Europäer Zucker in ihren Tee rühren und Bonbons lutschen konnten – und natürlich, damit die Zuckerbarone riesige Gewinne einstreichen konnten.

Der Sklavenhandel wurde nicht von Regierungen kontrolliert. Es handelte sich um eine rein wirtschaftliche Unternehmung, die auf dem freien Markt nach dem Gesetz von Angebot und Nachfrage organisiert und finanziert wurde. Private Sklavenhandelsunternehmen verkauften Aktien an den Börsen von Amsterdam, Paris und London. Wohlsituierte europäische Bürger, die eine rentable Geldanlage suchten, kauften diese Aktien. Mit ihrem Geld erwarben die Sklavenhändler Schiffe, heuerten Matrosen und Soldaten an, kauften in Afrika Sklaven und transportierten sie nach Amerika. Dort verkauften sie diese an Plantagenbesitzer und mit dem Ertrag kauften sie Plantagenprodukte wie Zucker, Kakao, Kaffee, Tabak und Baumwolle. Wieder in Europa, verkauften sie Zucker und Baumwolle zu einem guten Preis und segelten dann wieder nach Afrika, um das Spiel von vorn zu beginnen. Die Aktionäre waren zufrieden. Im 18. Jahrhundert erzielten Sklavenaktien eine jährliche Rendite von rund 6 Prozent – das war ausgesprochen gut, wie ein moderner Anlageberater sofort zugeben würde.

Das ist die Fliege in der Suppe der Marktwirtschaft. Der Markt kann allein nicht sicherstellen, dass die Gewinne auf faire Art und Weise erzielt oder verteilt werden. Im Gegenteil, die Gier nach immer größeren Profiten und immer mehr Produktion macht viele Menschen blind für alles, was das Wirtschaftswachstum in Frage stellen könnte. Wenn Wachstum das höchste Gut wird und nicht durch eine unabhängige moralische Instanz kontrolliert wird, führt dies schnell zur Katastrophe. Religionen wie das Christentum oder der Nationalsozialismus haben Millionen von Menschen aus glühendem Hass ermordet. Der Kapitalismus hat Millionen von Menschen aus Gleichgültigkeit getötet. Der transatlantische Sklavenhandel hatte seine Ursache nicht im Hass gegen die Afrikaner. Die Anleger, die Aktien der Sklavenhändler kauften, die Börsenhändler, die sie verkauften, und selbst die Direktoren der Sklavenhandelsunternehmen verschwendeten kaum einen Gedanken an die Afrikaner. Genauso wenig wie die Besitzer der Zuckerrohrplantagen. Viele Pflanzer lebten fern ihrer Plantagen und interessierten sich nur für die Bilanz.

Der transatlantische Sklavenhandel war keineswegs die einzige Verirrung eines ansonsten blitzsauberen Systems. Die im vorigen Kapitel erwähnte Hungersnot von Bengalen war das Ergebnis einer ganz ähnlichen Dynamik: Es konnte nur dazu kommen, weil sich die Britische Ostindiengesellschaft mehr für ihre Gewinne als für das Leben von 10 Millionen Indern interessierte. Die Eroberungskriege der VOC in Indonesien wurden von freundlichen niederländischen

Bürgern finanziert, die ihre Kinder liebten, Geld für wohltätige Zwecke spendeten, Musik und Kunst genossen und keinen Gedanken an das Elend in Java, Sumatra und Malakka verschwendeten. Auch in anderen Teilen des Planeten ging das Wachstum der modernen Wirtschaft mit zahllosen Verbrechen einher.

*

Im 19. Jahrhundert besserte sich die Ethik der Kapitalisten nicht. Die Industrielle Revolution, die über Europa hinwegfegte, bereicherte Bankiers und Kapitaleigentümer und verdammte Millionen von Arbeitern zu einem Leben in Elend und Armut. In den europäischen Kolonien war die Situation noch schlimmer. Daher gründete der belgische König Leopold I. im Jahr 1876 eine private humanitäre Organisation, die es sich zum Ziel setzte, Zentralafrika zu erforschen, den Sklavenhandel im Kongobecken zu bekämpfen und die Lebensbedingungen im Kongo durch den Bau von Straßen, Schulen und Krankenhäuser zu verbessern. Im Jahr 1885 überließen die europäischen Mächte dieser Organisation die Kontrolle über 2,3 Millionen Quadratkilometer Land im Kongobecken. Dieses Gebiet, das 75-Mal so groß war wie Belgien, hieß fortan »Freistaat Kongo«. Die 20 bis 30 Millionen Einwohner der Region wurden nicht gefragt.

Innerhalb kürzester Zeit entpuppte sich die humanitäre Organisation als Unternehmen, das in Wirklichkeit nur auf Wachstum und Profit aus war. Vergessen waren die Schulen und Krankenhäuser. Stattdessen wurden im Kongobecken Bergwerke und Plantagen errichtet, die von belgischen Beamten geleitet wurden. Die Bevölkerung wurde erbarmungslos ausgebeutet. Die Kautschukindustrie war besonders berüchtigt. Gummi wurde damals zu einem wichtigen industriellen Rohstoff, und der Gummiexport war die Haupteinnahmequelle des Kongo. Die Dorfbewohner wurden gezwungen, immer größere Mengen Kautschuk abzuliefern. Wer die Quote nicht erreichte, wurde brutal für seine »Faulheit« bestraft. Den »Schuldigen« wurden die Arme abgehackt, ganze Dörfer wurden massakriert. Nach zurückhaltenden Schätzungen kostete die Profitgier der Belgier zwischen 1885 und 1908 rund 6 Millionen Kongolesen (mindestens 20 Prozent der Bevölkerung) das Leben. Andere Schätzungen sprechen sogar von bis zu 10 Millionen Opfern.[4]

Nach 1908 und vor allem nach 1945 wurde die Gier der Kapitalisten durch die Furcht vor dem Kommunismus ein wenig gedämpft. Doch die Ungleichheit grassiert weiter. Heute ist der Kuchen zwar um ein Vielfaches größer als im Jahr 1500, doch er ist so ungleich verteilt, dass viele afrikanische Bauern und indonesische Arbeiter nach einem anstrengenden Arbeitstag mit einem kleineren Krümel nach Hause kommen als ihre Vorfahren vor 500 Jahren. Es ist gut möglich, dass sich das moderne Wirtschaftswachstum als ebenso gigantischer Betrug erweist wie die landwirtschaftliche Revolution. Die Menschheit und die Weltwirtschaft wachsen zwar immer weiter, doch die Lebensbedingungen der einzelnen Menschen verbessern sich dadurch noch lange nicht.

Auf diese Kritik hat der Kapitalismus zwei Antworten. Erstens hat der Kapitalismus eine Welt geschaffen, die nur noch von Kapitalisten beherrscht werden kann. Der einzige ernstzunehmende Versuch, die Welt anders zu organisieren – der Kommunismus –, war in fast jeder Hinsicht so viel schlechter, dass kaum jemand ein Interesse daran hat, ihm eine zweite Chance zu geben. Vor 12 000 Jahren konnte man bittere Tränen über die landwirtschaftliche Revolution vergießen, doch es war zu spät, um das Ruder noch einmal herumzureißen. Genauso verhält es sich mit dem Kapitalismus: Wir mögen ihn noch so sehr hassen, aber wir können nicht mehr ohne ihn leben.

Die zweite Antwort lautet, dass wir einfach ein bisschen Geduld haben müssen, und dass das Paradies zum Greifen nahe sei. Natürlich seien Fehler gemacht worden, und natürlich sei der transatlantische Sklavenhandel und die Ausbeutung der europäischen Arbeiterklasse verwerflich gewesen. Aber man habe aus diesen Fehlern gelernt, und wenn wir nur noch ein bisschen warten und den Kuchen nur noch ein bisschen wachsen ließen, dann bekomme ganz bestimmt jeder ein größeres Stück ab. Natürlich werde er nie gleich verteilt werden, aber es werde genug da sein, um jeden Mann, jede Frau und jedes Kind zufriedenzustellen – sogar im Kongo.

Es gibt in der Tat ein paar positive Anzeichen. Zumindest nach rein materiellen Gesichtspunkten wie Lebenserwartung, Kindersterblichkeit und Kalorienaufnahme zu urteilen, genießt der durchschnittliche Erdenbürger im Jahr 2013 einen deutlich höheren Lebensstandard als im Jahr 1913, obwohl die Zahl der Menschen seither exponentiell gewachsen ist.

Aber kann der Kuchen wirklich immer größer werden? Jeder Kuchen benötigt Rohstoffe und Energie. Längst erklären Mahner, dass der *Homo sapiens* die Rohstoffe und die Energie des Planeten früher oder später aufgebraucht haben wird. Was passiert dann?

Kapitel 17

Das Räderwerk der Industrie

Die moderne Wirtschaft wächst, weil wir an die Zukunft glauben und weil Kapitalisten bereit sind, ihre Profite zurück in die Produktion zu investieren. Das allein reicht allerdings noch nicht aus. Damit die Wirtschaft wachsen kann, sind außerdem Energie und Rohstoffe nötig. Aber diese sind begrenzt. Es wäre also nicht vollkommen abwegig anzunehmen, dass sie früher oder später zur Neige gehen und das ganze System in sich zusammenfallen könnte.

Doch die Erfahrung aus der Vergangenheit zeigt, dass Energie und Rohstoffe nur theoretisch begrenzt sind. Denn obwohl wir seit Jahrhunderten immer mehr davon verbrauchen, ist die verfügbare Menge nicht kleiner geworden, im Gegenteil. Wann immer eine Energie- und Rohstoffknappheit das Wirtschaftswachstum zu drosseln drohte, flossen neue Investitionen in die wissenschaftliche Forschung und technische Entwicklung. So wurden nicht nur bestehende Vorkommen besser erschlossen, sondern auch völlig neue Materialien und Energiequellen erfunden.

Nehmen wir die Fahrzeugindustrie. In den vergangenen dreihundert Jahren hat die Menschheit Milliarden von Fahrzeugen gebaut – von Handwagen und Schubkarren über Eisenbahnen und Autos bis hin zu Düsenflugzeugen und Space Shuttles. Man sollte meinen, dass wir durch diese gewaltige Produktion inzwischen sämtliche Rohstoffe erschöpft haben und mittlerweile am Boden des Tellers kratzen. Doch das Gegenteil ist der Fall. Während die Fahrzeugindustrie im Jahr 1700 ihre Wagen und Kutschen aus Holz und Eisen baute, verwendet sie heute ein wahres Wunderhorn neuer Materialien wie Aluminium, Titan und vor allem Kunststoffe, von deren Existenz unsere Vorfahren noch nichts ahnten. Und während im Jahr 1700 die Energie vor allem aus der Muskelkraft der Schmiede und Zimmerleute, aus mit Holz befeuerten Schmelzöfen und mit Wind und Wasser betriebenen Mühlen stammte, werden die Fließbänder bei Volkswagen und Airbus heute mit Verbrennungsmotoren und Atomstrom in Gang gehalten. Der Fahrzeugbau hat eine Revolution erlebt, genau wie fast jede andere menschliche Tätigkeit. Diese Revolution ist die Industrielle Revolution.

*

Seit Jahrtausenden nutzten die Menschen eine Vielfalt von Energiequellen: Sie verbrannten organische Materialien wie Holz und machten Naturgewalten wie Wind- und Wasserkraft nutzbar. Die bei der Verbrennung von Holz freigesetzte Wärmeenergie wurde verwendet, um Metalle zu schmelzen, Häuser zu heizen, Kuchen zu backen und feindliche Städte niederzubrennen. Und die Bewegungsenergie von Wind und Wasser wurde mit Hilfe von Segeln und Schaufelrädern eingefangen, um Schiffe und Mühlsteine anzutreiben. Doch diese Energiequellen hatten eine entscheidende Schwäche: Nicht überall wuchsen Bäume, der Wind blies immer, wenn man ihn nicht brauchte, und um die Wasserkraft nutzen zu können, musste man an einem Fluss wohnen.

Es gab aber noch ein viel größeres Problem: Niemand wusste, wie man eine Energieform in eine andere übersetzen konnte. Mit der Bewegungsenergie von Wind und Wasser ließen sich zwar Schiffe und Mühlen bewegen, aber kein Eisen schmelzen. Und umgekehrt ließen sich keine Schiffe und Mühlen bewegen, indem man Holz verfeuerte und Wärmeenergie erzeugte. Die Menschheit kannte nur eine einzige Maschine, die diese magischen Verwandlungen vornehmen konnte: den Körper. In natürlichen Stoffwechselprozessen verbrennt der Körper organische Brennstoffe namens Nahrung und übersetzt die freigesetzte Energie in Muskelbewegungen. Wir essen Brot, verbrennen die enthaltenen Kohlenhydrate und Fette und bewegen mit dieser Energie unsere Arme und Beine, um einen Karren zu ziehen.

Da tierische und menschliche Körper die einzigen Maschinen waren, die Energie umwandeln konnten, stand bei fast allen Tätigkeiten die Muskelkraft im Mittelpunkt. Menschliche Muskeln bauten Karren und Häuser, die Muskeln von Ochsen pflügten Felder, die Muskeln von Pferden transportierten Güter. Die Energie, mit der diese organischen Muskelmaschinen betrieben wurden, stammte letztlich aus einer einzigen Quelle: den Pflanzen. Und diese Pflanzen wiederum erhielten ihre Energie von der Sonne. Im Prozess der Photosynthese nahmen sie Sonnenenergie auf und speicherten sie in organischen Verbindungen. Fast alles, was der Mensch tat, wurde also von Sonnenenergie betrieben, die von Pflanzen eingefangen und in Muskelkraft übersetzt wurde.

Die menschliche Geschichte wurde daher lange von zwei großen Kreisläufen beherrscht: dem Wachstumskreislauf der Pflanzen und den Kreisläufen der Sonnenenergie (dem Tages- und dem Jahreszyklus). Solange die Sonnenenergie knapp und der Weizen noch nicht reif war, hatten die Menschen wenig Energie. Die Scheunen waren leer, die Steuereintreiber untätig, die Soldaten träge, und die Könige hielten Frieden. Wenn die Sonne hoch am Himmel stand und der Weizen goldgelb wurde, fiel der Startschuss. Die Bauern brachten die Ernte ein und füllten ihre Scheunen. Die Steuereintreiber eilten herbei, um ihren Anteil zu kassieren. Die Soldaten spannten die Muskeln und schärften die Schwerter. Die Könige beriefen ihre Räte ein und planten den nächsten Feldzug. Alle wurden von der Sonnenenergie befeuert – eingefangen und frei Haus geliefert von Weizen und Kartoffeln.

Das Geheimnis in der Küche

Jahrtausendelang hatten die Menschen tagtäglich Umgang mit der wichtigsten Erfindung in der Geschichte der Energieerzeugung, ohne es zu bemerken. Jedes Mal, wenn sie Wasser erhitzten, um sich einen Tee, eine Suppe oder Kartoffeln zu kochen, und den Topf einen Moment lang auf dem Feuer vergaßen, hörten sie in der Küche den Deckel klappern und rannten zurück. Vor ihren Augen wurde Wärmeenergie in Bewegung übersetzt, ohne dass dazu ein menschlicher oder tierischer Stoffwechsel nötig gewesen wäre. Aber das fiel niemandem auf. Die Vorstellung, dass man etwas verbrennen könnte, um etwas anderes zu bewegen, war der menschlichen Vorstellungskraft einfach zu fremd.

Ein teilweiser Durchbruch bei der Übersetzung von Wärme in Bewegung war die Erfindung von Feuerwaffen. Als die Chinesen im 9. Jahrhundert das Schießpulver erfanden, verwendeten sie es zunächst zum Bau von Feuerwerkskörpern, Bomben und Minen. Es dauerte Jahrhunderte, ehe sie die in der Explosion erzeugte Hitze verwendeten, um Geschosse zu befördern – vielleicht hatte ein Bombenbastler sein Pulver in einem Mörser zerstoßen und sich gewundert, als es knallte und der Stößel davonflog. Die erste funktionstüchtige Kanone fauchte erst 600 Jahre nach der Erfindung des Schießpulvers auf den Schlachtfeldern Asiens und Europas.

Doch der Gedanke, dass sich Wärme in Bewegung übersetzen lassen sollte, schien nach wie vor derart abwegig, dass nach der Geburt der Artillerie noch drei Jahrhunderte vergehen sollten, ehe jemand eine Maschine erfand, die sich ohne Muskelkraft bewegte. Diese bahnbrechende Erfindung stammte aus den britischen Kohlebergwerken. Als die Bevölkerung von England und Schottland wuchs, wurden die Wälder gerodet, um Äcker anzulegen, Häuser zu bauen und Energie für die expandierende Wirtschaft zu liefern. Als das Feuerholz knapp wurde, sahen die Briten den Ersatz in der Kohle. Viele der neuen Kohlebergwerke lagen in feuchten

Regionen und das eindringende Grundwasser verhinderte einen Abbau der Kohle in tieferliegenden Flözen. Es war dringend eine Lösung gefragt. Gegen 1700 drang ein sonderbares Geräusch aus den Schächten der Bergwerke. Dieses Geräusch – ein Vorbote der Industriellen Revolution – war zunächst kaum vernehmbar, doch mit jedem Jahrzehnt wurde es lauter, bis die ganze Erde unter dem ohrenbetäubenden Lärm erzitterte. Dieses sonderbare Geräusch stammte von einer Dampfmaschine.

Es gibt verschiedene Arten von Dampfmaschinen, doch das Prinzip ist immer dasselbe. Man verbrennt einen Brennstoff wie Kohle, und mit der erzeugten Hitze wird Wasser verdampft. Der Dampf dehnt sich aus und drückt auf einen Kolben. Dieser Kolben bewegt sich, und alles mit dem Kolben Verbundene wird ebenfalls bewegt. Und schon haben Sie Hitze in Bewegung übersetzt! In den britischen Bergwerken des 18. Jahrhunderts wurde der Kolben mit einer Pumpe verbunden, die das Wasser aus dem Grund der Schächte beförderte. Die frühesten Maschinen waren unglaublich ineffizient, und man musste eine riesige Menge Kohle verbrennen, um kleine Mengen Wasser abzupumpen. Aber Kohle hatten die Bergwerke ja genug, also spielte es keine Rolle.

In den folgenden Jahrzehnten verbesserten britische Ingenieure die Dampfmaschine immer weiter, holten sie aus den Bergwerken und benutzten sie, um Webstühle und Spinnmaschinen anzutreiben. Dank dieser Revolution der Textilindustrie ließen sich billige Stoffe in immer größeren Mengen herstellen. Innerhalb kürzester Zeit wurde Großbritannien zur Werkstatt der Welt. Doch was noch wichtiger war, als die Dampfmaschinen aus den Bergwerken geholt wurden, platzte ein Knoten: Wenn man mit der Verbrennung von Kohle Webstühle antreiben konnte, warum sollte man mit derselben Technik nicht auch andere Dinge bewegen können, zum Beispiel Fahrzeuge?

Im Jahr 1825 verband ein britischer Ingenieur eine Dampfmaschine mit den Loren, die die Kohle aus dem Bergwerk transportierten.

Die Maschine zog die Wagen auf mehr als 20 Kilometer langen Eisenschienen vom Bergwerk zum nächsten Hafen. Es war die erste Dampflokomotive der Geschichte. Und wenn sich mit dem Dampf Kohle transportieren ließ, warum dann nicht auch andere Güter? Oder Menschen? Am 15. September 1830 wurde zwischen Liverpool und Manchester die erste Zugverbindung eröffnet. Die Lokomotiven wurden von derselben Dampfenergie angetrieben, die zuvor Wasser aus Bergwerken gepumpt und Webstühle in Bewegung gesetzt hatte. Und nur zwanzig Jahre später hatte Großbritannien ein Schienennetz von mehreren Zehntausend Kilometer Länge.[1]

Spätestens ab diesem Moment waren die Menschen besessen von dem Gedanken, dass sich mit Hilfe neuer Maschinen eine Form der Energie in eine andere übersetzen ließ. Jede Form der Energie konnte jede beliebige Tätigkeit übernehmen, vorausgesetzt, man konnte die richtige Maschine dafür erfinden. Als Physiker beispielsweise erkannten, welche gewaltigen Energiemengen in einem Atom gespeichert sind, kamen sie sofort zu dem Schluss, dass sich diese Energie freisetzen und für verschiedenste Zwecke nutzen ließ, sei es um Strom zu erzeugen, Fahrzeuge anzutreiben oder Städte dem Erdboden gleichzumachen. Zwischen der Erfindung des Schießpulvers durch die chinesischen Alchemisten und der Einäscherung Konstantinopels durch die Türken vergingen sechshundert Jahre. Aber zwischen Albert Einsteins Entdeckung, dass sich Masse in Energie umwandeln lässt, und der Einäscherung Hiroschimas und Nagasakis vergingen nur vierzig Jahre.

Eine weitere bahnbrechende Erfindung war der Verbrennungsmotor, der innerhalb von weniger als einer Generation das menschliche Transportwesen revolutionierte und Erdöl in flüssige politische Macht verwandelte. Petroleum war schon seit Jahrtausenden bekannt und wurde zur Imprägnierung, Beleuchtung und als Schmiermittel verwendet. Doch bis vor etwas mehr als einem Jahrhundert interessiert sich kaum jemand dafür, und der Gedanke, dass jemand Blut dafür vergießen könnte, muss den Menschen damals lächerlich erschienen sein. Kriege führte man um Land, Gold, Pfeffer oder Sklaven – aber um Petroleum? Was für ein alberner Gedanke.

Noch erstaunlicher war der Aufstieg der Elektrizität. Vor zwei Jahrhunderten spielte der elektrische Strom in der Wirtschaft keine Rolle und kam bestenfalls in obskuren wissenschaftlichen Experimenten und billigen Taschenspielertricks zum Einsatz. Doch dank einer Reihe von Erfindungen verwandelte er sich in unseren allgegenwärtigen Flaschengeist. Wir schnippen mit dem Finger, und er saust bis ans Ende der Welt und erfüllt uns jeden Wunsch. Er druckt Bücher und näht Kleider, er hält unser Gemüse frisch und gefriert unsere Eiskrem, er kocht unser Essen und tötet Verbrecher, er registriert unsere Gedanken und zeichnet unser Lächeln auf, er macht die Nacht zum Tag und unterhält uns mit Fernsehshows. Kaum jemand versteht, wie er das alles fertigbringt, und noch viel weniger Menschen könnten sich heute ein Leben ohne elektrischen Strom vorstellen.

Ein Meer von Energie

Im Grunde genommen ist die Industrielle Revolution nichts anderes als eine Revolution der Energieumwandlung. Dank dieser Revolution stehen uns heute nahezu grenzenlose Mengen von Energie zur Verfügung. Die einzige Grenze ist unsere Unwissenheit. Alle paar Jahrzehnte entdecken wir eine neue Energiequelle, sodass die Gesamtsumme der verfügbaren Energie immer weiter wächst.

Warum befürchten trotzdem so viele Menschen, dass uns irgendwann die Energie ausgehen könnte? Warum warnen sie, dass uns eine Katastrophe ereilt, wenn unsere fossilen Energiereserven aufgebraucht sind? Es herrscht doch ganz offensichtlich kein Mangel an Energie. Wir wissen nur noch nicht, wie wir sie umwandeln und für unsere Zwecke nutzen können. Die in den fossilen Brennstoffvorkommen der Erde gespeicherte Energiemenge ist winzig im

Vergleich zu der Energie, die die Sonne jeden Tag kostenlos ins All schleudert. Davon kommt zwar nur ein Bruchteil auf der Erde an, doch unser Planet erhält immer noch Jahr für Jahr Zuwendungen in Höhe von 3.766.800 Exajoule Sonnenenergie (ein Exajoule ist eine Energieeinheit. Ein Joule entspricht der Energie, die Sie aufwenden müssen, um einen Apfel einen Meter hoch zu heben. Ein Exajoule sind Milliarden Milliarden Joule – das sind eine Menge Äpfel).[2] Von dieser gewaltigen Energiemenge fangen sämtliche Pflanzen unseres Planeten mit ihrem Prozess der Photosynthese lediglich 3000 Exajoule ein.[3] Wir Menschen verbrauchen zurzeit pro Jahr sogar nur 500 Exajoule – so viel, wie die Sonne in anderthalb Stunden auf die Erde schickt.[4] Und das ist nur die Sonnenenergie. Dazu kommen weitere riesige Energiequellen, zum Beispiel die Kernenergie oder die Gravitation, die sich in den Gezeiten bemerkbar macht.

Vor der Industriellen Revolution war der menschliche Energiemarkt fast ausschließlich von Pflanzen abhängig. Die Menschen lebten an einem grünen Energiefluss, der pro Jahr 3000 Exajoule mit sich führte, und versuchten, so viel Energie aus dem Fluss zu pumpen, wie sie nur konnten. Doch sie konnten nur eine bestimmte Menge entnehmen, ohne dass der Fluss austrocknete. Im Verlauf der Industriellen Revolution stellten wir jedoch fest, dass wir in Wirklichkeit neben einem nahezu grenzenlosen Ozean der Energie mit Abermillionen von Exajoule leben. Jetzt müssen wir nur noch bessere Pumpen erfinden.

*

Die immer effektivere Nutzung und Umwandlung von Energie löste auch ein anderes Problem, das dem Wirtschaftswachstum Fesseln anlegte: die Rohstoffknappheit. Als die Menschen lernten, billig an große Mengen von Energie zu kommen, konnten sie Rohstoffvorkommen erschließen, die früher unzugänglich gewesen wären (zum Beispiel Eisenerze in Sibirien), oder die Rohstoffe von immer weiter entfernten Lieferanten beziehen (zum Beispiel Wolle, die in Australien geschoren und in Großbritannien verarbeitet wurde). Gleichzeitig konnte die Menschheit mithilfe wissenschaftlicher Entdeckungen immer neue Rohstoffe erfinden, zum Beispiel die Kunststoffe, oder zuvor unbekannte natürliche Rohstoffe entdecken, zum Beispiel Silizium oder Aluminium.

Das Aluminium wurde erst in den 1820er Jahren entdeckt, doch die Gewinnung war extrem aufwändig und kostspielig. Jahrzehntelang war Aluminium teurer als Gold. In den 1860er Jahren ließ Kaiser Napoleon III. von Frankreich für seine vornehmsten Gäste ein Aluminiumbesteck auflegen – weniger distinguierte Gäste mussten mit Messern und Gabeln aus Gold vorliebnehmen.[5] Gegen Ende des 19. Jahrhunderts entdeckten Chemiker ein neues Verfahren, mit dem sich billiges Aluminium in großen Mengen herstellen ließ, und gegenwärtig werden weltweit pro Jahr 30 Millionen Tonnen des Leichtmetalls produziert. Napoleon III. würde vermutlich blass, wenn er hören würde, dass die Nachfahren seiner Untertanen ihre Baguettes oder Essensreste in Aluminium einpacken.

Wenn die Menschen im Mittelmeerraum vor zweitausend Jahren raue Hände hatten, rieben sie diese mit Olivenöl ein. Heute öffnen sie einfach eine Tube Handcreme. Spaßeshalber habe ich einmal die Liste der Inhaltsstoffe einer ganz einfachen Hautcreme abgeschrieben, die ich für weniger als 3 Euro in einem Supermarkt gekauft habe. Die meisten der Inhaltsstoffe wurden in den letzten beiden Jahrhunderten entdeckt oder erfunden:

Destilliertes Wasser, Stearinsäure, Glycerin, Capric Triglyceride, Propylenglycol, Isopropylmyristat, Panax Ginseng-Wurzelextrakt, Duftstoffe, Cetylalkohol, Triethanolamin, Dimeticon, Arctostaphylos Uva-Ursi-Blätterextrakt, Magnesiumascorbylphospat, Imidazolidinylureum, Methylparaben, Campher, Propylparaben, Hydroxymethylpentylcyclohexenecarboxaldehyd, Hydroxycitronellal, Linalool, Butylphenyl Methylpropional, Citronellol, Limonen, Geraniol.

(Und was bitte schön ist Hydroxymethylpentylcyclohexenecarboxaldehyd?)

Während des Ersten Weltkriegs verhängten die Alliierten eine Wirtschaftsblockade gegen Deutschland. Das Kaiserreich litt unter extremer Rohstoffknappheit, und vor allem Salpeter, das zur Herstellung von Sprengstoffen benötigt wird, war nicht zu bekommen. Die wichtigsten Salpetervorkommen befanden sich in Chile und Indien, in Deutschland wurde es gar nicht abgebaut. Salpeter ließ sich zwar durch Ammoniak ersetzen, aber auch das war teuer. Zum Glück für die Deutschen hatte einer ihrer Landsleute, der jüdische Chemiker Fritz Haber, im Jahr 1908 eine Möglichkeit entdeckt, wie sich Ammoniak aus der Luft gewinnen ließ. Das Verfahren war zwar kostspielig, doch als die Deutschen nach Kriegsausbruch investierten, verbesserten sie die Methode und begannen mit der Herstellung von Sprengstoffen aus Luft. Einige Wissenschaftler meinen, ohne Haber hätten die Deutschen schon lange vor dem November 1918 kapitulieren müssen.[6] Im Jahr 1918 bekam Haber den Nobelpreis für seine Entdeckung – den Nobelpreis für Chemie, wohlgemerkt – nicht den Friedensnobelpreis.

Leben auf dem Fließband

Dank der Industriellen Revolution traf billige und reichliche Energie auf billige und reichliche Rohstoffvorkommen. Das Ergebnis war eine Explosion der menschlichen Produktivität. Diese Explosion machte sich vor allem in der Landwirtschaft bemerkbar. Beim Stichwort Industrielle Revolution denken wir in der Regel an Stadtlandschaften mit rauchenden Schornsteinen oder an das Elend der ausgebeuteten Bergarbeiter, die unter Tage schuften. Doch die Industrielle Revolution war in Wirklichkeit eine zweite landwirtschaftliche Revolution.

Während der vergangenen zwei Jahrhunderte hielten industrielle Produktionsmethoden in der Landwirtschaft Einzug. Traktoren und

Mähdrescher übernahmen Aufgaben, die früher mit Muskelkraft oder gar nicht erledigt wurden. In Ackerbau und Viehzucht wurde die Produktivität mit Hilfe künstlicher Dünge- und Insektenvertilgungsmittel beziehungsweise einem ganzen Arsenal an Hormonen und Medikamenten massiv gesteigert. Kühlhäuser, Schiffe und Flugzeuge ermöglichen die monatelange Lagerung von landwirtschaftlichen Produkten und den raschen und billigen Transport auf die andere Seite des Globus. So begannen Europäer, frisches argentinisches Rindfleisch und japanisches Sushi zu essen.

Auch die Pflanzen und Tiere selbst wurden mechanisiert. Just in dem Moment, in dem die humanistischen Religionen den *Homo sapiens* zum Gott erhoben, verloren die Nutztiere ihren Status als Lebewesen, die Schmerz und Leid empfinden konnten, und verwandelten sich in Maschinen. Heute werden diese Tiere oft in Fabriken massenproduziert, ihre Körper werden nach den Bedürfnissen der Industrie gestaltet, und sie verbringen ihr ganzes Leben als Rädchen in einer riesigen Produktionsanlage. Wie gut und wie lange sie leben, wird von der Kosten-Nutzen-Rechnung der Unternehmen diktiert. Auch wenn sie von der Industrie am Leben und bei relativer Gesundheit erhalten werden, hat diese kein Interesse an den sozialen und seelischen Bedürfnissen der Tiere (es sei denn, diese wirken sich auf die Produktion aus).

Viele Milchkühe verbringen beispielsweise die wenigen Jahre ihres Daseins in engen Boxen, an einem Ende an einen Nahrungsschlauch, am anderen an einen Melkschlauch angeschlossen. Die Kuh in der Mitte ist nicht mehr als eine Milchmaschine.

Das Schicksal der Hühner ist nicht weniger traurig. Legehennen haben komplexe Verhaltensweisen, sie verspüren ein starkes Bedürfnis, ihre Umwelt zu erforschen, Futter zu suchen, soziale Hierarchien zu schaffen, Nester zu bauen und ihr Gefieder zu putzen. Doch die Eierindustrie pfercht die Vögel oft zu viert in kleine Drahtkäfige, in denen jedes Tier nur 25 auf 20 Zentimeter Platz hat. Die Hennen erhalten zwar ausreichend Futter, doch sie sind nicht in der Lage, ein Territorium zu beanspruchen, ein Nest zu bauen und anderen natürlichen Bedürfnissen nachzukommen. Die Käfige sind oft so winzig, dass sie nicht einmal mit den Flügeln schlagen oder sich gänzlich aufrichten können.

Schweine zählen zu den neugierigsten Säugetieren und kommen vielleicht gleich nach den Menschenaffen. In den Mastfabriken werden oft Hunderttausende von Sauen in winzige Käfige gezwängt, die nicht größer sind als sie selbst und in denen sie sich nicht einmal umdrehen, geschweige denn laufen oder nach Futter suchen können. Im ersten Monat nach der Geburt der Ferkel werden die Sauen in diesen Käfigen gehalten, dann werden ihnen die Jungen weggenommen und gemästet, und die Sauen werden erneut gedeckt.

26. Küken auf dem Fließband eines industriellen Legebetriebs. Männliche Küken sowie missgebildete weibliche Küken werden aussortiert, in Gaskammern erstickt, geschreddert oder einfach auf den Müll geworfen, wo sie zu Tode gequetscht werden. Jährlich sterben weltweit Hunderte Millionen Küken in diesen Legefabriken.

Die industrielle Tierhaltung hat genauso wenig mit einem Hass auf Tiere zu tun, wie die Sklavenhaltung mit einem Hass auf Afrikaner zu tun hatte. Das Motiv ist hier wie da die Gleichgültigkeit. Die meisten Menschen machen sich nicht die geringsten Gedanken über das Schicksal der Hühner, Kühe und Schweine, deren Eier, Milch und Fleisch sie konsumieren. Und wer die Verhältnisse kennt, argumentiert gern, diese Tiere seien im Grunde nichts anderes als gefühllose Maschinen, die kein Leid empfinden könnten. Ironischerweise haben dieselben Wissenschaften, die unsere Milch- und Eiermaschinen züchten, in jüngster Zeit zweifelsfrei bewiesen, dass Säugetiere und Vögel ein komplexes Gefühlsleben haben. Sie können nicht nur körperliches, sondern auch emotionales Leid empfinden.

In den 1950er Jahren trennte ein amerikanischer Psychologe namens Harry Harlow junge Affen wenige Stunden nach der Geburt von ihren Müttern. Die Affenbabys wurden in Käfige gesperrt und von Attrappen »großgezogen«. In jedem dieser Käfige befanden sich zwei Affenpuppen: Eine aus Draht, an der eine Milchflasche befestigt war, und eine andere aus Holz, die mit Wolle überzogen war und entfernt an eine Affenmutter erinnerte. Da die Stoffpuppe keine Milch gab, nahm Harlow an, dass die Affenjungen sich an die Drahtpuppe halten würden.

Zu Harlows Verwunderung zogen die Affenbabys die Stoffmutter vor und klammerten sich die meiste Zeit an diese. Wenn die beiden Attrappen nebeneinander aufgestellt wurden, blieben die Kleinen auf der Stoffpuppe sitzen und reckten sich zur Drahtpuppe hinüber, um zu trinken. Harlow nahm an, die Affenbabys zogen die Stoffpuppe vor, weil sie wärmer war. Also setzte er der Drahtpuppe eine Wärmelampe ein, doch mit Ausnahme der Allerjüngsten zogen die meisten der Kleinen nach wie vor die Stoffpuppe vor.

Nachfolgeuntersuchungen ergaben, dass sich Harlows verwaiste Äffchen später zu emotionalen Wracks entwickelten, obwohl sie die Nahrung erhalten hatten, die sie benötigten. Sie konnten sich nicht in die Affengesellschaft einfügen und zeigten ein hohes Maß

27. Eines von Harlows Äffchen klammert sich an seine Stoffmutter, während es aus der Drahtattrappe trinkt.

an Stress und Aggression. Der Schluss drängte sich auf, dass Affen auch psychische Bedürfnisse haben, die weit über die Ernährung hinausgehen. Wenn diese nicht befriedigt werden, leiden die Tiere. In den folgenden Jahrzehnten haben immer neue Experimente gezeigt, dass dies nicht nur auf Affen zutrifft, sondern auch auf andere Säugetiere und Vögel. Heute werden Harlows Experimente täglich in aller Welt millionenfach wiederholt, wenn Bauern Kälber und andere Jungtiere kurz nach ihrer Geburt von ihren Müttern trennen und in Isolation aufziehen.[7]

Milliarden von Nutztieren verbringen ihr Leben heute auf dem Fließband, und rund 10 Milliarden Säugetiere und Vögel werden Jahr für Jahr geschlachtet. Diese industriellen Methoden der Tierhaltung haben zu einer gewaltigen Steigerung der landwirtschaftlichen Produktion und der menschlichen Nahrungsmittelreserven geführt. Zusammen mit dem industriellen Anbau von Nutzpflanzen ist die Massentierhaltung das Fundament unserer gesamten gesellschaftlichen Ordnung. Vor der Industrialisierung der Landwirtschaft wurde ein Großteil der auf den Feldern und in den Ställen produzierten Nahrung von den Bauern und ihren Tieren selbst konsumiert. Nur ein kleiner Teil der Produktion stand zur Ernährung von Handwerkern, Lehrern, Priestern und Beamten zur Verfügung. Daher machten die Bauern in den meisten Gesellschaften mehr als 90 Prozent der Bevölkerung aus. Mit der Industrialisierung der Landwirtschaft reichte eine immer kleinere Zahl von Bauern aus, um eine immer größere Zahl von Angestellten und Fabrikarbeitern zu ernähren. In Ländern wie den Vereinigten Staaten oder Deutschland verdienen heute beispielsweise nur noch 2 Prozent der Bevölkerung ihren Lebensunterhalt in der Landwirtschaft[8], doch diese 2 Prozent reichen aus, um die gesamte Bevölkerung zu ernähren und sogar Überschüsse zu produzieren, die exportiert werden. Ohne die Industrialisierung der Landwirtschaft wäre die Industrielle Revolution in den Städten nie möglich gewesen, weil gar nicht genug Hände und Köpfe für die Fabriken und Büros zur Verfügung gestanden hätten.

Als die Fabriken und Büros die in der Landwirtschaft freigesetzten Arbeitskräfte aufnahmen, konnten sie eine noch nie dagewesene Menge von Produkten herstellen. Heute produziert die Menschheit mehr Stahl, näht mehr Bekleidung und errichtet mehr Gebäude als je zuvor. Dazu kommt eine schwindelerregende Vielfalt von Waren, die sich früher kein Mensch hätte vorstellen können, angefangen von Glühbirnen und Geschirrspülmaschinen bis hin zu Kameras und Mobiltelefonen. Diese Flut von Produkten hat binnen kürzester Zeit einen Jahrtausende alten Menschheitstraum erfüllt. Zum ersten Mal in der Geschichte der Menschheit war das Angebot größer als die Nachfrage. Doch damit stellte sich ein völlig neues Problem: Wer soll das ganze Zeug eigentlich kaufen?

Das Shopping-Zeitalter

Die moderne Wirtschaft basiert auf einem konstanten Wachstum der Produktion. Sie muss immer mehr produzieren, weil sie andernfalls in sich zusammenfällt. Aber die Produktion allein reicht natürlich nicht. Irgendjemand muss diese Erzeugnisse auch kaufen, denn sonst gehen Fabrikanten und Investoren pleite. Um diese Katastrophe abzuwenden und sicherzustellen, dass die Menschen die Masse an produzierten Waren auch kaufen, entstand eine völlig neue Ethik: der Konsumismus.

In der Vergangenheit lebten die meisten Menschen in einer Situation des Mangels. Sparsamkeit war das Zauberwort. Die asketische Lebensweise der Puritaner und Spartaner sind nur zwei Beispiele. Ein guter Mensch vermied den Luxus, warf kein Essen weg und flickte eine zerschlissene Hose, statt sich eine neue zu kaufen. Nur Könige und Adelige konnten es sich leisten, diese Ethik in den Wind zu schlagen und ihren Reichtum zur Schau zu stellen.

Als die Industrielle Revolution das Problem des Mangels behoben hatte und sich plötzlich die Frage stellte, wer die ganzen Erzeugnisse eigentlich kaufen sollte, kam die revolutionäre Ethik des Konsumismus auf. Der Konsumismus bewertet den Konsum von immer mehr Produkten und Dienstleistungen positiv. Er fordert die Menschen auf, sich etwas »zu gönnen« und redet ihnen ein, Sparsamkeit sei ein Komplex, von dem man sich frei machen müsse. Wenn Sie diese Ethik in Aktion sehen wollen, müssen Sie gar nicht lange suchen. Lesen Sie einfach beim Frühstück die Aufschrift auf Ihrer Cornflakes-Packung. Auf meinen Lieblings-Cornflakes der israelischen Marke Telma lese ich jeden Morgen:

Manchmal müssen Sie sich einfach etwas gönnen. Manchmal brauchen Sie einen Extraschub Energie. Manchmal müssen Sie auf Ihr Gewicht achten, und manchmal brauchen Sie einfach etwas – nehmen Sie es sich jetzt!

Nur für Sie bietet Telma eine große Auswahl von leckeren Frühstückszerealien – Genuss ohne Reue.

Die Packung wirbt außerdem für einen Müsliriegel namens »Health Treats«:

Health Treats bietet eine Mischung aus Getreide, Früchten und Nüssen für ein einmaliges Geschmacks- und Gesundheitserlebnis. Ein Genuss für Zwischendurch für den gesunden Lebensstil. Ein wahrer Leckerbissen, der nach mehr schmeckt.

In der Vergangenheit wären die Leser von solchen Werbetexten geradezu angewidert gewesen, weil sie nach Egoismus, Dekadenz und moralischer Verderbtheit schmecken. Doch der Konsumismus hat ganze Arbeit geleistet. Im Zusammenspiel mit der populären Psychologie (»Just Do It!«) hat er uns überzeugt, dass Genuss gut und Sparsamkeit eine Form der Selbstkasteiung ist.

Der Konsumismus hat gesiegt. Heute sind wir alle brave Konsumenten. Wir kaufen unzählige Produkte, die wir nicht brauchen und von denen wir bis gestern gar nicht wussten, dass es sie überhaupt gibt. Hersteller erfinden bewusst Produkte mit kurzer Lebensdauer und entwickeln ständig neue Modelle von im Grunde völlig ausreichenden Produkten. Diese Produkte braucht zwar kein Mensch, wir müssen sie aber trotzdem kaufen, um »in« zu bleiben. Shopping ist zu einer der beliebtesten Freizeitbeschäftigungen geworden, und Konsumgüter zu unersetzlichen Vermittlern zwischen Angehörigen, Partnern und Freunden. Einst religiöse Festtage wie Weihnachten sind zu Einkaufsfesten geworden. In den Vereinigten Staaten ist der Memorial Day, einst ein Tag zum Gedenken an die gefallenen Soldaten, heute ein Anlass für Sonderverkaufsaktionen. Die meisten Menschen begehen diesen Tag, indem sie in die Einkaufszentren strömen und die Rabatte nutzen – vielleicht wollen sie damit beweisen, dass die Soldaten, die im Kampf für die Freiheit gefallen sind, nicht umsonst starben.

Bei den Nahrungs- und Genussmitteln wird der Sieg des Konsumismus vielleicht am deutlichsten. Traditionelle Gesellschaften lebten immer im furchtbaren Schatten des Hungers. In der reichen Welt von heute ist das größte Gesundheitsproblem dagegen das krankhafte Übergewicht, das Arme (die sich mit Hamburgern und Pizzas vollstopfen) noch stärker trifft als Reiche (die lieber organische Salate und Fitnessgetränke konsumieren). Allein in den Vereinigten Staaten geben die Menschen jedes Jahr mehr Geld für Diäten aus als nötig wäre, um die Hungernden im Rest der Welt zu ernähren. Fettsucht ist ein zweifacher Sieg des Konsumismus. Statt weniger zu essen, was ja zu einer Schrumpfung der Wirtschaft führen würde, essen wir erst zu viel, kaufen dann Diätprodukte und tragen auf diese Weise gleich doppelt zum Wirtschaftswachstum bei.

*

Wie lässt sich diese Konsumethik mit der kapitalistischen Unternehmerethik vereinbaren, nach der Gewinne nicht verschwendet, sondern in die Produktion zurückinvestiert werden? Ganz einfach. Wie schon in früheren Zeiten gibt es nach wie vor einen Unterschied zwischen der Elite und den Massen. Im mittelalterlichen Europa lebten die Könige und Adeligen in Saus und Braus, während die Bauern sparsam lebten und jeden Pfennig umdrehten. Heute haben sich die Rollen umgekehrt. Die Reichen verwenden große Sorgfalt auf die Verwaltung ihrer Anlagen und Investitionen, während sich die weniger gut Betuchten verschulden, um Autos und Fernsehapparate zu kaufen, die sie nicht brauchen.

Die Unternehmerethik und die Konsumethik sind in Wirklichkeit zwei Seiten einer Medaille. Beiden liegen zwei Gebote zugrunde. Das oberste Gebot der Reichen lautet: »Du sollst investieren!« Und das oberste Gebot für den Rest der Menschheit lautet: »Du sollst kaufen!«

Die neue kapitalistisch-konsumistische Ethik ist auch in anderer Hinsicht revolutionär. Die meisten ethischen Systeme der Vergangenheit stellten große Ansprüche an die Menschen. Sie versprachen ihnen zwar das Paradies, aber unter der Voraussetzung, dass sie sich in Nächstenliebe und Toleranz übten, Begierden und Zorn überwanden und ihren Egoismus zügelten. Das fiel den meisten Menschen sehr schwer. In der Vergangenheit war die Ethik eine traurige Angelegenheit von leuchtenden Idealen, an die niemand heranreichte. Die wenigsten Christen lebten Christus nach, die wenigsten Buddhisten folgten Buddha und die meisten Konfuzianer lebten so, dass sich Konfuzius den Bart ausgerauft hätte.

Im Gegensatz dazu fällt es den meisten Menschen sehr leicht, nach den Idealen des Kapitalismus und Konsumismus zu leben. Diese neue Ethik verspricht das Paradies auf Erden und macht es lediglich zur Bedingung, dass die Reichen gierig bleiben und ihre Zeit mit Geldverdienen zubringen, und dass sich die Massen zügellos ihren Gelüsten und Leidenschaften hingeben und immer mehr kaufen. Es ist die erste Religion in der Geschichte der Menschheit, deren Anhänger sich tatsächlich an alle Gebote halten. Aber bekommen wir dafür wirklich das Paradies? Im Fernsehen behaupten sie es zumindest. Aber ich persönlich würde dem Fernsehen in diesem Punkt lieber nicht vertrauen.

Kapitel 18
Eine permanente Revolution

Die Industrielle Revolution eröffnete ungeahnte Möglichkeiten der Energieumwandlung und der Warenproduktion und befreite die Menschheit weitgehend aus der Abhängigkeit von ihrer Umwelt. Die Menschen rodeten Wälder, legten Sümpfe trocken, zähmten Flüsse, fluteten Täler, verlegten Hunderttausende Kilometer Eisenbahnschienen und ließen Riesenstädte in den Himmel wachsen. Doch während der *Homo sapiens* seine Umwelt nach seinen Bedürfnissen gestaltete, wurden zahllose Lebensräume zerstört und ungezählte Arten ausgerottet. Unser einstmals blauer und grüner Planet verwandelt sich in eine Mischung aus Einkaufszentrum und städtischer Müllkippe.

Heute bevölkern sieben Milliarden Sapiens unseren Planeten. Wenn Sie alle Menschen auf eine riesige Waage stellen würden, kämen Sie auf rund 300 Millionen Tonnen. Wenn Sie alle Nutztiere – Kühe, Schweine, Schafe und Hühner – auf dieselbe Waage stellen würden, kämen Sie auf etwa 700 Millionen Tonnen. Im Gegensatz dazu brächten die freilebenden Wirbeltiere – von Igeln und Spitzmäusen bis zu Elefanten und Walen – gerade einmal 100 Millionen Tonnen auf die Waage. In unseren Kinderbüchern und auf unseren Fernsehschirmen wimmelt es nur so vor Giraffen, Wölfen und Schimpansen, doch in der wirklichen Welt gibt es kaum noch Wildtiere. Auf dem ganzen Planeten leben heute noch 80 000 Giraffen, verglichen mit 1,5 Milliarden Rindern; 200 000 Wölfe, verglichen mit 400 Millionen Haushunden; und 250 000 Schimpansen, verglichen mit Abermilliarden Menschen.[1] Die Menschheit hat sich die Erde tatsächlich untertan gemacht.

Umweltzerstörung sollte nicht mit Rohstoffknappheit verwechselt werden. Wie wir im vorigen Kapitel gesehen haben, stehen der Menschheit immer mehr Ressourcen zur Verfügung, und das wird sich vermutlich auch in Zukunft nicht ändern. Die Rohstoffsituation ist also vermutlich kein Grund für Weltuntergangsszenarien. Die Furcht vor der Umweltzerstörung ist dagegen umso berechtigter. In Zukunft könnte der *Homo sapiens* in Ressourcen schwimmen, während die meisten natürlichen Lebensräume vernichtet und die meisten Tier- und Pflanzenarten ausgestorben sind.

Die Umweltprobleme könnten auch das Überleben des *Homo sapiens* selbst gefährden. Die Erderwärmung, die schmelzenden Polkappen, der Anstieg der Meeresspiegel und die verbreitete Verschmutzung von Luft und Wasser könnten die Lebensbedingungen auf der Erde dramatisch verschlechtern, und in Zukunft könnte ein sich aufschaukelnder Wettlauf zwischen den menschlichen Möglichkeiten und den von Menschen verschuldeten Naturkatastrophen entstehen. Wenn wir unsere Macht nutzen, um die Naturgewalten zu bändigen und das Ökosystem nach unseren Wünschen und Vorstellungen zu manipulieren, kann dies immer mehr unbeabsichtigte und gefährliche Nebenwirkungen mit sich bringen. Diese lassen sich vermutlich nur durch noch drastischere Eingriffe in das Ökosystem kontrollieren, was wiederum noch schlimmeres Chaos verursacht.

Viele sprechen von einer »Zerstörung der Natur«. In Wirklichkeit handelt es sich jedoch nur um eine Veränderung. Die Natur selbst lässt sich nicht zerstören. Vor 65 Millionen Jahren löschte ein Meteorit die Dinosaurier aus, doch gleichzeitig machte er den Weg für die Säugetiere frei. Heute löscht die Menschheit zahlreiche Arten aus und könnte sich sogar selbst ein Grab schaufeln, doch anderen Arten kommt dies sehr entgegen. Ratten und Kakerlaken erleben beispielsweise ein Goldenes Zeitalter. Diese zähen Lebewesen würden selbst unter den rauchenden Trümmern des nuklearen Holocaust hervorkriechen und ihre DNA weitergeben. Vielleicht werden intelligente Ratten in 65 Millionen Jahren voller Dankbarkeit auf die Verheerungen zurückblicken, die wir Menschen heute anrichten, genau wie wir heute auf den Meteoriten zurückblicken, der die Dinosaurier ausradierte.

Bislang sind jedoch Ängste vor einem möglichen Aussterben der Menschheit verfrüht. Seit Beginn der Industriellen Revolution vermehrten sich die Sapiens wie nie zuvor. Im Jahr 1700 lebten rund 700 Millionen auf der Erde. Bis zum Jahr 1800 war diese Zahl auf 950 Millionen gestiegen. Bis zum Jahr 1900 hatte sie sich fast verdoppelt und betrug nun 1,6 Milliarden. Und im Jahr 2000 hatte sie sich auf 6 Milliarden vervierfacht. Heute leben rund 7 Milliarden Menschen auf unserem Planeten.

Moderne Zeiten

Während sich die Sapiens von den Launen der Natur befreien, unterwerfen sie sich zunehmend dem Diktat der Industrie und des modernen Staates. Mit der Industriellen Revolution begann eine Zeit immer neuer gesellschaftlicher Experimente und ungeahnter Umwälzungen des Alltagslebens und der Mentalität der Menschen. Ein Beispiel von vielen ist die Verdrängung der natürlichen jahreszeitlichen Rhythmen, wie sie die traditionelle Landwirtschaft beherrschten, durch die ewig gleichförmigen und vom Sekundenzeiger getakteten Zeitpläne der Industrie.

Traditionelle landwirtschaftliche Gesellschaften lebten nach den Tageszeiten und den jahreszeitlichen Wachstumszyklen. Sie kannten keine präzise Zeitmessung und brauchten sie auch nicht. Die Menschen gingen ihren Arbeiten auch ohne Uhren und Zeitpläne nach und richteten sich nur nach der Sonne und den Wachstumskreisläufen der Pflanzen. Es gab keinen festgelegten Arbeitstag, und die Abläufe unterschieden sich je nach Jahreszeit erheblich. Die Menschen wussten, wo die Sonne stand und warteten ungeduldig auf die Zeichen für den Frühlings- oder Herbstanfang, aber sie interessierten sich nicht für die Uhrzeit und wussten nicht, in welchem Jahr sie lebten. Wenn ein Zeitreisender in ein mittelalterliches Dorf käme und einen Passanten fragen würde: »In welchem Jahr befinden wir uns?«, dann würde sich der Dörfler über diese sinnlose Frage des Fremden vermutlich genauso wundern wie über seine alberne Kleidung.

Im Gegensatz zu den Bauern und Schustern des Mittelalters schert sich die moderne Industrie nicht um den Stand der Sonne oder um die Jahreszeiten, sondern besteht auf Präzision und Einheitlichkeit. In einem mittelalterlichen Schusterbetrieb stellte ein Schuhmacher einen ganzen Schuh her, von der Sohle bis zur Schnalle. Wenn einer der Schuhmachergesellen später zur Arbeit erschien, dann hatte das keine Auswirkungen auf die Arbeit seiner Kollegen. Aber in einer modernen Fließbandproduktion bedient jeder Arbeiter eine Maschine, die nur einen kleinen Teil des Schuhs herstellt, der dann an eine andere Maschine weitergereicht wird. Wenn der Arbeiter an Maschine 5 verschläft, kommen alle anderen Maschinen zum Stillstand. Um Ausfälle wie diese zu verhindern, müssen sich alle an einen exakten Zeitplan halten. Alle Arbeiter erscheinen zur gleichen Zeit am Arbeitsplatz. Sie nehmen alle zur gleichen Zeit ihr Mittagessen ein, ob sie hungrig sind oder nicht. Und alle gehen nach Hause, wenn die Sirene das Ende der Schicht verkündet, und nicht, wenn sie ihren Schuh fertiggestellt haben.

Die Industrielle Revolution hat die Uhr und das Fließband zur Schablone fast aller menschlicher Tätigkeiten gemacht. Kaum hatten die Fabriken dem menschlichen Verhalten ihre präzisen Zeitpläne aufgezwungen, tickten auch Schulen, Krankenhäuser, Behörden und Lebensmittelläden im gleichen Takt. Selbst Aktivitäten, die gar nichts mit Fließbändern und Maschinen zu tun haben, unterwarfen sich der Uhr. Wenn in einer Fabrik um 17:00 Uhr die Schicht zu Ende geht, dann sollte die Kneipe gegenüber spätestens um 17:02 Uhr geöffnet sein.

Ein entscheidender Motor bei der Verbreitung der Zeitpläne waren übrigens die öffentlichen Verkehrsmittel. Wenn die Schicht um 8:00 Uhr beginnt, sollte der Bus oder Zug um spätestens 7:55 Uhr vor dem Werkstor stehen. Wenn er auch nur ein paar Minuten zu spät kommt, steht das Fließband still und einige Arbeiter verlieren ihre Arbeit. Im Jahr 1784 wurde in Großbritannien der erste Kutschdienst mit Fahrplan eingerichtet. Der Fahrplan gab nur die Abfahrtszeiten an, nicht aber die Ankunftszeiten. Damals hatte jeder Ort der Insel seine eigene Zeit, die bis zu einer halben Stunde von der Zeit in London abweichen konnte. Wenn es in der Hauptstadt 12:00 Uhr war, dann konnte es in Liverpool 12:20 Uhr sein und in Canterbury 11:50 Uhr. Da es keine Telefone, kein Radio, kein Fernsehen und keine Schnellzüge gab, konnte das aber niemand wissen, und im Grunde spielte es auch keine Rolle.[2]

Im Jahr 1830 nahm der erste Personenzug zwischen Liverpool und Manchester seinen Betrieb auf. Zehn Jahre später hatte Großbritannien seinen ersten Zugfahrplan. Da die Züge sehr viel schneller waren als die Pferdekutschen, wurden die regionalen Zeitunterschiede zum Ärgernis. Im Jahr 1847 einigten sich die verschiedenen Eisenbahngesellschaften daher darauf, ihre Fahrpläne nach der Greenwich Time auszurichten und nicht nach den regionalen Uhrzeiten von Liverpool, Manchester oder Glasgow. Immer mehr Einrichtungen schlossen sich den Eisenbahnern an, und im Jahr 1880 unternahm die britische Regierung einen beispiellosen Schritt: Sie schrieb vor, dass von nun an alle Uhren nach der Greenwich Time zu ticken hatten. Erstmals in der Geschichte führte ein Land eine einheitliche Zeitmessung ein und zwang seine Bevölkerung, nach einer künstlichen Uhrzeit zu leben, und nicht nach der örtlichen Turmuhr oder der Sonne.

Dies war der bescheidene Anfang eines weltumspannenden Netzwerks von Zeitplänen, die bis auf Sekundenbruchteile aufeinander abgestimmt sind. Als die Rundfunkmedien Radio und Fernsehen auf den Plan traten, fügten sie sich begeistert in diese Welt der Zeitpläne ein und wurden ihr wichtigster Prediger. Mit das Erste, was Radiostationen sendeten, waren Zeitsignale, nach denen entlegene Ortschaften und Schiffe auf hoher See ihre Uhren stellen konnten. Später strahlten Radiosender zu jeder vollen Stunde die Nachrichten aus. Heute ist die erste Meldung jeder Nachrichtensendung die Zeit, die damit noch wichtiger ist als jeder Kriegsausbruch. Während des Zweiten Weltkriegs übertrug die BBC ihre Nachrichten auch in das von den Nationalsozialisten besetzte Europa. Jede Sendung begann mit einer Live-Übertragung von Big Ben, der die Stunde schlug – der magische Klang der Freiheit. Gewiefte deutsche Physiker fanden eine Möglichkeit, anhand winziger Unterschiede im übertragenen Glockenton das Wetter in London zu ermitteln, eine Information, die für die Luftwaffe von unschätzbarem Wert war. Als der britische Geheimdienst dahinterkam, ersetzte die BBC die Live-Übertragung durch eine Tonbandaufnahme der berühmten Glocken.

Um das System der Zeitpläne aufrechtzuerhalten, verbreiteten sich billige, aber präzise tragbare Uhren. In den Städten der Assyrer, Perser oder Inkas gab es kaum Zeitmesser. Die Städte des späten Mittelalters hatten in der Regel eine einzige Turmuhr auf dem Marktplatz. Diese Uhren gingen zwar falsch, aber da sie die einzigen weit und breit waren, machte dies nichts aus. Heute hat eine typische westliche Familie mehr Uhren als so manches mittelalterliche Land. Wenn Sie wissen wollen, was die Stunde geschlagen hat, können Sie auf Ihre Armbanduhr, Ihr Handy, den Wecker neben Ihrem Bett, die Küchenuhr, den Mikrowellenherd, den Fernseher, den DVD-Spieler oder die Uhr in der Task-Leiste Ihres Computerbildschirms schauen. Sie müssen sich schon sehr anstrengen, wenn Sie *nicht* wissen wollen, wie spät es ist.

Wir sehen täglich Dutzende Male auf die Uhr, denn fast jede unserer Tätigkeiten wird von ihr bestimmt. Der Wecker weckt uns um 7:00 Uhr, wir wärmen die Milch für unsere Cornflakes genau 80 Sekunden lang im Mikrowellenherd, putzen uns exakt drei Minuten lang die Zähne, bis die elektrische Zahnbürste piept, und nehmen den Zug um 7:40 Uhr zur Arbeit. Nach der Arbeit laufen wir im Fitnessstudio eine halbe Stunde auf dem Laufband. Um 19:00 Uhr setzen wir uns vor den Fernseher, um unsere Lieblingssendung zu sehen, die in bestimmten Abständen von Werbespots unterbrochen wird, die pro Sekunde 1000 Euro kosten, und klagen schließlich bei unserem Therapeuten über diesen ganzen Zeitdruck – genau 45 Minuten lang.

*

Die Industrielle Revolution hat uns Dutzende bedeutender Umwälzungen beschert, die unsere gesamte menschliche Gesellschaft vollkommen umgekrempelt haben. Die Unterwerfung unter den gleichförmigen Takt der Industrie ist nur eine. Andere Beispiele sind die Verstädterung, das Aussterben der Landbevölkerung, die zunehmende Zahl der Industriearbeiter, der Machtgewinn des gewöhnlichen Menschen, die Demokratisierung, die Jugendkultur und der Niedergang des Patriarchats.

Doch all diese Umwälzungen sind nichts im Vergleich mit der folgenschwersten gesellschaftlichen Revolution aller Zeiten: dem Verschwinden der Familie und der Gemeinschaft und ihre Verdrängung durch den Staat und den Markt. Nach allem was wir heute wissen, lebten Menschen schon vor mehr als einer Million Jahren in kleinen, intimen Gemeinschaften, deren Angehörige überwiegend miteinander verwandt waren. Daran änderten auch die kognitive und die landwirtschaftliche Revolution nichts. Diese beiden Revolutionen vereinten Familien und Gemeinschaften zu Stämmen, Städten, Königreichen und Imperien. Doch diese Zusammenführung ließ Familien und Gemeinschaften intakt. Sie waren nach wie vor der Grundbaustein aller menschlichen Gesellschaften. Doch die Industrielle Revolution schaffte es in weniger als zwei Jahrhunderten, diese Bausteine zu zerschlagen und in ihre Atome aufzulösen. Die meisten der traditionellen Funktionen der Familien und Gemeinschaften wurden an den Staat und die Märkte abgegeben.

Das Ende der Familien und Gemeinschaften

Vor der Industriellen Revolution verlief der Alltag der meisten Menschen überwiegend in drei uralten Kreisen: der Kernfamilie, der erweiterten Familie und der intimen Gemeinschaft.[*] Die meisten arbeiteten in Familienunternehmen, zum Beispiel dem landwirtschaftlichen oder handwerklichen Betrieb der Familie. Oder sie arbeiteten im Familienbetrieb eines Nachbarn. Außerdem war die Familie soziales Netz, Gesundheitswesen, Versicherungsgesellschaft, Radio, Fernsehen, Zeitung, Bank und sogar Polizei in einem.

Wenn jemand krank wurde, versorgte ihn die Familie. Wenn jemand alt wurde, sprang die Familie ein, und die Kinder waren die Rentenversicherung. Wenn jemand starb, kümmerten sich die Angehörigen um die Waisen. Wenn jemand eine Hütte bauen wollte, halfen die Familienmitglieder. Wenn jemand ein Unternehmen gründen wollte, trieb die Familie das Geld auf. Wenn jemand heiraten wollte, wählte die Familie den Partner oder prüfte ihn zumindest auf Herz und Nieren. Wenn es Streit mit dem Nachbarn gab, machte sich die Familie stark. Und wenn jemand so krank wurde, dass die Familie allein nicht mehr damit fertig wurde, wenn ein Unternehmen eine große Investition benötigte oder wenn Nachbarschaftsstreitigkeiten in Gewalt ausarteten, kam die Gemeinschaft zu Hilfe.

Die Gemeinschaft half ganz nach ihren eigenen Gepflogenheiten und einer »Gefälligkeitswirtschaft«, die wenig mit der Marktwirtschaft und den Gesetzen von Angebot und Nachfrage zu tun hatte. Wenn Sie in einer mittelalterlichen Gemeinschaft leben würden und Ihr Nachbar Hilfe benötigte, dann würden Sie ihm helfen, seine Hütte zu bauen und seine Schafe zu hüten, ohne dafür eine Bezahlung zu erwarten. Und wenn Sie Hilfe benötigten, dann würde Ihr Nachbar einspringen. Gleichzeitig konnte der Burgherr das ganze

---

[*] Eine »intime Gemeinschaft« ist eine Gruppe von Menschen, die einander gut kennen und für ihr Überleben aufeinander angewiesen sind.

Dorf dazu zwingen, ihm beim Bau seiner Festung zu helfen, ohne Ihnen auch nur einen Kreuzer dafür zu zahlen. Im Gegenzug konnten Sie sich darauf verlassen, dass er Sie vor Räubern und Barbaren schützte. Im Alltag des Dorfs wurden viele Geschäfte getätigt, aber bei den wenigsten war Geld im Spiel. Natürlich gab es Märkte, doch die spielten eine eher untergeordnete Rolle. Dort konnte man seltene Gewürze, Stoffe und Werkzeuge kaufen oder einen Anwalt oder Arzt aufsuchen. Doch weniger als 10 Prozent der alltäglichen Güter und Dienstleistungen wurden auf dem Markt erworben. Die meisten Bedürfnisse wurden von der Familie und der Gemeinschaft befriedigt.

Daneben gab es Königreiche und Imperien, die sich um so wichtige Aufgaben wie die Kriegsführung und den Bau von Straßen und Palästen kümmerten. Dazu erhoben sie Steuern und zwangen die Bauern gelegentlich zum Kriegs- oder Arbeitsdienst. Von wenigen Ausnahmen abgesehen, hielten sie ihre Nase aus den Angelegenheiten der Familien und Gemeinschaften heraus. Selbst wenn sich die Herrschenden einmischen wollten, war dies keine einfache Sache. Traditionelle landwirtschaftliche Gesellschaften erzeugten kaum Überschüsse, mit denen Beamte, Polizeikräfte, Sozialarbeiter, Lehrer und Ärzte bezahlt werden konnten. Daher richteten die wenigsten Herrscher Polizei, Krankenhäuser oder Schulen ein. Das überließen sie vielmehr den Familien und Gemeinschaften. Selbst in den wenigen Fällen, in denen die Herrschenden direkter in den Alltag der Bauern eingreifen wollten (wie die Kaiser der chinesischen Qin-Dynastie), ernannten sie kurzerhand die Familienoberhäupter und Dorfältesten zu Beamten.

Oft erschwerten Transport- und Kommunikationsprobleme die Kontrolle abgelegener Gemeinschaften, weshalb viele Herrscher selbst Privilegien wie die Besteuerung und das Gewaltmonopol an diese Gemeinschaften abtraten. So ließ sich die Obrigkeit des Osmanischen Reichs die Polizeiarbeit von Blutfehden abnehmen. Wenn Ihr Cousin jemanden umbrachte, dann konnte der Bruder des Opfers Sie töten, ohne dass der kurze Arm des Gesetzes eingriff. Weder der Sultan im fernen Istanbul noch der Pascha Ihrer Provinz schritten bei solchen Auseinandersetzungen ein, solange sich die Gewalt in annehmbaren Grenzen hielt.

Unter der chinesischen Ming-Dynastie (1368–1644) hatten die Gemeinschaften auch erhebliche Freiräume bei der Besteuerung. Eine verbreitete Besteuerungsmethode war, die Summe, die eine bestimmte Provinz zu entrichten hatte, von vornherein festzulegen, und diese Summe dann auf die verschiedenen Dörfer und Städte zu verteilen. Ein Dorf musste beispielsweise 100 Silberstücke bezahlen, ein anderes 200. Die Beamten des Kaisers stiegen nicht jedem Untertan nach und interessierten sich nicht dafür, wer wie viel verdiente. Deswegen konnte es passieren, dass in einem Dorf die reichste Familie die ganze Summe übernahm, während in einem anderen die Ärmsten gezwungen wurden, die Rechnung zu begleichen, und in einem dritten Dorf die Summe unabhängig vom Einkommen gleichmäßig auf alle Familien verteilt wurde. Aus Sicht der Herrschenden hatte dieses System einen großen Vorteil. Sie mussten keinen riesigen Apparat von Finanzbeamten und Steuereintreibern unterhalten, um die Einnahmen und Ausgaben jeder einzelnen Familie nachzuzählen, denn diese Aufgabe übernahmen die Dorfältesten. Die wussten sehr genau, was jeder Dorfbewohner verdiente, und konnten die Zahlungen erzwingen, ohne die kaiserliche Armee zu bemühen.

Viele Königreiche und Imperien waren im Grunde nichts anderes als Systeme zur Schutzgelderpressung. Der König war der Pate aller Paten, der die Schutzgelder kassierte und im Gegenzug garantierte, dass die Zahler nicht von der örtlichen Mafia und den Verbrechersyndikaten der Nachbarschaft behelligt wurden. Mehr taten sie nicht.

Das Leben im Schoß der Familie war natürlich alles andere als idyllisch. Familien und Gemeinschaften konnten ihre Angehörigen genauso brutal unterdrücken wie moderne Staaten und Märkte, und

ihre innere Dynamik war oft durch Spannung und Gewalt gekenn-
zeichnet. Doch die Menschen hatten keine andere Wahl. Wer seine
Familie verlor oder aus der Gemeinschaft ausgeschlossen wurde,
war so gut wie tot. Das war noch im Jahr 1750 so. Wer keine Familie oder Gemeinschaft hatte, bekam keine Arbeit, keine Bildung,
keinen Kredit und keine Absicherung in Zeiten von Krankheit und
Hunger. Es gab keine Polizei, keine Sozialarbeiter, kein staatliches
Bildungswesen und keine Schulpflicht. Um zu überleben, musste
dieser Mensch schnellstens eine neue Familie oder Gemeinschaft
finden. Jungen und Mädchen, die von zu Hause wegliefen, konnten
bestenfalls darauf hoffen, in einer anderen Familie als Knechte und
Mägde arbeiten zu dürfen. Im schlimmsten Fall endeten sie in der
Armee oder in einem Bordell.

*

In den letzten zweihundert Jahren änderte sich dies dramatisch. Die
Industrielle Revolution verlieh dem Markt gewaltige neue Kräfte,
gab dem Staat neue Kommunikations- und Transportmittel an die
Hand und stellte der Regierung ein Heer von Beamten, Lehrern,
Polizisten und Sozialarbeitern zur Verfügung. Doch beim Einsatz
dieser neuen Kräfte standen dem Markt und dem Staat die traditionellen Familien und Gemeinschaften im Weg, die wenig für Einmi-
schung von außen übrig hatten. Staat und Markt hatten ihre Schwierigkeiten, mit ihren Gesetzen und wirtschaftlichen Interessen in den
Alltag einer solidarischen Dorfgemeinschaft oder einer Familie mit
starkem Zusammenhalt vorzudringen. Eltern und Dorfälteste wehrten sich dagegen, dass die jüngere Generation von nationalistischen
Bildungssystemen indoktriniert, von der Armee eingezogen oder
einem entwurzelten städtischen Proletariat zugeführt werden sollte.

Um diese Hindernisse zu beseitigen, mussten Staat und Markt
die traditionellen Gemeinschafts- und Familienbande aufbrechen.
Der Staat schickte seine Polizisten, um Blutfehden zu unterbin-

den und durch Gerichtsverfahren zu ersetzen. Der Markt schickte seine Händler, um die althergebrachten Traditionen zu zerstören und durch ständig wechselnde Moden zu ersetzen. Doch das reichte noch nicht aus. Um die Macht der Familie und der Gemeinschaft zu brechen, benötigten sie die Unterstützung einer fünften Kolonne.

Also lockten Staat und Markt die Menschen mit einer Verheißung, der sie nicht widerstehen konnten. »Du kannst ein freier Mensch werden«, versprachen sie. »Du kannst heiraten, wen du möchtest, ohne deine Eltern um Erlaubnis fragen zu müssen. Du kannst jede Arbeit annehmen, die dir gefällt, auch wenn es den Dorfältesten nicht passt. Du kannst leben, wo immer du willst, auch wenn du nicht jeden Sonntag zum großen Familienessen nach Hause kommen kannst. Du bist nicht länger von deiner Familie und deiner Gemeinschaft abhängig. Wir, der Staat und der Markt, kümmern uns schon um dich. Wir geben dir Essen, Kleidung, ein Dach über dem Kopf, Bildung, Gesundheit, Arbeit und soziale Sicherheit.«

In der romantischen Literatur erscheint das Individuum oft als jemand, der sich Staat und Markt widersetzt. Mit der Wirklichkeit hat dies nichts zu tun. Staat und Markt sind Vater und Mutter des Individuums, und das Individuum kann nur dank ihrer Hilfe überleben. Der Markt bietet Arbeit, der Staat ein soziales Netz und Pension. Wenn wir studieren wollen, sind die staatlichen Schulen und Universitäten für uns da. Wenn wir ein Unternehmen gründen wollen, geben uns die Banken Kredit. Wenn wir ein Haus bauen wollen, beauftragen wir ein Bauunternehmen und nehmen auf der Bank eine Hypothek auf, die vom Staat garantiert wird. Wenn es zu Gewalt und Ausschreitungen kommt, schützt uns die Polizei. Wenn wir ein paar Tage krank sind, übernimmt die Krankenversicherung die Arztkosten. Wenn wir monatelang arbeitsunfähig sind, springt die Sozialversicherung ein. Wenn wir rund um die Uhr gepflegt werden müssen, suchen wir auf dem Arbeitsmarkt eine Pflegekraft – in der Regel eine Fremde aus einem anderen Land, die uns mit einer Hingabe versorgt, die wir von unseren eigenen Kindern nicht mehr erwarten. Wenn wir die Mittel dazu haben, können wir unsere besten Jahre in einem Altenwohnheim verbringen. Das Finanzamt behandelt uns als Individuen und geht nicht davon aus, dass wir die Steuern unseres Nachbarn bezahlen. Auch die Gerichte behandeln uns als Individuen und bestrafen uns nicht für etwas, das unser Cousin verbrochen hat.

Nicht nur erwachsene Männer, sondern auch Frauen und Kinder werden als Individuen anerkannt. In der Vergangenheit galten Frauen oft als Eigentum der Familie oder der Gemeinschaft. In modernen Staaten gelten Frauen jedoch zunehmend als Individuen, die unabhängig von der Familie und der Gemeinschaft wirtschaftliche Freiheiten und Rechte genießen. Sie können über ihr eigenes Bankkonto verfügen, ihre Partner frei wählen und sich sogar scheiden lassen oder allein leben.

Dieser Individualismus fordert jedoch seinen Tribut. Er hat Familie und Gemeinschaft geschwächt und Staat und Markt gestärkt. Letztere können leichter in unser Leben eingreifen, wenn wir nicht mehr starken Familien und Gemeinschaften angehören, sondern vereinzelt und entfremdet leben. Wenn sich die Nachbarn in einem Mietshaus nicht einmal darauf einigen können, wie viel sie einem Hausmeister bezahlen wollen, wie sollen sie sich dann dem Staat widersetzen?

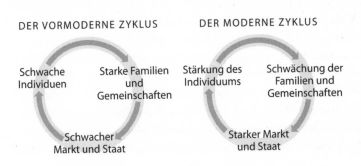

DER VORMODERNE ZYKLUS

Schwache Individuen — Starke Familien und Gemeinschaften — Schwacher Markt und Staat

DER MODERNE ZYKLUS

Stärkung des Individuums — Schwächung der Familien und Gemeinschaften — Starker Markt und Staat

Dieser Handel zwischen Staaten, Märkten und Individuen ist oft unbefriedigend. Staat und Markt können sich nicht auf ihre Rechte und Pflichten einigen, und die Individuen beklagen, dass beide zu viel verlangen und zu wenig bieten. Oft werden die Individuen von den Märkten ausgebeutet, und Staaten setzen ihre Armeen, Polizeikräfte und Behörden ein, um die Individuen zu verfolgen, statt sie zu beschützen. Trotz aller Mängel und Schwächen funktioniert der Handel. Erstaunlicherweise, denn er verstößt gegen eine gesellschaftliche Ordnung, die seit undenklichen Zeiten Bestand hatte, und läuft sogar der menschlichen Evolution zuwider. Über Jahrmillionen hinweg haben wir gelernt, als Angehörige einer Gemeinschaft zu denken. Innerhalb von nur zwei Jahrhunderten haben wir uns in entfremdete Einzelwesen verwandelt. Es gibt wohl kaum einen besseren Beweis für die Macht der Kultur.

*

Die Kernfamilie verschwand allerdings nicht völlig aus der modernen Landschaft. Als Staaten und Märkte der Familie ihre wirtschaftliche und politische Rolle weitgehend nahmen, ließen sie ihr einige wichtige emotionale Funktionen. Die moderne Familie soll nach wie vor die intimen Bedürfnisse befriedigen, die Staat und Markt (bislang) nicht abdecken können. Doch auch die Kernfamilie ist zunehmend Einmischungen von außen ausgesetzt. Der Markt greift immer mehr in die Gestaltung unseres Liebes- und Sexuallebens ein. Während früher die Familie die wichtigste Partnervermittlung war, übernimmt diese Rolle heute der Markt, indem er erst unsere sexuellen Wünsche prägt und uns dann hilft, sie zu erfüllen – gegen eine happige Gebühr, versteht sich. Früher lernten sich Braut und Bräutigam im elterlichen Wohnzimmer kennen, und das Geld wanderte von der Hand des einen Vaters in die des anderen. Heute spielen sich die Paarungsrituale im Café ab, und das Geld wandert von der Hand des hoffnungsfrohen Paars in die Schürze der Kellnerin.

Auch der Staat nimmt die familiären Beziehungen immer stärker unter die Lupe, vor allem die Beziehungen zwischen Eltern und Kindern. Eltern müssen ihre Kinder auf eine Schule schicken, auf der sie vom Staat erzogen werden. Eltern, die ihre Kinder körperlich oder psychisch misshandeln, können vom Staat gemaßregelt werden. Notfalls kann der Staat die Eltern sogar einsperren und die Kinder in eine Pflegefamilie geben. Früher wäre allein der Gedanke, dass der Staat die Eltern daran hindern sollte, ihre Kinder zu schlagen, vollkommen absurd erschienen. Respekt und Gehorsam gegenüber den Eltern galten lange als oberste Tugenden. Die Eltern konnten tun und lassen, was sie wollten, sie konnten ihre Neugeborenen töten, ihre Kinder in die Sklaverei verkaufen und ihre Töchter mit steinalten Männern verheiraten.

Heute befindet sich die Autorität der Eltern jedoch überall auf dem Rückzug. Neue Lebensweisheiten, Psychotherapeuten und Gesetzgeber entbinden Kinder heute der Gehorsamspflicht gegenüber ihren Eltern, und so mancher 50-Jährige sucht die Schuld für das eigene Versagen und Fehlverhalten bei den Eltern. Vor dem Freudschen Tribunal haben Mama und Papa genauso gute Aussichten auf einen Freispruch wie die Angeklagten in einem stalinistischen Schauprozess.

Erfundene Gemeinschaften

Ähnlich wie die Kernfamilie ist auch die Gemeinschaft nicht gänzlich aus unserem Leben verschwunden. Da sich der Mensch über Jahrmillionen hinweg als Herdentier mit dem Bedürfnis nach Stammesbeziehungen entwickelt hatte, konnte die Gemeinschaft nicht einfach verschwinden, ohne dass ein emotionaler Ersatz an ihre Stelle trat. Markt und Staat befriedigen heute die meisten materiellen Bedürfnisse, die einst die Gemeinschaft übernahm, aber sie müssen auch das Bedürfnis nach Zugehörigkeit bedienen.

Das tun sie durch »erfundene Gemeinschaften«, die aus Millionen von Menschen bestehen und perfekt auf die Anforderungen von Markt und Staat zugeschnitten sind. Dabei handelt es sich um Gemeinschaften, deren Angehörige einander nicht kennen, sich aber zu kennen glauben. Königreiche, Imperien und Religionen funktionierten schon seit Jahrtausenden als erfundene Gemeinschaften. Abermillionen von Chinesen sahen sich als Angehörige einer einzigen Familie, deren Vater der Kaiser war. Abermillionen gläubiger Muslime stellten sich vor, sie seien alle Brüder und Schwestern in der großen Gemeinschaft des Islam. Doch in der Vergangenheit spielte diese erfundene Gemeinschaft immer nur die zweite Geige, viel wichtiger waren die intimen Beziehungen in kleinen Gruppen von Menschen, die einander gut kannten. Diese kleinen Gemeinschaften befriedigten die emotionalen Bedürfnisse ihrer Angehörigen und waren entscheidend für das Überleben und Wohlergehen aller. In den letzten zwei Jahrhunderten sind diese intimen Gemeinschaften verschwunden, und in die emotionale Lücke sprangen die erfundenen Gemeinschaften.

Die zwei wichtigsten Beispiele für den Aufstieg der erfundenen Gemeinschaften sind die »Nation« und die »Verbraucher«. Die Nation ist die erfundene Gemeinschaft des Staates. Die Verbraucher sind die erfundene Gemeinschaft des Marktes. Beide sind *erfundene* Gemeinschaften, weil sich die Teilnehmer des Marktes und die Angehörigen einer Nation natürlich nie alle kennenlernen können, so wie sich in der Vergangenheit die Bewohner eines Dorfs kannten. Kein Deutscher kann ein intimes Verhältnis zu den 80 Millionen deutschen Staatsbürgern unterhalten, geschweige denn zu den 500 Millionen Verbrauchern des Gemeinsamen Marktes der Europäischen Union.

Die Religionen des Konsumismus und Nationalismus arbeiten auf Hochtouren, um uns einzureden, dass wir mit Millionen von Unbekannten einer einzigen großen Gemeinschaft angehören und eine gemeinsame Vergangenheit, gemeinsame Interessen und eine gemeinsame Zukunft haben. Das ist keine Lüge, sondern lediglich ein Fantasieprodukt. Genau wie das Geld, Gesellschaften mit beschränkter Haftung und die Menschenrechte sind Nationen und Verbraucher intersubjektive Wirklichkeiten. Sie existieren zwar nur in unserer kollektiven Vorstellung, doch ihre Macht ist gewaltig. Solange Millionen von Deutschen an die Existenz der deutschen Nation glauben, sich mit deutschen Symbolen identifizieren, deutsche Mythen weitererzählen und bereit sind, Geld, Zeit und Gesundheit für diese Nation zu opfern, solange wird Deutschland eines der mächtigsten Länder der Welt bleiben.

Die Nation tut ihr Möglichstes, um zu verschleiern, dass sie lediglich ein Fantasieprodukt ist. Die meisten Nationen tun so, als seien sie ein natürliches und unsterbliches Wesen, das irgendwann in grauer Vorzeit entstand, als sich die Erde des Vaterlandes mit dem Blut der Menschen vermischte. Das sind natürlich Märchen. Nationen reichen zwar ein Stückchen in die Geschichte zurück, aber sie spielten nie eine wichtige Rolle, weil der Staat nie eine wichtige Rolle spielte. Es mag durchaus sein, dass eine Einwohnerin des mittelalterlichen Nürnberg schon einmal von der deutschen Nation gehört hatte, aber ihre Loyalität galt ihrer Familie und ihrer Gemeinschaft, die sich um ihre Bedürfnisse kümmerte. Aber egal wie wichtig oder unwichtig frühere Nationen auch gewesen sein mögen, die wenigsten haben überlebt. Die meisten modernen Nationen entstanden erst nach der Industriellen Revolution.

Dafür bietet der Nahe Osten zahlreiche Beispiele. Staaten wie Syrien, Jordanien, der Libanon oder der Irak sind das Produkt willkürlicher Linien, in den Sand gezogen von französischen und britischen Diplomaten, die von der Geschichte, Geographie und Wirtschaft der Region keine Ahnung hatten. Im Jahr 1918 beschlossen diese Diplomaten, dass die Einwohner von Kurdistan, Bagdad und Basra fortan »Iraker« zu sein hatten. Die Franzosen entschieden, wer Syrer wurde und wer Libanese. Saddam Hussein und Hafiz el-Assad taten ihr Bestes, auf diesem anglo-französischen Erbe aufzubauen, doch ihr bombastisches Gerede von den angeblich unsterblichen irakischen und syrischen Nationen klang hohl.

Natürlich lassen sich Nationen nicht einfach aus dem Nichts erschaffen. Die Gründer der irakischen und syrischen Nationen benutzten dazu historisches, geographisches und kulturelles Baumaterial, das Jahrhunderte oder Jahrtausende zurückreicht. Saddam Hussein griff in die Kiste des Abbasidenkalifats und des Babylonischen Reichs und gab einer seiner Eliteeinheiten sogar den Namen »Hammurabi-Division«. Aber das machte den modernen irakischen Staat noch nicht zu einer Jahrtausende alten Einrichtung. Wenn ich in meinem Küchenschrank Mehl, Öl und Zucker finde, die dort schon seit undenklichen Zeiten herumliegen, und daraus einen Kuchen backe, dann ist der Kuchen selbst nicht uralt.

In den vergangenen Jahrzehnten stehen die nationalen Gemeinschaften zunehmend im Schatten von Verbrauchergruppen, die einander nicht kennen, aber dieselben Konsumgewohnheiten und Interessen haben und sich selbst als Angehörige einer Gemeinschaft wahrnehmen und sogar so definieren. So sonderbar das klingen mag, wenn Sie sich umsehen, finden Sie überall Beispiele dafür. Lady Gaga-Fans sind beispielsweise so eine Gemeinschaft von Verbrauchern. Sie definieren sich vor allem über den Konsum von ganz bestimmten Produkten: Sie kaufen Konzertkarten, CDs, Poster, T-Shirts und Klingeltöne und geben sich dadurch eine Identität. Andere Beispiele sind Fans des FC Bayern München, Vegetarier oder Umweltschützer. Auch sie definieren sich vor allem über ihr Konsumverhalten, das für ihre Identität eine entscheidende Rolle spielt. Eine deutsche Vegetarierin heiratet vermutlich lieber einen französischen Vegetarier als einen deutschen Fleischesser.

Perpetuum mobile

Die Revolutionen der vergangenen zwei Jahrhunderte verliefen so umfassend und schnell, dass sie selbst vor einer der grundlegenden Eigenschaften der Gesellschaft nicht Halt machten. Früher war die gesellschaftliche Ordnung fest und unflexibel. »Ordnung« bedeutete Stabilität und Kontinuität. Plötzliche gesellschaftliche Umwälzungen waren die Ausnahme, die meisten Veränderungen ergaben sich aus der Summe vieler Trippelschritte. Die Menschen gingen davon aus, dass die Gesellschaftsstruktur für alle Zeiten unveränderbar war. Familien und Gemeinschaften mochten um einen besseren Platz innerhalb dieser Ordnung kämpfen, doch die Vorstellung, dass sich diese Ordnung selbst verändern ließ, war unbekannt. Die Menschen versöhnten sich lieber mit dem Status quo, indem sie sagten: »Das war schon immer so und es wird auch immer so bleiben.«

In den letzten beiden Jahrhunderten verliefen die gesellschaftlichen Veränderungen mit derart rasantem Tempo, dass die Ordnung selbst dynamisch und formbar wurde. Heute befindet sie sich in einem Prozess der permanenten Revolution. Wenn wir von modernen Revolutionen sprechen, dann meinen wir oft die Französische Revolution von 1789, die bürgerlichen Revolutionen von 1848, die Russische Revolution von 1917 oder den Fall der Berliner Mauer 1989. Aber in Wirklichkeit findet inzwischen jedes Jahr eine Revolution statt. Eine 30-Jährige kann heute ungläubigen Jugendlichen ohne jede Ironie erklären: »Als ich jung war, war alles noch ganz anders.« Das Internet kam beispielsweise erst Anfang der 1990er Jahre auf. Obwohl es kaum zwanzig Jahre alt ist, können wir uns heute das Leben ohne Internet gar nicht mehr vorstellen.

Die Eigenschaften der modernen Gesellschaft definieren zu wollen, ist daher so, als wolle man die Farbe eines Chamäleons bestimmen. Was im Jahr 1910 stimmte, traf im Jahr 1960 schon lange nicht mehr zu, und was im Jahr 1960 modern war, war im Jahr 2010 hoffnungslos veraltet. Die einzige Konstante ist die Veränderung. Wir haben uns daran gewöhnt, und die meisten Menschen sind heute der Ansicht, die Gesellschaftsordnung sei flexibel und könne ganz nach unseren Bedürfnissen verändert und optimiert werden. Vormoderne Herrscher versprachen, die bestehende Ordnung zu erhalten oder die Gesellschaft in ein längst vergangenes Goldenes

Zeitalter zurückzuführen. In den vergangenen zwei Jahrhunderten versprechen Politiker dagegen routinemäßig, die alte Welt zu zerstören und eine bessere zu errichten. Selbst die konservativsten Parteien behaupten nicht, alles beim Alten belassen zu wollen. Alle verkünden sie Sozialreformen, Bildungsreformen oder Wirtschaftsreformen, und oft genug lösen sie ihr Versprechen sogar ein.

*

Geologen wissen, dass die Bewegung der Erdplatten Erdbeben und Vulkanausbrüche bewirkt. Mit derselben Berechtigung könnte man erwarten, dass derart drastische gesellschaftliche Plattenverschiebungen Gewaltausbrüche provozieren. Die Geschichte des 19. und 20. Jahrhunderts wird uns oft als Abfolge von verheerenden Kriegen, schrecklichen Völkermorden und blutigen Revolutionen geschildert. Wie ein Kind, das mit seinen neuen Gummistiefeln von einer Pfütze zur anderen hüpft, springt die Geschichte von einem Blutbad zum nächsten, vom Ersten Weltkrieg zum Zweiten Weltkrieg und von dort direkt weiter zum Kalten Krieg, vom Völkermord an den Armeniern zum Völkermord an den Juden zum Völkermord in Ruanda, von Robespierre zu Lenin zu Hitler.

Das ist zwar nicht ganz falsch, doch diese vertraute Liste der Katastrophen ist irreführend. Wir schauen zu sehr auf die Pfützen und vergessen die trockenen Strecken dazwischen. Die Spätmoderne hat zwar beispiellose Gewalt und Schrecken erlebt, aber auch Frieden und Sicherheit. Charles Dickens schrieb über die Französische Revolution: »Es war die beste Zeit und es war die schlimmste Zeit.« Das trifft nicht nur auf die Französische Revolution zu, sondern auf das ganze Zeitalter, das sie einläutete.

Vor allem trifft es auf die sieben Jahrzehnte zu, die seit dem Ende des Zweiten Weltkriegs vergangen sind. In dieser Zeit lief die Menschheit zum ersten Mal Gefahr, sich selbst auszulöschen, und erlebte eine Vielzahl von Kriegen und Völkermorden. Trotzdem waren diese Jahrzehnte die friedlichste Epoche in der Geschichte der Menschheit, und zwar mit großem Abstand. Das ist umso überraschender, als diese Zeit größere wirtschaftliche, gesellschaftliche und politische Umwälzungen erlebte als jede andere vor ihr. Die Erdplatten der Geschichte bewegten sich in irrwitzigem Tempo, doch die Vulkane blieben weitgehend still. Offenbar verkraftet die neue elastische Ordnung selbst radikale und strukturelle Veränderungen, ohne in Gewalt zu versinken.[3]

Friede in unseren Tagen

Vielleicht würden Sie spontan widersprechen, dass wir in einer besonders friedlichen Zeit leben. Keiner von uns war vor tausend Jahren am Leben, und wir vergessen leicht, wie blutig es früher in der Welt zuging. Dazu kommt, dass Gewalt umso mehr Aufmerksamkeit erregt, je seltener sie ist. Viele Menschen denken heute eher an die Kriege in Afghanistan und im Irak, als an den Frieden, in dem die meisten Brasilianer und Inder leben. Wann haben Sie das letzte Mal in den Nachrichten von einem Krieg gehört, der nicht ausbrach, oder von einer Terrororganisation, die nicht gegründet wurde?

Vor allem bewegt uns der Tod eines einzelnen Menschen oft viel stärker als der ganzer Bevölkerungsgruppen. Auf Facebook geben wir das Foto eines afghanischen Mädchens weiter, das Opfer eines Säureanschlags der Taliban wurde, und verschlingen Berichte über Flugzeugabstürze, bei denen einige Dutzend Menschen ums Leben kamen. Dagegen reagieren wir vergleichsweise abgestumpft auf die Hunderttausenden Opfer des Völkermords von Ruanda oder Darfur. Aber um den großen historischen Bogen zu erkennen, müssen wir uns die großen Katastrophen ansehen. Im Jahr 2000 kamen zum Beispiel 310 000 Menschen in Folge von Kriegseinwirkungen ums Leben, und weitere 520 000 durch Gewaltverbrechen. Jedes dieser

Opfer steht für den Verlust einer ganzen Welt, eine zerstörte Familie und großes Leid für Freunde und Verwandte. Doch diese 830 000 Opfer machen lediglich 1,5 Prozent aller Todesfälle des Jahres 2000 aus (in diesem Jahr starben weltweit 56 Millionen Menschen). Im gleichen Zeitraum kamen 1.260 000 Menschen bei Verkehrsunfällen ums Leben (2,25 Prozent aller Todesfälle) und 815 000 Menschen (oder 1,45 Prozent) begingen Selbstmord.[4]

Die Zahlen für das Jahr 2002 sind noch erstaunlicher. Von den 57 Millionen Verstorbenen dieses Jahres kamen nur 172 000 Menschen durch Kriegsfolgen und 569 000 durch sonstige Gewalteinwirkung ums Leben. Dagegen begingen 873 000 Menschen Selbstmord.[5] Im Jahr nach den Anschlägen des 11. September starben also trotz aller Schlagzeilen von Terror und Krieg mehr Menschen durch eigene Hand als durch die Hand von Terroristen, Soldaten oder Drogenhändlern.

In den meisten Teilen der Welt können sich die Menschen schlafen legen, ohne Angst haben zu müssen, mitten in der Nacht von einem feindlichen Stamm aufgeweckt zu werden, der das Dorf umzingelt und alle Bewohner massakriert. Wohlhabende Engländer, die auf der Fahrt von Nottingham nach London durch den Sherwood Forest kommen, müssen sich keine Sorgen machen, unterwegs von Räubern in grünem Wams angehalten, ausgeraubt oder ermordet zu werden. Schüler müssen nicht mit schlotternden Knien in die Schule gehen, aus Angst, dass sie der Lehrer übers Knie legt. Kinder müssen nicht befürchten, von ihren Eltern in die Sklaverei verkauft zu werden, wenn diese ihre Telefonrechnung nicht bezahlen können. Und Frauen wissen, dass das Gesetz sie vor den Schlägen ihrer Ehemänner schützt und dass diese sie nicht zwingen können, zu Hause zu bleiben. Und dieses Gefühl der Sicherheit erfährt weltweit immer mehr Berechtigung.

Dieser Rückgang der Gewalt ist vor allem der neuen Stärke des Staates zu verdanken. In der Vergangenheit waren vor allem Fehden zwischen Familien und Gemeinschaften für die Gewalt verant-

wortlich. (Wie die eben erwähnten Statistiken zeigen, sind Gewaltverbrechen vor unserer Haustür bis heute eine größere Bedrohung
als internationale Kriege.) Die ersten Bauern, die über ihre kleine
Gemeinschaft hinaus keine politischen Organisationen kannten, litten unter einer regelrechten Gewaltepidemie. Damals waren zwi-
schenmenschliche Konflikte für gut 15 Prozent aller Todesfälle verantwortlich, und von 100 000 Menschen starben pro Jahr bis zu 400
eines gewaltsamen Todes.[6] Als Königreiche und Imperien an Macht
gewannen, legten sie den Gemeinschaften Zügel an und die Gewaltepidemie schwächte sich ab. In den dezentralen europäischen Klein-
staaten des Mittelalters wurden pro Jahr von 100 000 Einwohnern
zwischen 20 und 40 ermordet. In den letzten Jahrzehnten, in denen
Staaten und Märkte allmächtig wurden und die Gemeinschaften
verschwanden, ging die Gewalt noch weiter zurück. Heute kommen
weltweit auf 100 000 Menschen 9 Mordfälle pro Jahr. Die meisten
dieser Morde entfallen auf gescheiterte Staaten wie Somalia oder
Kolumbien. In Europa liegt der Durchschnitt bei einem Mord pro
100 000 Einwohner und Jahr.[7]

Natürlich gibt es auch Fälle, in denen Staaten ihre Macht miss-
brauchen und ihre eigenen Bürger töten, doch das ist die Ausnahme.
Üblicherweise nutzen Staaten ihre Macht, um ihre Bürger vor Verbrechen und Gewalt zu schützen. Selbst in Diktaturen sterben Menschen deutlich seltener durch Gewalteinwirkung als in vormodernen
Gesellschaften. Im Jahr 1964 riss beispielsweise in Brasilien eine Mili-
tärjunta die Macht an sich und regierte bis 1985. Tausende Bürger
wurden verschleppt und gefoltert. Doch selbst in den schlimmsten
Jahren waren die Durchschnittsbürger von Rio de Janeiro deutlich
sicherer vor Gewalt als die Angehörigen der Yanomami. Die Yanomami sind eine bäuerliche Stammesgesellschaft, die verstreut in
kleinen Dörfern im Amazonas-Regenwald leben. Anthropologische
Untersuchungen haben ergeben, dass ein Drittel aller Männer dieses
Stammes früher oder später bei gewalttätigen Auseinandersetzungen
um Besitz, Frauen oder Prestige ums Leben kommt.[8]

Das Imperium auf dem Rückzug

Man kann sich sicher darüber streiten, ob die Zahl der Gewaltverbrechen seit 1945 zu- oder abgenommen hat. Aber es ist unbe-
stritten, dass die Zahl der Kriegsopfer auf den niedrigsten Stand
aller Zeiten zurückgegangen ist. Das beste Beispiel für dieses neue
internationale Klima ist das Ende der großen europäischen Weltreiche. In der Vergangenheit haben Imperien Aufstände mit eiserner Faust unterdrückt, und als ihre Tage gezählt waren, gingen sie
in einem Blutbad unter. Das Imperium tat alles, um sich zu retten,
und sein Untergang ging mit Chaos und Gemetzel einher. Doch
nach 1945 verabschiedeten sich die meisten Imperien friedlich
in den Ruhestand. Die Abwicklung erfolgte einigermaßen rasch,
ruhig und geordnet.

Noch im Jahr 1945 beherrschte das Britische Weltreich ein Viertel
des Globus. Dreißig Jahre später gehörten den Briten nur noch ein
paar verstreute Inseln. In diesen drei Jahrzehnten zogen sie sich aus
einer Kolonie nach der anderen zurück, ohne dass es zu größeren
Auseinandersetzungen gekommen wäre, ohne dass sie mehr als ein
paar Tausend Soldaten verloren hätten, und ohne großes Blutvergießen unter der Bevölkerung anzurichten. Zumindest ein Teil des
Verdienstes, der Mahatma Gandhi zugesprochen wird, gebührt auch
dem Britischen Weltreich. Bei seinem Rückzug hinterließ das Imperium eine Reihe von unabhängigen Staaten, von denen die meisten
seither stabile Grenzen genießen und weitgehend friedlich miteinander auskommen. Ja, die britischen Soldaten töteten Zehntausende
Menschen, und ja, nach dem Rückzug der Kolonialherren brachen
an einigen Brennpunkten Bürgerkriege aus, die Hunderttausende
Menschenleben forderten (vor allem in Indien). Aber im historischen Vergleich war der Rückzug der Briten ein Vorbild an Frieden
und Ordnung. Das Französische Weltreich erwies sich als störri-
scher und lieferte sich vor allem in Vietnam und Algerien Rückzugs-
gefechte, die ungezählte Opfer forderten. Doch aus ihren übrigen

Besitzungen zogen sich die Franzosen vergleichsweise schnell und kampflos zurück und hinterließen geordnete Verhältnisse und keine Bürgerkriege.

Der Zusammenbruch des Sowjetimperiums im Jahr 1989 verlief sogar noch friedlicher, auch wenn auf dem Balkan, dem Kaukasus und in Zentralasien Bürgerkriege ausbrachen. Nie zuvor in der Geschichte ist ein derart mächtiges Weltreich so schnell und so geräuschlos verschwunden. Als das Sowjetreich im Jahr 1989 unterging, hatte es außer in Afghanistan keine militärische Niederlage erlitten, es gab keine Invasion von außen, keine Rebellion von innen und keine Bürgerrechtsbewegungen à la Martin Luther King. Die Sowjets verfügten noch immer über Millionen Soldaten, zigtausende Panzer und Flugzeuge und genug Atomwaffen, um die gesamte Menschheit mehrmals auszulöschen. Die Rote Armee und die Streitkräfte der übrigen Staaten des Warschauer Pakts blieben loyal. Hätte Michail Gorbatschow, der letzte Herrscher des Sowjetimperiums, den Befehl dazu gegeben, dann hätte die Rote Armee jederzeit das Feuer auf die demonstrierenden Massen eröffnen können.

Doch die sowjetische Elite und die kommunistischen Staaten Osteuropas (mit Ausnahme Rumäniens und Serbiens) entschieden sich, ihre militärische Macht ungenutzt zu lassen. Als sie erkannten, dass der Kommunismus am Ende war, verzichteten sie auf Gewalt, räumten ihr Scheitern ein, packten ihre Sachen und gingen nach Hause. Gorbatschow und seine Kollegen zogen sich nicht nur kampflos aus den Gebieten zurück, die die Sowjets im Zweiten Weltkrieg erobert hatten, sondern auch aus den älteren Eroberungen der Zaren im Baltikum, der Ukraine, dem Kaukasus und Zentralasien. Nicht auszudenken, was passiert wäre, wenn sich Gorbatschow verhalten hätte wie die serbische Führung in Bosnien oder wie die Franzosen in Algerien.

Der atomare Frieden

Die unabhängigen Staaten, die diese Imperien beerbten, zeigten erstaunlich wenig Interesse an Kriegen. Von einigen wenigen Ausnahmen abgesehen, wurden seit 1945 keine Eroberungskriege mehr geführt. Die Annexion anderer Staaten gehörte seit undenklichen Zeiten zum Alltag. Nehmen wir zum Beispiel das Osmanische Reich: Im Jahr 1389 marschierten die Türken in Serbien ein, besiegten die Serben in der Schlacht im Kosovo, besetzten das Land und verleibten es sich ein. Im Jahr 1396 besiegten sie in der Schlacht von Nikopolis eine große christliche Armee und eroberten Bulgarien. Im Jahr 1453 versetzten sie dem Oströmischen Reich den Todesstoß, als sie Konstantinopel einnahmen und die Stadt unter dem Namen Istanbul zur Hauptstadt des Osmanischen Reichs machten. Im Jahr 1460 eroberten sie Griechenland, im Jahr 1517 Syrien und Ägypten und im Jahr 1526 Ungarn. Es folgten Mesopotamien, Zypern und große Teile Westasiens, Nordafrikas und Osteuropas. Fast alle Imperien wurden auf diese Weise errichtet, und die meisten Herrscher und Beherrschten gingen davon aus, dass dieser Brauch erhalten bleiben würde. Doch heute erleben wir dies nicht mehr. Eroberungsfeldzüge wie die der Osmanen sind heute undenkbar. Seit 1945 wurde kein unabhängiges und von den Vereinten Nationen anerkanntes Land mehr erobert und von der Landkarte getilgt.

Es kommt zwar nach wie vor zu regionalen Kriegen, und noch immer sterben Millionen von Menschen in Folge der Kampfhandlungen, aber selbst diese regionalen Kriege sind heute seltener geworden. Kriege wie der Zweite Kongokrieg oder der Erste Afghanistankrieg sind inzwischen die große Ausnahme.

Viele Menschen glauben, dass nur die reichen Länder Westeuropas befriedet wurden. Aber das stimmt so nicht: Als der Friede nach Europa kam, waren andere Teile der Welt längst befriedet. In Südamerika waren beispielsweise die letzten schweren Kriege die Auseinandersetzung zwischen Peru und Ecuador im Jahr 1941 und der Krieg zwischen Bolivien und Paraguay im Jahr 1935. Für den letzten südamerikanischen Waffengang vor diesen beiden Kriegen muss man bis in die Jahre 1879 bis 1884 zurückgehen, als sich Chile auf der einen und Bolivien und Peru auf der anderen Seite gegenüberstanden.

Die arabische Welt steht nicht gerade im Ruf, besonders friedlich zu sein. Doch seitdem die arabischen Staaten ihre Unabhängigkeit erlangten, unternahm nur einer den Versuch, einen anderen zu annektieren, und zwar der Irak, der 1990 in Kuwait einmarschierte. Zwar kam es immer wieder zu Grenzstreitigkeiten (zum Beispiel 1970 zwischen Syrien und Jordanien), bewaffneten Einmischungen eines arabischen Bruderstaats in die Angelegenheiten eines anderen (zum Beispiel Syrien im Libanon), Bürgerkriegen (Algerien, Jemen oder Libyen) und ungezählten Coups und Aufständen. Doch außer dem Golfkrieg gab es keine internationalen Kriege. Und selbst wenn wir den Rest der islamischen Welt hinzunehmen, finden wir nur einen einzigen Fall, in dem ein muslimischer Staat einen Angriffskrieg gegen einen anderen führte: den Iran-Irak-Krieg.

In Afrika sieht die Lage weniger rosig aus. Doch selbst hier handelte es sich bei bewaffneten Konflikten überwiegend um Bürgerkriege und Putsche. Seit die afrikanischen Staaten in den 1960er und 1970er Jahren ihre Unabhängigkeit erlangten, haben nur wenige den Versuch unternommen, sich ihre Nachbarn einzuverleiben.

Es gab zwar schon früher verhältnismäßig friedliche Zeiten, zum Beispiel in Europa zwischen 1871 und 1914, doch diese endeten immer im Blutvergießen. Diesmal ist die Situation eine andere. Denn wahrer Frieden ist mehr als nur die Abwesenheit von Krieg. Wahrer Frieden bedeutet, dass Krieg gar nicht mehr vorstellbar ist. In diesem Sinne gab es nie wahren Frieden auf der Welt. Zwischen 1871 und 1914 war der Krieg immer vorstellbar und im Denken der Armeen, Politiker und gewöhnlicher Bürger als Möglichkeit vorhanden. Diese Ahnung bestimmte auch alle anderen Friedensphasen der Geschichte. Ein ehernes Gesetz der internationalen Politik besagte: »Es lässt sich immer ein plausibles Szenario vorstellen, nach dem zwei beliebige Nachbarstaaten innerhalb eines Jahres einander den Krieg erklären.« Dieses Gesetz galt im Europa des 19. Jahrhunderts genau wie im Europa des Mittelalters, im alten China oder im antiken Griechenland. Wenn Sparta und Athen im Jahr 450 vor unserer Zeitrechnung die Waffen ruhen ließen, ließ sich immer ein plausibles Szenario vorstellen, nach dem sie im Jahr darauf wieder aufeinander losgehen würden.

Dieses Gesetz des Dschungels haben wir heute überwunden. Es gibt tatsächlich Frieden, der mehr ist als die Abwesenheit von Krieg. Für die wenigsten Staaten lässt sich heute ein Szenario vorstellen, das zum Krieg führen würde. Was könnte beispielsweise Deutschland veranlassen, seinem Nachbarn Frankreich nächstes Jahr den Krieg zu erklären? Was könnte einen Waffengang zwischen Japan und China provozieren? Oder zwischen Brasilien und Argentinien? Natürlich kann es immer zu kleineren Grenzkonflikten kommen. Aber es wäre schon ein wahrhaft apokalyptisches Szenario nötig, um nächstes Jahr einen altmodischen totalen Krieg zwischen diesen Ländern zu provozieren, in dem argentinische Panzerdivisionen vor Rio de Janeiro auffahren, während brasilianische Bomber die Vororte von Buenos Aires dem Erdboden gleichmachen. Es gibt zwar durchaus Staaten, die im nächsten Jahr zu den Waffen greifen könnten, zum Beispiel Israel und Syrien, Äthiopien und Eritrea oder die Vereinigten Staaten und der Iran, doch diese Ausnahmen bestätigen die Regel.

Natürlich kann sich diese Situation in Zukunft auch wieder ändern, und im Rückblick könnte uns die Welt von heute furchtbar naiv erscheinen. Doch aus historischer Sicht ist schon diese Naivität faszinierend. Noch nie war der Friede so stabil, dass sich die Menschen den Krieg nicht einmal vorstellen konnten.

Wissenschaftler haben in zahllosen Büchern und Artikeln versucht, diese glückliche Entwicklung zu erklären, und sie haben verschiedene Ursachen dafür ausgemacht. Die wichtigste ist, dass

Kriege einfach nicht mehr bezahlbar sind. Der Friedensnobelpreis gebührt letztlich Robert Oppenheimer und seinen Kollegen, die die Atombombe entwickelt haben. Die Kernwaffen haben einen Krieg zwischen Supermächten zu einem kollektiven Selbstmordkommando gemacht und dafür gesorgt, dass ein militärischer Sieg der einen Seite über die andere unmöglich wurde. Nur die Atombombe hinderte die Vereinigten Staaten und die Sowjetunion daran, früher oder später den Dritten Weltkrieg vom Zaun zu brechen.

Während einerseits die Kosten explodierten, schrumpften die möglichen Gewinne. Früher bereicherten sich Herrscher, indem sie die besetzten Staaten ausplünderten. Der Reichtum eines Landes bestand aus Ackerland, Vieh, Sklaven und Gold und war leicht in Besitz zu nehmen. Heute setzt sich der Reichtum einer Gesellschaft jedoch vor allem aus Humankapital, technischem Knowhow und komplexen sozio-ökonomischen Gebilden wie Banken zusammen, die sich sehr viel schwerer rauben lassen.

Nehmen wir als Beispiel Kalifornien. Früher bestand der Reichtum dieses Bundesstaats aus seinen Goldvorkommen. Heute besteht er aus Silizium und Zelluloid – Silicon Valley und Hollywood. Was würde passieren, wenn zum Beispiel die Chinesen mit einer Million Soldaten an der Küste von San Francisco landen und landeinwärts stürmen würden? Sie würden kaum Beute machen. In Silicon Valley gibt es keine Siliziumvorkommen. Der Wohlstand hat seinen Ursprung in den Köpfen der Softwareingenieure von Google und der Magier von Hollywood, die im Flugzeug nach Bangalore oder Mumbai säßen, schon lange bevor die ersten chinesischen Panzer den Sunset Boulevard hinunterrollen. Es ist kein Zufall, dass die wenigen Eroberungskriege der letzten Jahre, zum Beispiel der Einmarsch der Iraker in Kuwait, Regionen treffen, in denen der Reichtum noch aus altmodischen Rohstoffen besteht. Die Scheichs von Kuwait konnten zwar ins Ausland fliehen, doch die Ölfelder blieben zurück.

Während sich der Krieg nicht mehr lohnt, wurde der Frieden lukrativer denn je. Durch die immer engeren Verflechtungen der kapitalistischen Märkte wird die Wirtschaft zu einem Spiel, bei dem alle gewinnen. Durch Geschäfte wird man heute schneller reich als durch Eroberungen. Die chinesischen Panzer können Silicon Valley nicht erobern, doch die chinesischen Investoren sehr wohl. Und für diese Investoren wäre ein Krieg mit den Vereinigten Staaten eine echte Katastrophe.

Und schließlich hat sich in der internationalen politischen Kultur eine gewaltige Plattenverschiebung ereignet. In der Vergangenheit standen viele Eliten der Welt – die Großkhane der Mongolen genau wie die Häuptlinge der Wikinger und die Priester der Azteken – dem Krieg sehr positiv gegenüber. Andere betrachteten ihn als ein notwendiges Übel, mit dem sie sich Vorteile verschaffen konnten. Heute werden wir erstmals in der Geschichte der Menschheit von einer friedliebenden Elite regiert – Politikern, Unternehmern, Intellektuellen und Künstlern, die den Krieg als Übel betrachten, das sich sehr wohl vermeiden lässt. (Es gab zwar auch in der Vergangenheit Pazifisten wie die frühen Christen, doch wenn diese tatsächlich einmal an die Macht kamen, hatten sie die Sache mit der anderen Wange ganz schnell vergessen.)

Die genannten vier Faktoren verstärken sich gegenseitig. Die Bedrohung des atomaren Holocaust fördert den Pazifismus. Mit der Ausbreitung des Pazifismus weicht der Krieg zurück und der Handel blüht. Der Handel macht den Frieden rentabler und den Krieg unrentabler. Aufgrund der immer engeren internationalen Verflechtungen verlieren die meisten Staaten immer mehr von ihrer Autonomie, weshalb es unwahrscheinlicher wird, dass einer von ihnen allein den Geist des Krieges aus der Flasche lassen kann.

Heute sind die meisten Staaten gar nicht mehr in der Lage, einen Krieg vom Zaun zu brechen, ganz einfach weil sie nicht mehr unabhängig sind. Die Bürger von Israel, Italien, Mexiko oder Thailand mögen noch an ihre nationale Unabhängigkeit glauben, doch die meisten Staaten können nicht einmal mehr eine eigenständige Außen- oder Wirtschaftspolitik betreiben, geschweige denn auf eigene Faust einen Krieg führen. Wie wir in Kapitel 11 gesehen haben, werden wir heute Zeugen der Entstehung eines globalen Imperiums, das von einer internationalen Elite geführt wird. Wie alle früheren Imperien sorgt auch dieses innerhalb seiner Grenzen für Frieden. Und da diese Grenzen heute den ganzen Globus umspannen, sorgt dieses globale Imperium weltweit für Frieden.

*

Ist die Moderne also eine Ära des Krieges und der Unterdrückung, symbolisiert durch die Schützengräben des Ersten Weltkriegs, den Atompilz über Hiroshima oder die hasserfüllten Gesichter von Hitler und Stalin? Oder ist es eine Ära des Friedens, symbolisiert durch die Schützengräben, die sich nie durch Südamerika zogen, die Atompilze, die nie über New York und Moskau schwebten und die friedlichen Gesichter von Mahatma Gandhi und Martin Luther King?

Das kommt darauf an, von welchem Moment aus man diese Frage beantwortet. Wir müssen uns eingestehen, dass unsere Einschätzung der Vergangenheit immer durch die Ereignisse der zurückliegenden Jahre verzerrt wird. Wenn dieses Kapitel im Jahr 1945 oder 1962 geschrieben worden wäre, dann hätte es vermutlich einen sehr pessimistischen Ton angeschlagen. Da es im Jahr 2013 geschrieben wurde, sieht es die moderne Geschichte sehr viel optimistischer.

Vielleicht können sich Pessimisten und Optimisten darauf einigen, dass sich unsere Epoche durch eine einmalige Dynamik auszeichnet. Wir leben an der Schwelle zwischen Himmel und Hölle und springen nervös zwischen der Pforte des einen und dem Vorraum der anderen hin und her. Die Geschichte hat sich noch nicht für ein Ziel entschieden – welchen Weg sie einschlagen wird, könnte noch immer von einer Vielzahl von Zufällen abhängen.

Kapitel 19

Und sie lebten glücklich
bis ans Ende ihrer Tage

In den vergangenen fünf Jahrhunderten haben wir eine schwindel-erregende Abfolge von Revolutionen erlebt. Die Erde wuchs zu einer einzigen ökologischen und historischen Sphäre zusammen. Die Wirtschaft wuchs exponentiell und die Menschheit genießt heute einen Reichtum, wie man ihn früher nur aus Märchen kannte. Die Wissenschaften und die Industrielle Revolution haben uns über-menschliche Kräfte und nahezu grenzenlose Energie verliehen. Die Gesellschaftsordnung wurde von innen nach außen gekehrt, genau wie die Politik, der Alltag und die menschliche Psyche.

Aber sind wir heute glücklicher? Hat uns der Wohlstand, den wir in den vergangenen fünf Jahrhunderten angehäuft haben, zufriede-ner gemacht? Ist die Welt in den 70 turbulenten Jahrtausenden, die seit der kognitiven Revolution vergangen sind, besser geworden? War Neil Armstrong, dessen Fußabdruck bis heute den Mond ziert, ein glücklicherer Mensch als die namenlosen Jäger und Sammler, die vor 30 000 Jahren ihre Handabdrücke in der Grotte von Chauvet zurückgelassen haben? Und wenn nicht, welchen Sinn haben dann Landwirtschaft, Städte, Schrift, Geld, Weltreiche, Wissenschaften, Industrie und all die anderen Erfindungen der Menschheit?

Das sind Fragen, die Historiker nur selten stellen. Sie interes-sieren sich nicht dafür, ob die Einwohner von Uruk und Babylon glücklicher waren als die Jäger und Sammler der Steinzeit, ob die Menschen in Ägypten nach der Ankunft des Islam ein zufriedeneres

Leben führten als vorher, oder welche Auswirkungen der Zusammenbruch der europäischen Weltreiche auf das Lebensglück von Millionen von Afrikanern hatte. Doch im Grunde ist das genau die Frage, die wir an die Geschichte richten sollten.

Die meisten unserer Ideologien und politischen Programme haben sehr unausgegorene Vorstellungen vom menschlichen Glück. Nationalisten behaupten, die politische Selbstbestimmung sei der Schlüssel zu unserem Glück. Kommunisten erklären, die Diktatur des Proletariats beschere uns das Paradies auf Erden. Kapitalisten wiederholen gebetsmühlenartig, dass nur die Marktwirtschaft das größte Glück der größtmöglichen Zahl garantieren könne. Aber was wäre, wenn diese Behauptungen wissenschaftlich widerlegt würden? Was wäre der Sinn des Kapitalismus, wenn das Wirtschaftswachstum uns nicht glücklich macht? Was wäre, wenn die Untertanen von Großreichen zufriedener sind als die Bürger von Nationalstaaten, und wenn die Algerier unter französischer Kolonialherrschaft glücklicher waren als in ihrem unabhängigen Staat? Was wäre, wenn die Emanzipation keine positiven Auswirkungen auf die Lebenszufriedenheit von Frauen hätte, und wenn berufstätige Frauen von heute weniger glücklich sind als ihre Großmütter, die sich um die Kindererziehung und den Haushalt kümmerten?

Das sind natürlich reine Spekulationen, denn bislang haben Historiker diese Fragen gemieden. Obwohl sich Geschichtswissenschaftler mit fast jedem erdenklichen Thema beschäftigen – von Politik, Gesellschaft und Wirtschaft über Geschlechter und Sexualität bis zu Krankheiten, Essen und Kleidung –, haben sie sich nie gefragt, welchen Einfluss das alles auf das Glück der Menschen hat. Das ist die größte Lücke in der Geschichtsschreibung.

Aber obwohl bislang niemand die Geschichte des Glücks erforscht hat, haben die meisten Wissenschaftler und Laien bestimmte Vorstellungen davon. Zum Beispiel hat einer verbreiteten Ansicht zufolge der Mensch im Laufe der Geschichte immer mehr Fähigkeiten erworben, und da wir unsere Fähigkeiten dazu nutzen, um

Elend zu beseitigen und unsere Träume zu erfüllen, müssen wir folglich heute glücklicher sein als unsere Vorfahren im Mittelalter, und diese wiederum müssen glücklicher gewesen sein als die Jäger und Sammler der Steinzeit.

Doch dieser Fortschrittsglaube überzeugt nicht. Wie wir gesehen haben, bedeuten neue Fähigkeiten und Verhaltensweisen noch lange kein besseres Leben. Als die Menschen während der landwirtschaftlichen Revolution lernten, ihre Umwelt nach ihren Bedürfnissen zu gestalten, verschlechterte sich das Leben der Einzelnen erheblich. Die Bauern mussten mehr arbeiten als die Jäger und Sammler, während sie sich gleichzeitig schlechter ernährten und unter Krankheit und Ausbeutung litten. Ähnlich verhalf die Expansion der europäischen Weltreiche der Menschheit insgesamt zwar zu einem Machtzuwachs, weil Ideen, Technologien und Güter auf neuen Handelsrouten über den gesamten Globus verteilt wurden; doch für Abermillionen von Afrikanern, amerikanischen Ureinwohnern und australischen Aborigines bedeutete das nichts Gutes. Angesichts der langen Geschichte des Machtmissbrauchs durch die Menschen wäre es naiv zu glauben, dass uns Fortschritt automatisch glücklicher macht.

Zivilisationskritiker behaupten daher das genaue Gegenteil: Fortschritt führt ins Unglück. Macht korrumpiert. Mit unseren Erfindungen haben wir uns eine kalte und mechanistische Welt geschaffen, die unseren Bedürfnissen nicht mehr entspricht. In einer Jahrmillionen langen Evolution haben wir uns körperlich und seelisch perfekt an das Leben als Jäger und Sammler angepasst. Der Übergang zur Landwirtschaft und später zur Industrie hat uns einen unnatürlichen Lebensstil aufgezwungen, der unsere Instinkte knebelt und unsere eigentlichen Bedürfnisse nicht mehr befriedigt. Nichts im angenehmen Leben der städtischen Mittelschicht reicht auch nur im Entferntesten an die wilde Erregung und schiere Freude heran, die eine Gruppe von Jägern bei einer Mammutjagd erlebte. Mit jeder neuen Erfindung entfernen wir uns immer weiter vom Garten Eden.

Doch die Romantiker, die in jedem Fortschritt nur das Schlechte sehen, sind nicht weniger dogmatisch als die naiven Fortschrittsapostel. Mag sein, dass wir uns von unserer menschlichen Natur entfernt haben, aber das hat nicht nur schlechte Seiten. So hat beispielsweise die moderne Medizin die Kindersterblichkeit in den vergangenen zwei Jahrhunderten von 33 auf weniger als 5 Prozent gedrückt. Wer wollte bezweifeln, dass dies ein gewaltiger Beitrag zum menschlichen Glück ist, und zwar nicht nur für die Kinder, die überlebt haben, sondern auch für Eltern, Geschwister und Freunde?

Eine etwas ausgewogenere Sicht wählt einen Mittelweg. Vor der wissenschaftlichen Revolution gab es vermutlich tatsächlich keinen eindeutigen Zusammenhang zwischen Fortschritt und Glück, und die Bauern des Mittelalters führten möglicherweise wirklich ein weniger glückliches Leben als die Jäger und Sammler der Steinzeit. Doch in den letzten Jahrhunderten haben wir gelernt, unsere neuen Fähigkeiten klüger einzusetzen. Die Erfolge der modernen Medizin sind nur ein Beispiel. Weitere noch nicht dagewesene Errungenschaften sind der drastische Rückgang der Gewalt, das weitgehende Verschwinden internationaler Kriege und die Verringerung großer Hungersnöte.

Aber auch das wäre eine starke Vereinfachung. Diese optimistische Sichtweise zieht nämlich nur einen extrem kurzen Zeitraum in Betracht. Die Errungenschaften der modernen Medizin wurden für die meisten Menschen erst in der zweiten Hälfte des 19. Jahrhunderts spürbar, und der drastische Rückgang der Kindersterblichkeit ist eine Erscheinung des 20. Jahrhunderts. Während des Großen Sprungs, der von 1958 bis 1961 dauerte, verhungerten im Kommunistischen China zwischen 10 und 50 Millionen Menschen. Internationale Kriege wurden erst nach 1945 seltener, doch in dieser außergewöhnlich friedlichen Phase sieht sich die Menschheit erstmals der Gefahr der kompletten Auslöschung durch einen Atomkrieg ausgesetzt. Die letzten Jahrzehnte mögen in der Tat ein beispielloses goldenes Zeitalter gewesen sein, aber es ist noch viel zu früh, um beurteilen zu können, ob es sich um eine umfassende historische Wende handelt oder um eine vorübergehende Glückssträhne. Außerdem sollten wir nicht der Versuchung erliegen, die Geschichte durch die Brille der europäischen Mittelschicht zu sehen. Aus Sicht eines walischen Bergarbeiters, eines chinesischen Opiumsüchtigen und eines tasmanischen Ureinwohners des 19. Jahrhunderts sieht die Geschichte ganz anders aus.

Und zweitens ist durchaus denkbar, dass diese kurze Glückssträhne die Saat für eine kommende Katastrophe gelegt hat. In den zurückliegenden Jahrzehnten haben wir das ökologische Gleichgewicht des Planeten auf verschiedenste Weise gestört, und niemand kann die Konsequenzen absehen. Es gibt viele Anzeichen dafür, dass wir gerade im Begriff sind, in einer Orgie des gedankenlosen Konsums die Grundlage unseres Wohlstands zu verprassen.

Und schließlich können wir uns nur für die beispiellosen Errungenschaften des modernen *Homo sapiens* auf die Schulter klopfen, wenn wir das Schicksal aller anderen Tiere ausblenden. Ein Gutteil der materiellen Errungenschaften, mit denen wir Hunger und Krankheiten überwunden haben, waren nur auf Kosten von Laboraffen, Milchkühen und Fließbandhühnern möglich. In den vergangenen zwei Jahrhunderten haben wir Abermilliarden von Tieren in einem Regime industrieller Ausbeutung geknechtet, deren Grausamkeit in den Annalen des Planeten Erde ohne Gleichen ist. Wenn nur ein Bruchteil der Behauptungen von Tierschützern stimmen, dann ist die moderne industrielle Tierhaltung das größte Verbrechen der Menschheitsgeschichte. Wenn wir das globale Glück messen wollen, dürfen wir die Messlatte nicht bei Wohlhabenden, bei den Europäern oder bei den Männern und vermutlich nicht einmal nur beim Menschen anlegen.

Die Vermessung des Glücks

Bislang sind wir davon ausgegangen, dass Glück vor allem von materiellen Faktoren wie Gesundheit, Ernährung und Wohlstand abhängt. Je reicher und gesünder wir sind, umso glücklicher sind wir auch, so die Logik. Dieser Zusammenhang ist jedoch keineswegs erwiesen. Philosophen, Priester und Dichter haben sich Jahrtausende lang den Kopf über das Glück zerbrochen und sind oft zu dem Schluss gekommen, dass gesellschaftliche, ethische und spirituelle Faktoren weit größere Auswirkungen auf unser Glücksempfinden haben als unsere materiellen Umstände. Könnte es sein, dass Menschen in wohlhabenden Gesellschaften trotz ihres Wohlstands unter Entfremdung und Sinnlosigkeit leiden? Und könnte es sein, dass unsere weniger wohlhabenden Vorfahren in der Gemeinschaft, der Religion und der Beziehung zur Natur ihr Glück fanden?

In den letzten Jahrzehnten hat man mit der wissenschaftlichen Untersuchung des Glücks und seiner Ursachen begonnen. Macht uns Geld glücklich? Die Familie? Unsere Gene? Oder vielleicht sogar die Tugend? Um dies zu beantworten, müssen wir zunächst einmal klären, was wir überhaupt messen. Die meisten Wissenschaftler definieren Glück als »subjektives Wohlbefinden«. Demnach ist das Glück ein subjektives Gefühl hinsichtlich meiner unmittelbaren oder langfristigen Befindlichkeit. Aber wie lässt sich dieses subjektive Gefühl objektiv messen? Psychologen und Biologen gehen davon aus, dass sie einfach danach fragen können. Also ermitteln sie unser subjektives Glücksempfindungen mithilfe von Fragebögen.

In einem typischen Glücks-Fragebogen sollen die Teilnehmer auf einer Skala von 0 bis 10 beurteilen, inwieweit bestimmte Aussagen auf sie zutreffen, zum Beispiel »ich bin zufrieden mit meiner Lebenssituation«, »ich empfinde das Leben als lebenswert«, »ich blicke optimistisch in die Zukunft« oder »das Leben ist gut«. Die Wissenschaftler addieren diese Antworten und ermitteln so das subjektive Wohlbefinden der Teilnehmer.

Über solche und ähnliche Fragebögen lässt sich außerdem ermitteln, ob ein Zusammenhang zwischen dem Glück und verschiedenen äußeren Faktoren besteht. In einer Untersuchung könnten beispielsweise zwei Gruppen von je tausend Teilnehmern verglichen werden, von denen die eine ein Jahreseinkommen von 100 000 Euro hat und die andere ein Jahreseinkommen von 50 000 Euro. Wenn die Untersuchung zu dem Schluss kommt, dass die erste Gruppe im Durchschnitt ein subjektives Wohlbefinden von 8,7 hat, und die zweite nur von 7,3, dann könnten wir daraus den Schluss ziehen, dass ein Zusammenhang zwischen Einkommen und Glück besteht. Oder anders gesagt, Geld macht glücklich. Mit dieser Methode lässt sich auch ermitteln, ob Menschen in Demokratien glücklicher sind als Menschen in Diktaturen, oder Verheiratete glücklicher als Singles, Geschiedene oder Verwitwete.

Wenn Historiker das subjektive Wohlbefinden vergangener Epochen ermitteln wollen, könnten sie auf Grundlage dieser Erkenntnisse in der Vergangenheit nach objektiven Größen wie Wohlstand, politischer Freiheit und Scheidungsraten suchen. Wenn Menschen in Demokratien glücklicher sind als in Diktaturen, und wenn Verheiratete glücklicher sind als Geschiedene, dann könnten sie daraus folgern, dass die Demokratisierung der vergangenen Jahrzehnte zum Glück der Menschen beigetragen hat, während die immer größer werdende Zahl der Scheidungen das Gegenteil bewirkt.

Auch diese Messungen haben ihre Schwächen. Doch ehe wir sie genauer unter die Lupe nehmen, wollen wir uns einige der Beobachtungen ansehen.

*

Eine interessante Erkenntnis der Glücksforscher ist, dass Geld tatsächlich glücklich macht. Aber nur bis zu einem gewissen Punkt: Darüber hinaus hat es kaum noch Auswirkungen auf unser Wohlbefinden. Für Menschen am unteren Ende der wirtschaftlichen Leiter bedeutet mehr Einkommen tatsächlich mehr Zufriedenheit. Eine alleinstehende Mutter, die als Haushaltshilfe 600 Euro im Monat verdient und plötzlich eine Million im Lotto gewinnt, erlebt vermutlich eine deutliche und anhaltende Steigerung ihres subjektiven Wohlbefindens, weil sie sich keine Sorgen mehr machen muss, wo sie das Geld für Essen und Kleider ihrer Kinder hernehmen soll. Aber ein Manager mit einem Monatsgehalt von 20 000 Euro, der plötzlich das Doppelte verdient oder zwei Millionen im Lotto gewinnt, wird sich nur ein paar Wochen an dem Zugewinn erfreuen. Untersuchungen zeigen, dass sich das zusätzliche Geld langfristig nicht auf die Zufriedenheit auswirkt, denn der neue Sportwagen, das schicke Penthouse oder die Gourmetrestaurants werden schnell zur Routine.

Eine weitere interessante Erkenntnis ist, dass Krankheit das subjektive Wohlbefinden zwar kurzfristig beeinträchtigt, aber nur dann langfristiges Leid verursacht, wenn sich der Gesundheitszustand weiter verschlechtert oder die Krankheit mit dauerhaften und starken Schmerzen verbunden ist. Patienten, die unter einer chronischen Krankheit wie Diabetes leiden, sind nach der ersten Diagnose in der Regel für einige Zeit niedergeschlagen, doch wenn sich ihr Zustand nicht verschlechtert, gewöhnen sie sich an ihre neue Lebenssituation und sind nicht weniger glücklich als andere Menschen. Stellen Sie sich vor, die Zwillinge Lucy und Lukas nehmen an einer Untersuchung zum Lebensglück teil. Auf dem Nachhauseweg aus dem Labor gerät Lucy mit ihrem Auto unter eine Straßenbahn; sie bricht sich einige Knochen und wird ihr Leben lang hinken. Just in dem Moment, in dem sie von der Rettungsmannschaft aus dem Wagen geschnitten wird, kommt Lukas nach Hause und findet im Briefkasten die Nachricht, dass er 10 Millionen im Lotto gewonnen hat. Als die beiden zwei Jahre später an einer Nachfolgeuntersuchung zu ihrem Glücksempfinden teilnehmen – Lukas kommt im Sportwagen, Lucy humpelt –, erzielen beide mehr oder weniger dasselbe Ergebnis wie an jenem ereignisreichen Tag zwei Jahre zuvor.

Familie und soziales Netz wirken sich deutlich stärker auf unser Wohlbefinden aus als Geld und Gesundheit. Menschen in starken Familien und einem funktionierenden sozialen Netzwerk sind deutlich glücklicher als Menschen in dysfunktionalen Familien und ohne soziales Netzwerk. Besonders wichtig ist die Ehe; Untersuchungen haben wiederholt den Zusammenhang zwischen einer guten Ehe und großer Lebenszufriedenheit beziehungsweise zwischen einer schlechten Ehe und geringer Lebenszufriedenheit aufgezeigt. Dabei hatte das subjektive Empfinden nichts mit den wirtschaftlichen Umständen oder dem Gesundheitszustand der Befragten zu tun. Einem kranken und armen Menschen, der in einer liebevollen Familie und einer fürsorglichen Gemeinschaft lebt, geht es besser als einem entfremdeten Multimillionär, vorausgesetzt, seine Armut ist nicht zu groß und sein Gesundheitszustand verschlechtert sich nicht stetig.

Das legt die Vermutung nahe, dass der Zuwachs an Wohlbefinden, der durch die gewaltige Steigerung des materiellen Lebensstandards der letzten beiden Jahrhunderte zustande kam, durch den Zusammenbruch der Familie und der Gemeinschaft mehr als aufgezehrt worden sein könnte. In diesem Fall wäre der westliche Durchschnittsbürger heute nicht glücklicher als im Jahr 1800. Selbst unsere so geschätzten Freiheiten könnten sich in unserer Glücksbilanz negativ auswirken. Zwar haben wir bei der Wahl unseres Lebenswegs immer mehr Möglichkeiten, aber gleichzeitig fällt es uns immer schwerer, uns festzulegen und Verpflichtungen einzugehen. Daher leben wir in einer immer einsameren Welt, in der die Bande von Familie und Gemeinschaft reißen.

Die wichtigste Erkenntnis ist jedoch, dass unser Glück weniger von objektiven Umständen wie Geld, Gesundheit und sogar einer funktionierenden Gemeinschaft abhängt, sondern vor allem vom Verhältnis zwischen den objektiven Umständen und unseren subjektiven Erwartungen. Wenn Sie sich einen Ochsenkarren wünschen und einen Ochsenkarren bekommen, dann sind Sie zufrieden. Wenn Sie dagegen einen nagelneuen Ferrari wollen und einen gebrauchten Fiat bekommen, dann fühlen Sie sich betrogen. Deshalb hat ein Lottogewinn langfristig dieselben Auswirkungen auf unser Glück wie eine Behinderung nach einem Autounfall. Wenn sich unsere Situation verbessert, werden unsere Erwartungen größer, weshalb uns selbst eine dramatische Verbesserung unserer objektiven Lebensumstände unzufrieden machen kann. Aber wenn sich die Umstände verschlechtern, erwarten wir weniger, weshalb sich selbst eine schwere Krankheit möglicherweise nicht auf unser subjektives Wohlbefinden auswirkt.

Sie könnten jetzt sagen, dass wir für diese Erkenntnis keine Psychologen mit ihren Fragebögen brauchen. Propheten, Dichter und Philosophen haben schon vor Jahrtausenden erkannt, dass es wichtiger ist, mit dem zufrieden zu sein, was wir haben, als mehr von dem zu bekommen, was wir uns wünschen. Trotzdem ist es immer wieder schön, wenn die modernen Wissenschaften mit ihren Zahlen und Grafiken zu denselben Schlüssen kommen wie die alten Weisen.

*

Die zentrale Rolle der Erwartungen hat entscheidende Auswirkungen auf die Geschichte des Glücks. Wenn unser Wohlbefinden nur von materiellen Umständen wie Einkommen, Gesundheit und sozialen Beziehungen abhängen würde, dann ließe sich seine historische Entwicklung leicht rekonstruieren. Doch die Erkenntnis, dass das Glück vor allem von subjektiven Erwartungen abhängt, erschwert den Historikern die Arbeit. Wir haben zwar heute ein Arsenal von Beruhigungs- und Schmerzmitteln zur Verfügung, doch unsere Erwartung eines schmerzfreien und lustvollen Lebens und unsere Empfindlichkeit gegenüber kleinsten Unannehmlichkeiten sind derart explodiert, dass wir heute vielleicht mehr unter Schmerzen leiden als unsere Vorfahren.

Wenn es uns schwer fällt, diese Erkenntnis zu schlucken, dann liegt das an einem typischen Denkfehler: Wenn wir uns vorstellen wollen, wie glücklich andere Menschen sind oder waren, dann versetzen wir uns in ihre Lage. Das kann jedoch nicht funktionieren, denn damit beurteilen wir das Leben anderer mit der Messlatte unserer Erwartungen. Als Bürger einer modernen Wohlstandsgesellschaft haben wir uns daran gewöhnt, jeden Morgen zu duschen und jeden Tag frische Kleider anzuziehen. Die Bauern des Mittelalters wuschen sich oft monatelang nicht und wechselten nur selten die Kleider. Uns wird schon allein bei dem Gedanken an den Schmutz und den Gestank übel. Die mittelalterlichen Bauern scheinen sich daran nicht gestört zu haben. Sie waren das Aroma gewöhnt. Es ist nicht so, als hätten sie sich danach gesehnt, endlich ihr schmutziges gegen ein frisch gebügeltes Hemd tauschen zu dürfen – sie hatten alles, was sie wollten. Zumindest was ihre Kleidung anging, waren sie zufrieden.

Wenn Glück eine Frage der Erwartungen ist, dann könnten zwei Säulen unserer Gesellschaft – die Massenmedien und die Werbung – entscheidend zu unserem Unglück beitragen. Ein 18-Jähriger, der vor 5000 Jahren in einem kleinen Dorf lebte, hielt sich vermutlich für ausgesprochen attraktiv; er verglich sich mit den fünfzig anderen Männern in seinem Dorf, von denen die meisten alt und runzlig oder noch Kinder waren. Ein Jugendlicher in einem Dorf von heute fühlt sich vermutlich deutlich weniger sexy. Seine Schulkameraden sind vielleicht auch keine Supermänner, aber mit denen vergleicht er sich ja auch nicht; sein Maßstab sind die Filmstars, Sportler und Topmodelle, die er jeden Tag im Fernsehen und auf Werbeplakaten sieht.

Deshalb hängt die Unzufriedenheit der Menschen in der Dritten Welt nicht nur mit der Armut, der Korruption, der mangelnden Demokratie und den grassierenden Krankheiten vor Ort zusammen, sondern mit den Standards der Ersten Welt, mit denen sie in Fernsehen und Facebook konfrontiert werden. Unter Hosni Mubarak starben deutlich weniger Ägypter an Hunger oder Pest als unter den Pharaonen. Die Lebensbedingungen der Menschen waren besser denn je. Trotzdem tanzten sie im Frühjahr 2011 nicht auf den Straßen und dankten Allah für ihr Glück. Im Gegenteil, sie gingen auf die Straßen, um Mubarak zu stürzen. Ihr Vergleichspunkt waren nicht die alten Ägypter, sondern die Amerikaner und Europäer der Gegenwart.

Da unsere Erwartungen eine derart entscheidende Rolle spielen, könnte selbst der Sieg über den Tod unser Wohlbefinden beeinträchtigen. Nehmen wir an, die Wissenschaft findet Medikamente gegen jede Krankheit, hält den Alterungsprozess auf, regeneriert Organe, Gelenke und Gewebe und schenkt uns die ewige Jugend. Das Ergebnis ist vermutlich eine beispiellose Epidemie von Wut und Angst.

Die Menschen, die sich diese Wunderheilungen nicht leisten können – also die große Mehrheit –, wird vor Zorn außer sich sein. In der Vergangenheit konnten sich die Armen und Unterdrückten immer noch mit dem Gedanken trösten, dass vor dem Tod alle gleich sind und der Sensenmann auch die Reichen und Mächtigen holt. Welche Wut werden sie empfinden, wenn sie feststellen müssen, dass nur sie sterben müssen, während die Reichen auf ewig jung und schön bleiben!

Aber auch die kleine Minderheit, die sich die neuen Behandlungen leisten kann, wird sich nicht im Glück sonnen, sondern sie wird von Angst umgetrieben. Die neuen Therapien verlängern zwar das Leben und die Jugend, aber sie können keine Toten wiederbeleben. Ist es nicht ein schrecklicher Gedanke, dass Sie zwar ewig leben können, dass Sie aber unwiederbringlich sterben, wenn Sie von einem Lastwagen überfahren oder von Terroristen in die Luft gesprengt werden? Unsterbliche Menschen werden jedes noch so kleine Risiko scheuen, und der Tod eines geliebten Menschen wird zu einem unerträglichen Verlust.

Chemisches Glück

Sozialwissenschaftler verteilen Fragebögen zum subjektiven Wohlbefinden und vergleichen die Ergebnisse mit sozio-ökonomischen Faktoren wie Einkommen oder politischer Freiheit. Biologen arbeiten mit denselben Fragebögen, doch sie vergleichen die Ergebnisse mit biochemischen und genetischen Faktoren. Die Ergebnisse sind ähnlich ernüchternd.

Nach Ansicht von Biologen wird unsere geistige und emotionale Welt von biochemischen Mechanismen regiert, die in Jahrmillionen der Evolution entstanden. Wie die Sozialwissenschaftler erklären auch sie, dass unser subjektives Wohlbefinden nicht durch äußere Parameter wie Einkommen, soziale Beziehungen oder politische Rechte bestimmt wird. Nach Ansicht der Biologen hängt es vielmehr mit einem komplexen System aus Nerven, Neuronen, Synapsen und verschiedenen Botenstoffen wie Serotonin, Dopamin und Oxytocin zusammen.

Ein Sechser im Lotto, ein Haus, eine Beförderung, Liebe – das alles macht uns nicht langfristig glücklich. Das Einzige, was uns glücklich macht, sind nach Ansicht der Biologen angenehme körperliche Empfindungen. Wenn wir vor Glück tanzen, weil wir gerade im Lotto gewonnen oder uns verliebt haben, dann hat das nichts mit dem Geld oder der Liebe zu tun, sondern mit den Hormonen, die durch unser Blut rasen, und den elektrischen Stürmen in unserem Gehirn. Bei allem Kitzel des Verliebtseins und bei allem Schmerz über gebrochene Herzen scheint unser biochemisches System darauf programmiert zu sein, unser Glücksniveau mehr oder weniger konstant zu halten. Die Evolution interessiert sich nicht für Glück – sie interessiert sich nur für Überleben und Fortpflanzung und achtet deshalb darauf, dass wir nicht zu glücklich oder zu unglücklich werden. Die Evolution sorgt beispielsweise dafür, dass männliche Angehörige der Art *Homo sapiens* ein angenehmes Gefühl erleben, wenn sie beim Geschlechtsverkehr mit fruchtbaren weiblichen Angehörigen ihrer Art ihre Gene weitergeben. Würden sie den Geschlechtsverkehr nicht als lustvoll empfinden, dann würden sie sich vermutlich kaum die Mühe machen. Gleichzeitig sorgte die Evolution dafür, dass dieses angenehme Gefühl schnell wieder abflaut. Wenn der Orgasmus nie nachließe, würden die glücklichen Männchen die Nahrungsaufnahme vergessen und verhungern, oder zumindest würden sie sich nicht mehr nach weiteren fruchtbaren Weibchen umsehen.

So kommt es, dass äußerliche Ereignisse wie Sex, ein Lottogewinn oder ein Autounfall unser Glück nur auf kurze Sicht positiv oder negativ beeinflussen. Unser biochemisches System lässt nicht zu, dass es über ein bestimmtes Niveau nach oben oder unten ausschlägt, und führt uns langfristig wieder zum Ausgangspunkt zurück. Einige Wissenschaftler vergleichen unsere Biochemie mit einer Klimaanlage, die unsere Temperatur konstant hält, egal ob draußen eine Hitzewelle oder ein Schneesturm tobt. Äußere Ereignisse können sich kurzfristig auf die Temperatur auswirken, doch die Klimaanlage stellt die Ausgangstemperatur rasch wieder her.

Einige Klimaanlagen sind auf 25 Grad Celsius eingestellt, andere auf 19 Grad. Auch die Einstellung der menschlichen »Glücks-Klimaanlage« kann sich individuell sehr unterscheiden. Wenn wir von einer Skala von 0 bis 10 ausgehen, kommen einige Menschen mit einem heiteren biochemischen System auf die Welt, das Stimmungsausschläge zwischen 6 und 10 erlaubt und sich langfristig irgendwo bei 8 einpendelt. Solche Menschen sind relativ zufrieden, auch wenn sie in einer hektischen Großstadt leben, ihr ganzes Geld in einem Börsencrash verlieren und eine Diabetesdiagnose bekommen. Andere Menschen sind dagegen mit einer umwölkten Biochemie geschlagen, die zwischen 3 und 7 schwanken kann und sich bei 5 einpendelt. Diese Menschen bleiben auch dann noch niedergeschlagen, wenn sie in einer liebevollen Gemeinschaft leben, Millionen im Lotto gewinnen und fit wie ein olympischer Marathonläufer sind. Selbst wenn eine Frau mit diesem Gemüt am Morgen 50 Millionen im Lotto gewinnt, am Mittag eine Behandlungsmethode für Krebs und AIDS entdeckt, am Nachmittag Frieden zwischen Israelis und Palästinensern stiftet und am Abend ihr verloren geglaubtes Kind wiederfindet, wird ihr Glück nie über die »7« hinauskommen. Ihr Gehirn ist einfach nicht für größere Ausschläge nach oben ausgelegt, egal was passiert.

Denken Sie einen Moment lang an Ihre Verwandten und Freunde. Wahrscheinlich kennen Sie auch ein paar Menschen, die immer fröhlich zu sein scheinen, egal was ihnen passiert. Und genauso kennen sie wahrscheinlich Leute, die einfach immer sauertöpfisch dreinschauen, egal welche Geschenke ihnen das Leben macht. Wir glauben oft, wenn wir nur endlich den Arbeitsplatz wechseln, heiraten, unseren Roman zu Ende schreiben, ein neues Auto kaufen oder unsere Hypothek abzahlen, dann, ja dann werden wir endlich glücklich sein. Aber wenn unsere Wünsche schließlich in Erfüllung gehen, sind wir sonderbarerweise auch nicht glücklicher. Ein Autokauf und ein Roman haben keinerlei Einfluss auf unsere Biochemie. Sie können sie einen Moment lang in Aufruhr versetzen, aber nach kurzer Zeit ist sie wieder zurück am Ausgangspunkt.

*

Wie passt das zu den erwähnten Erkenntnissen von Psychologen und Soziologen, nach denen zum Beispiel verheiratete Menschen glücklicher sind als unverheiratete? Erstens handelt es sich hierbei um Wechselbeziehungen, und vielleicht haben die Wissenschaftler ganz einfach Ursache und Wirkung verwechselt. Es stimmt zwar, dass verheiratete Menschen glücklicher sind als Singles, aber das muss nicht unbedingt bedeuten, dass eine Heirat glücklich macht. Es kann genauso gut bedeuten, dass Glücklichsein Ehen anbahnt. Oder besser gesagt sind es Serotonin, Dopamin und Oxytocin, die Ehen anbahnen und erhalten. Menschen mit einer heiteren Biochemie sind generell glücklich und zufrieden. Solche Menschen sind attraktiver und haben daher bessere Aussichten, Partner zu finden. Sie lassen sich auch seltener wieder scheiden, da es viel einfacher ist, mit einem zufriedenen und glücklichen Menschen zusammenzuleben als mit einem depressiven und unzufriedenen Menschen. Daher stimmt es zwar, dass verheiratete Menschen im Durchschnitt glücklicher sind als unverheiratete, aber eine Frau mit einer depressiven Biochemie wird nicht unbedingt glücklicher, nur weil sie vor den Traualtar tritt.

Aber die wenigsten Biologen sind Dogmatiker. Sie behaupten zwar, dass unser Glück vor allem von der Biochemie bestimmt wird, aber sie räumen sofort ein, dass auch psychische und gesellschaftliche Faktoren eine Rolle spielen. Innerhalb gewisser Grenzen hat unsere mentale Klimaanlage nämlich ihre Spielräume. Es ist zwar fast unmöglich, die Ober- und Untergrenzen zu verschieben, aber Eheschließung und Scheidung haben einen Einfluss darauf, wo wir uns dazwischen befinden. Eine Frau mit einem durchschnittlichen Glücksniveau von 5 wird vermutlich nie durch die Straßen tanzen. Aber mit einer guten Ehe kommt sie hin und wieder auf die Zufriedenheit von Niveau 7 und vermeidet die Verzweiflung von Niveau 3.

Wenn die Biologie mit ihrem Glücksverständnis Recht hat, dann spielt die Geschichte bestenfalls eine untergeordnete Rolle, da sich die wenigsten historischen Ereignisse direkt auf unsere Biochemie auswirken. Die Geschichte hat zwar Einfluss auf die äußeren Reize, die den Serotoninausstoß in unserem Gehirn bewirken, doch sie hat keine Auswirkungen auf den Serotoninspiegel an sich und kann uns daher nicht glücklicher machen.

Vergleichen wir einen Bauern aus dem Frankreich des Mittelalters mit einem Börsenhändler aus dem Paris von heute. Der Bauer lebte in einer unbeheizten Holzhütte mit Blick auf den Schweinestall, während es sich der Börsenhändler abends in seinem luxuriösen Penthouse mit Blick auf die Champs-Élysées bequem macht. Wir würden vermutlich automatisch schließen, dass der Börsenhändler glücklicher ist als der Bauer. Doch das Glück der beiden entsteht im Gehirn, und das Gehirn weiß nichts von Holzhütten, Penthouses und Champs-Élysées. Das Einzige, was das Gehirn kennt, sind Serotoninspiegel. Als der Bauer seine Lehmhütte fertigstellte, schütteten bestimmte Drüsen in seinem Gehirn eine gewisse Menge Serotonin aus. Und als der Börsenhändler die letzte Rate für sein wunderbares Penthouse hinblätterte, schütteten dieselben Drüsen in seinem Gehirn vermutlich eine ähnliche Menge Serotonin aus. Das Gehirn hat keine Ahnung, dass das Penthouse bequemer ist als eine Lehmhütte. Es weiß nur, dass im Moment eine bestimmte Menge Serotonin durch seine Neuronen strömt. Der Börsenhändler ist also kein bisschen glücklicher als sein Urahn, der arme Bauer aus dem Mittelalter.

Das trifft nicht nur auf Ereignisse in unserem Privatleben zu, sondern auch auf die großen kollektiven Ereignisse. Nehmen wir zum Beispiel die Französische Revolution. Die Revolutionäre waren eifrig damit beschäftigt, den König hinzurichten, das Land an die Bauern zu verteilen, die Menschenrechte zu verkünden, die Privilegien der Adeligen abzuschaffen und ganz Europa zu bekriegen. Dies hatte jedoch nicht die geringsten Auswirkungen auf die französische Biochemie. Das heißt, trotz aller politischer, gesellschaftlicher, ideologischer und wirtschaftlicher Umwälzungen hatte die Französische Revolution kaum Auswirkungen auf das Glück der Franzosen. Wem die genetische Lotterie ein sonniges Gemüt zugelost hatte, der war nach der Revolution genauso zufrieden wie vorher. Und wer eine depressive Biochemie mitbekommen hatte, der meckerte mit derselben Verbitterung über Robespierre und Napoleon wie zuvor über Ludwig XVI. und Marie Antoinette.

Aber was hat die Französische Revolution dann eigentlich gebracht? Was war denn der Sinn der ganzen Auseinandersetzungen, Diskussionen, Konflikte und Tode, wenn sie die Menschen nicht glücklicher gemacht haben? Biologen hätten sich vermutlich nicht an der Erstürmung der Bastille beteiligt. Wir sind überzeugt, dass wir durch Revolutionen oder Reformen glücklich werden, doch die Biochemie holt uns jedes Mal wieder auf den Boden zurück.

Es gibt nur eine einzige historische Entwicklung, die wirklich Auswirkungen auf unser Glücksempfinden hat. Jetzt, da wir wissen, dass unser biochemisches System den Schlüssel zu unserem Glück in der Hand hält, müssen wir unsere Zeit nicht mehr mit Politik und gesellschaftlichen Reformen, Revolutionen und Ideologien vergeuden, sondern können uns auf die eine Sache konzentrieren, die uns wirklich glücklich macht: die Manipulation unserer Biochemie. Wenn wir Milliarden investieren, um unsere biochemischen Codes zu knacken und entsprechende Behandlungsmethoden entwickeln, können wir die Menschheit wirklich beglücken, und zwar ganz ohne jede Revolution. Prozac stürzt keine Regierungen, aber indem es den Serotoninspiegel im Gehirn anhebt, befreit es Menschen aus der Depression.

Nichts trifft diese biologische Argumentation besser als das New-Age-Schlagwort »das Glück kommt von innen«. Geld, Status, Schönheitsoperationen, Luxusvillen, Macht, Einfluss – das alles macht uns nicht glücklich. Wahres Glück kommt tatsächlich nur von innen – von Serotonin, Dopamin und Oxytocin.[1]

In Aldous Huxleys Roman *Schöne neue Welt* aus dem Jahr 1932 funktioniert die Politik nicht mehr über Polizei und Wahlen, sondern über Psychopharmaka. Jeder Bürger nimmt täglich eine synthetische Droge namens Soma ein, die die Menschen glücklich macht, ohne ihre Produktivität und Effizienz zu beeinträchtigen. Die Weltregierung, die über den gesamten Planeten herrscht, wird nie von Kriegen, Revolutionen, Streiks oder Demonstrationen bedroht, da alle Menschen mit ihren Lebensumständen rundherum zufrieden sind. Huxleys Zukunftsvision ist noch erschreckender als George Orwells *1984*. Huxleys Welt verstört uns, obwohl wir nicht genau sagen können warum. Es sind doch alle glücklich – wo ist das Problem?

Der Sinn des Lebens

Nicht alle Wissenschaftler sind der Ansicht, dass Glück allein eine Funktion unserer Biochemie ist. Zwar regulieren unsere Gene und Chemikalien gemeinsam Lust und Leid, doch Glück ist mehr als nur ein angenehmes Gefühl. In einer berühmten Untersuchung bat Wirtschaftsnobelpreisträger Daniel Kahneman seine Versuchspersonen, einen typischen Arbeitstag Situation für Situation durchzugehen und zu beurteilen, um sich ein detailliertes Bild davon zu machen, wie sie ihren Alltag erleben. Dabei entdeckte er einen sonderbaren Widerspruch. Nehmen wir als Beispiel Kinder: Wenn man die glücklichen und anstrengenden Momente einzeln zählt, dann ist es eine hochgradig unangenehme Erfahrung, Kinder zu haben. Sie besteht hauptsächlich darin, Windeln zu wechseln, Geschirr zu spülen und mit Kindergeschrei fertigzuwerden – alles Dinge, die kaum jemand gern macht. Trotzdem behaupten die meisten Eltern, ihre Kinder seien ihr größtes Glück. Wissen diese Leute nicht, was gut für sie ist?

Das kann schon sein. Es kann aber auch bedeuten, dass Glück eben nicht darin besteht, unterm Strich mehr glückliche als unglückliche Momente zu haben. Glück bedeutet vielmehr, das Leben als Ganzes als sinnvoll und lohnend zu erleben. Unsere Werte entscheiden darüber, ob wir uns als »elende Sklaven eines winzigen Diktators« begreifen oder meinen, dass wir »liebevoll ein neues Leben heranziehen«.[2] Oder wie Nietzsche sagte: »Wer ein Warum zum Leben hat, erträgt fast jedes Wie.« Ein sinnvolles Leben kann ausgesprochen befriedigend sein, auch wenn es noch so hart ist, und ein sinnloses Leben kann eine schreckliche Qual sein, auch wenn es noch so angenehm ist.

Obwohl die Menschen aller Kulturen und Zeiten dieselbe Freude und dasselbe Leid empfunden haben, haben sie ihren Erfahrungen einen ganz unterschiedlichen Sinn gegeben. Deshalb ist die Geschichte des Glücks vermutlich sehr viel turbulenter verlaufen, als die Biologen sich dies vorstellen. Auch das spricht nicht unbedingt für die Neuzeit. Minute für Minute gemessen hatten die Bauern des Mittelalters sicherlich ein hartes Leben. Aber wenn sie an ein Leben nach dem Tod glaubten, dann erfuhren sie aus dem Versprechen auf das ewige Glück vielleicht mehr Sinn als die säkularisierten Menschen der Moderne, die auf lange Sicht nichts anderes erwarten können als Sinnlosigkeit und Vergessen. Auf die Frage »Sind Sie mit Ihrem Leben als Ganzem zufrieden?« hätten fromme mittelalterliche Bauern mit ihren Antworten vermutlich auf der Glücksskala ganz weit oben abgeschnitten.

Heißt das, dass unsere Vorfahren im Mittelalter glücklich waren, weil sie einer Illusion über ein Leben nach dem Tod auf den Leim gingen? Ja. Aber was ist daran auszusetzen? Soweit wir das aus rein wissenschaftlicher Sicht beurteilen können, hat das Leben nicht den geringsten Sinn. Wir sind nicht mehr als das Produkt eines evolutionären Prozesses, der ohne Zweck oder Ziel agiert. Unser Leben ist nicht Teil eines göttlichen Plans für das gesamte Universum, und wenn die Erde morgen in die Luft fliegen sollte, würde das Universum wie gewohnt seinen Routinen nachgehen. Niemand würde uns Menschen mit unseren subjektiven Empfindungen vermissen. Daher ist *jeder* Sinn, den wir unserem Leben geben, reine Illusion. Das trifft auf den humanistischen und kapitalistischen Lebenssinn der modernen Menschen genauso zu wie auf den religiösen Lebenssinn der Bauern des Mittelalters. Die modernen Wissenschaftler, Soldaten oder Unternehmer, die ihr Leben für sinnvoll halten, weil sie das Wissen der Menschheit mehren, ihr Vaterland verteidigen oder Unternehmen gründen, geben sich denselben Illusionen hin wie ihre mittelalterlichen Kollegen, die den Sinn ihres Lebens darin sahen, die Bibel zu lesen, das Heilige Land zu befreien oder eine Kirche zu bauen. Es könnte also sein, dass wir glücklicher sind, wenn wir unsere persönlichen Illusionen mit denen unserer Zeitgenossen in Einklang bringen. Solange meine Vorstellung mit den Vorstellungen der Menschen in meiner Umgebung harmoniert, kann ich mir einreden, dass mein Leben einen Sinn hat, und daraus mein Glück ziehen.

Das ist eine niederschmetternde Schlussfolgerung. Sollte Glück tatsächlich nur durch Selbstbetrug möglich sein?

Erkenne dich selbst

Wenn Glück gleichbedeutend ist mit angenehmen Empfindungen, dann müssen wir unsere Biochemie manipulieren. Wenn mein Glück von einem Lebenssinn abhängt, dann muss ich mir eine wirkungsvolle Illusion zurechtlegen. Aber gibt es noch eine dritte Alternative?

Beide Sichtweisen gehen davon aus, dass Glück eine subjektive Empfindung ist, und dass wir, um das Glück eines Menschen zu beurteilen, diesen einfach fragen können. Wenn uns das auf Anhieb überzeugt, dann liegt das daran, dass die vorherrschende Religion unserer Tage der liberale Humanismus ist. Für diesen gehen die subjektiven Empfindungen der Menschen über alles. Demnach entscheiden allein unsere Gefühle darüber, was gut ist und was schlecht, was schön ist und was hässlich, was sein sollte und was nicht.

Die liberale Politik basiert auf genau dieser Annahme, dass es »der Wähler am besten weiß«. Die liberale Wirtschaft gründet auf dem Gedanken »der Kunde hat immer recht«. Die liberale Kunst erklärt, »Schönheit ist Ansichtssache«. Den Schülern und Studierenden an liberalen Schulen und Universitäten wird eingebläut: »Denk selbstständig!« Millionen Werbespots drängen uns: »Just Do It!« Kinofilme, Theaterstücke, Seifenopern, Romane und Popsongs flüstern uns dauernd ein: »Bleib dir selbst treu!«, »Hör auf dich!« und »Folge deinem Herzen!« Für diese Einstellung fand Jean-Jacques Rousseau die klassische Formulierung: »Alles, von dem mir mein Gefühl sagt, dass es gut ist, ist auch wirklich gut; alles, was mein Gefühl schlecht nennt, ist schlecht.«

Wer von Kindesbeinen an mit diesen Weisheiten aufwächst, muss natürlich zu dem Schluss kommen, dass Glück eine subjektive Empfindung ist und dass jeder Mensch am besten weiß, ob er oder sie glücklich ist oder nicht. Doch der Liberalismus steht mit dieser Ansicht allein auf weiter Flur. Die meisten Religionen und Ideologien der Vergangenheit behaupteten, es gebe objektive Maßstäbe für das Gute, Schöne und Wahre. Den subjektiven Empfindungen und Vorlieben des Einzelnen begegneten sie dagegen mit Misstrauen. Am Eingang des Apollotempels von Delphi wurden Besucher von der Inschrift »Erkenne dich selbst!« begrüßt. Dahinter steckte die Annahme, dass Normalsterbliche ihr wahres Selbst gar nicht kennen und daher auch nicht wissen können, was gut oder schlecht für sie ist. Sigmund Freud hätte dem vermutlich zugestimmt.[*]

Genau wie viele christliche Theologen. Der Apostel Paulus und der Heilige Augustinus wussten nur zu gut, dass die meisten Menschen Sex jederzeit dem Gebet vorziehen würden. Aber bedeutet das automatisch, dass Geschlechtsverkehr der Schlüssel zum Glück ist? Nach Ansicht von Paulus und Augustinus jedenfalls nicht. Für sie bedeutet das vielmehr, dass die Menschheit von Natur aus verderbt ist und den Verführungen des Teufels erliegt. Aus christlicher Sicht befinden sich die meisten Menschen mehr oder weniger in derselben Situation wie Heroinsüchtige. Bei einer Befragung würden sie natürlich angeben, dass sie nur glücklich sind, wenn sie ihren Stoff haben – aber sollte man daraus den Schluss ziehen, dass Heroin der Schlüssel zum Glück ist?

Die Vorstellung, dass das subjektive Empfinden nicht der Weisheit letzter Schluss sein kann, ist nicht auf das Christentum beschränkt. In diesem Punkt würden sogar Charles Darwin und Richard

---

[*] Paradoxerweise gehen psychologische Untersuchungen des subjektiven Wohlbefindens davon aus, dass wir unsere subjektive Befindlichkeit korrekt einschätzen können, während die Psychotherapie auf der Annahme basiert, dass wir uns eben nicht selbst verstehen und ohne professionelle Hilfe in destruktiven Verhaltensmustern gefangen bleiben.

Dawkins dem Apostel Paulus und dem Heiligen Augustinus zustimmen. Unter dem Druck der natürlichen Auslese entscheiden sich Menschen, wie jeder andere Organismus auch, für Optionen, die der Fortpflanzung ihrer Gene nützen, auch wenn ihnen das persönlich ganz erheblich schaden kann. Statt das Leben zu genießen, plagen wir uns mit völlig unnötigen Sorgen herum, nur weil unsere egoistischen Gene uns vor ihren Karren spannen. Die DNA hat erschreckende Ähnlichkeit mit dem Teufel.

Die meisten Religionen und Philosophien vertreten daher ein ganz anderes Glücksverständnis als der liberale Humanismus.[3] In diesem Zusammenhang ist der Buddhismus besonders interessant. Der Buddhismus räumt der Frage nach dem Glück vermutlich größere Bedeutung ein als jede andere Religion. Seit zweieinhalb Jahrtausenden beschäftigen sich Buddhisten systematisch mit dem Wesen und den Ursachen des menschlichen Glücks, weshalb sich Wissenschaftler heute besonders für ihre Philosophie und Meditationspraxis interessieren. Der Buddhismus geht davon aus, dass Glück weder eine subjektive Empfindung ist noch von einem Lebenssinn abhängt. Glück bedeutet im Gegenteil, keinen subjektiven Empfindungen und keinen Illusionen mehr nachzujagen. Nach Ansicht des Buddhismus verwechseln die meisten Menschen Glück mit angenehmen Empfindungen und Leid mit unangenehmen Empfindungen. Daher sehnen sie sich nach angenehmen Gefühlen und wollen unangenehme Gefühle vermeiden. Doch darin irren sie sich gründlich. In Wahrheit haben unsere subjektiven Empfindungen kein Wesen und keine Bedeutung. Es handelt sich um flüchtige Schwingungen, die sich ununterbrochen ändern, wie die Wellen des Meeres. Wenn wir diesen Wellen zu große Bedeutung beimessen, ergreifen sie Besitz von uns und machen uns unruhig und unzufrieden. Immer wenn wir ein unangenehmes Gefühl haben, leiden wir. Und selbst wenn wir ein angenehmes Gefühl haben, sind wir unzufrieden, weil wir wollen, dass das angenehme Gefühl stärker wird, oder weil wir Angst haben, dass es vergehen könnte. Die Jagd nach subjektiven Empfindungen ist so ermüdend wie sinnlos und liefert uns nur einem erbarmungslosen Tyrannen aus. Die Ursache des Leids ist nicht die subjektive Empfindung von Schmerz, Trauer oder Sinnlosigkeit. Die Ursache des Leids ist genau diese Jagd nach beliebigen subjektiven Empfindungen, denn sie versetzt uns in einen dauernden Zustand der Anspannung, Verwirrung und Unzufriedenheit.

Daher können wir das Leid nur überwinden, wenn wir verstehen, dass es sich bei unseren subjektiven Empfindungen lediglich um flüchtige Schwingungen handelt, und wenn wir die Jagd nach diesen subjektiven Empfindungen beenden. Dann verursacht Schmerz kein Leid mehr, und Freude stört unseren inneren Frieden nicht. Unser Geist ist ruhig, klar und zufrieden. Der daraus resultierende Gleichmut ist so profund, dass die Menschen, die ihr Leben lang wie besessen hinter angenehmen Empfindungen herlaufen, nicht einmal eine annähernde Vorstellung davon bekommen können. Sie erinnern an einen Mann, der sein Leben lang am Meeresufer steht und verzweifelt versucht, die »guten« Wellen fest- und die »schlechten« fernzuhalten. Tagein, tagaus steht er am Strand und verliert bei dieser sinnlosen Übung schier den Verstand. Irgendwann setzt er sich hin und schaut einfach zu, wie die Wellen kommen und gehen. Welcher Frieden!

Diese Vorstellung ist der modernen westlichen Kultur so fremd, dass die westliche New Age-Bewegung sie bei ihrer ersten Begegnung mit dem Buddhismus gründlich missverstand und auf den Kopf stellte. New Age-Kulte behaupten oft: »Glück hängt nicht von äußeren Umständen ab. Es hängt davon ab, was wir im Innern fühlen. Wir sollten nicht nach äußeren Leistungen wie Reichtum und Status streben, sondern vielmehr mit unseren innersten Gefühlen in Kontakt treten.« Oder knapper: »Das Glück kommt von innen.« Genau das behaupten auch die Biologen, aber es ist das glatte Gegenteil von Buddhas Lehre.

Buddha stimmt mit der modernen Biologie und der New Age-Bewegung überein, dass das Glück nicht von äußeren Umständen abhängt. Doch er erkannte, dass wahres Glück auch nichts mit unseren subjektiven Gefühlen zu tun hat. Im Gegenteil, je mehr Bedeutung wir diesen Gefühlen geben, umso mehr sehnen wir uns nach ihnen und umso mehr leiden wir. Daher empfahl er uns nicht nur, das Streben nach äußeren Errungenschaften aufzugeben, sondern vor allem die Jagd nach Gefühlen.

*

Fragebögen zum subjektiven Wohlbefinden gehen also davon aus, dass das Glück ein subjektives Gefühl ist und beschreiben die Suche nach Glück als die Suche nach bestimmten emotionalen Zuständen. Im Gegensatz dazu sehen traditionelle Philosophien und Religionen wie der Buddhismus den Schlüssel zum Glück in der Selbsterkenntnis. Viele Menschen machen den Fehler, sich mit ihren Empfindungen, Gedanken, Vorlieben und Abneigungen zu identifizieren. Wenn Sie ärgerlich sind, denken Sie: »Ich bin ärgerlich. Das ist mein Ärger.« Folglich bringen sie ihr Leben damit zu, bestimmte Gefühle zu suchen und andere zu meiden. Sie erkennen nie, dass das gar nicht »ihre« Gefühle sind, und dass die Jagd nach bestimmten Gefühlen letztlich nur mehr Leid verursacht.

Wenn Buddha Recht hat, befinden wir uns mit unserem gesamten Glücksverständnis auf dem Holzweg. Vielleicht kommt es weniger darauf an, dass unsere Erwartungen erfüllt werden und wir uns in wohligen Gefühlen räkeln. Vielleicht kommt es vielmehr darauf an, dass wir uns selbst so sehen, wie wir sind. Aber woher sollen wir wissen, ob wir uns heute besser verstehen als die Wildbeuter der Steinzeit oder die Bauern des Mittelalters?

Die Wissenschaft beschäftigt sich erst seit wenigen Jahren mit der Erforschung des Glücks und ist noch immer auf der Suche nach Arbeitshypothesen und geeigneten Forschungsmethoden. Es ist viel zu früh, an diesem Punkt Schlüsse zu ziehen und die Debatte abzuwürgen, ehe sie noch begonnen hat. Stattdessen müssen wir so viele Ansätze wie möglich ausprobieren und die richtigen Fragen stellen.

Die meisten Geschichtsbücher rühmen die Ideen großer Denker, den Mut von Kriegern, die Mildtätigkeit von Heiligen und die Kreativität von Künstlern. Sie haben viel von der Entstehung und dem Zerfall gesellschaftlicher Strukturen, dem Aufstieg und Niedergang von Weltreichen und der Entdeckung und Verbreitung von Technologien zu berichten. Aber sie verlieren kein Wort darüber, wie sich dies alles auf das Glück oder Unglück der Menschen auswirkt. Das ist die größte Lücke in unserem Geschichtsverständnis. Wir sollten endlich anfangen, sie zu schließen.

Kapitel 20

Das Ende des *Homo sapiens*

Zu Beginn dieses Buchs haben wir die Geschichte als nächsten Schritt im Kontinuum von der Physik zur Chemie zur Biologie kennengelernt. Da wir Menschen denselben physischen Kräften, chemischen Reaktionen und natürlichen Ausleseprozessen unterliegen wie alle anderen Lebewesen, werden letztlich auch unsere historischen Abenteuer von der Evolution gelenkt. Es mag sein, dass der *Homo sapiens* auf einem größeren Spielfeld agiert als jeder andere Organismus, doch auch dieses Spielfeld hat seine Grenzen. Trotz aller Anstrengungen und Leistungen konnten wir diese von der Biologie vorgegebenen Grenzen lange Zeit nicht überwinden.

Das hat sich geändert. Zu Beginn des 21. Jahrhunderts sprengt der *Homo sapiens* auch seine biologischen Grenzen, er lässt die Gesetze der natürlichen Auslese hinter sich und ersetzt sie durch die Regeln des intelligenten Designs.

Fast vier Milliarden Jahre lang unterlag die Entwicklung jedes Organismus auf diesem Planeten der natürlichen Auslese, ohne dass ein intelligenter Schöpfer die Finger im Spiel hatte. Die Giraffe verdankt ihren langen Hals der Konkurrenz unter den Ur-Giraffen, nicht den Launen eines übernatürlichen Wesens. Da Ur-Giraffen mit längeren Hälsen besser an Nahrung kamen, zeugten sie mehr Nachkommen als Ur-Giraffen mit kürzeren Hälsen. Niemand, schon gar nicht die Giraffen selbst, sagte: »Mit einem langen Hals kämen die Giraffen besser an Blätter in den Baumwipfeln. Warum ziehen wir ihn nicht einfach in die Länge?« Darwins Evolutionstheorie ist auch deshalb so elegant, weil sie nicht auf einen intelligenten Schöpfer zurückgreifen muss, um zu erklären, wie die Giraffen zu ihren langen Hälsen kamen.

Über Milliarden Jahre hinweg war das intelligente Design nicht einmal eine Option, denn kein Organismus war in der Lage, irgendetwas intelligent zu gestalten. Die Mikroorganismen, die den Planeten über Jahrmilliarden hinweg für sich allein hatten, sind zu erstaunlichen Leistungen in der Lage. Ein Mikroorganismus einer Art kann die Gene einer ganz anderen Art kopieren, in sich aufnehmen und auf diese Weise ganz neue Tricks lernen, zum Beispiel die Resistenz gegen Antibiotika. Aber kein Mikroorganismus hat sich jemals gesagt: »Ich wünschte, ich wäre resistent gegen Antibiotika. Warum suche ich nicht einfach nach einer resistenten Bakterie und kopiere deren Eigenschaften!« Soweit wir das aus menschlicher Sicht beurteilen können, verfügen Mikroorganismen weder über ein Bewusstsein, noch haben sie irgendwelche Ziele, weshalb sie auch nicht vorausschauend planen können.

Irgendwann entwickelten Organismen wie Giraffen, Delfine, Schimpansen und Neandertaler ein Bewusstsein und die Fähigkeit zu planen. Aber obwohl sich so mancher Neandertaler vielleicht fette und träge Vögel gewünscht hätte, weil die sich einfacher jagen ließen, waren sie nicht in der Lage, sich diesen Traum zu erfüllen. Sie mussten Tiere jagen, wie sie die natürliche Auslese hervorgebracht hatte.

An der Herrschaft der Natur wurde zum ersten Mal vor rund 10 000 Jahren während der landwirtschaftlichen Revolution gekratzt. Auch der *Homo sapiens* träumte von fetten und trägen Vögeln. Dabei stellte er fest, dass er, wenn er gezielt die fettesten Hennen weit und breit mit den trägsten Hähnen kreuzte, noch fetteren und trägeren Nachwuchs züchten konnte. Es entstand eine nagelneue Hühnerart, die ihre Existenz dem intelligenten Design menschlicher Züchter verdankte.

Die gestalterischen Fähigkeiten des *Homo sapiens* stießen allerdings bald an ihre Grenzen. Er entdeckte zwar, wie sich die natürliche Auslese der Hühner durch Zuchtwahl lenken und beschleunigen ließ.

Aber er konnte den Tieren keine völlig neuen Eigenschaften mitgeben, die nicht schon im Erbgut der Wildhühner angelegt waren. In gewisser Hinsicht unterschied sich das Verhältnis von Huhn und Mensch nicht von zahllosen anderen symbiotischen Beziehungen in der Natur. Der *Homo sapiens* übte einen bestimmten Selektionsdruck auf die Hühner aus und sorgte dafür, dass sich die fettesten und trägsten Hühner vermehrten. Das unterschied sich nicht von dem Selektionsdruck, den Bienen auf Blüten ausüben und der dafür sorgt, dass sich die Pflanzen mit besonders leuchtenden und bunten Blüten vermehren.

Heute sieht sich die vier Milliarden Jahre während Herrschaft der natürlichen Auslese einer ganz anderen Herausforderung gegenüber. In den Laboratorien in aller Welt erfinden Wissenschaftler neue Lebewesen. Straflos brechen sie die Gesetze der natürlichen Auslese und lassen sich selbst von den ursprünglichen Eigenschaften eines Organismus nicht aufhalten. Im Jahr 2000 schuf der brasilianische Bio-Künstler Eduardo Kac ein völlig neues Kunstwerk: ein grün fluoreszierendes Kaninchen. Kac wandte sich an ein französisches Labor und gab dort seinen farbigen Mümmelmann in Auftrag. Die Wissenschaftler nahmen einen ganz normalen weißen Vertreter der Art *Oryctolagus cuniculus*, pflanzten dem Embryo Gene einer grün fluoreszierenden Qualle ein und voilà! zogen sie ein grün fluoreszierendes Kaninchen aus dem Hut. Kac nannte das Leuchttier Alba.

Die Existenz von Alba lässt sich nicht mit den Gesetzen der natürlichen Auslese erklären. Das Tier ist ein Produkt des intelligenten Designs. Und es ist ein Vorbote künftiger Entwicklungen. Wenn das Potenzial, das Alba verkörpert, voll ausgeschöpft wird, dann sprengt die wissenschaftliche Revolution den Rahmen jeder historischen Revolution (vorausgesetzt, dass sich die Menschheit nicht vorher selbst in die Luft sprengt). Sie könnte sogar zur wichtigsten *biologischen* Revolution seit der Entstehung des Lebens auf der Erde werden. Nachdem das Leben vier Milliarden Jahre lang ausschließlich von den Gesetzen der natürlichen Auslese beherrscht wurde, markiert Alba den Anbruch einer neuen kosmischen Ära, in der das Leben vom intelligenten Design bestimmt wird. Sollte es dazu kommen, könnte die gesamte menschliche Geschichte rückblickend neu interpretiert werden als Anlaufphase für eine neue Runde im Spiel des Lebens. Dieser Prozess muss in kosmischen Dimensionen von Jahrmilliarden verstanden werden, nicht in rein menschlichen Dimensionen von Jahrtausenden.

Vor allem in den Vereinigten Staaten führen Biologen heute einen erbitterten Kampf gegen die sogenannten Kreationisten, die Darwins Evolutionstheorie aus den Schulen verbannen wollen und behaupten, ein intelligenter Schöpfer habe alle Lebewesen erschaffen. Was die Vergangenheit angeht, haben die Biologen sicher Recht, aber in Zukunft könnten ironischerweise die Kreationisten Recht behalten.

Heute zeichnen sich drei große Forschungsgebiete ab, in denen das intelligente Design an die Stelle der natürlichen Auslese tritt:

1. Biotechnik
2. Cyborgtechnik (Cyborgs sind Wesen, die aus organischen und nicht-organischen Teilen bestehen)
3. Die Entwicklung von nicht-organischem Leben

Von Mäusen und Menschen

Die Biotechnik ist ein bewusster Eingriff auf der biologischen Ebene (zum Beispiel durch die Implantation von Genen) mit dem Ziel, bestimmte Fähigkeiten, Bedürfnisse und Wünsche eines Organismus so zu verändern, dass sie kulturellen Vorstellungen entsprechen (zum Beispiel den künstlerischen Vorstellungen von Eduardo Kac).

An sich ist die Biotechnik nichts Neues. Menschen benutzen sie seit Jahrtausenden, um sich und andere Organismen zu verändern. Ein einfaches Beispiel ist die Kastration. Schon seit 10 000 Jahren kastrieren Menschen Stiere. Die daraus resultierenden Ochsen sind weniger aggressiv und lassen sich leichter vor einen Pflug spannen.

Die Menschen haben auch ihren eigenen männlichen Nachwuchs kastriert, um Sopransänger mit »überirdischen Stimmen« und über allen Verdacht erhabene Haremswächter aus ihnen zu machen. Das ist längst bekannt.

Neu sind dagegen die dramatischen medizinischen Erkenntnisse der vergangenen Jahrzehnte, mit denen sich Möglichkeiten eröffnen, wie sie früher unvorstellbar waren. Beispielsweise können Ärzte heute einen Mann nicht nur kastrieren, sondern mit Hilfe von chirurgischen Eingriffen und Hormonbehandlungen in eine Frau verwandeln. Diese Fähigkeit, das Geschlecht eines Menschen zu verändern, ist ein Hinweis auf künftige Möglichkeiten: Transsexuelle sind die Vorhut einer neuen Zukunft.

Das ist jedoch noch längst nicht alles. Im Jahr 1996 ging ein Aufschrei um die Welt, als die internationale Presse dieses Bild veröffentlichte:

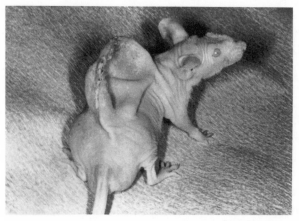

28. Eine Maus, auf deren Rücken Wissenschaftler aus Knorpelzellen ein »Ohr« wachsen ließen. Es erinnert in unheimlicher Weise an den Löwenmenschen aus der Stadel-Höhle. Derartige Chimären, die der menschlichen Fantasie entspringen, bleiben heute keine Elfenbeinfigürchen mehr, sondern werden immer häufiger zu Lebewesen.

Das ist keine Fotomontage, sondern eine echte Maus, auf deren Rücken Wissenschaftler Knorpelzellen von Rindern implantierten. Mit Kunststoffgerüsten lässt sich das Wachstum des Knorpels in verschiedene Formen lenken, zum Beispiel auch die eines menschlichen Ohrs. Mithilfe dieses Verfahrens könnten Wissenschaftler bald in der Lage sein, künstliche Ohren herzustellen, die sich auf Menschen verpflanzen lassen.[1]

Das Forschungsgebiet, das heute die meiste Aufmerksamkeit erregt, ist die Gentechnik. Sie unterscheidet sich erheblich von den Zuchtverfahren, die Menschen seit Beginn der landwirtschaftlichen Revolution entwickelt haben. Die Zuchtwahl wird durch die vorhandenen Gene der beteiligten Lebewesen eingeschränkt, doch die Gentechnik bietet die Möglichkeit, völlig neue Lebewesen zu erschaffen. Indem sie Genmaterial von unterschiedlichen Lebewesen mischt und neue Gene hervorbringt, die in keinem Organismus vorkommen, gestaltet sie neue, bislang unvorstellbare Lebewesen. Alba hätte beispielsweise niemals aus herkömmlichen Zuchtverfahren hervorgehen können, weil kein Kaninchen Gene für fluoreszierenden grünen Farbstoff mitbringt und es gewisse Schwierigkeiten mit sich bringen würde, wenn man ein Kaninchen mit einer Qualle kreuzen wollte.

Doch die Gentechnik provoziert eine ganze Reihe von ethischen, politischen und ideologischen Einwänden. Gläubige Monotheisten sind genauso schockiert wie viele Atheisten, dass der Mensch plötzlich Gott spielt und nach Lust und Laune neue Geschöpfe erfindet. Tierschützer weisen auf das Leid hin, das nicht nur die Versuchstiere in Genlabors erdulden müssen, sondern auch die Milliarden von Nutztieren, die ohne jede Rücksichtnahme auf ihre Bedürfnisse gezüchtet werden. Menschenrechtler befürchten, mit Hilfe der Gentechnik könnten Übermenschen gezüchtet werden, die den Rest der Menschheit unterwerfen. Endzeitprediger prophezeien das Aufkommen von Bio-Diktaturen, die furchtlose Soldaten und willenlose Arbeiter klonen. Allen gemeinsam ist die Furcht, dass die Gentechnik zu schnell zu viele Möglichkeiten eröffnet, obwohl noch niemand weiß, was wir damit anfangen sollen.

Daher wird ihr Potenzial nur sehr zögerlich genutzt. Die Gentechnik beschränkt sich heute vor allem auf Pflanzen, Pilze, Bakterien oder Insekten, die keine starke Lobby haben. So wurde beispielsweise das berüchtigte Kolibakterium, das im menschlichen Darm lebt (und Schlagzeilen macht, wenn es von dort entkommt und tödliche Infektionskrankheiten verursacht) gentechnisch so verändert, dass es bei der Produktion von Biotreibstoffen eingesetzt werden kann.[2] Genmanipulierte Kolibakterien und Pilze werden auch bei der Herstellung von Insulin verwendet, um die Kosten der Diabetesbehandlung zu senken.[3] Ein Gen eines in der Arktis lebenden Fischs wurde in Kartoffeln eingepflanzt, um deren Frostresistenz zu verbessern.[4]

Hier und da werden auch Säugetiere gentechnisch verändert. Jedes Jahr erleidet die Milchindustrie Milliardenverluste durch eine Krankheit namens Mastitis, die das Kuheuter befällt. Wissenschaftler experimentieren mit genmanipulierten Kühen, deren Milch einen Stoff namens Lysostaphin enthält, der die Krankheitserreger angreift.[5] Und Schweinemäster versuchen in Experimenten, Schweinen das Genmaterial eines Wurms einzupflanzen, mit dessen Hilfe der Körper der Tiere die ungesunden Omega 6-Fettsäuren in die begehrten Omega 3-Fettsäuren umwandeln soll.[6]

Für die nächste Generation der Gentechniker wird die Zucht von Schweinen mit den begehrten Fettsäuren ein Kinderspiel sein. Sie haben es nicht nur geschafft, die durchschnittliche Lebensdauer eines Wurms zu versechsfachen, sondern sie haben auch »Einsteinmäuse« gezüchtet, die über ein viel besseres Gedächtnis verfügen als ihre durchschnittlichen Artgenossen.[7] Sogar tugendhaftes Verhalten lässt sich offenbar genetisch programmieren. Wühlmäuse sind kleine, kräftige Nager, die aussehen wie Hausmäuse und in wechselnden Beziehungen leben. Es gibt jedoch auch eine Wühlmausart, die monogam lebt, und bei der Untersuchung dieser Art wollen Wissenschaftler ein Gen entdeckt haben, das für die Treue der Tiere verantwortlich ist. Wenn die Beigabe eines einzigen Gens einen Don Juan in einen liebenden Gatten und treusorgenden Vater verwandelt, wie weit sind wir dann davon entfernt, nicht nur körperliche Eigenschaften, sondern auch gesellschaftlich wünschenswerte Verhaltensweisen bei Mäusen (und Menschen) zu züchten?[8]

Die Rückkehr der Neandertaler

Aber Genetiker beschränken sich nicht darauf, lebende Arten nach Gutdünken zu manipulieren. Sie träumen auch davon, ausgestorbene Lebewesen wiederzuerwecken – und zwar nicht nur Dinosaurier, wie in *Jurassic Park*. Ein russisch-japanisch-koreanisches Wissenschaftlerteam hat unlängst das Genom eines Mammuts entschlüsselt, das im ewigen sibirischen Eis gefunden wurde. Die Wissenschaftler planen, ein befruchtetes Ei eines modernen Elefanten zu entnehmen, das Elefanten-Erbgut durch Mammut-DNA zu ersetzen, und das Ei in die Gebärmutter eines Elefantenweibchens einzupflanzen. Nach einer Tragzeit von 22 Monaten soll dann das erste Mammut seit 5 000 Jahren zur Welt kommen.[9]

Aber warum sollte man bei Mammuts haltmachen? Professor George Church von der Universität Harvard kündigte an, nach dem Abschluss des Neandertaler Genome Projects wolle er eine rekonstruierte Neandertaler-DNA in die Eizelle eines *Homo sapiens* einsetzen und damit den ersten Neandertaler seit 30 000 Jahren zeugen. Church behauptet, er benötige lediglich ein bescheidenes Budget von 30 Millionen Dollar. Einige Frauen haben sich bereits freiwillig gemeldet, um die befruchtete Eizelle auszutragen.[10]

Wozu wollen wir den Neandertaler wieder auferstehen lassen? Einige Wissenschaftler behaupten, mit Untersuchungen an lebenden Neandertalern könnten wir die nagenden Fragen nach der Herkunft und Einmaligkeit des *Homo sapiens* beantworten. Beispielsweise könnten wir endlich herausfinden, was genau in der kognitiven Revolution passierte und welche kleine Veränderung in der Organisation unserer Gehirne eine derartige Veränderung unseres Bewusstseins bewirkte. Andere meinen, wenn der *Homo sapiens* für die Ausrottung des Neandertalers verantwortlich sei, dann sei es unsere moralische Pflicht, ihn wieder zum Leben zu erwecken. Und vermutlich gibt es auch den einen oder anderen Industriellen, der sich schon darauf freut, dass in Zukunft ein Neandertaler die Drecksarbeit für zwei *Homo sapiens* übernehmen kann.

Andere interessante Ideen beschäftigen sich mit der Neuerschaffung des Herrn der Schöpfung selbst: des *Homo sapiens*. Seine Fähigkeiten, Bedürfnisse und Wünsche haben eine genetische Grundlage, doch das Genom eines Sapiens ist kaum komplexer als das von Mäusen. (Das Genom einer Maus besteht aus 2,4 Milliarden Basenpaaren und das eines Sapiens aus 2,9 Milliarden. Das Sapiens-Genom ist also gerade einmal 17 Prozent länger.)[11] Mittelfristig – vielleicht in ein paar Jahrzehnten – könnten wir mit Hilfe der Gentechnik und anderer Formen der Biotechnologie weitreichende Veränderungen an unserem Körperbau und unserem Immunsystem vornehmen und unsere Lebenserwartung steigern, aber wir könnten auch an unseren geistigen und emotionalen Fähigkeiten schrauben. Wenn wir mit Hilfe der Gentechnik Einsteinmäuse züchten können, warum dann nicht gleich Einsteins? Und wenn wir im Reagenzglas monogame Wühlmäuse herstellen können, warum dann nicht auch treue menschliche Partner?

Die kognitive Revolution, die den *Homo sapiens* von einem unbedeutenden Affen in den Herrn der Welt verwandelte, erforderte keinen körperlichen Umbau und keine Vergrößerung des Gehirns. Ein paar kleinere Verschiebungen in der Struktur des Gehirns genügten offenbar schon. Vielleicht ließe sich mit einer weiteren kleinen Veränderung eine zweite kognitive Revolution anstoßen und eine neue Form des Bewusstseins erzeugen, die den *Homo sapiens* in ein völlig neues Wesen verwandelt.

Technisch sind wir zwar noch nicht so weit, doch unmöglich ist das Projekt nicht. Die Hindernisse auf dem Weg zur Umsetzung unserer futuristischen Träume sind eher ethischer und politischer als technischer Natur. Es ist nicht absehbar, wie lange der ethische Damm noch hält, vor allem wenn uns die Technologie das ewige Leben, die Heilung unheilbarer Krankheiten und ein Upgrade unserer kognitiven und emotionalen Fähigkeiten verspricht.

Was wäre beispielsweise, wenn wir eine wirkungsvolle Behandlungsmethode für die Alzheimer-Krankheit finden könnten, die gleichzeitig die Gedächtnisleistung gesunder Menschen dramatisch verbessern würde? Wer wollte sich der dazu nötigen Forschung in den Weg stellen? Und wie könnte man Gesetze erlassen, um ein einmal entwickeltes Verfahren ausschließlich auf Alzheimerpatienten zu beschränken und zu verhindern, dass Ärzte auch gesunde Menschen behandeln und mit einem Supergedächtnis ausstatten?

Noch ist völlig ungewiss, ob sich die Neandertaler mit Hilfe der Gentechnik wieder zum Leben erwecken lassen, doch es würde vermutlich das Ende des *Homo sapiens* bedeuten. Die Genmanipulation wird uns zwar nicht unbedingt umbringen, doch sie könnte so weit gehen, dass der *Homo sapiens* nicht mehr wiederzuerkennen ist.

Bionisches Leben

Eine zweite Möglichkeit, die Gesetze des Lebens neu zu schreiben, ist die Cyborg-Technik. Cyborgs sind Wesen, die aus organischen und nicht-organischen Teilen bestehen, zum Beispiel Menschen mit Roboterhänden. In gewisser Hinsicht werden wir schon zum Cyborg, wenn wir eine Brille aufsetzen, unser Herz mit einem Schrittmacher auf Trab bringen oder einen Computer einschalten (der unserem Gedächtnis einen Teil der Datenspeicherung abnimmt). Heute stehen wir allerdings kurz davor, uns in echte Cyborgs zu verwandeln, wenn nicht-organische Teile untrennbar in unseren Körper eingebaut werden und diese Geräte unsere Fähigkeiten, Wünsche, Persönlichkeit und Identität verändern.

Die militärische Forschungseinrichtung DARPA (die auch das Internet erfand) entwickelt Cyborgs aus Insekten. Ihr Ziel ist es, Fliegen oder Kakerlaken mit Chips, Detektoren und Prozessoren auszustatten, mit deren Hilfe sie per Computer oder von Hand ferngesteuert werden und Daten sammeln und übermitteln können. Solche bionischen Insekten wären ausgezeichnete Spitzel und Kundschafter.[12] Im Jahr 2006 erklärte die amerikanische Marineeinheit zur Unterwasserkriegsführung, sie wolle Cyborg-Haie entwickeln: »Wir arbeiten an neuronalen Implantaten, mit deren Hilfe wir das Verhalten einer Reihe von Tieren steuern können.« Mit diesen Geräten wollen die Entwickler den hochsensiblen Magnetsinn der Tiere nutzen, um elektromagnetische Felder unter Wasser zu entdecken.[13]

Aber auch wir Menschen werden zu Cyborgs. Das bekannteste Beispiel ist das Hörgerät. Die Geräte der letzten Generation werden gelegentlich als »bionische Ohren« bezeichnet. Sie bestehen aus einem Implantat, das Geräusche über ein außen angebrachtes Mikrofon aufnimmt. Das Implantat filtert die Geräusche, identifiziert menschliche Stimmen und übersetzt sie in elektrische Signale, die direkt auf den Hörnerv und von da ins Gehirn übertragen werden.[14]

Retina Implant, ein staatlich gefördertes Unternehmen aus Deutschland, entwickelt eine Netzhautprothese, mit der blinde Menschen einen Teil ihrer Sehkraft wiedererlangen sollen. Dazu wird ein Mikrochip ins Auge des Patienten eingesetzt. Fotozellen nehmen das ins Auge einfallende Licht auf und übersetzen es in elektrische Signale, die auf die intakten Nervenzellen des Auges übertragen werden. Diese leiten die Signale ans Gehirn weiter, wo sie in Bilder umgewandelt werden. Die Technologie ist inzwischen so weit, dass sich Patienten im Raum orientieren, Buchstaben lesen und sogar Gesichter erkennen können.[15]

Bei einem Unfall, der sich im Jahr 2001 ereignete, verlor der amerikanische Elektriker Jesse Sullivan beide Arme bis zur Schulter. Dank des Rehabilitation Institute in Chicago hat Sullivan heute zwei bionische Arme. Das Besondere an diesen Armen ist, dass sie per Gedankenübertragung gesteuert werden. Neuronale Signale aus seinem Gehirn werden von Mikrocomputern in elektrische Befehle übersetzt, die wiederum die Arme in Bewegung setzen. Wenn Jesse seinen rechten Arm bewegen möchte, dann tut er bewusst das, was jeder gesunde Mensch unbewusst tut. Seine Arme haben deutlich weniger Bewegungsspielraum als organische Arme, aber immerhin ist er in der Lage, einfachen täglichen Verrichtungen nachzugehen. Vor Kurzem erhielt die Soldatin Claudia Mitchell, die bei einem Motorradunfall einen Arm verloren hatte, eine ähnliche Prothese. Wissenschaftler sind überzeugt, dass sich diese Arme bald nicht nur über Signale aus dem Gehirn steuern lassen, sondern dass sie in naher Zukunft auch Signale an das Gehirn zurücksenden und den Tastsinn wiederherstellen können.[16]

29. *Jesse Sullivan und Claudia Mitchell geben sich die Hand. Das Erstaunliche an ihren bionischen Armen ist, dass sie mithilfe von Gedanken gesteuert werden.*

Noch sind diese bionischen Arme ein schlechter Ersatz für die organischen Originale, doch ihr Potenzial ist nahezu grenzenlos. Bionische Arme könnten beispielsweise irgendwann viel stärker sein als organische und selbst einen Boxweltmeister blass aussehen lassen. Sie haben außerdem den Vorteil, dass sie alle paar Jahre ausgetauscht oder vom Körper abgenommen und ferngesteuert werden können.

Wissenschaftler der Duke University in North Carolina haben unlängst Elektroden in Gehirne von Rhesusaffen implantiert, die Signale im Gehirn registrieren und diese auf externe Geräte übertragen. Dann lernten die Affen, mit Hilfe ihrer Gedanken bionische Arme und Beine zu steuern. Ein Affenweibchen namens Aurora lernte beispielsweise, einen bionischen Arm zu steuern, während sie gleichzeitig ihre eigenen Arme und Beine ganz normal bewegte. Wie eine hinduistische Göttin hat Aurora nun drei Arme, von denen sich einer in einem anderen Raum oder sogar in einer anderen Stadt befinden kann. Aurora kann in ihrem Labor in North Carolina sitzen, sich mit einer Hand den Rücken kratzen, sich mit der anderen an den Kopf fassen und mit der dritten in New York eine Banane stehlen (auch wenn sie nur davon träumen kann, sich diese Banane einzuverleiben). Eine andere Rhesusäffin namens Idoya wurde 2008 weltberühmt, als sie von ihrem Stühlchen in North Carolina aus mit ihren Gedanken die Beine eines Roboters in der japanischen Stadt Kyoto fernsteuerte.[17]

Eine weitere Anwendung ist das Locked-in-Syndrom, das eine generelle Lähmung des Körpers verursacht, die kognitiven Fähigkeiten jedoch unberührt lässt. Bislang konnten Menschen, die unter diesem Syndrom leiden, nur über kleine Augenbewegungen mit der Außenwelt kommunizieren. Inzwischen wurden einigen Patienten Elektroden ins Gehirn implantiert, die neuronale Signale aufnehmen. Es werden Versuche unternommen, diese Signale nicht nur in Bewegungen zu übersetzen, sondern auch in Wörter. Sollten diese Experimente glücken, könnten Locked-in-Patienten endlich auch direkt mit der Außenwelt kommunizieren. Und ganz nebenbei hätten wir ein Gerät zur Verfügung, mit dem sich Gedanken lesen lassen.[18]

Doch von allen Projekten, die sich zurzeit in der Entwicklung befinden, ist das revolutionärste eine Schnittstelle zwischen Gehirn und Computer, über die Computer die elektrischen Signale des menschlichen Gehirns lesen können und in umgekehrter Richtung Signale an das Gehirn schicken, das diese verstehen kann. Was wäre, wenn man ein Gehirn über diese Schnittstelle direkt ans Internet anschließen, oder wenn man mehrere Gehirne miteinander vernetzen und eine Art neuronales Cybercafé schaffen würde? Was passiert mit dem menschlichen Gedächtnis, dem menschlichen Bewusstsein und der menschlichen Identität, wenn das Gehirn unmittelbaren Zugang zum grenzenlosen kollektiven Gedächtnis der Menschheit hat? Unter diesen Umständen könnte sich zum Beispiel ein Cyborg an die Erinnerungen eines anderen erinnern. Das heißt, er würde sie nicht hören, nicht in einer Autobiografie nachlesen und sie sich nicht vorstellen, sondern sich vielmehr an sie erinnern, als wären es seine eigenen. Oder ihre eigenen. Fragen wie »Was ist mein Geschlecht?« oder »Wer bin ich und was ist der Sinn meines Lebens?« könnten plötzlich nicht mehr ganz so einfach zu beantworten sein, wenn Ihre Gedanken nicht mehr Ihnen gehören, sondern einem kollektiven Pool.

Ein solcher Cyborg wäre kein Mensch mehr und nicht einmal mehr ein Organismus. Er wäre etwas völlig Neues. Die Grundeigenschaften des Menschen wären soweit verändert, dass wir uns von unserem heutigen Standpunkt aus die philosophischen, psychologischen und politischen Auswirkungen nicht einmal im Entferntesten klar machen können.

Ein anderes Leben

Die dritte Möglichkeit, die Gesetze des Lebens auszuhebeln, ist die Herstellung durch und durch künstlicher Wesen. Ein naheliegendes Beispiel sind Computerprogramme, die sich selbstständig weiterentwickeln.

Das Gebiet der genetischen Programmierung ist heute eines der faszinierendsten Gebiete der Programmierung überhaupt. Es versucht, die Methoden der natürlichen Auslese nachzuahmen. Viele Programmierer träumen davon, ein lernendes Programm zu schreiben, das sich ohne Einfluss von außen weiterentwickelt. Ein solches Programm verdankt seine Geburt zwar einem Menschen, doch es könnte sich in Richtungen entwickeln, die kein Mensch je vorhergesehen hätte.

Prototypen für diese Programme gibt es bereits: die Computerviren. Auf ihrem Weg durchs Internet vermehren sie sich millionenfach, während sie gleichzeitig von Virenjägern verfolgt werden und mit anderen Viren um Lebensraum im Cyberspace konkurrieren. Eines Tages kommt es bei der Vervielfältigung zu einem Fehler – einer digitalen Mutation. Zu dieser Mutation kann es zum Beispiel kommen, wenn der menschliche Programmierer den Virus so programmiert, dass er bei der Vervielfältigung gelegentlich einen kleinen Fehler macht. Es kann sich aber auch um einen zufälligen Fehler handeln. Es ist denkbar, dass dieser mutierte Virus den feindlichen Anti-Virus-Programmen eher entkommt und sich effektiver im Cyberspace verbreitet. Das heißt, die Mutanten überleben und vermehren sich. Im Laufe der Zeit wäre das Internet voller Viren, die niemand programmiert hat und die einen dauernden, nichtorganischen Evolutionsprozess durchlaufen.

Aber sind diese Viren wirklich Lebewesen? Das kommt darauf an, was man unter »Lebewesen« versteht. Es handelt sich jedoch eindeutig um einen neuen evolutionären Prozess, der unabhängig von den Gesetzen und Grenzen der organischen Evolution verläuft.

Stellen Sie sich eine andere Möglichkeit vor: Nehmen wir an, Sie könnten Ihr Gehirn auf eine Festplatte herunterladen und diese an Ihren Laptop anschließen. Würde der Computer jetzt denken und fühlen wie ein Sapiens? Und wenn ja, wäre dieser Computer dann Sie oder jemand anderes? Stellen Sie sich vor, Programmierer könnten ein völlig neues digitales Gehirn mit Bewusstsein und Gedächtnis programmieren. Wenn dieses Programm auf Ihrem Computer läuft, handelt es sich dann um ein Lebewesen? Wenn Sie die Festplatte löschen, könnten Sie dann des Mordes angeklagt werden? Könnte dieses Wesen umgekehrt Sie verklagen, wenn Sie seine Festplatte nicht regelmäßig aufräumen? Vielleicht müssen wir uns schon bald mit diesen und ähnlichen Fragen auseinandersetzen. Das Blue Brain Project, das 2005 ins Leben gerufen wurde, will ein vollständiges menschliches Gehirn in einem Computer rekonstruieren und mit dessen Chips die neuronalen Schaltkreise des Gehirns nachahmen. Der Leiter des Projekts behauptet, in ein oder zwei Jahrzehnten könnten wir das erste Gehirn in einem Computer simulieren, das spricht und denkt wie ein Mensch. Viele Wissenschaftler widersprechen zwar, weil sie der Auffassung sind, dass das menschliche Gehirn nicht nach dem Prinzip eines digitalen Computers funktioniert, doch wir sollten die Möglichkeit nicht einfach abschreiben. Im Jahr 2013 förderte die Europäische Union dieses Projekt mit Forschungsgeldern in Höhe von 1 Milliarde Euro – die Bürokraten scheinen es jedenfalls ernst zu nehmen.[19]

Singularität

Bislang wurde nur ein Bruchteil der eben beschriebenen Möglichkeiten verwirklicht. Doch schon heute befreit sich die Kultur Schritt für Schritt von den Fesseln der Biologie. Mit rasanter Geschwindigkeit entwickeln wir immer neue Fähigkeiten, mit denen wir nicht nur unsere Umwelt, sondern auch unsere Innenwelt verändern können. Immer mehr Lebensbereiche werden erfasst: Anwälte müssen Themen wie Privatsphäre und Identität neu denken, Regierungen müssen sich Gedanken über Gesundheit und Gleichheit machen, Sportverbände und Bildungseinrichtungen müssen Fairness und Leistung neu definieren, Rentenversicherungen und Arbeitsmärkte müssen sich auf eine Situation einstellen, in der 60-Jährige noch genauso leistungsfähig sind wie 30-Jährige. Sie alle müssen sich mit der Biotechnologie, Cyborgs und nicht-organischem Leben auseinandersetzen.

Die Entschlüsselung des ersten menschlichen Genoms dauerte 15 Jahre und kostete 3 Milliarden Dollar. Heute reichen ein paar Wochen und einige tausend Dollar, um das Genom eines Menschen zu entschlüsseln, und Aufwand und Kosten werden stetig sinken.[20] Dann wird eine wirklich individualisierte Medizin möglich sein, deren Behandlungen genau auf die DNA des jeweiligen Patienten zugeschnitten sind. Ihre Hausärztin könnte Ihnen vorhersagen, dass Sie auf Ihre Leber achten sollten, dass Sie sich aber wegen eines Herzinfarkts keine Gedanken machen müssen. Sie könnte erkennen, dass ein Medikament, das 92 Prozent aller Patienten hilft, in Ihrem Fall wirkungslos wäre, und Ihnen eine andere Tablette verschreiben, die viele Patienten nicht vertragen, die aber für Sie genau das Richtige ist. Das öffnet den Weg zu einer nahezu perfekten Medizin.

Doch uns stehen noch ganz andere Dinge ins Haus. Im Zusammenhang mit der Genforschung ringen Menschenrechtler und Juristen bereits mit dem haarigen Thema der Privatsphäre. Werden Krankenversicherungen in Zukunft einen DNA-Scan verlangen und Ihren Kunden höhere Beiträge abknöpfen, wenn sie eine genetische Veranlagung für leichtsinniges Verhalten entdecken? Müssen wir künftig bei einer Bewerbung nicht nur unseren Lebenslauf, sondern auch eine Analyse unseres Erbguts belegen? Darf ein Arbeitgeber eine Bewerberin vorziehen, weil sie interessantere Gene hat? Oder können wir in diesem Fall wegen genetischer Diskriminierung vor das Arbeitsgericht ziehen? Kann ein Unternehmen, das ein neues

Lebewesen oder ein neues Organ entwickelt, die Gensequenz patentieren lassen? Man kann zwar ein Huhn besitzen, aber kann man auch Eigentümer einer ganzen Art sein?

Diese juristischen Probleme nehmen sich noch bescheiden aus im Vergleich zu den ethischen, gesellschaftlichen und politischen Auswirkungen des Gilgamesch-Projekts und der möglichen Züchtung von Übermenschen. Die Allgemeine Erklärung der Menschenrechte, staatliche Verfassungen, Gesundheitssysteme und Krankenversicherungen in aller Welt erkennen an, dass in einer humanen Gesellschaft alle Angehörigen dasselbe Recht auf medizinische Versorgung und ein Leben in guter Gesundheit haben. Das ist alles schön und gut, solange es der Medizin nur um die Prävention und Behandlung von Krankheiten geht. Aber was passiert, wenn sich die Medizin plötzlich die Optimierung menschlicher Eigenschaften zur Aufgabe macht? Hätten alle Menschen ein Anrecht darauf, sich tunen zu lassen, oder würde eine neue Elite von Übermenschen entstehen?

Wir sind heute stolz darauf, erstmals in der Geschichte die Gleichheit aller Menschen zu garantieren. Aber vielleicht sind wir gerade im Begriff, die ungleichste aller möglichen Gesellschaften zu schaffen. In der Vergangenheit behauptete die Elite immer von sich, intelligenter und stärker zu sein als die Angehörigen der unteren Schichten und diesen generell überlegen zu sein. In der Regel machten sie sich damit etwas vor. Ein Kind, das in eine Bauernfamilie geboren wurde, war im Durchschnitt genauso intelligent wie ein Kronprinz. Doch dank der neuen medizinischen Möglichkeiten könnte die Anmaßung der Oberschicht Wirklichkeit werden.

Das ist kein Science Fiction. Die meisten Science Fiction-Filme beschreiben eine Welt, in der Angehörige der Art *Homo sapiens*, die sich von uns in nichts unterscheiden, mit neuen technischen Gerätschaften wie Raumschiffen und Laserkanonen hantieren. Die ethischen und politischen Probleme dieser Geschichten stammen aus unserer Welt, sie stellen lediglich unsere emotionalen und gesellschaftlichen Probleme vor einer futuristischen Kulisse dar. Doch in Wirklichkeit haben unsere neuen Technologien das Potenzial, nicht nur unsere Fortbewegungsmittel und Waffen zu verändern, sondern den *Homo sapiens* selbst mit all seinen Ängsten, Hoffnungen und Wünschen. Was ist ein Raumschiff im Vergleich zu einem ewig jungen Cyborg, der sich nicht vermehrt und keine Sexualität besitzt, der in direkten Gedankenaustausch mit anderen treten kann, dessen Gedächtnis und Konzentrationsfähigkeit die unsere um ein Tausendfaches übersteigt, der nie wütend oder traurig ist, sondern Emotionen und Wünsche hat, die wir uns nicht einmal vorstellen können?

Nur wenige Science Fiction-Filme beschreiben eine solche Zukunft, doch selbst wenn sie jemand exakt vorhersehen könnte, würden wir sie nicht verstehen. Wenn wir einen Film über das Leben eines Super-Cyborg sehen würden, dann wäre das ungefähr so, als würde man *Hamlet* vor einem Publikum von Neandertalern aufführen. Wobei sich die künftigen Herren der Welt vermutlich noch stärker von uns unterscheiden werden als wir uns von den Neandertalern. Während wir und die Neandertaler zumindest noch Menschen sind, werden unsere Erben Göttern gleichen.

Physiker bezeichnen den Urknall als Singularität – einen Moment, an dem keines der bekannten Naturgesetze galt. Auch die Zeit existierte noch nicht. Es wäre also sinnlos, von einer Zeit »vor« dem Urknall zu sprechen. Vielleicht bewegen wir uns mit Riesenschritten auf eine künftige Singularität zu: Einen Moment, in dem alles, was unserer Welt heute Sinn verleiht – ich und Sie, Frauen und Männer, Liebe und Hass –, keinerlei Bedeutung mehr hat. Alles, was danach passiert, wäre aus unserer Sicht völlig unverständlich.

Die Frankenstein-Prophezeiung

Im Jahr 1818 schrieb Mary Shelley den Roman *Frankenstein*, die Geschichte eines gleichnamigen Wissenschaftlers, der ein künstliches Lebewesen erschafft, das außer Kontrolle gerät und großes Unheil anrichtet. In den vergangenen zwei Jahrhunderten wurde diese Geschichte in verschiedenen Varianten immer wieder erzählt. Sie wurde zu einer tragenden Säule unserer neuen wissenschaftlichen Mythologie. Auf den ersten Blick scheint die Geschichte eine Warnung zu sein: Wenn wir Gott spielen und Leben erschaffen, werden wir bestraft werden. Doch die Geschichte hat noch eine tiefere Bedeutung.

Der Frankenstein-Mythos konfrontiert den *Homo sapiens* damit, dass seine Tage bald gezählt sein werden. Wenn nicht ein Atomkrieg oder eine Umweltkatastrophe dazwischenkommt, wird die rasante technologische Entwicklung bald dazu führen, dass der *Homo sapiens* von einem gänzlich anderen Wesen abgelöst wird, das nicht nur einen anderen Körper mitbringt, sondern in einer anderen kognitiven und emotionalen Welt lebt. Die meisten Sapiens finden diesen Gedanken ausgesprochen beunruhigend. Wir glauben gern, dass in Zukunft Menschen wie wir in Raumschiffen von einem Planeten zum anderen düsen. Wir denken nicht gern darüber nach, dass es in Zukunft keine Wesen mit unseren Emotionen oder Identitäten mehr geben könnte und dass fremde Lebensformen an unsere Stelle treten, die uns mit ihren Fähigkeiten weit in den Schatten stellen.

Wir empfinden es als tröstlich, dass Dr. Frankenstein zwar ein schreckliches Monster erschafft, dass wir uns jedoch retten können, indem wir dieses Monster töten. Diese Geschichte ist deshalb so beruhigend, weil wir in diesem Mythos noch immer als die Krone der Schöpfung dastehen. Weder vor uns noch nach uns wird es ein Wesen geben, das uns übertrifft. Jeder Versuch, eine verbesserte Version des Menschen zu erschaffen, ist zum Scheitern verurteilt: Selbst wenn wir den menschlichen Körper optimieren können, bleibt der menschliche Geist doch unübertroffen.

Es ist eine bittere Pille, dass Wissenschaftler nicht nur einen neuen Körper entwickeln können, sondern auch einen neuen Geist, und dass Dr. Frankenstein etwas erschaffen könnte, das uns wahrhaft überlegen ist und mit derselben Arroganz auf uns herabblickt wie wir auf den Neandertaler.

*

Wir wissen nicht, ob die Dr. Frankensteins von heute diese Prophezeiung wahrmachen werden. Wir können nicht in die Zukunft blicken, und es wäre schon sehr verwunderlich, wenn die Vorhersagen der letzten Seiten wirklich alle eintreffen würden. Aus der Geschichte wissen wir, dass Entwicklungen, die unmittelbar bevorzustehen schienen, oft aufgrund von unvorhergesehenen Hindernissen nie Wirklichkeit werden, und dass sich stattdessen eben noch unvorstellbare Möglichkeiten ergeben. Als in den 1940er Jahren das Atomzeitalter anbrach, wurden viele Vorhersagen über die nukleare Zukunft im Jahr 2000 gemacht. Nur wenige dieser Prognosen traten tatsächlich ein. Das Internet hatte dagegen niemand auf dem Schirm.

Deshalb sollten Sie noch keine Haftpflichtversicherung abschließen, um sich gegen eine Schadenersatzklage Ihres Computers abzusichern. Die Träume oder Alpträume der letzten Seiten sollten lediglich Ihre Fantasie anregen. Was wir jedoch ernst nehmen sollten, ist die Vorstellung, dass in der kommenden historischen Epoche nicht nur neue technologische und organisatorische Revolutionen anstehen, sondern dass sich auch das menschliche Bewusstsein und die menschliche Identität von Grund auf verändern werden. Diese Veränderungen werden so grundsätzlicher Natur sein, dass die Bezeichnung »menschlich« nicht mehr zutrifft. Wie viel Zeit wird bis dahin vergehen? Das ist schwer zu sagen. Hin und wieder wird behauptet, schon im Jahr 2050 könnte es die ersten unsterblichen Menschen geben. Weniger radikale Prognosen sprechen vom kommenden Jahrhundert oder Jahrtausend. Doch was sind aus Sicht einer 70 000 Jahre währenden Geschichte schon hundert, zweihundert oder tausend Jahre?

Wenn sich die Geschichte der Sapiens ihrem Ende zuneigt, sollten wir uns als Angehörige einer der letzten Generationen die Zeit nehmen, eine letzte Frage zu stellen: Was wollen wir werden? Diese Frage geht weit über die Debatten hinaus, die Politiker, Philosophen, Gelehrte und Bürger von heute beschäftigen, denn mit dem *Homo sapiens* würden vermutlich auch alle Debatten zwischen Religionen, Ideologien, Nationen und Klassen verschwinden. Wenn unsere Nachfahren tatsächlich ein anderes Bewusstsein haben (oder vielleicht etwas ganz anderes, das wir uns gar nicht vorstellen können), dann werden sie sich vermutlich kaum noch als Christen und Muslime, Kommunisten oder Kapitalisten, Männer oder Frauen definieren.

Trotzdem werden die großen Debatten der Vergangenheit den Weg weisen, denn zumindest die erste Generation der Götter wäre noch von den kulturellen Vorstellungen ihrer menschlichen Entwickler geprägt. Werden diese neuen Götter nach dem Ebenbild des Kapitalismus, des Islam oder des Feminismus erschaffen? Die weitere Entwicklung ihrer göttlichen Existenz hängt von der Antwort auf diese Frage ab.

Fragen wie diese verdrängen wir gern. Selbst Bioethiker fragen lieber, was sie nicht tun dürfen. Dürfen wir Genexperimente an lebenden Menschen durchführen? An abgetriebenen Föten? An Stammzellen? Dürfen wir Schafe klonen? Und Schimpansen? Was ist mit Menschen? So wichtig diese Fragen sind, es wäre naiv zu glauben, dass wir einfach auf die Bremse treten und den wissenschaftlichen Upgrade des *Homo sapiens* stoppen können. Denn diese Projekte hängen untrennbar mit der Suche nach dem ewigen Leben, dem Gilgamesch-Projekt, zusammen. Wenn Sie Wissenschaftler fragen, warum Sie das Genom analysieren, einen Computer an ein menschliches Gehirn anschließen oder ein menschliches Gehirn in einen Computer verpflanzen wollen, werden Sie fast immer dieselbe Antwort erhalten: Wir wollen Krankheiten heilen und Menschenleben retten. Auch wenn man zur Behandlung von psychischen Krankheiten kein Gehirn digitalisieren muss, lässt dieses Argument keinen Widerspruch zu. Das Gilgamesch-Projekt rechtfertigt alles. Doch auf dem Rücken von Gilgamesch reitet Dr. Frankenstein, und da sich Gilgamesch nicht aufhalten lässt, ist auch Frankenstein nicht zu stoppen.

Wir können lediglich versuchen, die Richtung zu beeinflussen. Die wichtigste Frage der Menschheit ist nicht: »Was dürfen wir nicht?« sondern: »Was wollen wir werden?« Und da wir vielleicht bald in der Lage sein werden, auch unsere Wünsche zu programmieren, lautet die eigentliche Frage: »Was wollen wir wollen?« Wem diese Frage keine Angst macht, der hat sich vermutlich nicht genug mit ihr beschäftigt.

Nachwort

Von Tieren zu Göttern

Vor 70 000 Jahren war der *Homo sapiens* ein unbedeutendes Tier, das in einer abgelegenen Ecke Afrikas seinem Leben nachging. In den folgenden Jahrtausenden stieg es zum Herrscher des gesamten Planeten auf und wurde zum Schrecken des Ökosystems. Heute steht es kurz davor, zum Gott zu werden und nicht nur die ewige Jugend zu gewinnen, sondern auch göttliche Macht über Leben und Tod.

Leider hat die Herrschaft des Sapiens bislang wenig hinterlassen, auf das wir uneingeschränkt stolz sein könnten. Wir haben uns die Umwelt untertan gemacht, unsere Nahrungsproduktion gesteigert, Städte gebaut, Weltreiche gegründet und Handelsnetze errichtet. Aber haben wir das Leid in der Welt gelindert? Wieder und wieder bedeuteten die massiven Machtzuwächse der Menschheit keine Verbesserung für die einzelnen Menschen und immenses Leid für andere Lebewesen.

Trotz unserer erstaunlichen Leistungen haben wir nach wie vor keine Ahnung, wohin wir eigentlich wollen, und sind so unzufrieden wie eh und je. Von Kanus sind wir erst auf Galeeren, dann auf Dampfschiffe und schließlich auf Raumschiffe umgestiegen, doch wir wissen immer noch nicht, wohin die Reise gehen soll. Wir haben größere Macht als je zuvor, aber wir haben noch immer keine Ahnung, was wir damit anfangen wollen. Schlimmer noch, die Menschheit scheint verantwortungsloser denn je. Wir sind Self-made-Götter, die nur noch den Gesetzen der Physik gehorchen und niemandem Rechenschaft schuldig sind. Und so richten wir unter unseren Mitlebewesen und der Umwelt Chaos und Vernichtung an, interessieren uns nur für unsere eigenen Annehmlichkeiten und unsere Unterhaltung und finden doch nie Zufriedenheit.

Gibt es etwas Gefährlicheres als unzufriedene und verantwortungslose Götter, die nicht wissen, was sie wollen?

Karten

Abbildungen

1. Felszeichnung aus der Chauvet-Höhle in Südfrankreich. © AFP/Getty Images München
2. Moderne Rekonstruktionen des *Homo rudolfensis, Homo erectus und Homo neanderthalensis.* © Regis Bossu/Sygma Corbis
3. Spekulative Rekonstruktion eines Neandertalerkindes. © Anthropologisches Institut und Museum, Universität Zürich
4. Elfenbeinfigur eines »Löwenmenschen« aus der Stadel-Höhle am Hohenstein in der Schwäbischen Alb. Foto: Thomas Stephan, © Ulmer Museum/Foto: Thomas Stephan
5. Der Peugeot-Löwe. Foto: Itzik Yahav
6. Ein 12 000 Jahre altes Grab aus dem Norden Israels mit dem Skelett einer etwa fünfzig Jahre alten Frau neben dem eines Hundewelpen. © The Prehistoric Man Museum, Kibbutz Ma'ayan Baruch
7. Ausschnitt einer 15 000 bis 20 000 Jahre alten Zeichnung aus der Lascaux-Höhle. © Corbis
8. Jäger und Sammler hinterließen diese Abdrücke vor rund 9000 Jahren in der »Höhle der Hände« in Argentinien. © Hubert Stadler/Corbis
9. Wandgemälde aus einem ägyptischen Grab, entstanden 1500 Jahre vor unserer Zeitrechnung. © The Gallery Collection Corbis
10. Die Überreste eines monumentalen Bauwerks auf dem Göbekli Tepe. © Deutsches Archäologisches Institut
11. Zeichnung aus einem ägyptischen Grab, zirka 1200 vor unserer Zeitrechnung: Ein Ochsengespann pflügt einen Acker. © Charles & Josette Lenars/Corbis
12. Ein modernes Kalb. © Anonymous for Animal Rights, Israel
13. Ein Tontäfelchen mit einem Verwaltungstext aus der Stadt Uruk, zirka 3400 bis 3000 v. u. Z. © The Schøyen Collection, Oslo, London, MS1717/www.schoyencollection.com
14. Ein Quipu aus den Anden (12. Jahrhundert). © The Schøyen Collection, Oslo, London/MS718/www.schoyencollection.com
15. Männlichkeit im 18. Jahrhundert. Ein offizielles Porträt von König Ludwig XIV. von Frankreich. © Réunion des musées nationaux/Gérard Blot/BPK
16. Männlichkeit im 21. Jahrhundert. Ein offizielles Porträt von Barack Obama, Präsident der Vereinigten Staaten. © Peter Sousa/White House/Handout/The White House/Corbis

17. Pilger umrunden die Kaaba in Mekka. © Kazuyoshi Nomachi/Corbis
18. Eine lydische Münze, die etwa um das Jahr 600 v. u. Z. geprägt wurde. © Classical Numismatic Group, Inc.
19. Der Chhatrapati Shivaji-Terminus von Mumbai, der seine Existenz als Victoria-Terminus in Bombay begann. © Wikipedia/fish-bone
20. Das Taj Mahal. © Guy Gelbgisser Asia Tours
21. Ein nationalsozialistisches Propagandaposter. © Bildarchiv Preussischer Kulturbesitz
22. Nationalsozialische Zeichnung (1933). *Kladderadatsch* 49 (1933), S. 7, Foto: Boaz Neumann
23. Alamogordo, 16. Juli 1945, 05:29:53, acht Sekunden nach der Zündung der ersten Atombombe. © Corbis
24. Eine europäische Weltkarte aus dem Jahr 1459. © The British Library Board, Shelfmark Add. 11267 s. Text
25. Die Salviati-Karte aus dem Jahr 1525. © Firenze, Biblioteca Medicea Laurenziana, Ms. Med. Palat. 249 (mappa Salviati)
26. Küken auf dem Fließband eines industriellen Legebetriebs. © Anonymous for Animal Rights, Israel
27. Harlows Äffchen. Visualphotos.com. The Harlow Experiment. © Photo Researchers/Agentur Focus
28. Eine Maus, auf deren Rücken Wissenschaftler aus Knorpelzellen ein »Ohr« wachsen ließen. © Charles Vacanti
29. Jesse Sullivan und Claudia Mitchell geben sich die Hand. © Win McNamee/Getty Images News/Getty Images

Anmerkungen

Kapitel 1

1 Ann Gibbons, »Food for Thought: Did the First Cooked Meals Help Fuel the Dramatic Evolutionary Expansion of the Human Brain?«, *Science* 316:5831 (2007), S. 1558–1560.

Kapitel 2

1 Robin Dunbar, *Klatsch und Tratsch: Wie der Mensch zur Sprache fand* (München: Bertelsmann, 1998).
2 Michael L. Wilson und Richard W. Wrangham, »Intergroup Relations in Chimpanzees«, *Annual Review of Anthropology* 32 (2003), S. 363–392; M. McFarland Symington, »Fission-Fusion Social Organization in *Ateles* and *Pan*«, *International Journal of Primatology*, 11:1 (1990), S. 49; Colin A. Chapman und Lauren J. Chapman, »Determinants of Groups Size in Primates: The Importance of Travel Costs«, in *On the Move: How and Why Animals Travel in Groups*, hrg. v. Sue Boinsky und Paul A. Garber (Chicago: University of Chicago Press, 2000), S. 26.
3 Dunbar, *Klatsch und Tratsch*; Leslie C. Aiello und R. I. M. Dunbar, »Neocortex Size, Group Size, and the Evolution of Language«, *Current Anthropology* 34:2 (1993), S. 189. Eine Kritik dieses Ansatzes finden Sie in Christopher McCarthy u. a., »Comparing Two Methods for Estimating Network Size«, *Human Organization* 60:1 (2001), S. 32; R. A. Hill und R. I. M. Dunbar, »Social Network Size in Humans«, *Human Nature* 14:1 (2003), S. 65.
4 Yvette Taborin, »Shells of the French Aurignacian and Perigordian«, in *Before Lascaux: The Complete Record of the Early Upper Paleolithic*, hrg. v. Heidi Knecht, Anne Pike-Tay und Randall White (Boca Raton: CRC Press, 1993), S. 211–28.
5 G. R. Summerhayes, »Application of PIXE-PIGME to Archaeological Analysis of Changing Patterns of Obsidian Use in West New Britain, Papua New Guinea«, in *Archaeological Obsidian Studies: Method and Theory*, hrg. v. Steven M. Shackley (New York: Plenum Press, 1998), S. 129–58.

Kapitel 3

1   Christopher Ryan und Cacilda Jethá, *Sex at Dawn: The Prehistoric Origins of Modern Sexuality* (New York: Harper, 2010).

2   Noel G. Butlin, *Economics and the Dreamtime: A Hypothetical History* (Cambridge: Cambridge University Press, 1993), S. 98–101; Richard Broome, *Aboriginal Australians* (Sydney: Allen & Unwin, 2002), S. 15; William Howell Edwards, *An Introduction to Aboriginal Societies* (Wentworth Falls, N.S.W.: Social Science Press, 1988), S. 52.

3   Fekri A. Hassan, *Demographic Archaeology* (New York: Academic Press, 1981), S. 196–99; Lewis Robert Binford, *Constructing Frames of Reference: An Analytical Method for Archaeological Theory Building Using Hunter Gatherer and Environmental Data Sets* (Berkeley: University of California Press, 2001), S. 143.

4   Paul Seabright, *The Company of Strangers: A Natural History of Economic Life* (Princeton: Princeton University Press, 2004), 261 n. 2; M. Henneberg und M. Steyn, »Trends in Cranial Capacity and Cranial Index in Subsaharan Africa During the Holocene«, *American Journal of Human Biology* 5:4 (1993): S. 473–79.

5   Nicholas G. Blurton Jones u. a., »Antiquity of Postreproductive Life: Are There Modern Impact on Hunter-Gatherer Postreproductive Life Spans?«, *American Journal of Human Biology* 14 (2002), S. 184–205.

6   Kim Hill und A. Magdalena Hurtado, *Aché Life History: The Ecology and Demography of a Foraging People* (New York: Aldine de Gruyter, 1996), 164, 236.

7   Hill and Hurtado, *Aché Life History*, S. 78.

8   Vincenzo Formicola und Alexandra P. Buzhilova, »Double Child Burial from Sunghir (Russia): Pathology and Inferences for Upper Paleolithic Funerary Practices«, *American Journal of Physical Anthropology* 124:3 (2004), S. 189–98; Giacomo Giacobini, »Richness and Diversity of Burial Rituals in the Upper Paleolithic«, *Diogenes* 54:2 (2007), S. 19–39.

9   I. J. N. Thorpe, »Anthropology, Archaeology, and the Origin of Warfare«, *World Archaology* 35:1 (2003), S. 145–65; Raymond C. Kelly, *Warless Societies and the Origin of War* (Ann Arbor: University of Michigan Press, 2000); Azar Gat, *War in Human Civilization* (Oxford: Oxford University Press, 2006); Lawrence H. Keeley, *War before Civilization: The Myth of the Peaceful Savage* (Oxford: Oxford University Press, 1996); Slavomil Vencl, »Stone Age Warfare«, in *Ancient Warfare: Archaeological Perspectives*, hrg. v. John Carman und Anthony Harding (Stroud: Sutton Publishing, 1999), S. 57–73.

Kapitel 4

1 James F. O'Connel und Jim Allen, »Pre-LGM Sahul (Pleistocene Australia – New Guinea) and the Archeology of Early Modern Humans«, in *Rethinking the Human Revolution: New Behavioural and Biological Perspectives on the Origin and Dispersal of Modern Humans,* hrg. v. Paul Mellars, Ofer Bar-Yosef, Katie Boyle (Cambridge: McDonald Institute for Archaeological Research, 2007), S. 395–410; James F. O'Connel und Jim Allen, »When Did Humans First Arrive in Greater Australia and Why Is It Important to Know?«, *Evolutionary Anthropology,* 6:4 (1998), S. 132–46; James F. O'Connel und Jim Allen, »Dating the Colonization of Sahul (Pleistocene Australia – New Guinea): A Review of Recent Research«, *Journal of Radiological Science* 31:6 (2004), S. 835–53; Jon M. Erlandson, »Anatomically Modern Humans, Maritime Voyaging, and the Pleistocene Colonization of the Americas«, in *The First Americans: the Pleistocene Colonization of the New World,* hrg. v. Nina G. Jablonski (San Francisco: University of California Press, 2002), S. 59–60, 63–64; Jon M. Erlandson und Torben C. Rick, »Archeology Meets Marine Ecology: The Antiquity of Maritime Cultures and Human Impacts on Marine Fisheries and Ecosystems«, *Annual Review of Marine Science* 2 (2010), S. 231–51; Atholl Anderson, »Slow Boats from China: Issues in the Prehistory of Indo-China Seafaring«, *Modern Quaternary Research in Southeast Asia,* 16 (2000), S. 13–50; Robert G. Bednarik, »Maritime Navigation in the Lower and Middle Paleolithic«, *Earth and Planetary Sciences* 328 (1999), S. 559–60; Robert G. Bednarik, »Seafaring in the Pleistocene«, *Cambridge Archaeological Journal* 13:1 (2003), S. 41–66.
2 Timothy Flannery, *The Future Eaters: An Ecological History of the Australasian Lands and Peoples* (Port Melbourne, Vic.: Reed Books Australia, 1994); Anthony D. Barnosky u. a., »Assessing the Causes of Late Pleistocene Extinctions on the Continents«, *Science* 306:5693 (2004): S. 70–75; Bary W. Brook und David M. J. S. Bowman, »The Uncertain Blitzkrieg of Pleistocene Megafauna«, *Journal of Biogeography* 31:4 (2004), S. 517–23; Gifford H. Miller u. a., »Ecosystem Collapse in Pleistocene Australia and a Human Role in Megafaunal Extinction«, *Science* 309:5732 (2005), S. 287–90; Richard G. Roberts u. a., »New Ages for the Last Australian Megafauna: Continent Wide Extinction about 46,000 Years Ago«, *Science* 292:5523 (2001), S. 1888–92.
3 Stephen Wroe und Judith Field, »A Review of Evidence for a Human Role in the Extinction of Australian Megafauna and an Alternative Explanation«, *Quaternary Science Reviews* 25:21–22 (2006), S. 2692–2703; Barry W. Brooks u. a., »Would the Australian Megafauna Have Become Extinct If Humans Had Never Colonised the Continent? Comments on ›A Review

of the Evidence for a Human Role in the Extinction of Australian Mega-fauna and an Alternative Explanation‹ by S. Wroe and J. Field«, *Quaternary Science Reviews* 26:3-4 (2007), S. 560–564; Chris S. M. Turney u. a., »Late-Surviving Megafauna in Tasmania, Australia, Implicate Human Involvement in their Extinction«, *Proceedings of the National Academy of Sciences* 105:34 (2008), S. 12150–53.

4 John Alroy, »A Multispecies Overkill Simulation of the End-Pleistocene Megafaunal Mass Extinction«, *Science*, 292:5523 (2001), S. 1893–96; O'Connel und Allen, »Pre-LGM Sahul«, S. 400–1.

5 L.H. Keeley, »Proto-Agricultural Practices Among Hunter-Gatherers: A Cross-Cultural Survey«, in *Last Hunters, First Farmers: New Perspectives on the Prehistoric Transition to Agriculture*, hrg. v. T. Douglas Price und Anne Birgitte Gebauer (Santa Fe, N.M.: School of American Research Press, 1995), S. 243–72; R. Jones, »Firestick Farming«, *Australian Natural History* 16 (1969), S. 224–28.

6 David J. Meltzer, *First Peoples in a New World: Colonizing Ice Age America* (Berkeley: University of California Press, 2009).

7 Paul L. Koch und Anthony D. Barnosky, »Late Quaternary Extinctions: State of the Debate«, *The Annual Review of Ecology, Evolution, and Systematics* 37 (2006), S. 215–50; Anthony D. Barnosky u. a., »Assessing the Causes of Late Pleistocene Extinctions on the Continents«, S. 70–5.

Kapitel 5

1 Die Karte basiert vor allem auf Peter Bellwood, *First Farmers: The Origins of Agricultural Societies* (Malden: Blackwell Pub., 2005).

2 Azar Gat, *War in Human Civilization* (Oxford: Oxford University Press, 2006), 130–131.

3 Katherine A. Spielmann, »A Review: Dietary Restriction on Hunter-Gatherer Women and the Implications for Fertility and Infant Mortality«, *Human Ecology* 17:3 (1989), S. 321–45. Siehe auch: Bruce Winterhalder und Eric Alder Smith, »Analyzing Adaptive Strategies: Human Behavioral Ecology at Twenty Five«, *Evolutionary Anthropology* 9:2 (2000), S. 51–72.

4 Alain Bideau, Bertrand Desjardins und Hector Perez-Brignoli (Hrg.), *Infant and Child Mortality in the Past* (Oxford: Clarendon Press, 1997); Edward Anthony Wrigley u. a., *English Population History from Family Reconstitution, 1580-1837* (Cambridge: Cambridge University Press, 1997), S. 295–96, 303.

5 Manfred Heun u. a., »Site of Einkorn Wheat Domestication Identified by DNA Fingerprints«, *Science* 278:5341 (1997), S. 1312–14.

6 Charles Patterson, *Eternal Treblinka: Our Treatment of Animals and the*

Holocaust (New York: Lantern Books, 2002), S. 9–10; Peter J. Ucko und G.W. Dimbleby (Hrg.), *The Domestication and Exploitation of Plants and Animals* (London: Duckworth, 1969), S. 259.

7 Avi Pinkas (Hrg.), *Farmyard Animals in Israel – Research, Humanism and Activity* (Rishon Le-Ziyyon: The Association for Farmyard Animals, 2009 [Hebräisch]), S. 169–199; »Milk Production – the Cow« [Hebräisch], The Dairy Council, abgerufen am 22. März 2012, http://www.milk.org.il/cgi-webaxy/sal/sal.pl?lang=he&ID=645657_milk&act=show&dbid=katavot&dataid=cow.htm

8 Edward Evan Evans-Pritchard, *The Nuer: A Description of the Modes of Livelihood and Political Institutions of a Nilotic People* (Oxford: Oxford University Press, 1969); E.C. Amoroso und P.A. Jewell, »The Exploitation of the Milk-Ejection Reflex by Primitive People«, in *Man and Cattle: Proceedings of the Symposium on Domestication at the Royal Anthropological Institute, 24–26 May 1960*, hrg. v. A.E. Mourant und F.E. Zeuner (London: The Royal Anthropological Institute, 1963), S. 129–34.

9 Johannes Nicolaisen, *Ecology and Culture of the Pastoral Tuareg* (Kopenhagen: National Museum, 1963), S. 63.

Kapitel 6

1 Angus Maddison, *The World Economy*, Band 2 (Paris: Development Centre of the Organization of Economic Co-operation and Development, 2006), S. 636; »Historical Estimates of World Population«, U.S. Census Bureau, Stand: 10. Dezember 2010, http://www.census.gov/ipc/www/worldhis.html.

2 Robert B. Mark, *The Origins of the Modern World: A Global and Ecological Narrative* (Lanham, MD: Rowman & Littlefield Publishers, 2002), S. 24.

3 Raymond Westbrook, »Old Babylonian Period«, in *A History of Ancient Near Eastern Law*, Band 1, hrg. v. Raymond Westbrook (Leiden: Brill, 2003), S. 361–430; Martha T. Roth, *Law Collections from Mesopotamia and Asia Minor*, 2. Ausgabe (Atlanta: Scholars Press, 1997), S. 71–142; M. E. J. Richardson, *Hammurabi's Laws: Text, Translation and Glossary* (London: T & T Clark International, 2000).

4 Roth, *Law Collections from Mesopotamia*, S. 76. Deutsches Zitat: Hugo Winckler: *Die Gesetze Hammurabis, Königs von Babylon, um 2250 v. Chr.: Das älteste Gesetzbuch der Welt.* (Leipzig: J. C. Hinrichs, 1902), S. 3.

5 Roth, *Law Collections from Mesopotamia*, S. 121. Deutsches Zitat: Hugo Gressmann, *Altorientalische Texte zum Alten Testament*, (Berlin: de Gruyter, 1926), S. 380 ff. http://www.koeblergerhard.de/Fontes/CodexHammurapi_de.htm.

6 Roth, *Law Collections from Mesopotamia*, S. 122–23. Deutsches Zitat: Hugo Gressmann, *Altorientalische Texte zum Alten Testament.*

7 Roth, *Law Collections from Mesopotamia*, S. 133–34. Deutsches Zitat: Hugo Gressmann, *Altorientalische Texte zum Alten Testament.*

8 Constance Brittaine Bouchard, *Strong of Body, Brave and Noble: Chivalry and Society in Medieval France* (New York: Cornell University Press, 1998), S. 99; Mary Martin McLaughlin, »Survivors and Surrogates: Children and Parents from the Ninth to Thirteenth Centuries«, in *Medieval Families: Perspectives on Marriage, Household and Children*, hrg. v. Carol Neel (Toronto: University of Toronto Press, 2004), S. 81 Anm. 81; Lise E. Hull, *Britain's Medieval Castles* (Westport: Praeger, 2006), S. 144.

Kapitel 7

1 Andrew Robinson, *The Story of Writing* (New York: Thames and Hudson, 1995), S. 63; Hans J. Nissen, Peter Damerow und Robert K. Englung, *Archaic Bookkeeping: Writing and Techniques of Economic Administration in the Ancient Near East* (Chicago, London: The University of Chicago Press, 1993), S. 36.

2 Marcia und Robert Ascher, *Mathematics of the Incas-Code of the Quipu* (New York: Dover Publications, 1981).

3 Gary Urton. *Signs of the Inka Khipu* (Austin: University of Texas Press, 2003); Galen Brokaw. *A History of the Khipu* (Cambridge: Cambridge University Press, 2010).

4 Stephen D. Houston (Hrg.), *The First Writing: Script Invention as History and Process* (Cambridge: Cambridge University Press, 2004), S. 222.

Kapitel 8

1 Sheldon Pollock, »Axialism and Empire«, in *Axial Civilizations and World History*, hrg. v. Johann P. Arnason, S. N. Eisenstadt und Björn Wittrock (Leiden: Brill, 2005), S. 397–451.

2 Harold M. Tanner, *China: A History* (Indianapolis: Hackett, 2009), S. 34.

3 Ramesh Chandra, *Identity and Genesis of Caste System in India* (Delhi: Kalpaz Publications, 2005); Michael Bamshad u. a., »Genetic Evidence on the Origins of Indian Caste Population«, *Genome Research* 11 (2001): S. 904–1004; Susan Bayly, *Caste, Society and Politics in India from the Eighteenth Century to the Modern Age* (Cambridge: Cambridge University Press, 1999).

4 Houston, *First Writing*, S. 196.

5 Der Generalsekretär der Vereinten Nationen, *Report of the Secretary-General on the In-depth Study on All Forms of Violence Against Women,* Bericht für die Generalversammlung der Vereinten Nationen. Doc. A/16/122/Add.1 (6. Juli 2006), S. 89.

6 Sue Blundell, *Women in Ancient Greece* (Cambridge, Mass.: Harvard University Press, 1995), S. 113–29, 132–33.

Kapitel 10

1 Francisco López de Gómara, *Historia de la Conquista de Mexico,* Bd. 1, hrg. v. D. Joaquin Ramirez Cabañes (Mexiko-Stadt: Editorial Pedro Robredo, 1943), S. 106.

2 Andrew M. Watson, »Back to Gold – and Silver«, *Economic History Review* 20:1 (1967), S. 11–12; Jasim Alubudi, *Repertorio Bibliográfico del Islam* (Madrid: Vision Libros, 2003), S. 194.

3 Watson, »Back to Gold – and Silver«, S. 17–18.

4 David Graeber, *Debt: The First 5,000 Years* (Brooklyn, N.Y.: Melville House, 2011). Deutsche Ausgabe: *Schulden* (Stuttgart: Klett-Cotta, 2012).

5 Glyn Davies, *A History of Money: from Ancient Times to the Present Day* (Cardiff: University of Wales Press, 1994), S. 15.

6 Szymon Laks, *Music of Another World,* übers. v. Chester A. Kisiel (Evanston, Ill.: Northwestern University Press, 1989), S. 88–89. Der »Markt« des Vernichtungslagers Auschwitz war auf bestimmte Klassen von Gefangenen beschränkt und die Bedingungen änderten sich im Laufe der Zeit drastisch.

7 Niall Ferguson, *The Ascent of Money* (New York: The Penguin Press, 2008), S. 4. Deutsche Ausgabe: *Der Aufstieg des Geldes: Die Währung der Geschichte* (Berlin: Econ, 2009).

8 Die Information zum Gerstengeld habe ich einer unveröffentlichten Doktorarbeit entnommen: Refael Benvenisti, *Economic Institutions of Ancient Assyrian Trade in the Twentieth to Eighteenth Centuries BC* (Hebrew University of Jerusalem, unveröffentlichte Doktorarbeit, 2011). Siehe auch Norman Yoffee, »The Economy of Ancient Western Asia«, in *Civilizations of the Ancient Near East,* Bd. 1, hrg. v. J. M. Sasson (New York: C. Scribner's Sons, 1995), S. 1387–99; R. K. Englund, »Proto-Cuneiform Account-Books and Journals«, in *Creating Economic Order: Record-keeping, Standardization, and the Development of Accounting in the Ancient Near East,* hrg. v. Michael Hudson und Cornelia Wunsch (Bethesda, MD: CDL Press, 2004), S. 21–46; Marvin A. Powell, »A Contribution to the History of Money in Mesopotamia prior to the Invention of Coinage«, in *Festschrift Lubor Matouš,* hrg. v. B. Hruška und G. Komoróczy (Budapest: Eötvös Loránd

Tudományegyetem, 1978), S. 211–43; Marvin A. Powell, »Money in Mesopotamia«, *Journal of the Economic and Social History of the Orient,* 39:3
(1996), S. 224–42; John F. Robertson, »The Social and Economic Organization of Ancient Mesopotamian Temples«, in *Civilizations of the Ancient
Near East,* Bd. 1, hrg. v. Sasson, S. 443–500; M. Silver, »Modern Ancients«,
in *Commerce and Monetary Systems in the Ancient World: Means of Trans-
mission and Cultural Interaction,* hrg. v. R. Rollinger und U. Christoph
(Stuttgart: Steiner, 2004), S. 65–87; Daniel C. Snell, »Methods of Exchange
and Coinage in Ancient Western Asia«, in *Civilizations of the Ancient
Near East,* Bd. 1, hrg. v. Sasson, S. 1487–97.

Kapitel 11

1 Nahum Megged, *The Aztecs* (Tel Aviv: Dvir, 1999), S. 103.
2 Tacitus, *Agricola,* Kap. 30 (Cambridge, Mass.: Harvard University Press,
   1958), S. 220–21.
3 A. Fienup-Riordan, *The Nelson Island Eskimo: Social Structure and Ritual
   Distribution* (Anchorage: Alaska Pacific University Press, 1983), S. 10.
4 Yuri Pines, »Nation States, Globalization and a United Empire – the Chi-
   nese Experience (third to fifth centuries BC)«, *Historia* 15 (1995), S. 54.
5 Alexander Yakobson, »Us and Them: Empire, Memory and Identity
   in Claudius' Speech on Bringing Gauls into the Roman Senate«, in *On
   Memory: An Interdisciplinary Approach*, hrg. v. Doron Mendels (Oxford:
   Peter Land, 2007), S. 23–24.

Kapitel 12

1 W.H.C. Frend, *Martyrdom and Persecution in the Early Church* (Cambridge: James Clarke & Co., 2008), S. 536–37
2 Robert Jean Knecht, *The Rise and Fall of Renaissance France, 1483–1610*
   (London: Fontana Press, 1996), S. 424.
3 Marie Harm und Hermann Wiehle, *Lebenskunde für Mittelschulen – Fünf-
   tes Heft. Klasse 5 für Jungen* (Halle: Hermann Schroedel Verlag, 1942),
   S. 152–57.

Kapitel 13

1 Susan Blackmore, *The Meme Machine* (Oxford: Oxford University Press,
   1999).

Kapitel 14

1 David Christian, *Maps of Time: An Introduction to Big History* (Berkeley: University of California Press, 2004), S. 344–45; Angus Maddison, *The World Economy*, Bd. 2 (Paris: Development Centre of the Organization of Economic Co-operation and Development, 2001), S. 636; »Historical Estimates of World Population«, U.S. Census Bureau, abgefragt am 10. Dezember 2010, http://www.census.gov/ipc/www/worldhis.html

2 Maddison, *The World Economy*, Bd. 1, S. 261.

3 »Gross Domestic Product 2009«, The World Bank, Data and Statistics, abgefragt am 10. Dezember 2010, http://siteresources.worldbank.org/DATASTATISTICS/Resources/GDP.pdf

4 Christian, *Maps of Time*, S. 141.

5 Die größten Containerschiffe von heute fassen rund 100 000 Tonnen. Im Jahr 1470 konnten sämtliche Flotten der Welt zusammengenommen nicht mehr als 320 000 Tonnen transportieren. Bis zum Jahr 1570 war die Kapazität auf 730 000 Tonnen gestiegen (Maddison, *The World Economy*, Bd. 1, S. 97).

6 Die größte Bank der Welt – die Royal Bank of Scotland – hatte im Jahr 2007 Einlagen im Wert von 1,3 Billionen US-Dollar. Das ist das Fünffache des Weltinlandsprodukts des Jahres 1500. Siehe »Annual Report and Accounts 2008«, The Royal Bank of Scotland, 35, abgefragt am 10. Dezember 2010, http://files.shareholder.com/downloads/RBS/626570033x0x278481/eb7a003a-5c9b-41ef-bad3-81fb98a6c823/RBS_GRA_2008_09_03_09.pdf

7 Ferguson, *Ascent of Money*, S. 185–98.

8 Jennie B. Dorman u. a., »The *age-1* and *daf-2* Genes Function in a Common Pathway to Control the Lifespan of *Caenorhabditis elegans*«, *Genetics* 141:4 (1995), S. 1399–1406; Koen Houthoofd u. a., »Life Extension via Dietary Restriction is Independent of the Ins/IGF-1 Signaling Pathway in *Caenorhabditis elegans*«, *Experimental Gerontology* 38:9 (2003), S. 947–54.

9 Maddison, *The World Economy*, Bd. 1, S. 31; Wrigley, *English Population History*, S. 295; Christian, *Maps of Time*, S. 450 und 452; »World Health Statistic Report 2009«, S. 35–45, World Health Organization, abgefragt am 10. Dezember 2010 http://www.who.int/whosis/whostat/EN_WHS09_Full.pdf.

10 Wrigley, *English Population History*, S. 296.

11 »England, Interim Life Tables, 1980–82 to 2007–09«, Office for National Statistics, abgefragt am 22. März 2012 http://www.ons.gov.uk/ons/publications/re-reference-tables.html?edition=tcm%3A77-61850

12 Michael Prestwich, *Edward I* (Berkley: University of California Press, 1988), S. 125–26.

Kapitel 15

1 Stephen R. Bown, *Scurvy: How a Surgeon, a Mariner, and a Gentleman Solved the Greatest Medical Mystery of the Age of Sail* (New York: Thomas Dunne Books, St. Matin's Press, 2004); Kenneth John Carpenter, *The History of Scurvy and Vitamin C* (Cambridge: Cambridge University Press, 1986).

2 James Cook, *The Explorations of Captain James Cook in the Pacific, as Told by Selections of his Own Journals 1768–1779*, hrg. v. Archibald Grenfell Price (New York: Dover Publications, 1971), S. 16–17; Gananath Obeyesekere, *The Apotheosis of Captain Cook: European Mythmaking in the Pacific* (Princeton: Princeton University Press, 1992), S. 5; J. C. Beaglehole (Hrg.), *The Journals of Captain James Cook on His Voyages of Discovery*, Bd. 1 (Cambridge: Cambridge University Press, 1968), S. 588.

3 Heute leben in Tasmanien und an anderen Orten tausende Menschen, deren Vorfahren tasmanische Aborigines sind, insbesondere die Palawa und Lia Pootah.

4 Mark, *Origins of the Modern World*, S. 81.

5 Christian, *Maps of Time*, S. 436.

6 John Darwin, *After Tamerlane: The Global History of Empire since 1405* (London: Allen Lane, 2007), S. 239.

7 Soli Shahvar, »Railroads i. The First Railroad Built and Operated in Persia«, Online-Ausgabe der *Encyclopaedia Iranica*, Stand 7. April 2008, http://www.iranicaonline.org/articles/railroads-i; Charles Issawi, »The Iranian Economy 1925–1975: Fifty Years of Economic Development«, in *Iran under the Pahlavis*, hrg. v. George Lenczowski (Stanford: Hoover Institution Press, 1978), S. 156.

8 Mark, *The Origins of the Modern World*, S. 46.

9 Kirkpatrik Sale, *Christopher Columbus and the Conquest of Paradise* (London: Tauris Parke paperbacks, 2006), S. 7–13.

10 Edward M. Spiers, *The Army and Society: 1815–1914* (London: Longman, 1980), S. 121; Robin Moore, »Imperial India, 1858–1914«, in *The Oxford History of the British Empire: The Nineteenth Century*, Bd. 3, hrg. v. Andrew Porter (New York: Oxford University Press, 1999), S. 442.

11 Vinita Damodaran, »Famine in Bengal: A Comparison of the 1770 Famine in Bengal and the 1897 Famine in Chotanagpur«, *The Medieval History Journal* 10:1-2 (2007), S. 151.

Kapitel 16

1 Maddison, *World Economy*, Bd. 1, S. 261, 264; »Gross National Income Per Capita 2009, Atlas Method and PPP«, The World Bank, abgerufen am 10. Dezember 2010, http://siteresources.worldbank.org/DATASTATIS-TICS/Resources/GNIPC.pdf.

2 Die Kalkulation meiner Bäckerei ist zugegeben etwas ungenau. Da Banken für jeden Euro, den sie besitzen, zehn Euro verleihen dürfen, kann die Bank von der Million nur 909 000 verleihen und behält 91 000 im Tresor. Aber um mir und Ihnen das Leben zu erleichtern, verwende ich runde Zahlen. Außerdem nahmen es die Banken mit den Regeln ja auch nicht so genau.

3 Carl Trocki, *Opium, Empire and the Global Political Economy* (New York: Routledge, 1999), S. 91.

4 Georges Nzongola-Ntalaja, *The Congo from Leopold to Kabila: A People's History* (London: Zed Books, 2002), S. 22.

Kapitel 17

1 Mark, *Origins of the Modern World*, S. 109.

2 Nathan S. Lewis und Daniel G. Nocera, »Powering the Planet: Chemical Challenges in Solar Energy Utilization«, *Proceedings of the National Academy of Sciences* 103:43 (2006), S. 15731.

3 Kazuhisa Miyamoto (Hrg.), »Renewable Biological Systems for Alternative Sustainable Energy Production«, *FAO Agricultural Services Bulletin* 128 (Osaka: Osaka University, 1997), Kapitel 2.1.1, abgerufen am 10. Dezember 2010, http://www.fao.org/docrep/W7241E/w7241e06.htm#2.1.1%20 solar%20energy; James Barber, »Biological Solar Energy«, *Philosophical Transactions of the Royal Society A* 365:1853 (2007), S. 1007.

4 »International Energy Outlook 2010«, U.S. Energy Information Administration, 9, abgerufen am 10. Dezember 2010, http://www.eia.doe.gov/oiaf/ieo/pdf/0484(2010).pdf.

5 S. Venetsky, »›Silver‹ from Clay«, *Metallurgist* 13:7 (1969), S. 451; Fred Aftalion, *A History of the International Chemical Industry* (Philadelphia: University of Pennsylvania Press, 1991), S. 64; A. J. Downs, *Chemistry of Aluminum, Gallium, Indium and Thallium* (Glasgow: Blackie Academic & Professional, 1993), S. 15.

6 Jan Willem Erisman u. a., »How a Century of Ammonia Synthesis Changed the World«, *Nature Geoscience* 1 (2008), S. 637.

7 Diese und andere Experimente und Beobachtungen finden Sie in Marc

Bekoff und Jessica Pierce, *Wild Justice: The Moral Lives of Animals* (Chicago: University of Chicago Press, 2009).

8 National Institute of Food and Agriculture, United States Department of Agriculture, abgefragt am 10. Dezember 2010, http://www.csrees.usda.gov/qlinks/extension.html.

Kapitel 18

1 Vaclav Smil, *The Earth's Biosphere: Evolution, Dynamics, and Change* (Cambridge, Mass.: MIT Press, 2002); Sarah Catherine Walpole u. a., »The Weight of Nations: An Estimation of Adult Human Biomass«, *BMC Public Health* 12:439 (2012), http://www.biomedcentral.com/1471-2458/12/439.

2 William T. Jackman, *The Development of Transportation in Modern England* (London: Frank Cass & Co., 1966), S. 324–27; H. J. Dyos und D. H. Aldcroft, *British Transport – An Economic Survey from the Seventeenth Century to the Twentieth* (Leicester: Leicester University Press, 1969), S. 124–31; Wolfgang Schivelbusch, *The Railway Journey: The Industrialization of Time and Space in the 19th Century* (Berkeley: Univeristy of California Press, 1986).

3 Eine ausführliche Erörterung der beispiellosen Friedensperiode der vergangenen Jahrzehnte finden Sie zum Beispiel in Steven Pinker, *Gewalt: Eine neue Geschichte der Menschheit* (Frankfurt: S. Fischer, 2011); Joshua S. Goldstein, *Winning the War on War: The Decline of Armed Conflict Worldwide* (New York, N.Y.: Dutton, 2011); Gat, *War in Human Civilization*.

4 »World Report on Violence and Health: Summary, Geneva 2002«, World Health Organization, abgerufen am 10. Dezember 2010, http://www.who.int/whr/2001/en/whro1_annex_en.pdf. Sterblichkeitsraten aus früheren Epochen finden Sie in Lawrence H. Keeley, *War before Civilization: The Myth of the Peaceful Savage* (New York: Oxford University Press, 1996).

5 »World Health Report, 2004«, World Health Organization, S. 124, abgerufen am 10. Dezember 2010, http://www.who.int/whr/2004/en/report04_en.pdf.

6 Raymond C. Kelly, *Warless Societies and the Origin of War* (Ann Arbor: University of Michigan Press, 2000), S. 21. See also Gat, *War in Human Civilization*, S. 129–31; Keeley, *War before Civilization*.

7 Manuel Eisner, »Modernization, Self-Control and Lethal Violence«, *British Journal of Criminology* 41:4 (2001), S. 618–638; Manuel Eisner, »Long-Term Historical Trends in Violent Crime«, *Crime and Justice: A Review of Research* 30 (2003), S. 83–142; »World Report on Violence and Health: Summary, Geneva 2002«, World Health Organization, abgerufen am 10. Dezember 2010, http://www.who.int/whr/2001/en/whro1_annex_en.pdf;

»World Health Report, 2004«, World Health Organization, S. 124, abgerufen am 10. Dezember 2010, http://www.who.int/whr/2004/en/report04_en.pdf.

8 Napoleon Chagnon, *Yanomamo: The Fierce People* (New York: Holt, Rinehart and Winston, 1968); Keeley, *War before Civilization*.

Kapitel 19

1 Wenn Sie sich für die Psychologie und Biochemie des Glücks interessieren, sind die folgenden Bücher und Artikel ein guter Einstieg: Jonathan Haidt, *Die Glückshypothese: Was uns wirklich glücklich macht. Die Quintessenz aus altem Wissen und moderner Glücksforschung* (Kirchzarten: VAK, 2011); Robert Wright, *Diesseits von Gut und Böse: Die biologischen Grundlagen unserer Ethik* (München: Limes, 1996); M. Csikszentmihalyi, »If We Are So Rich, Why Aren't We Happy?«, *American Psychologist* 54:10 (1999): S. 821–27; F. A. Huppert, N. Baylis und B. Keverne (Hrg.), *The Science of Well-Being* (Oxford: Oxford University Press, 2005); Michael Argyle, *The Psychology of Happiness*, 2. Ausgabe (New York: Routledge, 2001); Ed Diener (Hrg.), *Assessing Well-Being: The Collected Works of Ed Diener* (New York: Springer, 2009); Michael Eid und Randy J. Larsen (Hrg.), *The Science of Subjective Well-Being* (New York: Guilford Press, 2008); Richard A. Easterlin (Hrg.), *Happiness in Economics* (Cheltenham: Edward Elgar Pub., 2002); Richard Layard, *Die glückliche Gesellschaft: Kurswechsel für Politik und Wirtschaft* (Frankfurt: Campus, 2005).

2 Kahneman u. a., »A Survey Method for Characterizing Daily Life experience: The Day Reconstruction Method«, *Science* 3 (2004): S. 1776–1780; Inglehart u. a., »Development, Freedom, and Rising Happiness«, S. 278–281.

3 D. M. McMahon, *The Pursuit of Happiness: A History from the Greeks to the Present* (London: Allen Lane, 2006).

Kapitel 20

1 Keith T. Paige u. a., »De Novo Cartilage Generation Using Calcium Alginate-Chondrocyte Constructs«, *Plastic and Reconstructive Surgery* 97:1 (1996), S. 168–78.

2 David Biello, »Bacteria Transformed into Biofuels Refineries«, *Scientific American*, 27. Januar 2010, abgerufen am 10. Dezember 2010, http://www.scientificamerican.com/article.cfm?id=bacteria-transformed-into-biofuel-refineries.

3 Gary Walsh, »Therapeutic Insulins and Their Large-Scale Manufacture«, *Applied Microbiology and Biotechnology* 67:2 (2005), S. 151–59.

4   James G. Wallis u. a., »Expression of a Synthetic Antifreeze Protein in Potato Reduces Electrolyte Release at Freezing Temperatures«, *Plant Molecular Biology* 35:3 (1997), S. 323–30.

5   Robert J. Wall u. a., »Genetically Enhanced Cows Resist Intramammary *Staphylococcus Aureus* Infection«, *Nature Biotechnology* 23:4 (2005), S. 445–51.

6   Liangxue Lai u. a., »Generation of Cloned Transgenic Pigs Rich in Omega-3 Fatty Acids«, *Nature Biotechnology* 24:4 (2006), S. 435–36.

7   Ya-Ping Tang u. a., »Genetic Enhancement of Learning and Memory in Mice«, *Nature* 401 (1999), S. 63–69.

8   Zoe R. Donaldson und Larry J. Young, »Oxytocin, Vasopressin, and the Neurogenetics of Sociality«, *Science* 322:5903 (2008), S. 900–904; Zoe R. Donaldson, »Production of Germline Transgenic Prairie Voles (Microtus Ochrogaster) Using Lentiviral Vectors«, *Biology of Reproduction* 81:6 (2009), S. 1189–1195.

9   Terri Pous, »Siberian Discovery Could Bring Scientists Closer to Cloning Woolly Mammoth«, *Time*, 17. September 2012, abgerufen am 19. Februar 2013.

10 Nicholas Wade, »Scientists in Germany Draft Neanderthal Genome«, *New York Times*, 12. Februar 2009, abgerufen am 10. Dezember 2010, http://www.nytimes.com/2009/02/13/science/13neanderthal.html?_r=2&ref=science; Zack Zorich, »Should We Clone Neanderthals?«, *Archaeology* 63:2 (2009), abgerufen am 10. Dezember 2010, http://www.archaeology.org/1003/etc/neanderthals.html.

11 Robert H. Waterston u. a., »Initial Sequencing and Comparative Analysis of the Mouse Genome«, *Nature* 420:6915 (2002), S. 520.

12 »Hybrid Insect Micro Electromechanical Systems (HI-MEMS)«, Microsystems Technology Office, DARPA, abgerufen am 22. März 2012, http://www.darpa.mil/Our_Work/MTO/Programs/Hybrid_Insect_Micro_Electromechanical_Systems_%28HI-MEMS%29.aspx. Siehe auch: Sally Adee, »Nuclear-Powered Transponder for Cyborg Insect«, *IEEE Spectrum*, Dezember 2009, abgerufen am 10. Dezember 2010, http://spectrum.ieee.org/semiconductors/devices/nuclearpowered-transponder-for-cyborg-insect?utm_source=feedburner&utm_medium=feed&utm_campaign=Feed%3A+IeeeSpectrum+%28IEEE+Spectrum%29&utm_content=Google+Reader; Jessica Marshall, »The Fly Who Bugged Me«, *New Scientist* 197:2646 (2008), S. 40–43; Emily Singer, »Send In the Rescue Rats«, *New Scientist* 183:2466 (2004), S. 21–22; Susan Brown, »Stealth Sharks to Patrol the High Seas«, *New Scientist* 189:2541 (2006), S. 30–31.

13 Bill Christensen, »Military Plans Cyborg Sharks«, *Live Science*, 7. März 2006, abgerufen am 10. Dezember 2010, http://www.livescience.com/technology/060307_shark_implant.html.

14 »Cochlear Implants«, National Institute on Deafness and Other Commu-
    nication Disorders, abgerufen am 22. März 2012, http://www.nidcd.nih.
    gov/health/hearing/pages/coch.aspx.

15 Retina Implant, http://www.retina-implant.de/en/doctors/technology/
    default.aspx.

16 David Brown, »For 1st Woman With Bionic Arm, a New Life Is
    Within Reach«, *The Washington Post*, 14. September 2006, abgerufen am
    10. Dezember 2010, http://www.washingtonpost.com/wp-dyn/content/
    article/2006/09/13/AR2006091302271.html?nav=E8.

17 Miguel Nicolelis, *Beyond Boundaries: The New Neuroscience of Connec-
    ting Brains and Machines – and How It Will Change Our Lives* (New York:
    Times Books, 2011).

18 Chris Berdik, »Turning Thought into Words«, *BU Today*, 15. Oktober 2008,
    abgerufen am 22. März 2012, http://www.bu.edu/today/2008/turning-
    thoughts-into-words.

19 Jonathan Fildes, »Artificial Brain ›10 years away‹«, *BBC News*, 22. Juli 2009,
    abgerufen am 19. September 2012, http://news.bbc.co.uk/2/hi/8164060.stm

20 Radoje Drmanac u. a., »Human Genome Sequencing Using Unchained
    Base Reads on Self-Assembling DNA Nanoarrays«, *Science* 327:5961
    (2010), S. 78–81; Complete Genomics-Website: http://www.completege-
    nomics.com; Rob Waters, »Complete Genomics Gets Gene Sequencing
    under 5000$ (Update 1)«, *Bloomberg*, 5. November 2009, abgerufen am
    10. Dezember 2010; http://www.bloomberg.com/apps/news?pid=newsarc
    hive&sid=aWutnyE4SoWw; Fergus Walsh, »Era of Personalized Medicine
    Awaits«, *BBC News*, 8. April 2009, abgerufen am 22. März 2012, http://
    news.bbc.co.uk/2/hi/health/7954968.stm; Leena Rao, »PayPal Co-Founder
    And Founders Fund Partner Joins DNA Sequencing Firm Halcyon Mole-
    cular«, *TechCrunch*, 24. September 2009, abgerufen am 10. Dezember 2010,
    http://techcrunch.com/2009/09/24/paypal-co-founder-and-founders-
    fund-partner-joins-dna-sequencing-firm-halcyon-molecular.

Was stand am Anfang unserer Welt?

Woher kommt die Materie, die Energie, aus der sich alles entwickelte? Und wann begannen wir, darüber nachzudenken? John Hands fängt ganz von vorne an und zeigt die Grenzen unseres Wissens. Er greift aktuelle Diskussionen der Evolutionsbiologie und Neurogenetik auf, hinterfragt Konzepte wie kosmische Inflation, dunkle Energie und egoistische Gene. Spannend und klar verfolgt er die Entstehung des Lebens und die Entwicklung unseres Bewusstseins zurück, beschäftigt sich mit Sprache, Moral, Glauben und Religion. Er betrachtet den Menschen als soziales Wesen und deckt dabei Muster auf, die uns befähigen, die Zukunft der Evolution zu beeinflussen.

»Hands nimmt an, dass Geist und Materie sich gemeinsam entwickelten. Spannend, die Hegelschen Ideen nun – im Zeitalter des Quantenuniversums – wieder zu hören.«
The Telegraph, Best Science Books

www.pantheon-verlag.de